ストックホルム
コペンハーゲン
デュッセルドルフ
アムステルダム
ケンブリッジ
ダブリン
キルデア
オクスフォード
ロンドン
ハーグ
パリ
ベルリン
プラハ
ウィーン
ワルシャワ
キエフ
ブダペスト
ノビサド
ベオグラード
モスクワ
バルセロナ
ベルン
マドリード
ローマ
アテネ
イスタンブール
テルアビブ
エルサレム
テヘラン
カイロ
デシー
アジスアベバ
デリー
ニューデリー
ダッカ
カルカッタ
パナニコム
プノンペン
バンコク
ホーチミン
クアラルンプール
クチン
ジャカルタ
サマリンダ
バリクパパン
マニラ
北京
重慶
上海
ソウル
プサン
東京

「在外」日本人

柳原和子

晶文社

ブックデザイン　平野甲賀

「在外」日本人　目次

プロローグ

1

アメリカ、わがアメリカ

ジャパン・ビジネス

日本人!?

とりあえず好奇心

女は進む

海を越えた日本文化

成功物語

3

冷戦構造の崩壊

国際機関

戦場の裏側

4

12億の民

「開発途上国」

20世紀の見た夢

5

ヒトの免疫学

生存も環境も

宴のあとに

Anywhere out of the world.
どこへでもよいこの世の外へ

——ボオドレエル「夜の一時に」

世を捨つる人はまことに捨つるかは
捨てぬ人こそ捨つるなりけれ

——西行

「欲しいものは何もない。ただ純な心一つが欲しい。
その心一つを抱いて故郷の土が踏めるなら——」

——中里介山著『大菩薩峠』(流転の巻)

(堀田善衛全集13『評論』より抜粋)

お元気ですか？

東京で、私は忙しいはずなのにいつも退屈でした。

一日はまたたくまに消え、たくさんの人と会っても誰のことも思い出せないうつろな日々。

今、アマゾン上空です。空から見る森は微動だにしません。

昨日まで夢中で原生林を歩き回っていました。一足歩むごとに森の賑々しさにおどろきました。

一本の樹、虫の息、蜘蛛の糸の輝き、コウモリの昼寝、蟻の群れ、落ち葉を食む微生物――あらゆる生きものが、僕はここにいる、と自己主張していたのです。

一瞬一瞬、微妙に表情をかえていく森の一日は信じられないほど長かった。陽光はひそやかに時を刻みます。虫一匹を眺めていただけなのに、旅立つ前の私には一生かかったとしても得られないほどの感動を手にしました。

数に寄りそい、かたちにこだわるこれまでの欲張りな生き方は、森の力の前で白々と色褪せていきます。そこでは、一枚の葉、虫、微生物が人とまったく等価な存在だったのです。

旅にでてよかった。見失いかけていた旧友、あなたとのかけがえのない友情を再発見することができました。

やなぎはらかずこ

プロローグ

空飛ぶ板前

ペルーに恩返しするのさ

リマ／板前

小西紀郎（40歳・在外15年）

中南米の星になりたい！　そう思ってここにきたね。素手で星をつかんでみせる。俺は中卒さ。俺の世界じゃ学歴なんて関係ないもの。

昔、『ボーイズライフ』って雑誌でね、「世界で活躍する日本人」って特集をやってた。ニューヨークのベニハナレストランのロッキー青木と、ペルーの日系人で初めてスペインの闘牛士になったリカルド比嘉が紹介されていた。外国に出るって決心したのはあの中学生の時だったと思う。

大阪の料亭で修業を終えたトシさんは、東京の新宿で鮨を握りはじめた。そしてある時、ペルー日系人の客にリマへ、と誘われた。ギターを抱え、ギンギンのアロハシャツ、サングラスのいでたちで中南米をめぐる包丁渡世がそのとき、始まった。

「空飛ぶ板前」って知ってる？　週刊誌なんかに紹介されたことがあるんだ。あれ、俺のことさ。パナマ、コロンビア、エクアドル、ボリビア……、大きな催しがあるときは俺に電話がかかってくる。「君の鮨が食べたい」ってね。俺は包丁持って飛行機に乗って行く。現地で三日間、まずは材料をさがす。それで日本料理を作る。野菜なんかの飾り細工の包丁さばきを見せながらね。

　このあいだもチリに行ってきたよ。ペルーではほとんど名前を知られたから、これからは、チリにも俺の名前を広めたいって思っている。新聞テレビの取材がすごかったよ。料理の一時間番組もやったし、偶然、革命記念日が重なって、レストランを借りきって「トシ週間」って催しもやった。八四〇人も客が集まってくれたね。

　革命の英雄ピノチェットも俺の細工物を見たいって呼んでくれたよ。目の前で野菜の生け花やってみせた。喜んだね。強烈な存在感のある男だった。独裁者っていう批判もある。邪魔者もずいぶん消してきただろうさ。けれど、彼は実際に国をよくしてきたからね。今、チリは南米で一番安定しているでしょう。あれほど貧乏に喘《あえ》いでいた国が南米で一番豊かな国になったんだ。三二人のボディガードに囲まれて、メルセデスベンツのデカイ奴を三台連ね、どの車に乗っているか、まったくわからないようにしてやってきたよ。周辺の空気がビンビンと音だして緊張してた。とんでもない個性の持ち主だった。中南米の元首は皆、カリスマ性のある人たちだ。

三分刈り、きっぷのいい会話。日系社会はもちろん、路上の闇ドル交換の若者から物売りのインディオまでが「トシ！」と声をかける。ペルーの名士も次々に握手を求める。トシさんはペルー屈指の有名人の一人である。

俺ね、ペルーに来て三日目にはテレビに出演してた。毎週木曜日の『こんにちわ、日本です』って十五分番組でギター片手に歌った。『赤とんぼ』『夕焼けこやけ』とかね……。そうこうしてるうちに日本の化学調味料や調理器のコマーシャルタレントになり、『奥様こんにちわ』って料理番組は四年間ぶっつづけにやったね。一四八種類の日本料理を紹介したよ。地方なんかに行くと、四十畳くらいのでっかい看板に俺の写真が貼ってある。町中に俺の顔があふれてる。友だちなんか「あれは環境汚染だ」って文句言ってるくらいさ（笑い）。

カラオケの全国ツアーもやった。北はエクアドル国境からチリ国境まで七ヵ所でね。人口五万人の町で五、六千人集まるてのショーなんだ。町の十三、四から二十歳の年齢層の若者はほとんど来てるってことさ。とくに田舎はマスコミが発達してないから、スティーブ・マックィーンだろうがトシだろうが同じなのさ。

俺がステージにあがると「トシ！　トシ！」って拍手しながら迎えてくれる。クリーム色のタキシード着て蝶ネクタイしめて……。ステージが終わったときには洟《はな》たれ小僧に触られて、タキシードが茶色に染まってるよ（笑い）。だけどね、それをいやがってはいけない。抱きしめてキスしてあげるんだ。そうすると万雷の拍手さ。スペイン語で「私はペルーが好きだ！」なんて言って投げキッスでもしたら、もうたまらない。

サインなんか大変さ。こきたない紙だけど、名前書くだけじゃ駄目さ。「あなたが大好き。頑張って！　トシより」って一人一人に心をこめた言葉を書く。

映画にも出たの。ペルーでは、やる気さえあれば何だってできる。だからペルーに感謝してるんだ。

インタヴュー三日目、ようやく料理の話が始まった。

俺、味の感覚がいいの。自信過剰で言うわけじゃない。だけどさ、自信のない奴の料理なんか食べたくないでしょ。病気のときだって自信のない医者になんか身をまかせられないよね。料理も同じさ。

ペルーに来てまず何をやったかって？　まず一週間、こっちの水を飲んだよ。とにかく板前はその土地の水に慣れなければばって思ったからさ。板前が下痢したら、お客に失礼だろ。自分のからだをペルーに合わせたんだ。三日くらいでげっそり痩せてしまったけどね。だけど料理に使う水を変えることはできないだろ。

それから、材料を探して歩いた。俺は板前であって、そこらの鮨職人とはちがうからね。日本料理にこだわるのさ。大根のない刺し身とか、俺はそういうの好きじゃないの。アレンジしたくない。正統派、それには材料。漁師雇って、ペルー国内を北から南までくまなく試食しながら探し歩いた。鮑《あわび》に似てる貝の肝を食べて、死ぬ思いしたことあったよ。毒貝だったんだ。

面白いのは、ここには穴子がある。ペルー人は食べない。漁師もとってくれない。しょうがないから「猫の餌にするから、とってくれ」ってだましたよ。「いったいお前は、何匹猫飼ってるんだ?」って驚かれながらね(笑い)。今はペルー中に鮨が広まって、皆、穴子を食べてる。最終的には、リマ近郊で三八種類の鮨ネタが手に入ることがわかった。

次は野菜と調味料。ここには約百年ほど前から日系人移民がいたから野菜が豊富だった。豆腐屋だけで十六軒。味噌、醤油業者は四軒。ここの米はもともとはパサパサだった。それなら田んぼ作ろうじゃないか、って台湾からジャポニカ米の種モミを持ってきた。ペルーで最初の日本米さ。最初は丸い粒のジャポニカの癖が残ったけど、だんだんと長いインディカになっていったよ。でも味と粘りは変わらなかった。海苔、山葵《わさび》、お茶——三種の神器だけは参ったね。海苔を作ろうとしたけど、習字の下敷きみたいな海苔になってしまった。緑茶もアンデスで栽培してもらった。だけど、ちがうんだ。ブラジル産のお茶もあるけれど、お茶がまずいと鮨もまずくなるでしょ。しかも、当時は軍事政権。ペルーで作れる物は輸入禁止になってしまう。だからこの三つだけは栽培をあきらめて今も日本から持ってきてもらってる。

面白いよ。ゼロから始めて、いかにして日本に近いものを作っていくか。製造、販売、俺の場合は広告まで自分でやるし、板前の教育だってやるんだ。こんなふうにすべてを自分の力でやるなんて日本じゃできないよ。

料理教室もやったよ。一八〇人のペルー人の生徒がいる。料理の本もだした。八千部売れたね。ペルーで八千部っていったら聖書以来の大ベストセラーだぜ。

これまで延べにして一五〇人くらいのペルー人を使ったね。俺のほうからクビにしたのは八九人。自分の利益のためじゃない。やっぱりきちんとした日本料理を広めたいって気概があるからね。教えるときはバッチバッチやります。やる気のない奴はやめてもらう。俺は気が短いから、ハングリーな奴しかついてこれない。

山の人間はハングリーさ。海の者は使い物にならない。山の人間はスペイン人に侵略された体験のない、純粋のインディオだろ。純朴で働き者さ。手先が器用だし、文化がある。盛りつけなんかも生け花の感覚がわかるのね。空間とか彩りの微妙さがわかるんだ。日本人はラテン系の人間はずるい、とか言うけど、泥棒とか悪いことはすべてスペイン人が持ってきたものだからね。

アンデスのインディオってお碗一杯あれば事足りるって食事でしょう。そういうこと考えれば、とても繊細な美的感覚があるとは期待していなかった。

たった一つの難点は味覚。人間の味覚って五歳までに決まってしまうのよ。それから後はなんぼ教えても駄目なの。板前になりたい奴はいっぱいいても、味覚が致命傷。そのかわり、残った奴はすごいよ。三十人の俺の弟子が今、日本料理を教えている。別の日本料理店でチーフ勤めてる奴もいる。日本大使の公邸で料理作っている奴もいる。

そうこうしてるうちに俺流のペルー料理も約二七種類できた。日本風ペルー料理さ。そのうちの三種類は、家庭料理になっている。なかでもティラディートは全国どこにでもあるね。魚を薄造りにして、その上にレモン酢をかけた半分刺し身、半分マリネみたいなやつさ。まさか、俺がティラディートを作りだしたなんて誰も知らない。これが楽しいんだ。ペルーにはピスコサワーって有名なカクテルがある。ピスコ酒って葡萄の蒸留酒にレモン汁と卵白をカクテルシェイクした飲み物さ。あのピスコサワーを考えだした奴が誰だか誰も知らないね。皆がピスコサワーを呑んでいるのを見ながら、考案した彼は決して自分がオリジンだって言わずにほくそえんでる。立派なバーテンだって思うね。自分の名前をカクテルにつけるような下品な真似しないのさ。俺もそういう料理をもっと作りだして、笑ってみてたいね。

日本料理はまたたく間に広まった。ペルーには伝統的な料理セヴィーチェがあった。魚介類をレモン酢で和えた料理ね。だから刺し身とか鮨には抵抗がなかった。正統派。アレンジしたくない、とあらがってはみても日本料理を広めるにはその国の自然・文化・人間に合わせていくことも必要さ。

世界に日本食が広まったっていっても中華料理には負けますよ。日本人は何でも日本から輸入すればいいって思ってる。だから日本料理に高い値がついて、その国の人たちが食べることができない。中国人は、その国の材料でその国に合った料理を作る。台湾や香港から板前が流れ、土着化した料理を各地に生み出したんだ。ペルー人はペルーの中華料理が一番旨いって言うし、アメリカ人はアメリカの中華料理が旨いって言う。日本人だって、日本の中華料理が世界で一番旨いって思ってるさ。俺はそれでなければ駄目って思ってる。俺が作って客にだす料理はだから、地元の材料を使った正統派なんだ。

魚といえば、まいったのはエルニーニョ現象。暖流が押し寄せて、貝は死んじゃうし、ウニも駄目。魚ってのはデリケートだからね。魚種も暖流魚にかわってしまっている。そんな年はしょうがない。お客さんに説明して納得してもらってる。


ペルーに落ちついたトシさんは、五年後に日本女性と結婚した。


俺の友だちが「お得意さんの娘がペルーに行く。用心棒になってくれ」って連絡してきた。ギンギンに派手なファッションで飛行場に迎えに行ったね。彼女を見た瞬間「あ、これは俺の女だ」って直観したね。日本的でね。従順でね。彼女も俺に惚れてるにちがいない、って。友だちはそのために俺に紹介したんだ、って思い込んだ。誤解だったけどね（笑い）。

彼女は俺の友だちの家に泊まった。俺はその家のソファーに七ヵ月も寝たよ。最初は用心棒としての義務感だった。だけど、途中からは「ああ、俺は彼女と同じ屋根の下に寝ている」って、それでよかったんだ。指一本触れなかったよ。薔薇が好きだっていうから、三ヵ月半、連日、薔薇の花を贈ったね。ドアをノックするでしょ。向こうは絶対に開けないよ。黙ってドアの下に薔薇の花を置いていく。毎日毎日薔薇がごみ箱に捨てられていた。ある時、彼女がドライフラワーを作りはじめたんだ。「やった！」って飛び上がったよ。ドライフラワーは結局、四七個できたなあ。

彼女が日本に帰ってからは毎日電話だよ。お金なんか目じゃないの。一ヵ月の電話代が六八万円って月もあった。


そしてトシさんは自分の店を開けた。

しかし、失敗。ペルーの経済も逼迫《ひっぱく》する。たび重なる政変、賄賂などの腐敗、テロ……。


しばらくは風来坊しながらつないでたよ。今、シェラトンホテルの地下に自分の城をだす準備に追われている。一度は失敗したけど、こんどは大丈夫。俺の弟子たちもわが家に居候して、待っている。

もちろん女房は反対してる。皆、反対するさ。親友だって反対する。毎日そのことで喧嘩が絶えない。今、こんなに内乱がひどいペルーで、なぜ今店を開けるんだ？ こんなに経済状態が悪いペルーにこだわることないじゃないか？ 店をやるならもっと安定した先進国の方がいいじゃないか？ ってね。

俺だって、わかってるさ。築いた財産すべてを使い果たすに決まってる。借金だってかさむだろう。無謀な賭けだ。だけど、俺は開《あ》け屋（店を開ける資格のある板前）だからね。格がちがうんだ。開け屋っていうのは、これで安泰ということになったら苛々してくるのね。何かやっていなければいられない。人にすれば不思議な人間にしか見えないかもしれない。

板前ってのは自分の城を持たなければ駄目なんだ。俺はなんでも一流にならなければいやなのさ。二流に甘んじてコツコツ、なんて生き方まっぴらさ。簡単なことさ。いい店、一流の店っていうのは一番いい鮨を握って、一番旨い料理を作ればいい。目立たぬように、おいしさはそこはかとなく……、そんな日本の美学は駄目よ。ギンギラギンに目立たなければ駄目よ。俺が、俺が、の世界だからね（笑い）。

それにペルーは今、苦しいのさ。必死に立ち直ろう、どん底からはいあがろうとしている。今だからこそペルーにいなけりゃいけないんだ。逃げるわけにはいかない。ペルーが俺を育ててくれた。俺はペルーに恩返しするんだ。自分の城はまず、ペルーで開けなければいけないんだよ。

シェラトンの店がうまくいったら、弟子にくれてやるつもりさ。俺はこれからも、南米中に店開けに歩く。二十年計画たててるのさ。南米に四軒は「トシの店」が開いてるよ。最後は、ブラジルさ。その頃、必ずまた来いよ。

俺の人生、こうなりたい、って思ってきたことは必ずそうなってきたんだから。

一年後の一九九二年真冬、トシさんは新しい店にしつらえる冷蔵庫や調理設備を買いだしに日本へやって来た。食器類はロサンジェルスで整えた。

ペルーからのニュースは相変わらずテロと貧困。日系人八万人のほとんどが日本に出稼ぎに出た。日本のバブル崩壊のあおりを受けてペルーを訪れる日本人旅行客も激減。

そして一九九三年夏。トシさんはリマの中央にあるシェラトンホテルに店を開けた。

1

アメリカ、わがアメリカ

日米経済戦争の前線

ロビーイングは戦争みたいなものなんだ

ニューヨーク／ロビーイスト
和田貞實（61歳・在外33年）

ニューヨーク五番街と五七丁目の角からすぐ。和田さんのオフィスから鬱蒼《うっそう》とした樹木に囲まれたセントラルパークが一望できる。壁にはロビーイスト・ワダの活躍を報じるアメリカの新聞記事や額装した写真が所狭しと飾ってある。気さくな笑顔、一瞬で相手の心に入り込む話術。日本人部下からも「クリス」の愛称で呼ばれている。

日本の会社を辞め、アメリカ合衆国国務省に入り、一九六二年に盛田昭夫（現ソニー会長）が雇ってくださるということになった。それから長い、チャレンジに満ちた、楽しい、僕のソニーでの仕事が始まった。
当時は、チャイナタウンとリトルイタリーの間にオフィスがあった。その付近は朝から酔っぱらいが路上に眠りこけてたり、マフィアの親分のパーティで敵方がピストルを撃ち込むような怖い所だった。アメリカのソニーはそんな所で始まったんだ。

六二年、多くの人の関心が大きなテレビに向かっている時期に、ソニーはあえてマイクロテレビを出した。大方の予想に反してそれが世界中で大当たり。そして同じ年、ソニーは五番街にショールームを開いた。寒い冬の午後、マンハッタンで太陽があたるのは東側だ。歌にもあるじゃない？　『サニーサイド・オブ・ザ・ストリート』って（歌いだす）。人はやっぱり、暗く寒い所にいたくはない（笑い）。そして五番街に、戦後初めて日章旗が掲げられたんだ。

七二年、ソニーはカリフォルニア州サンディエゴにカラーテレビ工場を建設した。しかし、しばらくしてカリフォルニア州におけるユニタリー・タックスという税制が外国系多国籍企業にとって不当ではないか、と認識されていくようになった。

ユニタリー・タックスはカリフォルニア州など十二州が導入していた税制度だ。外国系多国籍企業の州税を、その企業が関連会社をふくめて世界各地で展開している事業の売上げ、給与、資産と、その州にあるそれら三種類の金額のそれぞれの比率を使って、世界中の利益の合計から割り出すというものだ。しかも、その比率を割り出すとき、国境と時代の変動を無視して評価するから、矛盾が複雑なものとなる。

たとえば江戸時代に日本で創立された工場の土地を創立時の地価で、しかも現在のドルに換算するためにただ同然の値段になる。

これに対して二〇世紀後半にカリフォルニア州で建てた工場の資産は非常に高価な数字となる。通貨の変動も計算の規準としない。この両者を規準に税金をわりだすと、カリフォルニアの工場が企業の関連事業全体の資産のなかで占める割合は非常に高いものとなる。また世界各国の人件費のばらつきは、ユニタリー・タックスの計算には組み入れられていない。

ユニタリー・タックスはほんとうに不当な税制だった。

一九七六年に、後に十年戦争と呼ばれたユニタリー・タックス問題がくすぶりはじめ、七七年に脚光を浴びることになる。

きっかけは、七七年のカリフォルニア州知事ジェリー・ブラウンの訪日だった。当時、さまざまな州の知事が日本の企業誘致のために訪日していた。米国政府もドルを三六〇円固定相場から変動制に切りかえ、日本からの輸入を抑えつつ、対日輸出拡大をはかり、さらに日本からの直接投資も促した。ブラウン知事の訪日もそういった一連の動きのなかの一つだった。

彼はトヨタ、ニッサンなどの自動車メーカーにカリフォルニアへの投資を勧めた。しかし、日本企業は口をそろえて「カリフォルニアにはユニタリー・タックスがあるから投資したくない。詳しいことは、七二年からカリフォルニアに出資して事情に詳しいソニーの盛田に聞いてほしい」と答えた。

非常に滑稽なことに知事はユニタリー・タックスについて知らず、盛田会長から説明を受け、あらためて東京からサクラメントの税金担当スタッフに問い合わせたという経緯もある。そして彼はカリフォルニア州に日系企業を誘致し、雇用促進をはかっていくためには、その厚い障壁となるユニタリー・タックスを廃止するべきだ、と考えはじめた。

同じ時期、和田さんはロビーイストとなる。日本国内ではいまだにロビーイストの役割が正しく理解されていなかった。

一九七七年に初めて一人でサクラメントにでかけた。黒人女性議員Hさんを訪問し、彼女が作ったアポイントメント表を手に、五階建の議員会館の中を歩き回った日のことが今も忘れられない。自意識過剰にちがいなかったけれど、最初は見慣れない変な日本人、政治の世界に門外漢が何しに来た？　とみんながジロジロ見ているような気がしてならなかった。

まずカリフォルニア州議会の四十人の上院議員、八十人の下院議員、それと重要議員や関係ある委員会の委員長や専門スタッフの名前を必死で覚えた。ファースト・ネームがすぐにでてくるようでなければ相手の懐に入りこめない。それと議員やスタッフの色分けもきちんと理解しておかなければならない。ユニタリー・タックス廃止に賛成か、反対か。そして変更可能か無理なのか。選挙区は農村か、工業地域か、都会か。民主党か共和党か。

また誰とグループを組んでいるのか。主導格か、新参者か。どの民族グループに属しているのか……記憶しなければならないことがたくさんあった。でも、学校の試験よりは楽だったけれどね。

H議員は僕がMBAを取得したのと同じニューヨーク大学で教育を専攻していた。ニューヨークの国際的な感覚を身につけていて、なかなか幅の広い視野の持ち主だった。彼女は議員のこと、スタッフのこと、委員会のことやルール、議会内の力関係、州知事や副知事と議会との関係など、ロビーイストに必要なあらゆる知識を忍耐強く教えてくれた。彼女の励ましと、若い白人男性、中国系男性、メキシコ系女性のそれぞれ親切でやさしいスタッフに支えられて、僕もじきに気おくれすることなく自由に議員会館や上院、下院の両方の議場を歩けるようになった。

サンディエゴで生産されていたソニーのカラーテレビが大好評で、カリフォルニアは全州をあげてソニーを歓待してくれていた。そのお蔭で多くの議員は親切に話を聞いてくれた。僕はユニタリー・タックスが国際的にどんなに受け入れられていないか、を説明した。州知事にしてみれば、日本の製造業に進出してもらえれば州経済の活性化につながるし、各州による日本からの投資の誘致競争に勝つことにもなる。自分自身の政治的功績にもつながる。しかし、議員たちにとっては、税収予定にすでに計上されているものをなくすことは選挙民の人気を失うことになりかねない。ほとんどの議員は、選挙資金をだしてくれるわけでもない日系企業や他の外国企業の税金を少なくするために、別の財源を作りだしたり、新しい税金をふやすことにものすごい反対をした。まず、いったい誰が州民に責任をもって納得させるのか。いかにして、そしてどこから代替の金を見つけ出すのか。なかなか賛成してくれない。そんなことにあえて挑戦するような議員もいない。選挙民を説得できる、と期待することじたいがおかしい状態だった。

それでもブラウン知事の強力な押しの力でいろいろな妥協をしながら七七年から説得を進めていった。一度は過半数の支持票を得て、あわや勝利を掌中におさめたか、と思うこともあった。しかし結局、上院と下院の意地の張り合いや、地元の石油企業など保守的グループの利害が絡む反対派の圧力で、三時間後の再投票で数名の議員が反対に変更した。八〇年、ブラウン知事のユニタリー・タックス改正法案は不成立に終わってしまった。失敗の原因は、知事とH議員の作戦のみに頼り、ロビーイストも雇わず、メディアを使っての世論づくりも行わず、政治献金もせず、議会を握っている有力議員たちとの強い連結を作らなかったことなどにあったと思う。僕もクタクタに疲れました。

一九七七年から八〇年までの四年間、和田さんはたった一人でユニタリー・タックスを導入している十二州を走りまわった。それは、粘り強い交渉の姿勢、果敢なる意志と決断力を要求されるロビーイストの東奔西走の毎日だった。

オークランド・ベイ・ブリッジを渡って山越えになると、しばしば一寸先が見えないほどの濃い霧がたちこめることがあった。一人でサクラメントに通った頃は、だからニューヨークから直行便でサンフランシスコに入り、フィッシャーマンズ・ウォーフの東京すきやきで、冷奴や焼き魚、ご飯、味噌汁といった日本食を食べ、それから深夜のハイウェーをサクラメントまで飛ばした。フリオ・イグレシアス、ニール・ダイヤモンド、シザナ・ガルシアの日本の歌、喜多郎の『シルクロード』、自分で録音したワグナーの『ジークフリート』などを聴きながら、八五マイルの距離を、前を走るトレーラーの赤いテイルライトを頼りに走ったものだ。

サクラメントではマンション・インというホテルを定宿にしていた。春の夜、疲れて帰って窓をあけると、星の光で冷えた夜の空気がカメリアの芳香を運んできてなぐさめてくれた。

一九七六年、ハリウッドの映画会社ユニバーサルがベータマックスは著作権法違反である、とソニーを相手どって訴訟を起こした。和田さんはユニタリー・タックス廃止と著作権問題を同時に抱えることとなった。

著作権問題についてはほんとうにサプライズ（驚き）だった。なぜなら七五年に他社にさきがけてソニーが市場にベータマックス方式のビデオカセットレコーダー（以下VCR）を初めて紹介したとき、訴訟を起こした当事者である映画会社ユニバーサルの親会社MCAの会長からお褒めの手紙をいただいていたから。彼はかつて、俳優時代のレーガンのマネージャーだった。いざVCRが市場に出回って、彼らはテレビでの再放送の際の広告収入について不安を抱いたのだと思う。テレビから映画を録画すると、多くの人が早送り機能を使って広告を見ない、広告収入が減ってしまう――これが彼らの言い分だった。当時、彼らは映画産業にとってビデオソフトが新しい、大きなビジネスになるとは気がついていなかったわけだ。それでソニーを訴えた。

裁判には莫大なお金と時間がかかる。最高裁判所までいくとしたら十年近くもかかるにちがいない。膨大なエネルギーをそそがなければならないだろう。

VCRの製造をめぐる訴訟の勝敗の行方は、ソニー一社だけの問題ではない、日本の電子産業の将来にとって大変重大なことだ。負けたらアメリカの市場でVCRを売ることができなくなる。また、一般市民は好きなときに好きなプログラムを見る便利を失うことになる。

ソニーはこの訴訟を受けて立った。しかも盛田会長は、これは裁判にとどまらずいずれは議会にまで波及する、と読んだ。なぜなら、裁判は既存の法律をもとに争う。しかし、その当時の著作権に関する法律にはVCRに関する記述がない。それまでなかったVCRのような新しい技術に対応する法律を制定するときには、必ず議会で激しい論争となる。裁判と並行して立法化に向けた活動も始めた。

全米映画産業協会に所属する有名な俳優たち、全米レコード産業協会、そして元俳優のレーガン大統領もひそかにユニバーサル側を支持していた。有力なロビーイストたちもどちらかの側に雇われていった。八二年七月四日付『ワシントン・ポスト』は二頁にまたがる記事を掲載し、四五人のロビーイストを紹介した。著作権をめぐるわれわれの戦いは「ビデオ戦争」と名付けられていた。

ロビーイングには、五種の神器がある、と僕は思っている。コーリッション（利害を共にするグループ）、ロビーイスト、理論武装としての白書、政治献金、そして一般市民を組織化したグラスルーツ。僕たちは直接訪問や手紙、電話で議員一人一人に働きかけ、マスメディアを通じて公開討論にも積極的に参加していった。最終的には、VCRを使いたいと願う一般市民の世論を味方にしたことが勝利を約束した。消費者団体は強力だった。最終的には六五パーセントくらいの議員をわれわれの側にひきつけることに成功した。

この著作権問題で全米をまたにかけて走り回り、僕は勝つためのロビーイングを、学んだわけだ。

著作権問題は連邦議会の問題であり、それに電子産業、その販売業者、消費者、そして映画産業、音楽産業がうずまくように複雑に絡み合う。そういう意味では州レベルのユニタリー・タックスよりもはるかに規模の大きなロビーイングだった。

七九年、カリフォルニア地方裁判所はソニー側の勝訴の判決をだす。原告であるユニバーサルはただちに高等裁判所に控訴した。しかし八一年十月、カリフォルニア高等裁判所は地裁への差し戻し判決を下す。ソニーはワシントンの連邦最高裁判所に控訴する。同時に、この判決を不当と考える上・下両院議員らと協力して家庭における非商業目的のVCR録画は違法ではない、という法案を提出。映画会社側を支持する連邦議会議員たちも、その法案の成立をはばもうとする対抗手段を展開する。両者の間には延々と厳しいかけひきが続いた。

そして八四年一月十七日、米国連邦最高裁判所はユニバーサル敗訴の判決をくだした。これにより立法の必要性はなくなり、連邦議会での審議も終わった。

著作権問題は日米経済交渉の歴史のなかでもとても重要な戦いだったと思う。相当な資金と時間をかけてわれわれは戦い、そして勝った。

僕は勝利の勢いをかって一ヵ月後の二月、州議会のあるサクラメントにのりこんだ。ユニタリー・タックス改正法案を成立させるための第二回戦を始めるためだ。上院と下院の両議長にカリフォルニアに戻ってきた挨拶をすると、両議長ともVCRの著作権法違反訴訟で勝訴したことにたいへん敬意をはらってくれた。

この年はまた、日本の産業が団結してユニタリー・タックス改正への行動を開始した年となった。それ以前にヨーロッパ系企業グループも活動していたが、それほど強力ではなかった。東京の経団連の中に「ワールドワイド・ユニタリー課税問題協議会」が設けられ、続いてロサンジェルスに「加州投資環境協議会」ができた。われわれは「ウォーターズ・エッジ」方式という課税方式を主張した。これは、税額決定のためのデータは水際、すなわち米国国境内の売上げ、給与、資産に限るというものである。

第二回戦では僕たちも著作権問題での経験を生かしてフル装備でとりくんだ。ロビーイングは戦争みたいで、やはり勝つことが大事だ。なにしろ大勢の仲間と組んで同じように複数のグループと戦うわけで、時には四つくらいのそれぞれ利害関係が異なるグループで争うことになる。そこでは団結力、統率力、作戦力、そして何よりもそれらを支える戦意が要求される。

カリフォルニアのユニタリー・タックスの場合、われわれ日系企業グループのほかに、ヨーロッパ系企業グループ、米国多国籍企業グループ、企業群に対立する市民グループがあり、この四つのグループから攻撃を受ける州知事、上院・下院にいる議員もそれぞれ民主党と共和党にわかれ、それぞれのリーダーの主導のもとに対応してくる。しかも、カリフォルニア州の問題でありながら、米国連邦議会上・下両院、USTR（米国通商代表部）、ホワイトハウス、さらにロンドンの英国議会、サッチャー首相、レーガン大統領、そして中曽根総理までを巻き込んだ、政治と経済の利害関係を考えたボーダレスな戦略を展開していった。外国系多国籍企業が対米投資をするときにユニタリー・タックスは不当な障壁となる、という認識で一致していたわれわれと英国グループは、共同歩調をそろえるべくワシントンの英国大使館で討議を重ねることもしばしばだった。

レーガン大統領は個人としても自分の州に日本の企業を誘致したかった。しかし皮肉なのは、カリフォルニア州のユニタリー・タックスは、州知事時代のレーガン大統領自身が導入した税制だということだ。自分の導入した税制の改正を自分と同じ共和党出身のデューク・メイジャンカリフォルニア州知事や州共和党議員に頼まざるをえない、しかも当時の州議会では、共和党議員の数が少なく、民主党議員の助けを必要としていた。でも、税制の改正は簡単に頼めるような問題ではない。政治的にいっても、大統領が州知事時代にまちがったことをしたなんて言えない。

そしてもう一つの皮肉は、レーガン大統領と彼を攻撃するサッチャー首相や中曽根総理とは、冷戦構造下では非常に大切な仲間であり、個人的にも親しい間柄だということだった。

レーガン大統領はほんとうに困ったと思う。彼も本音では、われわれに頼りたかったのでしょう。

そんなとき、日本の経団連の代表として盛田会長と伊藤忠の戸崎誠喜会長がホワイトハウスのレーガン大統領に直談判に行った。日本の民間企業人が米国大統領に要求をかかげて向き合い、副大統領、国務長官、首席補佐官、国家安全保障委員長などとユニタリー・タックス問題解決について公式に議論を展開した。これは歴史に残るできごとだったと思う。

カリフォルニア州は頑強な要塞だった。われわれはユニタリー・タックスを導入している周囲の州を攻め、じょじょに外堀を埋める戦いを展開した。われわれは頑強なカリフォルニア州を陥落させるために、投資環境調査と称して延べ四〇州とワシントンDCを訪問した。そこで知事グループ、議会や地元産業のリーダーを相手に交渉し、説得してまわった。日本の企業がここまで組織だって外国をかけまわって奮闘したことはかつて類をみないのではないだろうか。

第二回戦の最初の年、大変なチャレンジに直面した。ある夕方、われわれの手薄に乗じて米国多国籍企業グループの不意打ちに合った。委員会でユニタリー・タックス改正法案が票決されることになってしまった。出席者の人数にかかわらず、過半数の十二票をとらなければ廃案にされるという逼迫した事態になった。

その日はわれわれの法案が上程される予定がなかったので、二名の賛成議員が欠席していた。共和党議員の何人かが選挙資金集めのパーティに出席していてサクラメントにいかなかったのだ。とにかく委員会の議場に行ったら、反対派グループのロビーイストや企業代表がわれわれを見つめていた。それはさながら、とどめをさす瞬間を待っているようだった。議場にいあわせた僕たちは、少数ではあったが味方になってくれそうな議員を必死に説得した。最後にY議員が賛成にまわってくれた。

それでもまだ一票が不足だった。僕は共和党グループのリーダーN議員をさがすことにした。彼はサクラメントから直線距離で五〇〇キロ南のロングビーチにいることがわかった。N議員に電話をかけ、サクラメントに戻って賛成票を投じてくれるよう説得した。しかし、すでに夕方の六時過ぎ。どうにもならない。いや、航空機をチャーターすれば何とかなる。僕は電話帳を広げ、片端から飛行機会社に電話を入れていった。ありがたいことに小型ジェット機が一機、七時過ぎにロングビーチに到着し、給油後にサクラメントに飛んでくれるという。N議員に再び連絡をして、車で飛ばして空港まで行くように打合せた。

同時に、議場にいる仲間の議員に連絡をとり、反対派の議員やロビーイストに気づかれないように、N議員が到着するまで、同じ質問を繰り返して時間稼ぎをしてもらった。

真夏の夜のサクラメント空港で、僕は待った。ズボンを通して大きな黒い蚊に刺される。着陸する飛行機の灯を見つけては、こんどか、こんどだろうか、と気をもみながら待った。ようやく大柄なN議員が到着した。一刻の猶予もない。N議員に車で議場に向かってもらった。僕はパイロットと支払いなどの事務的な処理を終えてあとを追った。心のなかで「なんとしても勝つんだ」と繰り返し呟き、猛スピードでハイウェーをとばした。

議場に入ると、N議員の姿が見えない。味方の議員が議場の外に僕を招き、N議員は相手側を油断させるため自室で待機し、時間ギリギリに議場に入ることになっているという。僕はすぐにN議員の部屋に向かった。

僕たちは言葉もなく、真剣な面持ちで何度となく握手を繰り返した。議場から合図の電話が鳴った。N議員と僕は議場に向かった。ユニタリー・タックス改正法案を通すための十二票がそろったわけだ。彼の姿を見た相手方の議員、ロビーイスト、企業代表、関係スタッフ、新聞記者たちは皆びっくりしている。とたんに相手側はわれわれの味方議員を反対票に投じるよう説得にかかる。こちらも、アプローチを受けている議員に決して態度を変えないでほしい、と働きかけた。

夜中の十一時過ぎ、ユニタリー・タックス改正法案は委員会を通過した。委員長以下、敵側はあきらめざるをえなかった。

しかし、本会議では結局、時間切れで廃案となってしまった。

翌八五年、われわれは上院議員に改正法案を提出してもらった。しかし、残念なことに、反アパルトヘイトグループが南アフリカへの投資を引き上げるまで、われわれの改正法案を通過させないと知事に迫り、ユニタリー・タックス改正法案は人質にされてしまった。

そして八六年、メイジャン知事によるカリフォルニア大学の南アフリカへの投資引き上げ決定がくだされるやいなや、「ウォーターズ・エッジ」方式の改正法案が動きだし、上院と下院の合同委員会で審議され成立した。

委員長はわれわれの努力を認めてくれて、親切にも改正法を「ワダズ・エッジ」と呼んでたたえてくれた。サクラメントの上院・下院の議員や関係スタッフの友情とゆきとどいた助けのおかげだった。もちろん五種の神器、われわれの戦略、そして仲間の強力な団結と支援のたまものだった。

敵も味方もなく大きなからだの議員が僕を抱きしめ、喜んでくれた。多くの議員が七七年から九年間もカリフォルニアに通い続けた僕に握手を求め「クリスを卒業させてあげなければ」「だけど、これでもうクリスがカリフォルニアに来なくなる」と言ってくれた。

僕はお世話になったあらゆる仲間一人一人に電話をかけた。ニューヨーク、ワシントン、カリフォルニア各地、東京……ユニタリー・タックスのロビーイングを通じ、僕の仲間はいつのまにか世界中に広がっていた。多くの人は僕の戦友のようになった。

人は興味、性格、好みがそれぞれ皆ちがう。それでも相手に合うように、しかも聞いてもらって関心を深めてもらうように話題を掘り下げ、闊達に話す努力が求められている。謙虚に相手の話を聞き、またある時は困って苦しんでいる相手の事情を理解しようとする努力が必要だと思う。ほとんど誰でも、相手を深く理解しようとすることで、必ず好きになれるものだ。相手はまたそれを敏感に感じとってくれるはずだ。

ロビーイストの和田さんが、ワシントンを訪れるたびに人知れず、しばしば立ち寄るホテルがある。

ワシントンの北、ロック・クリーク・パークにかかっているタフトという古い橋を渡ったところに一九三〇年に建てられたショーラムという大きなホテルがある。

実は第二次世界大戦前に、悪化していく日米関係を心配しながら、そのホテルで亡くなった一人の日本人がいた。斉藤博駐米大使。結核を患っていたために三八年に任を解かれてはいたけれども帰国されず、翌年ホテルの一室で亡くなった。日米関係悪化の波をせきとめたいと志した彼の孤軍奮闘の逸話をあげれば限りないほどだ。卓抜した語学力をもち、英詩に造詣が深く、オールド・パーをこよなく愛し、機敏で勇気がある人だった。彼も毎年春になると奥さんや二人の娘さんをともなってポトマック河畔の桜並木を散歩したようで、今もその写真が残っている。僕は毎年、春にはワシントンを訪れ、桜の樹の下を歩きながら開戦前の日米関係の狭間で戦った斉藤博大使の胸中に思いをはせている。

押し止めることのできない日米の荒波と戦いながら、力尽きて大使は一人、ホテルの一室で病死されていったんです。無念だったと、思う。

僕はアジア・太平洋のなかの日米関係のために一生懸命にがんばるつもりだ。僕にとって大切なのは日本だ。でも人生の半分以上を過ごしたアメリカには、友人がたくさんいる。彼らは親兄弟に負けないほど僕を大事にしてくれた。その人たちのためにも尽くしたい。

世界には今も飢えと貧しさに泣いている子どもたちが無数にいる。立つだけの力も失って倒れてゆく人々を助けなければいけないと思う。今、僕らには美しい花鳥を好み、緑の山を愛し、子どもを可愛がるやさしい心をもって世界を見回すことが求められている。まずはみんなが豊かなアジアにしたい。僕はそのためにこれから役に立ちたいと思う。

インタヴューの後、和田さんはエイズ対策にとりくむNGO（非政府援助団体）をサポートしたいと、ベトナムを訪れた。そこで和田さんは、彼にまとわりついてきたたくさんのやんちゃな子どもたちの笑顔のなかに、戦後をともに生きた弟妹たちの面影を見たという。緊張に満ちたロビーイスト・ワダの心がその瞬間、やわらいだ。

心の経営

21の国の民族と一つのラインに立つには……

アーバイン／事務機総合メーカー社長
吉田勝美（49歳・在外9年）

ロサンジェルス市内からフリーウェイで一時間半、アーバイン市には日系企業の工場群が並ぶ。巨大な工場の入口で、吉田さんはごく自然にゴミを拾う。社長室で作業用ジャンパーに着替え、まず、工場の紹介ビデオをセットする。工場で働く多くの民族の顔が映しだされる。

うちの一二〇〇人の社員の国籍は二一ヵ国にもなるんですよ。アーバイン市全体で言うと、四十数ヵ国もの国籍、言語の人たちが集まっている。とくに多いのはベトナムからのボートピープルとメキシカン。

「アメリカンドリーム」って言葉があるでしょう？　あの言葉には二つの意味がある。一つはアメリカ国民が大金持ちや大統領になっていく。もう一つは、海外からアメリカに移民として渡ってサクセスする。全世界の夢として アメリカがあるってことなんです。無数の人々が可能性を求めてアメリカにやってくる。

日本の企業、とくに自動車とコンピューター産業にとっては、アメリカは踏まなければいけないステップでした。とくにシリコンバレーがあるかぎり、コンピューター会社のカリフォルニア進出は必然だった。しかも、戦後のアメリカは日本のメーカーにとって常に兄貴のような存在だったし、世界一の市場でしたからね。

私の個人的な印象でも、アメリカはヨーロッパよりも近く、ある意味ではビジネスをやりやすい国でした。

二十年前、最初は十人のメンバーでやってきました。私たちの会社はもともとがメーカーですから、十人とも英語屋ではなく技術屋だったんです。言葉がわからない。最初は通訳の後をついて歩く金魚の糞でした(笑い)。

知ってますか? かつてアメリカ人は、「日本のビジネスマンは3S」って噂してたんです。サイレント、スマイル、スリーピング。言葉がわからないから沈黙し、恥ずかしいからニヤッと笑う。時差があるから会議や打合せのときに、つい眠ってしまう(笑い)。

冗談はさておき、カリフォルニアへの進出は電卓、半導体の歴史であり、日米通商摩擦の歴史でもあった。私が来た二十年前、アメリカは、日本では作りえないような集積回路を使った製品を生産してました。

アメリカ進出の目的はまずアメリカのメーカーとコンタクトを深め、先端技術をイージーに取り入れよう、というねらいにあったんです。為替の問題もありました。円が高くなると、日本での生産原価を割る確率も高くなる。その点、現地で生産し、現地で売れば為替変動の影響を受けずにいられる。三番目の目的は貿易の不均衡調整です。当時、すでにアメリカは対日貿易で輸入超過になっていました。アメリカは日本製品に限らず、外国系の製品を締め出そうとする傾向にあったんです。ある品物などは通常の関税に加えて、さらに特別課徴金を一〇パーセントから二〇パーセントかけようとする動きがあった。そうなったらアメリカで品物を作ってアメリカで売るほうがいいわけでしょう。四番目は、国際化しよう、とする無言の圧力です。経営のポリシー、企業のステータスのためです。相手国で資金を調達し、現地の人を雇い、生産してようやく一流企業として認められる——そのステップを踏まなければならなかった。

そんななかで僕ら十人の技術者は、土地を探し、建物を建て、設備をととのえ、人を雇い、訓練し、四苦八苦しながらラインを組み立てていったんです。僕たちにとって最大の壁は、多民族社会ということでした。技術的な問題は記号を通じて伝えることが可能です。でも、日々の何気ない人間関係のなかで言葉のギャップは辛く、大きいものでした。一語一語言葉で通じたときとやっぱりちがいます。八割、九割通じている、というのは駄目なんです。残りの一割の誤認は非常に大きいトラブルを生みだすことがある。

ある日、ゴソッと社員が来なかった日がありました。工場って、人がいなくなると、物が流れません。慌てましたねえ。調べてみたら、その日は、ベトナムの旧正月だったんです。お祝いの日だから会社には来ない――予告もなく、ですよ（笑い）。結局、開店休業。今になれば笑い話ですけれど、それ以来、工場としてベトナムの旧正月を祝うことにしました。彼らにとって大切な行事は、会社にとっても大切だって考えることにしたんです。

難民が多いために、もう一つ戸惑ったことがあります。さまざまな階層の人たちが混じりあっているってこと。アメリカに来る前の職業が大学教授、百姓、軍人、パイロット、コック……。同じベトナム人でも、一人一人は異なる政治信条と歴史と悲惨と現在を抱えている。家族の内側にも複雑な事情が見え隠れする。その人たちが一つのラインに立っている――。

でもね、今はその難しさこそがエネルギーの根源だって思うようになりました。日本のように、同じ民族、同じ言語、同じような暮らしというのは、いいときにはいいけれど、嬉しい、悲しいといった感情まで一緒になってしまう。時として、活力を失うってことにつながってしまう。われわれは世界一、って単純に思い込む誤ちをおかしやすい。それは怖いことです。

言葉や価値観の違う人が隣同士にいると、一見、非能率にみえるのですが、ある壁をこえると、お互いに学ぼうという意欲、関心が高まります。それが工場のラインで逆に活力になっていく。

そして、一度目の赴任期間は終わった。

お別れ会の席で思わず宣言してしまったんです。「日本に帰国するんじゃない。出張に行くだけだ。ただし、この出張は長い。でも絶対に戻ってくる。今度帰るときには必ずナンバーワンになって帰ってくる」ってね。

新婚時代もここで始まったし、三人の娘もカリフォルニア生まれですから、愛着も深くなっていたんですね。以来、十二年の長い出張でした（笑い）。その間に、欧州でもいくつかの工場を稼働させ、ようやくこちらに戻ってきました。帰国した日とまったく同じ日に――。かつ、約束通りナンバーワンになって、ね。

やはり、十二年の空白の時間は大きかったです。昔は日本人はアメリカに対してよそ者、厄介者というコンプレックスがありました。でも、今はない。そして日米摩擦。日本が成長したって言うよりも、アメリカ自身が退いてしまった、アメリカが勝手におかしくなってバランスが崩れた――これが日本人ビジネスマンの本音じゃないでしょうか。

凋落したアメリカなんて、僕には信じられなかった。まあ、日本もバブルがはじけ、アメリカは逆に半導体、車などでもちなおしてきている。ようやく普通の形になったって感じもしますけれどもね。

そうは言っても、本音を言えば、アメリカでの経営は死に物狂いでした。とくに二回目には赤字でしたから。アメリカの日系企業の多くは僕らと同じように赤字経営に苦しんでいると思います。日系企業はアメリカで数字的なメリットを得てはいない。国際化するために、やむをえず投資を続けてきたってことでしょう。もしも、コストだけの問題なら、アメリカの輸入品に対する税制が変わったら、もはやどこの国の企業もアメリカで物を作らないでしょう。日本やアジアで作る方針に変えていくでしょう。まあ、これからの企業は、利潤だけを求める経営では駄目ではありますけれども、ね。

ようやく黒字に転化できたのはひとえに人材が育ったってことです。時を経て、アメリカにリコーの文化が育ったってことでしょう。

このあいだ、赤字解消の会議の席で「赤字は皆の責任じゃない。私の責任であり、企業全体の問題でもある。この二十年でビルディングも建ったし、技術も進歩した。しかし、一番の財産は人材なんだ。皆さんなんだ」――思わず泣いてしまった。「リーダーとして感情的になって申し訳ない」と締めくくった。不覚の涙でした。「アメリカのボスはクールでなければならない」と先輩に忠告されていましたからね。そしたら、アメリカ人の社員たちが走りよってきて、「社長、アメリカ人は皆、感情豊かな人々なんだ」って励まし、共感してくれた。

たしかに厳しい日米関係の中で今、アメリカの日系企業の経営者は皆苦しんでると思います。解雇不当の訴えやセクハラ問題――訴えているのはほとんどが元社員たちです。僕にも「日系人が優遇されている」という社員からの直訴の手紙が舞い込んだことがある。手紙を読んだときには、どこか挑戦的だなって感じました。それでナンバーツーの人間に、直接会って話し合ってもらった。僕がでていくと裁判になったときに難しい、そう思ってね。

そしたら……(涙)。

「この会社が好きだ。社長が会議の席で『アメリカ人は〔この会社〕という言い方をする。私には〔私の会社〕だ。皆さんも〔私の会社〕という気持ちを持ってほしい』と言ったことを忘れられない。〔私の会社〕をよくしたいから手紙を書いた」って。

やっぱり心の経営だって思っています。浪花節かもしれない。一二〇〇人の多民族のアメリカ人と一緒に仕事しながら、僕はどうしたってそこに行き着いてしまったんです。

ジョブ・ホッピング

アメリカって発展途上国じゃないかな

ニューヨーク／米国投資銀行勤務
栗野洋雄(39歳・在外11年)

イスラム原理主義者によってアメリカの象徴として爆破されたビル群の一角にある、全米最大の投資銀行の会議室。最初、栗野さんはインタヴューを断った。

人の仕事の話を聞くなんて堅苦しいこと、ほんとにしたい？　僕は仕事にまつわる重要な問題について人には話さないし、立場上、話せない。何と言っても、僕らの仕事は日米の会社の機密を守ることで成り立っているわけだから。

アメリカのビジネスエリートについて聞きたい、なんて言われても僕はエリートなんかじゃないし――。自分の好き勝手なことをやってきただけだもの。

「僕、今でも左翼少年なんだ（笑い）」――粟野さんは大学二年のとき、市川房枝参議院議員が開催した「政治腐敗防止のための市民の集い」のパネラーとして発言。幼い頃から海外への関心も深く、韓国、バンコク、チェンマイ、香港……。旅の途次、アジアの貧困を目の当たりにした彼は世界銀行への就職を志す。

国際機関でアジアの人たちのためになる仕事ができれば本望だ、って思ったんです。世界銀行に就職するにはどうすべきか、ずいぶん調べました。一番いいのはMBA（経営学修士）をとることだと知って、それでマッキンゼー・ジャパンというアメリカの会社に入りました。六年後、スタンフォード大学のビジネススクールを卒業する頃、世界銀行へインタヴューに行ったんです。そしたら、担当者が悪かったのかなあ。理想を語る人じゃなかった。ケネディの時代に国防長官を務めた世界銀行の創立者マクナマラがやめて、だいぶ管理主義的に変質しているみたいだった。かつて、夢みてた発展途上国の理想的開発のための世界銀行とはだいぶちがっていたんです。がっかりして、古巣のマッキンゼーのニューヨークに東京から移籍する形で一年半、働きました。

当時は日本とアメリカの金融機関が相互進出するためのコンサルタント的な仕事を多く担当していました。しかし、コンサルティングにはやはり、実務の経験がほしい。それでソロモン・ブラザースという投資銀行に移籍したんです。だけど、投資すべき会社の経営を分析して戦略をたてるといった仕事の内容は変わらなかった。転職というより転社と言うべきかな。

ソロモン・ブラザースでは五年半働いた。しかし、入札不正問題で会社が揺れ、同僚が次々と辞めた。「基盤が揺れているようでは仕事にならない」と粟野さんも現在の会社に転職。

――ジョブ・ホッピングを地でいく生き方？

一般的にアメリカではジョブ・ホッピングが普通だ、日本は終身雇用だって信じられてますけれど、現実は決してそうじゃありません。ウォール街や広告業界、マスコミだけが特別なんです。やはりこの国も基幹の社会では厳然と終身雇用があります。IBMとかGMとか、超優良企業と言われるところは昔から終身雇用ですよ。ウォール街でも、シティバンク、その他のアメリカの金融業界での優良企業は皆、生え抜きが経営陣を占めていますよ。

視点をちょっと変えてみれば、日本の会社の特徴と言われる終身雇用制度も、まだ一ジェネレーション半しか続いていません。過去二千年の歴史でたった一ジェネレーション半です。いったい何を日本的といって信奉しているのだろうか。それを考えると愕然《がくぜん》としますよ。

僕自身はそれを無視して何度も転職したみたいだけど、自分なりに筋を通してはいるんです。世界銀行に入りたかったのは、日本とアメリカの橋渡しをやりたかったからでしょう。それ以後は、日本がアメリカに投資するためのコンサルティングと、アメリカの企業が日本に進出するためのコンサルティング。アメリカと日本が僕のところでクロスしている。日米がどこでぶつかるのか、ってことが僕の前で展開されているんですね。

そういった現場でみていると、たしかにアメリカ人の側に反日感情は深まってはいる。僕の周囲はすべてアメリカ人ですけれど、彼らの会話の端々にそう実感することが日常的になりつつある。僕も「ファック・ユー！」とか冗談混じりに言い返してはいますけどね（笑い）。

今、アメリカ社会では日本が話題になりやすいんですよ。新聞、雑誌に書かれ、テレビでも「ジャパン」の言葉が出ない日はありません。とくに経済ニュースに露出度が高い。パーティでの会話でも、日本車の話題はオペラの話よりも興味をもたれるらしく、長く続きます。数少ない日本人の出席者である私には、非常に幸運なことですけれどね（笑い）。

日本では「ジャパン・バッシング」がかなり問題になってますけど、あれはマスコミの造語ではないでしょうか？　アメリカ人一人一人がジャパン・バッシングしたいと思っているわけではない。日本に帰るたびに、マスコミのつくりだした日米関係というものが、現実と離れて存在してしまっているって思います。アメリカのどこに行っても聞いたことのない日米問題が日本のマスコミで大きく問題になっていたりする。火のないところに火をつけて煙を炙《あぶ》りだしている、って一面もあります。

アメリカ人は、日本が非常に進出しにくい壁のある国、と実感しています。でも、本音を言えば日本の企業がアメリカに来ても大変でしょ？

日本の大手企業も同じです。彼らもアメリカに進出、現地化するにあたって、一つステップを登り、そして壁にぶつかる、という大変な道のりを進んできたわけです。でも、本音を言うなら、日本の企業にとっては北米よりも東南アジアのほうが儲けやすいでしょう。やっぱりアメリカにも壁がある。しかし、過去十年、日本企業のアメリカにおける現地化のプロセスを見てきて、昔よりはだいぶ楽になったと僕は思っています。

そういう意味では、日本がアメリカに進出しすぎ、アメリカは日本に進出しにくいという言われ方にはちょっと誤解があると思います。

ものすごく卑近な例をあげれば、たしかにアメリカ産の日本の自動車はあきらかに北米で勝ってしまいました。もちなおした、といわれているクライスラー、フォードにしても部品はほとんど日本製でしょう。

問題になるのは、アメリカの工場で、アメリカ人の労働者がつくったトヨタ、ホンダ、ニッサンの車がアメリカ車なのか、日本車なのか、ということです。アイアコッカは「あれは日本の車だ」と攻撃します。あれはエコノミストの意見ではなく、イデオロギー的、感情的な問題だって僕は思っています。

事実としてそういう反発のあるアメリカで、では日本はどうすべきなのか？　僕が思うのは日本企業にとって一番大切なのは、とにかく日本の本社にお伺いをたてないで、アメリカの事情を肌身で直視した経営者が自ら判断してやるべきだ、ということに尽きます。

日本の本社にアメリカのマーケットがわかって、会社の事情、内容を熟知している人がいれば、一年に一度のミーティングで十分連携はとれるわけです。やっぱり、現地に日本から一人派遣して、定期的にレポートさせよう、という本社による管理の意識があるうちは一〇〇パーセントの意志決定者がアメリカでなく日本にいる、というイメージをアメリカ人に植えつけてしまうのではないでしょうか？

――これまでのアメリカでの仕事は順風満帆？

まさか！　辛かったのは若い頃。言葉ができないために、なんとなく日本人だから差別されている、って悩んだときね。アメリカって、パーティ社会なんです。若かったときには、パーティで話題を自ら作りだすのが大変だった。でも、昔も今もパーティは苦痛ですね。三十分ほど出席して、ほんとうは何も予定がないのに「行かなくては」と言ってさりげなく会場を出る（笑い）。決して苦痛を気どられずに、ね。——そんなふうでした。十何年もこの世界でやってきて今はもう、自分流にいろいろな話題が作りだせます。

ここまでやってこれた秘訣はただ一つ。

好奇心。

あらゆる話題に対して好奇心を持つっていうのではなく、自分の得意な話題の引き出しをいくつか作りあげておくことです。アメリカンフットボールの話、バスケットボールの話……、こういった話題にはいまだについていけないので、「私の趣味はクッキング」と先に言ってしまうわけ。そうなると、アメリカと日本の塩のちがい、とかカナダやキューバ沖のサーモンの味わいとか、こちらの得意なフィールドで相手と共通の興味をもった会話に持ち込めるでしょう。こちらの土俵で語るわけで、相手は僕と話すのが面白い、って感じるようになるでしょう。

あと、あまり大きな声では言えないけれど、アメリカって国はつくづくある一部の白人中心の社会だな、って感じるときがあるってこと。それはエリート社会に入り込めばそれだけ根深いものかもしれない。

それはあまり言いたくはないけれどもね。

最近、アメリカって先進国ではなく発展途上国じゃないかって自分に言い聞かせている。貧富の差が大変でしょう。ホームレスが二〇〇万人と言われているし、年収一〇〇万円以下という人を数えたらきりがない。人種もさまざま、共通語すら持ちえなくなっている。文字の書けない人もたくさんいる。

僕の家内は白人で、ニューヨーク市立の自動車整備工を養成する高校の先生をやっている。僕たちの結婚のパーティはその高校でやったんだけれど、そういう学校には英語も話せない生徒がたくさんいるんです。学校の玄関には金属探知機が置いてある。生徒が拳銃を持ってくる、ナイフを持ってくる、それをチェックするための機械です。今、僕が本気で日本に報告したいアメリカって言えば、あの高校のことかなあ。今に日本もああなるんじゃない？　あの高校に行ってみると、ほんとうにこの国が抱えている苦しみがよくわかります。何を教育の軸におくべきなのか、考えこまざるをえない。

そういう意味で言えば、世界銀行に就職して発展途上国の開発に役立ちたい、って考えていた僕の希望通りの道を歩んでいる（笑い）。

……（沈黙）。

今考えてること？　……ラーメン、蕎麦、ウドンが食べたい（笑い）。有楽町のガード下の立ち食いでね。

それと、百歳まで長生きするってこと。百まで生きるなら、糖尿病とかアルツハイマーにはなりたくない。そうなると若い時に苦労したくないですよ。なんであくせく出世する必要があるのか、出世してポックリいったらつまらないでしょ？　だからもう転社はしない。ジョブ・ホッピングなんて人間の社会であるかぎり、むずかしいと実感してるから。

もし、職を変えるなら農業に転職します。トマトを作りたい。このあいだ、妻と一緒にメキシコ行ったときに思いついたんだ。バターとクリームソースは飽きるけれど、トマト味って飽きないってね。永久に人に求められる味だな、って。

品質管理とカイシャ
28年間、ホンダは一度も僕を飽きさせなかった

コロンバス／ホンダ・オブ・アメリカ副社長
網野俊賢（59歳・在外17年）

一九八〇年にオハイオ工場が産声をあげる前から僕はこの工場に関係してたんです。ホンダにとってアメリカは必ずしも自動車の大きな市場だったわけではありません。当時のホンダはオートバイを中心に製造していました。ただ、その頃のアメリカではオートバイの社会的イメージが非常に悪く、低かった。オートバイ野郎の暴力的な匂いと四輪を買えない階層の乗り物、といった印象をぬぐえず、初期にアメリカに売り込みに来た営業マンたちは、ものすごく苦労したと思います。

ただ、ホンダには世界の自動車王国で挑戦したい、という創業者から引き継いできた夢がありました。よその会社なら進出を躊躇《ちゅうちょ》するようなときも、夢の強さでな

んとかしよう、と頑張る社風があった。

オハイオ工場の歴史は、アメリカにおける日系企業のむずかしさを着実に克服してゆく過程でした。幸いにしてホンダの車は売れた。品質だけを考えて作ってきた結果です。一番のむずかしさは、アメリカ人のアソシエイト——ホンダ・オブ・アメリカでは労働者、従業員と言いません。すべて仲間（アソシエイト）と呼んでいます——に品質の大切さを肌身に感じてもらうことでした。

まずは言葉の壁、日本人とアメリカ人の気質のちがい、文化のちがいに戸惑いました。日本人なら……という気持ちを自分の内側からとっぱらうことはとても大変だった。たとえば日本人は何か提案をするとき、事前にいろいろな事態を想定して、徹底して調べます。あらゆる角度から、想定しうるかぎりのメリット、デメリットを考え抜く。とくにうちはそうしてきました。

アメリカ人はどちらかというとひらめき重視。極端に言うと「なぜグッドアイデアなのか?」と聞いても「俺が思うからグッドアイデアだ」と答えるだけ。しかもまいったことに、それが当たってることがある。日本人の場合、当たっていたとしても集団の合意をとらなければ全体が動かないでしょう。

最初のうちはずいぶん誤解がいきかいました。この周辺は穀倉地帯でドイツ系の農民が多い地域でした。工場で働く経験など皆無という人ばかり。初期には日本人が模範指導をしてアメリカ人がそれに従う、という時期もありました。しかし、経験を積めば彼らなりの疑問が生まれます。議論をする。言葉の壁にぶつかり、お互いにフラストレーションがたまってくる。

最初は解決しよう、と躍起になりました。必死になればなるほど空回りする。今思えば、誤解を当然のこととして、どのようにやっていくのかを考えていくべきだったんです。十年たってようやく、いきりたってお互いに自己主張しても何も進まないということを、日本人もアメリカ人も理解するようにはなってきています。

ホンダ・オブ・アメリカは創業以来、全米自動車労働組合に加入していない。

アメリカの自動車業界は代々、組合が強い。おじいさんも親父も息子も同じ組合員だ、って風土があります。アメリカにはもともとユニオン・アボイダンスという組合回避の方法論がありました。しかし、もしオハイオがそれをやったら、反発を招いたでしょう。オハイオは組合を結成するか否かをアソシエイトの選択にまかせました。一つの会社で第三者が中に入って話し合いをしなければ物事を解決できないというのは、たぶん健全なことではないんだろうな、とは考えていたと思います。会社とは朝から晩まで働いて給料をもらうためだけの場なのか？　会社で働くことは気持ちがいい、と感じてもらうには何をなすべきなのか？

平等の国、とは言われてますが、アメリカには厳然としてブルーカラーとホワイトカラーの区別があります。ホンダはその区別をなくしたかった。社長以下、工場では全員が白いつなぎの作業服のホワイトカラーにしてきた（笑い）。人によっては雇用契約による時給と月給というちがいはあります。でも、ブルーカラーは一生ブルーカラー、というアメリカ的な決まりはない。あれは、アソシエイトのやる気をそこねます。ホンダはそう考えたんですね。オハイオでもすでに何人かのライン出身のアソシエイトが管理職に昇進してます。それが人間にとって自然でしょう。今、副社長で工場長のアメリカ人は現場でコーディネーターをやっていた人です。副工場長の一人はラインからのスタートでした。まあ、入社する前は高校の教師をやっていたというから、それなりの学歴はあったということでしょうが……。

いい物を作りたいという気持ちは人種を問わず、誰にもあるはずです。ただ、徹底の仕方に差がある。私たちホンダの品質管理のやり方は、ホンダを知らないアメリカ人から見るとクレイジーに思えるほど徹底しているらしい（笑い）。

チェックは詳細に、細部にわたって集団で何度も繰り返します。しかも常に満足しません。お客さんの希望、期待もさまざまな経験を積んで日々強くなっていくわけです。今年満足してくれた技術が、来年も満足されるとは限らない。そういう考え方はアメリカ人にはわかりません。そこまで徹底しなくても――という疑問は常に彼らにつきまとった。工場でも日本ではゴミ一つ落ちてはいません。磨きをかけるほどです。清潔な工場では針一本落ちても目立ちますからね。それが結局安全につながるんです。アメリカでは工場が汚れていても気にしません。日本が進出する前のアメリカの工場の床はひどいものだった。私たちは繰り返し繰り返し、ことあるごとに清掃の必要性を訴えてきました。

品質に問題がでたときに、私たちは五回の「なぜ？」

を聞かないと駄目だ、と言ってきました。

たとえばあなたがこのテープレコーダーで録音できなかったとします。なぜ？　と聞く。バッテリーが切れた。普通ならそれで原因がわかったと納得してしまう。しかしなぜ、バッテリーが切れたのか？　バッテリー・チェックをしなかったからだ。ではなぜ、事前にバッテリーをかえなかったのか？　途中でなくならない、と安易に考えたからだ。あるいは新品だったからだ。ではなぜ、大丈夫と甘く思い込んだのか？　――こういうふうに最低五回のなぜ？　を聞いていくと最後は必ず人間が絡んできます。使い手の性格とか、日常感覚とか、その日の健康とか……。テープレコーダーならいいですが、自動車の場合にはお客さんの命にかかわってしまいますからね。

今、オハイオ工場では一万人のアソシエイトが働いてますが、最初は誰もがなぜこんなところまでやるのか？と疑ったと思います。ある程度の落伍者もでたでしょう。心の中で面倒だって苛立っている人もいるでしょう。一万人すべてがそういう手法を受け入れるのは不可能です。でも、そうすることで初めて、自分がより深く仕事にたずさわっているという自覚、喜びが生まれることもまた事実なんです。

日本人にとって仕事は喜びであり、アメリカ人にとっては生活費だけだ――とよく言われます。でも、ほんとうにどれだけの日本人が仕事に喜びを見いだしているかというとむずかしい。実際にはお酒を飲みながら、愚痴と上司の悪口でしょう。アメリカ人が仕事に喜びを見いださないかというと、そうでもない。

工場は、ある一定の作業を反復してやっていく所です。なかなか面白みを見いだせる場所とは言いがたい。そうは言っても、ここを変えたらもっと楽になる、機械を改良すればスムーズになる、と考える。そうすると、なにか喜びにかかわるものが生まれるはずではないでしょうか？　大学を卒業したエンジニアよりも現場の工場の仕事についてはアソシエイトの方がプロフェッショナルなんです。彼ら自身が経験に照らし合わせて考えてくれることが一番なんです。それなら提案を受けとめる窓口とそれを評価する制度を設けよう。

喜びの見いだしにくい工場の仕事に、いかにして喜びを見いだしうるのか。味をつけるのか。それを探るのが私の仕事だと思っています。

たしかに従来のアメリカの工場は、お金を稼ぐ場でしかなかった。だから工場も汚い。マネージメントする側にも、労働者は腕っぷしは強いが頭がよくない、という根深い偏見もあった。労働者は決められたことをやっていればいい、と決めつけていたんです。何年も働いていながら、自分の会社の社長や工場長の顔を見たこともない、という労働者がずいぶんいます。そういう職場で働いていたときと、社長も同じつなぎのユニフォームを着て、仕事について気楽に話ができる、自分の提案が歓迎される、というホンダのような工場では何かがおのずとちがってくると思いませんか？

さっきも見知らぬアソシエイトから直接に電話がかかってきました。彼自身の悩みを相談したい、って——これがホンダのオープン・ドア・ポリシーです。どの地位の誰にコミュニケートしたっていいんです。担当秘書を通さなければ会えないような関係ではいけない。ポジションに関係なくアドバイスしあえる。そういう日常的な関係を作っておかなければいけないんです。

オハイオ工場では、たとえば入口に近いところに社長のための駐車場が確保してある、というような特権はありません。早く出勤した人が一番いいところに駐車できる——簡単な選択です。誰だって特権階級が威張っているような会社には働いていたくない。

問題は人間の心です。いいとわかっていてもやりたくない、やれない、と思うことはままあります。偉くなったりすると、やりたくないことについて解釈の矛盾を曲げていくケースがふえる。それが組織や人間関係の矛盾を深くする。これが危ないんです。私自身、時としてあるべきシステムがどうであれ、副社長なんだから特別に扱ってもらいたい——と揺れ動くこともありますよ（笑い）。まあ、ありがたいことに長い習慣が身について、今は揺れ動くことがほとんどなくなってきましたけれどね。

それほどの努力を払っていながらホンダ・オブ・アメリカはジャパン・バッシングの標的となった。

競争の結果を決めるのはいつもお客さんだってことです。お客さんが判断して負けるなら認めなければいけない。ここ数年、乗用車ベストセラーではフォードに追い抜かれています。それが競争であり、われわれがまた追い越すチャンスもあるということではないでしょうか。

アメリカでは黒人、白人、民族、性別、障害の有無などを理由に雇用拒否することが禁じられている。履歴書にそういう記述を求めると、雇用者の側が罰せられる。また、工場などから何マイルの地域住民の黒人、女性などの人口比率にそって黒人、女性、障害者を雇う義務も課せられている。ホンダ・オハイオは、その点で全米自動車組合から批判を受けた。勤勉なドイツ系移民の多い地域を選んで工場を建て、なおかつ女性の雇用が低い。その結果として生産効率をあげた、という批判だ。

アメリカで成功したホンダは知名度が高いためにとくに標的にされている嫌いがあります。

もちろん、本田宗一郎が黒人を避けようとしてこの地域を選んだわけではありません。オハイオ州側の熱心な協力もありました。自動車工場を建てるには、それなりにまとまった広さの用地も必要です。環境保全上、問題が生じないロケーションへの配慮も必要でしょう。

女性と黒人の雇用率については、現在は満足の評価をいただいてます。黒人と女性を雇って、だから生産効率が落ちたというようなことはありませんでした。日本とちがって、アメリカでは女性だからといって力仕事をしない、というようなことはありません。ラインでも男性と同じ仕事をしています。

日系企業相手の訴訟は絶えません。残念ながらお金をとれる対象として日本の企業がある、という現実が背景に潜んでいることも事実でしょう。しかし、われわれの側に訴えられるような問題がない、とは言いきれません。主としてコミュニケーションギャップ、文化摩擦による双方の誤解が大きいと思いますけれどもね。事実としてあるかどうか、ということより、自分たちがそう思われてしまう現実についてチェックしていく必要はあると思っています。

たしかなことは企業倫理が問われているということ。日本ではこの問題についてあまり議論がなされません。日本のビジネスマンは自由競争だから倫理観は必要ない、と考えがちです。なりわい、という考え方もある。しかし、環境問題もそうですが、国際的にみれば企業としての倫理が問われる時代であることは事実なんですね。社会への貢献とか、ね。アメリカ人が大切にしている常識に対して、日本的な常識にこだわって対応をしている、ということが彼らの訴えの底流なんです。

アメリカは一言では言い表せない変化の国です。人種だけでなく、一人一人がまったくちがう個性を競い合っている。多様性からくる面白さ、ダイナミズムにあふれている。多様性があるということは、同時に単純な決めつけが通用しない、単純な普遍性でくくれないむずかしさと裏腹です。多様性のないこちらがわの通り一遍の考え方を改めることこそが要求されているんでしょう。

それにしても、最近のバッシングはお客さんとは無縁の政治的モチベーションが強いのではないでしょうか。われわれにとってそれはほんとうに厳しいし、辛いことです。昨日も地元の議員やそのスタッフたちと話し合いがありました。彼は日系企業に対して非常に厳しい議員です。でも、彼らはここで生産している車をアメリカ車として日本に輸出している事実を知らなかった。そんなことは当然知っている、と私のほうは思っていたんです。われわれの努力について知ってもらうための努力が必要だ、と痛感しました。

心配なのはアメリカ人アソシエイトのことです。彼らにとって一番辛いのは、日本の企業に勤め、日本の車を造り、日本の利益になることをやっているアメリカ人、というレッテルを貼られることです。彼らはたしかにホンダの車を造ってますが、アメリカのためにアメリカ車を造るアメリカ人であり、世界のあちこちにアメリカ車として輸出している会社の社員なのですから。

アメリカで模範企業と認知されているアメリカの企業でも、過去の成長の過程ではいくどもむずかしい問題、とくに社会的な抵抗に直面してきたはずです。品質問題、公害問題、環境問題——そういったさまざまな問題を乗り越えてはじめて、われわれもアメリカの企業として認められていくんでしょう。何よりも大切なのは、その製品がアメリカ人にとって必要な物である、という自覚です。そういう認識が広まれば、アメリカの消費者は支持するだろうし、監督官庁にも認められるいい企業に成長していくと思いますね。

網野さんは海外で仕事をしたい、とホンダ入社前に三度も転職している。

アメリカでの生活も十七年目になると、私自身、時として混乱します。「われわれは——」と語りながら、われわれというのは日本人としてなのか、アメリカの企業に働いている人間としてなのか、日本人、アメリカ人双方を代表してなのかはっきりしないことも多いんですよ。一番避けなければいけないのは、からだはオハイオにいながら、心は日本、東京にあるということです。そうかといって私がアメリカ人になることはできません。いつもアメリカのオハイオにいる日本人として、という立場について考えてきました。

リタイアしても、私はオハイオに残るでしょう。十年以上もここに住んできましたし、友だちもできました。ここでは仕事七割、私生活三割という暮らしでした。東京で隠居生活をするよりも、誕生のときから関わってきたオハイオにとどまったほうが、数々の素晴らしい経験や人との出会いを与えてくれたオハイオに貢献もできると思ってます。

ホンダは一回も私を飽きさせなかった。愚痴っぽいことを考えたことは一回もなかったですね。企業人間になりきった証かもしれないですけれど、幸せな二八年でした。

仕事が趣味みたいな人間でしたからねえ。

ジャパン・ビジネス

宇宙開発の戦士たち

われわれの衛星の打ち上げが失敗だなんて――

総合商社・東京ヘッドクォーター
橋本　毅（52歳）

一九九〇年、三年も準備していた衛星が南米のギアナで打ち上げ直後に落ちてしまった。僕は東京のヘッドクォーターにいた。ロケットを打ち上げる現場はギアナだけど、打ち上がって衛星が生まれると、衛星の追跡や管理の現場はサンフランシスコに移るわけ。その総合的なコントロールをするのが東京なんだ。僕がギアナに入り込んじゃうと、行くだけで四日もかかる地域だからなかなか帰れない。でもね、どこにいても今は同じ。現場と東京ヘッドクォーター、サンフランシスコは電話回線によってリアルタイムでつながっている。

打ち上げの日の夕方六時、約百人の部員、関係者が全員集合した。打ち上げまでの数日というもの、百人の部員はほとんど毎晩徹夜に近かった。ギアナ現地のコントロールセンターでは打ち上げの数時間前から衛星の調子、ネットワーク、通信網などをチェックするための作業に追われていた。

現地に派遣した若いやつが、電話で打ち上げ準備の様子を一つ一つ報告してくる。手にとるように現地の動きがわかる。ロケット打ち上げの秒読みが始まった。東京は真夜中。サンフランシスコは明けがた。ギアナは昼間だ。最後の五分。すべての赤いランプがグリーンになった、と報告があった。準備完了だ。カウントもゼロになった。

ロケットに着火した。離陸。

さあ、次々にイヴェントが始まる。忙しくなるぞ。次はストラップ・オン・ブースター（発射のとき、ロケットを支えている装置）がはずれるはずだ。……？　突然、現地からの実況が途切れた。何秒か経過する。何も言ってこない。

「まだ連絡がありません」と電話を受けている若いやつが叫ぶ。――遅れるときもある、そう思おうとした。

そしたら「全員立ちました」って報告が入った。「これはアウチだぜ」――思わず、反射的にこう呟いていたね。詳しい情報はない。事実を伝える報告もない。だけど、現地の全員が立った、という一言ですべて了解したんだ。やばい、ってね。

その瞬間「緊急体制だ！」って指令をだしていました。動揺？　ショック？　それどころではない。呆然と立ち尽くす？　そんなこと許されない。そんなときには感情って動かないものさ。なかには、三年間の夢と緊張が突然のアクシデントで途切れ、涙ぐんでいる女性部員もいた。僕は奇妙なほど醒めていた。

落ちた、という具体的な事実の詳細を言葉でバンバン連絡しあってはいる。でも、頭は緊急の際の東京でとるべき実務の指示に集中していた。郵政省に対する連絡、マスコミへの対応、保険はどうするのか、現地からの撤退はどのようにすべきか、成功のイヴェントが行われるはずだった現場の仕切りはきちんとしているか、サンフランシスコはどのように行動すべきなのか、衛星の誕生を待っている放送関係者のスケジュールに間に合うように次の衛星の準備を始めなければいけない――部下に指示をだしっぱなしだった。日頃の訓練の結果がでたね。

すべてがシステマティックに動きはじめた。

新聞やテレビではずいぶん書かれていじめられたな

……(笑い)。

僕個人のショックは、後からやってきた。一人で歩いていたり、電車に乗っているときに「コンチクショー！」って思わず叫んでいた。堪えきれないなにかがこみあげてくる。落ちなくたっていいじゃないか。よりによって、われわれの衛星が打ち上げ失敗だなんて、信じられない。

一時は外国の雑誌にKGBの陰謀だ、とか騒がれたけど、冷却用のパイプに布がつまって冷却装置が作動できず、エンジンがオーバーヒートしたというのが原因だった。

——それだけ。

つまらないミスで百人以上の人間が三年間を準備にかけた夢がふっとんでしまった。

工学部機械工学科卒業後、橋本さんは技術者の道を選ばず、総合商社に入社して輸送機部に所属した。まだ日本には宇宙を商う商社のない時代だった。

総合商社は、ミサイルからインスタントラーメンまでと言われるくらい何でもやる。最近は宇宙から墓石まで、って笑い話があるくらい。入社当時は糸川英夫先生が秋田でペンシルロケットを飛ばしていた時代だった。宇宙と深海のどちらを開発すべきか、とさぐりながら新聞や雑誌、論文などの情報資料をファイルするぐらいが関の山、僕に渡されたファイルがたった二冊ですべてだった時代。宇宙ロケットなんて夢物語の世界だった。

昭和四四年に宇宙開発事業団ができた。本格的に衛星に取り組みだしたのは、その頃ですよ。種子島のロケット発射場建設工事もわれわれの仕事でした。アメリカからノウハウを導入し、プランをたてたんです。

だけど、日本は技術大国なのに宇宙開発だけは思うように進まなかった。能力の問題というより、やっぱりアメリカは軍事予算でしたからね。金の注ぎ込みかたが猛烈だった。実際のハードウェアにお金をかけなければロケットは完成しません。理論的にいくら正しくても、実験ができなかったら空論になってしまうでしょう。予算もない、一般の関心も薄い——そういう制約のなかで細々と、日本的に効率よくアメリカに追いつこうとしてきたんじゃないかなあ。

橋本さんは出張で海外体験を積み、一九七四年にロサンジェルス、翌年、シリコンバレーに自らの手で宇宙開発室のオフィスを開けた。

僕がロサンジェルスに行った頃、アメリカでは国民の税金を使って宇宙開発を進めているのに、ベンチャーや軍事目的だけでいいのかっていう反省期に入っていた。それでNASAは、コマーシャリゼーションをやりだした。宇宙技術をいかに国民のために使うか、民間に役立てるかということです。実験の時代が終わって、宇宙は人間のもの、みぢかな世界になったわけだ。

無重力、無限の広がり、空気のない世界——宇宙というのは一見、われわれ人類にとってはデメリットな空間でしょう。しかし、デメリットをメリットに変えていくことはできないだろうか？

宇宙では四六時中、太陽がでている。何らかの工夫で農業が可能になれば、地球とちがい、冷害が絶対に起きないはずじゃないのか？　食料事情も安定し、現在の人口問題に大きな光となるはずだ。四毛作も可能かもしれない。地上では重力があるために、比重の異なる金属は決して混じり合わない。重力のない宇宙では、そういった金属が混じり合うわけだ。われわれの想像もつかない新しい合金が生まれるのではないか？　細胞を限界まで薄く分けるセル・セパレーションの技術は、重力を前提とした地上では非常にむずかしい。それが宇宙では可能となる。地上で理論的には完成しても現実にはできえなかった新しい薬の開発も可能になるかもしれない。

五年間のアメリカ体験で、僕は日本にも宇宙のコマーシャリゼーションが絶対にある、と確信するようになった。最終的にはスペースコロニー、公害を出す発電所や工場は宇宙にあってもいい、という考え方です。人間が住む青い地球を残そう、『銀河鉄道９９９』の世界を現実のものにしようとする計画です。まずは地表から高度三〇〇キロの軌道上に宇宙基地を完成させる。これが夢の第一のステップ。

一九七九年からアメリカ、日本、ヨーロッパが参加して、二〇〇〇年を目標に宇宙基地を造ろうとしています。そうなれば恒久的な実験が始まる。スペース・シャトルの成功で、往復は一応安全になった。宇宙基地ができれば、必ず社会が誕生する。そこに人間が動き、物が動けば商事会社の仕事は無限に生まれてくる。

現代は衛星の時代と言われている。静止衛星は赤道の上空三万六〇〇〇キロメートルの軌道にしかおけない。すでに地球のまわりは各国所有の衛星で過密状態になっている。

マスメディアが地上波でない放送衛星を使うようになって、新しいメディアも可能になった。メディアの発達が東欧崩壊につながったって言われているでしょう。現実には情報制限をいくらしていても、電波だけは見えない形で入り込んでいくことができるわけだから。湾岸戦争も衛星がフルに使われた戦争だった。ピンポイント爆撃も衛星によって可能になった。そういう意味で衛星の存在によって政治や社会も変わっていくだろう。人間の力ではどうしようもない一つのなにかが誕生したということは事実です。

人工衛星は、しかもわれわれの暮らしに直結するようになった。気象衛星があがって以来、東南アジアでもハリケーンやサイクロンの位置を一週間前に予知できるようになった。現在、何気なく見ているテレビの天気予報は気象衛星がなければ成り立たない。そしてわれわれの生活の周辺にはあの正確な天気予報がなかったら成り立ちえない産業がたくさんあるんだ。たとえばスーパーマーケットの品揃いなんかは、天気予報によって変えてます。衣類から食料、日用品に至るまですべて関係してしまっている。宇宙のコマーシャリゼーションは知らず知らずのうちに進んでいたってことです。

もっとも忙しい時期の橋本さんの一ヵ月の休日は一日か二日。世界中がほとんど電話線でつながりっぱなしである。パリで会議があれば昼に成田発、現地時間の昼にパリ到着、午後に三時間の会議、夜のフライトがないのでホテル泊、翌朝帰国というスケジュールとなる。アメリカの場合、丸の内を金曜日四時に出発、六時の飛行機に搭乗、現地時間の金曜日十時にサンフランシスコ着。午後、会議。夕食をスタッフと囲み、土曜日の午前にミーティング。昼間十二時のフライトに乗って日曜日に帰国。月曜日には出勤してフルに働く――これが理想のスケジュールだという。

月曜日に出発すると、下手すると木曜日に帰国ってことでしょう。そうなると一週間が無駄になる。だから週末を利用する。時差はたしかにきついね。だから寝たいときに寝て、起きたいときに起きる。時差を利用して夜中に東京と連絡をしつづけることもある。

僕にとって仕事がすべてなんだ。忙しくなるとほとんど家にはいないよ。そんなときはしょうがないから、朝食だけは六時半に早起きして家族と一緒。帰宅は夜中。早くて十二時、遅いと四時。

もちろん、仕事人間といっても休息は必要さ。海外でほんの少し時間に余裕があれば美術館やゴルフ場に走っているよ。パリのオルセー美術館なんか、何度タクシーで飛び込んだか。日本にいるときの休日はヨット。会社のクラブで一杯のヨットを持っているからクルージングで深呼吸。われわれは全日本にでていたんだもの。

二三年間、これでやってきた。

趣味？　やはり仕事だなあ。

マイホーム

海外に出てたから人並みに家を持てたんです

重慶／非煙脱硫プラント現地責任者

佐々木泰文（49歳・在外18年）

佐々木さんは三菱重工に入社後、上海のエチレンプラントを皮切りに、一貫して海外、そのうち十五年間は中国のプラントを担当してきた。文化大革命から開放政策へと流れていく中国激動の時代だった。

私の仕事は現場管理者——。プラントというのはさまざまな技術専門家が協力してできあがっています。建設過程に合わせて日本からあらゆる職種の専門家が順を追って来ます。最初は計画、資材の搬入、基礎土木、設備据え付け、装置運転の指導……。私だけは最初から最後まで現場にいるんです。私は商売とは関係なく技術面の問題を解決する立場にあります。机上の計画が現地でうまくいくとは限りません。問題が起きたときに、責任の所在と原因を調査して確認しながら、建設工事を円滑に進めていくのが私の仕事です。しかも中国人、日本人、フランス人の寄り合い所帯。国家的なプロジェクトでもあるし、三者の折衝、調整もやらなければいけない。

専門家とはいっても現場にはいろいろな人が来ます。中国を理解してない人、日本の価値基準をそのまま中国に持ち込む人は問題になりがちですね。外国に出ると、どうしても男は奔放になってしまう。そういう人にかぎって日本にいるときはおとなしい（笑い）。仕事ができても喋るのが下手、付き合いが苦手——そういう人たちの調整も私の仕事です。中国は体制の異なる社会ですから、娯楽も乏しいし、ただただ仕事していただいて帰るだけ。せいぜい旅行に行くくらいでしょう。精神的に参ってしまう人もおります。そういう人は、早めに理由をつけて帰っていただきます。

最初に赴任してきた頃は文化大革命の真最中でした。一言で言えば緊張の連続です。労働者の立場が強く、一人で何十人という中国人を相手に会議をやっても結論が出ない。契約書に書いてあっても、現場の事情に合わせて決めなおさなければならないことがたくさんありますからね。しかも通訳もあまり上手ではない。中国人は外国人と個人的な付き合いをしてはいけないという時代でした。会議における私の発言はすべてメモされます。結局はパンダ、田中角栄さん、富士山、といった限られた話しかできません。通訳の日本に関する知識も「日本は労働者が資本家に搾取されて大変でしょう」「われわれは毛首席の思想で日本を解放してあげなければなりません」といった話題がせいぜいでした。

そんななかで私はまず、彼らから信頼を得る努力をしました。むずかしいことはありません。「誠意を示せば誠意で返ってくる」——結局、これだけです。「失敗を正当化しないこと」「損だ、損だ」と言わないこと。東洋人ですからね。いったん信頼を得ると、あとはとてもやりやすいはずです。

中国を体験した日本人には「中国はもうこりごり」と言う人が多いと聞きます。短期で来る人たちに往々にしてそういう人が多いですね。商売で損得勘定で接していると、嫌いになるかもしれません。中国人はなかなか本音を言わないし、簡単には仲良くなれません。しかも組織・集団のなかでは個人的感情とは別の態度をとります。しかしね、中国人は誤解されがちですけれど、よいところもたくさんあります。本質はなにも日本人と変わりません。

〔中国側副所長・趙さん（49歳）の話〕

佐々木先生とは三年間合作しました。楽しかったです。佐々木先生はいい人です。管理の経験を中国人にも教えてくれます。日本人に共通しているんですが、佐々木先生も仕事に真剣で敬服します。佐々木先生は中国人についてよく知っているんですね。

中国の大気汚染はものすごいです。重慶では、大気汚染の程度は基準の四倍くらい悪い状況です。雨の酸がひどいんです。工事も完成しないうちに現場の鉄が錆びてしまいます。公害について、中国は気がついていなかったんです。一九七二年の世界国連環境会議に初めて中国が参加して二十年、わが国もずいぶん考えてきました。

揚子江を望む丘の上に巨大な発電所建設が進んでいる。試運転も始まり、時折、機械に蒸気を通す爆発音が轟く。

この現場は、中国が初めて発電所に大型排煙脱硫装置――石炭を燃やすときに出る硫黄分を取り除く装置――をつけ、ようやく公害対策に取り組むというので、国際的にもとても注目されているプロジェクトなんです。フランスが借款をつけ、外資の技術援助で華能という電源開発会社が建設しています。中国にしてみれば超大型発電所でしょう。中国では今後、この規模の発電所を七十基から八十基を建設しないと基本的な電気が足りないと聞いてます。脱硫装置っていうのは付属設備でしょう。食べていくのに精一杯、という現在の中国にしてみれば、付属設備に何十億円をかけるより、もう一基の発電所を造りたいだろうと思います。でも世界的に環境問題がクローズアップされていますし、重慶では特殊な事情もあって公害の被害が報告されています。ここ重慶は周囲を山に囲まれた山城地形なんです。煉炭や石炭を焚くと、硫黄の混濁した空気が雲となってちょうど鍋の蓋のような役目を果たし、汚染空気が町中にたちこめる――。発電所建設によってこれ以上公害をひどくすることは許されません。ここに設置する脱硫装置は中国側の経済事情を考え、日本や欧米からの部品を組み合わせてなるべくはコストを抑えるように計画しましたが、ほんとうなら、もう少し中国の技術的な現実を考えてやらなければいけないだろうな、と思いました。

〔ある中国の新聞記事から〕

佐々木先生は、まず名刺を記者に手渡し、ペンとノートを持って真面目に話します。銀鼠色の作業服を着て、袖口のボタンをきちんとかけ、長靴をはいてます。長靴には汚れ一つありません。彼のテーブルも清潔です。

佐々木先生は品質管理に関し、中国人労働者に厳しすぎるほどに要求しますが、うまくいったときにはやさしく評価をしてくれます。

佐々木先生の机には珍しい中国製の竹の煙管《きせる》や工芸品が置いてあります。壁には中国の蝶の標本が飾ってあります。佐々木先生は中国に愛情を持っているようです。

私が彼らに受け入れられてきたとしたら、決して特権をふりまわさず、進んで中国人の中に入ってきたからでしょう。だからといって教えるべきことはきちんと教えます。たとえば彼らは建設スケジュールをたて、手順通りやることが苦手です。ただ目先のことを無秩序にやっていく。計画性がない。そういうときには、必ず誰もが理解できる秩序あるスケジュールを決めなければ駄目、ということを要求します。どの現場でも、赴任して最初にやるのはいつもそのことです。彼らにとっては不思議でしょう。スケジュールは中国側の問題だし、それが変わっても日本人の私には何の利益にもならないことなんだから。しかし、それはいいことなんだ、大切なんだって思わせることが私の役目なんです。

もちろんいろいろ抵抗もありました。私を避ける人もたくさんいます。そんなときは時間をかけます。長く一緒にやっていけば、理解しあえるものです。とくに地位が上の人の方が私のやり方に賛同してくれます。こちらの側も、自分にできる協力は惜しみません。できる限りの便宜をはかるよう本社と折衝する。お互いなんです。

日本の同僚には、私が中国的になったって笑われます。私には日本人よりも中国人と一緒に仕事をするほうが楽なんです。日本人は競争、競争でギスギスしてるでしょう。中国には競争はありません。

中国も変わりました。昔は街を歩いている人のほとんどがカーキ色の木綿の人民服一色。女性の髪形もオカッパか三つ編み。スカートをはいていると町中の話題になったほどでした。外国人も珍しかったんでしょう。西洋人の後ろに子どもがゾロゾロ（笑い）。外国人特権もありました。旅行するのも貸切り列車、車も手信号で優先通過、劇場に行っても熱烈な拍手、一番いい席で観劇するのが普通でした。優越感に浸りながら、一方で自戒の念にさいなまれたものです。

今はすっかり変わりました。少々、不便にはなりましたけど、この方が自然なんでしょうね。

佐々木さんは発電所横に建つ宿泊所に二部屋を借りて暮らしている。一つの部屋は寝室。もう一つの部屋の風呂場は台所として使い、壁の棚にはビデオ、日本の雑誌がびっしりと並んでいる。佐々木さんは、現場での毎日をことあるごとに写真に記録し、すべてをアルバムに整理している。アルバムはすでに十冊をこえた。

重慶で覚えたのが古い貨幣の収集です。明の時代からのお札がブラックマーケットで手に入るんですね。重慶は国民党が最後まで残ったところでしょう。台湾に渡る前にたくさんの財宝を置いていってしまった。日本にいたらこういうことはできないでしょう。独身にもどった気分です。日本では仕事するのが当たり前、日曜日も出勤してなければ脱落するって競争ばかりですからね。

家族ですか？　週に二、三回は女房と電話で話してます。話すのは子どものことですね。ちょっと辛いことがあったりするとやっぱり女房に電話してます。でも愚痴は言いません。声を聞くだけです。

女房は私の仕事には関心ないみたいでねえ。アルバムも見てくれないし、ここに来たこともありません。彼女は今、人の悩みを聞くボランティアやってるようですよ。帰国するのは盆、暮れに二週間ずつでしょう。家にいたってしょうがないし、私も傍にいてやれないですから、それで気がまぎれるならいいって思ってます。正直言って、私がこうやって海外に出ているから人並みに家を持てたわけでね。多少、家族は犠牲になっても、それでようやくやってこれたってことでしょう。

私にとって中国という隣国は、会社人生の大半を過ごした第二の故郷です。ここで過ごした時間は大きな財産です。この国との縁はきっと末永く消えないでしょうね。

発電所が完成した一九九三年、長い中国の赴任が終わり、佐々木さんは次の任地バンコクに旅立っていった。「子どもの教育のため」今回もまた単身のホテル暮らしの赴任となった。

外国人正社員第一号
言葉通じて意思通ぜず

北京／酒造メーカー支店長
亜聖　繁（37歳・在外3年）

亜聖さんはソウルで生まれた台湾国籍の中国人だった。十八歳のときに日本に留学。卒業後、サントリーに入社。

私の本名は孟繁錫。日本に帰化するとき、苗字を亜聖に決めました。――孟子の敬称です。繁は中国語で七四代目を表す代数です。これは民族の字を忘れたくない、民族観念を大切にしたい、と願ってつけた名前なんですね。国籍を変えたのは仕事のためです。国際部では頻繁に海外出張しなければなりません。当時、台湾のパスポートではタイなどのビザをとるのに一ヵ月もかかった。出張が決まって一ヵ月も待っていたら、仕事は終わってますよね（笑い）。それでは日本人と同じ土俵で仕事ができません。だったらいっそ、と入社して四年後に日本国籍をとったんです。華僑にとってはどこに根をはるかが問題なのであり、国籍は便宜的なものです。もし私がアメリカに行ったら、アメリカ国籍をとり、アメリカの名前にするでしょう。名前がいくつあってもおかしくないじゃないですか？

一般に国民は税金を払う義務によって国民としての権利を得ます。しかし、華僑には義務はあっても権利はありません。幼いとき、韓国の友だちが「ウリナラ――わが国」という言葉をたくさん使うんですね。韓国生まれの中国人である私にはその言葉が使えなかった。ウリナラという言葉を使えるのは幸せなんだな、と子どもながらに羨ましかった。国籍を変えてから、初めて日本人として投票しました。あ、一つの国の国民なんだ、ってとても新鮮でした。

私はサントリーの外国人正社員、第一号でした。それまでの外国人の場合、嘱託か契約社員がせいぜいだったんです。最初の面接の席で「私は五年間勤めたらいいです。その後は私が会社を必要とするなら私が考える。会社が私を必要とするなら会社が考える」って言いました。

大阪本社の面接を終えて東京に帰ったら「あなたを正

社員として雇いたい」って連絡がありました。でも「正社員になると日本では終身雇用です。私は会社に一生を縛られたくありません」って答えました。そんなこと言った人は初めてだったそうですよ（笑い）。

サントリーは今、中国でビール工場やレストランの合弁会社をやってます。「三年間、北京に行け」と声をかけられたときは「僕を飛ばすつもりですね」と冗談混じりに抗議しました。そしたら上司が「そんなのとちゃう。今こそ、あなたや」って励ましてくれました。この一言が今も、ずっと心にひっかかっているんです。

小学生の頃から、中国は物が豊富な国、パワーのある国と思ってました。サントリーも中国に進出しよう、という方針を貫いてきたと思います。中国は日本人にとっても評価が高い国なんだな、とわれながら中国人であることが誇らしかった。

それが、北京に出張に来て、中国人と会うたびに、その点数が低くなっていく。

まず第一に華僑なのに日本人、という事実が中国でさまざまな波紋を起こしました。もちろん彼らも表向きには「彼はずっと海外にいて苦労してきた。外国の企業に勤めた以上、中国人として会社の仕事に役立つということは立派じゃないか」と私の立場を理解してくれます。一般的にこの国の人は外国人に対して親切です。だから私が流暢な中国語を喋るのがかえってマイナスに作用することもあります。戦争中に日本に苦しめられた地域などでは、流暢な中国語を喋ると「日本人の手先」となじられることもある。商談がうまくいっているときには彼らは何も言わない。すこし行き詰まって、私がサントリーの利益代表として発言すると「あんたは中国人じゃないのか！」と非難されてしまう。

何よりも苛立ったのは彼らの仕事に対する姿勢です。私たちは進出企業とは言っても中国国営の合弁会社でしょう。同じ目的をもつ仕事のパートナーのはずです。なのに彼らは常に第三者的な態度を崩さない。話はしてもアクションをとらない。物事を解決しようとしない。

たとえば中国産の原料を安く買う――これは合弁パートナーとして彼らにもメリットがあることです。だけど原料は国のものだから、安く売ったら国が損する、そういうジレンマに襲われるらしい。愛国心が強い人ほど原料を高く買おうとします。そうなると合弁会社の利益は生まれません。苛立ちながらまたたくまに四年半がたちました。

「言葉通じて意思通ぜず」——私の中国は基本的にはこの一言でした。

毎日の仕事は主として、新規ビジネスの推進のための人脈作りに尽きます。人脈作りっていうのは期限も答えもない仕事ですけどね（笑い）。

一プラス二は三とわかっていても、この国では一プラス二は何であるのか、その理屈を説明しなければ駄目です。都会の若い人たちは優秀で外国人と接する機会がありますからまだ、通じます。でも、奥地に行くとほとんど言葉とは全然別の圧倒的なにかが働いているような気がする。彼らだけの価値で動いている。意思が通じません。絶望的な気分に陥ります。

もう一つ大変なのは付き合い酒です。中国人とは酒を飲まないと話が進みません。貧しさもあって一般の中国人が御馳走と酒にありつけるのは宴会に限られます。結局、彼らが飲みたい、食べたいから宴会するようなものとなる。からだ削ってるようなものですよ。

中国人も疲れてるんじゃないかなあ（笑い）。

彼らは食べる楽しみを決して手ばなさない。それは執着にも近い。われわれなら一食抜いたっていいや、って思うでしょう。彼らはちがいます。たとえば、日本から人が来て、昼食抜きで飛行場に迎えに行かなければならない。その時に彼らは何も言いません。でも、あとで昼食を犠牲にさせられた、って不満に思い知らされる。昼食手当てをだしたって許されません。食は彼らのすべてなんですね。いくら大切な仕事中でも「食事終わってからにしましょう」って言いますからね（笑い）。

今の希望ですか？　言葉のメリットを生かして、アジア圏でもっともっと勉強したいですよ。中国はビジネスマンにとっての刺激が少ないでしょう。現在のような毎日を送っていると、中国での勤務期間は、会社にとっても、僕の人生にとっても、あってもなくてもいい一コマになってしまうかもしれません。でもやっぱり、いずれ役にたつ時間であってほしいって思いますよね。これからのアジアは中国の資源と市場抜きには考えられませんからね。このことがいつもひっかかってくるんです。

中国も地球の一員として、現実の地球がどう回っているのか習うべきですよね。すべての国々が彼らの流儀に合わせることは不可能なんですから……。

反日運動の教訓

日本中が商社を誤解し、悪者扱いした

バンコク／総合商社駐在員
松枝文夫（50歳・在外14年）

大学でタイ語を専攻した松枝さんは一貫して東南アジア、とくにタイのマーケティングを担当してきた。最初にバンコクに赴任したのは一九七一年。当時のバンコクの人口は現在より二千万人少ない三千六百万人ほど。一人当たりの所得は年間二〇〇ドル、タイ全体の貿易は二〇億ドル前後、現在の三十分の一の開発途上国だった。

当時、アジアにおける日本の商社の最大目標は国内マーケットをいかに拡大していくのか、ということでした。インドネシアやフィリピンと異なり、タイは当時から私どものような外国資本が流通業に関わることを認めていました。そのために、タイがアジアにおける日本の商社活動のもっとも大きな拠点になっていったんですね。
かつて一九七〇年代、アジアが反日運動に揺れたことがある。インドネシア、タイを訪れた田中角栄元首相に対する学生デモ、日の丸の焼き討ち——そしてその動きは日本製品の不買運動にまで広がった。

田中首相来訪のとき、私は南タイのハジャイに駐在してました。最初はベトナム戦争の基地としての米軍の存在が問題になっていたんです。それが日本に対する反発に広がっていった。インドネシアなどでは、潜在的に戦時中の日本支配に対する不満が鬱積していましたから、日本の急成長によって今度は経済的に支配されることへの苛立ち、不安がつのっていったんでしょうね。

タイの場合には中心街にある大丸デパートの前で連日、不買デモが繰り広げられました。そんなとき、日本のキックボクシングチームが来て「キックボクシングは日本のスポーツ」と心ない発言をしたものだから一気に反発が強まった。キックボクシングはタイで生まれたスポーツです。この発言にも見られるように、当時はたしかに日本人もタイ人の気持ちを理解して、きちんと対応しよ

うとする姿勢がなかったことも事実でした。

そういう反日の動きを煽ったのが日本のマスコミです。日本中が商社を悪者だと誤解し、攻撃した。日本のマスコミは小さなできごとをワーッと拡大して、悪いのは日本の商社、流通だ、だから不買運動に広がったんだ、と批判するだけなんです。それならどういう方向の改善策があるのかというところまで考えないんですね。何となく強いものだけ叩いて、あとは知らないよ、というか。われわれとは生きている世界がちがうんでしょうか。無責任だって思いました。

タイの特徴といえばクーデターです。一九三二年の第一回目以来、実に十八回もクーデターが起きている。このクーデターは、他国のように政策が極端に変わるわけではありません。権力闘争の一つの手段にすぎない。過去に何度かは、クーデターで軍人が死んだり、流れ弾に当たった報道関係者が死んだということはありました。でも、反対派の粛清とか、失敗した側の首謀者の暗殺、軍事裁判による処刑、といった酷い結末がありません。失敗しても、数年間の国外追放ぐらいで、再び社会的に受け入れます。非常に穏やかなんですね。

原則として国王と仏教がある。その原則以外はほどほどにしよう、というのがこの国の特徴でしょう。暮らしの隅々までこの姿勢が現れています。理屈を固めて、ピチッとこれでいこう、というふうには決まらないお国柄なんです。

逆に言うなら周囲の国に比べ、優柔不断でやりにくい側面もあります。自分の利益ばかりを考えて、なかなか大同団結しません。その昔、欧州で紛争があったときには中立を守り、第二次大戦のときはやむをえず日本と同盟を結んだけれど、日本が不利となれば突然連合国側に宣戦布告の取消を行い、致命的なダメージを受けないように動く。今でも同じです。一九七〇年代、ベトナム、ラオス、カンボジアとインドシナが共産化して、タイもいずれは危ないと言われたことがありました。しかし、タイは経済第一主義を掲げてアセアン諸国の結束を図った。そうこうして十年もたつと、社会主義も今一つ勢力を伸ばせず、ラオスはいちはやくベトナムから離脱していった。臨機応変の外交政策なんですね。

やっぱり生きのびる哲学があるんでしょう。日本やドイツみたいに挙国一致してワーッと進むようなことはしない。間違ってもひっくり返るようなことはありません。バランスを見て自分なりの生き方を守っている。

アセアンのなかでも、タイはさまざまな産業分野がバランスよく成長した。八七年以降は、その成長が加速し、建設・不動産部門を中心に急激に地元経済が湧いた。世界各国からいろいろな外国企業が事業機会をねらってタイを目指す。すさまじい投資ラッシュ。とくに日本のバブル経済と時期が重なったものだから、日本のあらゆる産業が信じられないほどタイに進出してきた。

タイのもう一つの特徴は国境貿易の国ということ。闇で流れている金額は、表の経済にも等しいと予想するほどです。カンボジア、ラオス、ミャンマー、マレーシアとの国境を通じて行われている貿易は、食品でいえば総額の四分の一にものぼる。一度隣国と紛争が起きると、国境が閉鎖されて国境貿易が三、四ヵ月もストップしてしまうんです。そうなると、タイ経済のダメージが大きい。一方、カンボジアなどからの大量の難民流入をきっかけに国際的な援助を得て国境貿易も復活するという巧みな経済構造もあるんですが。

ベトナムの動きにも関係すると思いますが、周辺諸国に紛争が起こらないかぎり、タイ経済はこのまま拡大していくと思います。

しかし、あまりに急成長したもので、矛盾もまたひどい。バンコク周辺の土地は十倍くらいに値上がりして、農村が急速に工業化されて破壊されている。しかし、教育がそれに追いついていけない。中間管理職やエンジニアの人材教育もまにあわない。交通の整備が追いつかない。消費欲求は増えても、職場環境、インフラ供給が間に合わない、というのが現在のタイかもしれません。民衆の苛立ちが暴動につながったこともありました。

そういった成長の歪みに追い打ちをかけたのが世界的な不況、日本のバブル崩壊です。

今後、再び反日運動が起きないためにはお互いが歩み寄るしかないでしょう。基本的にタイで日本式にやろうとしたら革命を起こすしかない。お互いに相手の考え方を尊重したうえで実利の分配を公平に——お互いに一方的でなければ納得し、満足して共栄共存できるはずです。

消える砂漠

日本の家電製品は中東を席巻した

イスタンブール／中東専門商社支社長
原 清（45歳・在外15年）

イスタンブール市内の事務所。セーター姿の日本人三人とフランス人の男性一人が、トルコ人のおばさんが作った家庭料理を囲んでいた。

二十年間、家電製品を中心に売ってきました。日本の自動車と家電製品は中東を席巻したって思います。実感です。頑丈で何十年でも使っていけるドイツ製品があり、一方で耐久性には限度があっても、それなりの値段で買い換えることができるためにいつも新品を使っているという気分に浸れる日本製品がある。どちらを選ぶのかは消費者の好みでしょう。アラブ世界の場合、想像を絶するほど気候環境が厳しい。耐久性を望んでも、ヨーロッパとは比べようがありません。砂漠では、どんな製品でもすぐにボロボロになってしまうんです。消費の型について、なにもドイツ型が正しい、日本型が正しい、と決めなければいけないということはありません。さまざまな消費者の需要に合ったオプションを考え、与えていくのが僕たち商社マンの仕事ですから。

この二十年、日本製品の売れゆきが伸びた結果、中東の暮らしは具体的に変わりました。二五年前、ドバイなんかは地平線の彼方まで砂漠でした。遊牧民、ベドウィンがオアシスを求めてさまよう社会だったんです。そこに文字通り、降って沸いたのがオイルです。国民の誰もが、オイルマネーをいっぱい手にした。それまでは灼熱の炎天下で羊を追って、ラクダの背にまたがってテントを抱えて移動していた連中が、家を構えた。家具をしつらえた。そしてクーラーを入れる。今やクーラーは、ドバイの人にとって生命維持装置にも等しいんです。冷蔵庫も同じです。

すっかり変わったのが水に対する考え方。もともと水のない国でしょう。今でもガソリンより水のほうが高い値段がついてます。そこに技術の力でオイルを使って海水を淡水にするプラントが完成しました。水を求めてオアシスを移動する、そういう暮らしをしなくてもよくなったんです。今では、彼らは水を買う必要もない。蛇口をひねれば水がふんだんに出てくるんですからね。

変わらなかったのは宗教と人間くささかなあ。とにかく地域社会の隅々まで入り込んで信頼される——それがうちの商売の基本です。中東は人間関係があることで、ようやく商売ができる地域なんです。一度信頼されたら、すべてがゴーサインの社会です。逆に一度恨まれたらとことん、拒絶されてしまいます。欧米とはちがうんですね。浪花節の世界なんです。だからのめりこまないと商売になりません。うちの社員には、砂漠を自転車で商売に走っている奴もいますよ。

ただ一つ、中東で商社活動していて怖いのは戦争が日常の社会だっていうこと。銃弾をかいくぐりながら信用ベースで仕事を進めていても、いつ国の方針が変わるかわかりません。その覚悟をしてないと、必ず痛い目に合ってしまう（笑い）。

わが家にもサソリが出た！

商売の処女地だから、商社マンとしては面白い

マナグア／総合商社支店長
西岡重機（51歳・在外12年）

ニカラグアみたいな国にはもっと若い人が駐在するのがいいんですよ。最近の若い人はこういう国に転勤したがらなくってね。僕も悩んだあげく、ここに来ました。僕は人事に逆らわないほうですからね。

首都マナグア市内から二十分ほどの緑に囲まれた丘の中腹に西岡さんの家はある。眼下に広がる夕暮れのマナグアにポッポッと電気が点灯しはじめる。家族はパナマに滞在している。二十年も代々の駐在員の面倒をみてきたニカラグア人のおばさんがソーメン、テンプラの日本料理を作ってもてなしてくれた。

こちらのベランダで、ビールでも呑みましょう。すばらしい眺めでしょう。この地域はサンディニスタ革命前にはハイソサエティの別荘地だったんです。現在も近所には上流政財界人クラスが住んでいます。昔は楽しい国だったって聞いてます。サンディニスタ政権とアメリカの推すコントラとの長い内戦の結果、この国には娯楽施設も、夜の世界もなくなってしまったんです。でもね、近頃こんな国の暮らしも、考えようによっては素敵だって気がついたんです。たとえば夕暮れ時。このベランダで街を見つめながらビールを呑む——日本じゃ考えられませんよね。

僕が来たときのマナグアは、電気なんかほとんど裸電球。停電が多かったから暗かったですよ。つい最近まで人々は自分の身を守るためにほとんど外出しなかった。歩いている人々も表情が暗く、うつむいているっていう印象でした。

近くのスーパーらしき店の棚にも櫛一つ売ってませんでした。でも、サンディニスタが選挙で破れ、アメリカ合衆国が推すチャモロ新政府樹立から一年たって新経済政策が発表されたんですね。アメリカ、ヨーロッパ、日本への延滞債務三億六千万ドルがとりあえずチャラになって新たにローンが提供された。そしたら急に街に活気が蘇ったんです。経済が動く兆しが見えてきた。

大学では計量経済コンピューターを専攻。商社に入社後もシステムエンジニアとしてコンピューターをいじっていた。しかし四年後、修業生としてメキシコに留学。以後、アルゼンチンに六年駐在、穀物と肉を担当する。

アルゼンチンから帰ってまた飼料を担当することになったんです。飼料は相場商品でしょう。相場っていうのは、血のオシッコが出るって言うほどものすごいんです。自分でやっている分には損した、で終わるけれど会社の仕事となるとね。将来一二〇円になることを予想して一〇〇円で買うでしょう。ところが逆に動くことがある。そのときにどれだけ最小限に損をとどめて売るのか、と判断するのがむずかしい。買うときよりも売るときの判断がむずかしい。人間の心理や性格が的確にでるんです。しかも全世界が相手ですから、二四時間態勢。五年ちかく電話器を耳元に置いて眠る毎日でした。ストレスで全身ボロボロ。もともと血圧が高いのに、精神的に圧迫受けてダウンしてしまいましたよ。そのときの病気がまだ尾をひいてます。

そして新事業部として発足した情報産業部門に移籍した。

ニカラグアへの赴任を命じられたときは寝耳に水でした。そりゃ、とまどいましたよ。もともとの専門だった情報産業ビジネスを続けていたかったですからね。

ニカラグアの主な産物は綿花、コーヒー、水産物ですが、当社の商いは主に機械関係、日本のODA（政府開発援助）などのプロジェクトです。世界の大きな流れのなかでみると、中南米は十年ちかい内戦、革命のブランクを経て、これから脚光を浴びていく地域の一つと考えているんです。

ニカラグアの貿易収支は、輸出が三億ドル、輸入が七、八億ドル。累積赤字は増えていくばっかり、結局この国はアメリカや西欧諸国の援助に頼っていかざるをえない。それでも農業中心のニカラグアがこれからどう成長できるのか、正直言って非常に疑問です。

中米への投資順序を考えたら、ニカラグアは最後の国になる、と悲観的に言われてます。でも、僕はこの国が復興するって信じてます。人の資質が比較的良いですから。昔は中米ナンバーワンだったこともあり、一人当たりのGNPも二十数年前の大地震に見まわれる前までは八〇〇ドル台だったんです。現在は三〇〇ドルくらいですけれどもね。先進諸国の援助にかかっているんです。商売の処女地だから、商社マンとしては面白い。

仕事としては面白いけれど、ここはほんとうに娯楽らしきことは何もないですから。聖人君子の毎日ですよ。ホテルの横にあるピアノバーがたった一軒のバーですからね。来たときには、お客さんを連れていけるレストランは三軒しかなかった。今はやっと十一軒になりましたけどね。銀座が恋しくなります。ショッピングセンターもない。精神的にはきつい国です。

この家にはサソリがでるんですよ。ムカデやタランチュラもね。この国では別に驚くほどのことではないんですけれど。前任者はサソリに刺されて、二、三週間立てなかった。だからほら、扉の隙間はすべてガムテープでおおってあるでしょう。

こんな暮らししてると、だんだんと常識が変わってくるみたいなんです。大事をとって隣のパナマに住んでいるワイフなんかも、東京にいたときの仕事人間だった商社マン気質とずいぶんちがってきたって言ってます。ものを考えるようになったのかな。僕自身はあまり気がつかないんですけれどもね。

この国ならではの楽しい役得もあるんですよ。どっかっていうと僕はいいころかげんですからラテンの気質が合ってるんでしょうか。僕は人を知ることが人生の財産だって思っています。ラテンの世界は人間の関係の密度が濃い。メキシコ時代、アルゼンチン時代に知り合った友人とは今も家族同士の付き合いが続いてますよ。ここでも、夕食に誘いあったりする人間関係ができていまず。海外暮らしの醍醐味って、自分のカテゴリーに入らない人々との交流ができるってことじゃないでしょうか。日本にいると、サラリーマンってどうしても仕事上の付き合い、ゴルフ、銀座で終わりでしょう。しかも仕事が終われば付き合いも終わってしまう。この国の連中とは一生の付き合いになるかもしれない。

この国に来て、単身赴任の生活は東京の忙しい仕事中心の暮らしでは考えられなかった人生を考えるいい機会にはなってますよ。

戒厳令の決算

年に二回帰るだけだから、子どもは大歓迎ですよ

リマ／総合商社駐在員事務所所長
越智秀郎（58歳・在外17年）

スペイン語をやったのは単純な動機から。子どもの頃ね、藤沢嵐子が歌うタンゴの意味がわかったらいいだろうな、って思った。将来、スペイン語を使って何かやろう、なんて大それた気持ちはなかったですよ。

大学のスペイン語科を卒業したが、未曾有の就職難。友人の紹介で兼松と合併前の江商に入社。電信課を皮切りに銅、亜鉛、鉛などの非鉄金属の輸入、輸出、国内販売に従事する。そして江商は兼松と合併。越智さんの担当は変わらなかった。入社十二年後の一九七三年、上司から勧められ、交換留学制度の兼松江商の第一号派遣者として、一年間メキシコに滞在。以後ホンジュラス、二度

のペルーと中南米専門の長い駐在生活が続いている。

最初のペルーの五年間だけが家族一緒でした。あとの十年間は単身赴任。今回は子どもの学校の都合でやっぱり単身。——こればかりはしょうがない。年に一回か二回帰るだけだから、なにも言わなくても「お父さん灰皿?」「新聞?」てな感じで子どものサービスがいいですよ。ずっと東京にいたら邪魔者扱い(笑い)。

ペルーは銅、亜鉛、鉛、金、銀が採掘できるし、石油の埋蔵量もけっこう多いって言われてるんです。でも今は経済がガタガタですから、埋蔵量が確認されていたって、掘ってない。採掘のための投資ができません。

結局、資金をつぎこんでも暴動とかテロにやられてしまうし、過去にペルー人の資産はもちろん、外国資本もすべて、国に没収された苦い経験があるから。フジモリさんになったからといって即時には投資はできないでしょう。リマでは今、頻繁にテロが起きてますからね。あなたが来た前日も近くのテレビ局が五〇〇キロのダイナマイトで爆破された。ほら、あそこのペトロ・ペルー(石油公団)の巨大なビルをみてごらんなさい。窓ガラス一枚残ってない。窓はすべてベニヤ貼り。テロの規模もだんだん大きくなってきた。去年までは、一〇キロか二〇キログラムくらいのダイナマイトをフォルクスワーゲンに乗せてちょこっとビルにぶつけるって程度でした。それが今は数百キロのダイナマイトをマイクロバスに積み込んでぶつけるんですからね。ペトロ・ペルーが爆破したときは、十五ブロック四方のビルのガラスがすべてふっとんでしまった。

以前、ペルーの鉱山資源は欧米資本に抑えられていた。彼らは儲けたドルを海外に蓄積する。ペルーは奪われるばかりの貧しい国だった。そして一九六八年、ベラスコ左翼軍事革命政権の誕生。彼はすべての資源を国営化し、富の分配をはかった。だが、結局は権力が外国企業から一部の特権階級ペルー人に移っただけ。七五年、ベラスコ政権はベルムデス軍事政権に引き継がれる。越智さんが初めてリマに赴任した七七年はベルムデス政権誕生から二年たった時期にあたっていた。

ベルムデス政権のとった鎖国政策によって、国中の物資が消えてました。スーパーの棚にもなにもない。女房から会社に電話があって「お父さん、米がある。スーパーに来て」って、まったく仕事は後回し(笑い)。一キロパックの米が一人一袋ずつ割り当てられるんです。だから女房に子ども二人、メイド、そして私の五人で並んでようやく五キロ。

外貨不足で、小麦の輸入が途絶えたからサツマイモやユカの粉で作ったパンしかなかった。

民族主義というのは欧米諸国から煙たがられるんですよ。しかも国民に富が均等に分配されたかっていうと、それも危うい。やはり一部の権力者への富の集中は免れえなかった。農民が作った作物を政府が買い上げる——これはいいんです。ところが品質の良し悪しに関係なく同じ値段で買い上げる。おいしいトマトもそこいらのトマトも同じ値段になってしまう。そうすると、一生懸命に作ろうっていう気力がなくなる。生産も落ち込んでしまった。従来の買いつけ先、主としてアメリカ合衆国の代わりに政府の作った協同組合がとってかわっただけ。しかも軍事政権による官僚主義がはびこってしまった。目に見えて物資が不足していきました。

ペルー経済はいきづまった。結果として、八〇年の選挙で政権は軍部から民間へと移行する。その頃からテロが群発するようになった。

八五年、二度目にペルーに来たときにはアンデスの山中で起きているっていう程度だったのね。都会のテロはそれほど目立ってはいなかった。

民衆の側にも反政府活動を支援する下地があった。その一つは貧困です。もう一つは都会の若者たちに欲求不満が鬱積しているんでしょう。大学を卒業しても就職できない。ろくな将来が見えない。ゲリラとそういう青年層がうまく結びついていったんじゃないですか。

テロが目立ちはじめてからは、各社ともテロ対策費用でかなり出費増となっているはずです。社用車の防弾費用だけで三〜三・五万米ドルもかかりましたからね。拳銃や機関銃を持ったガードマンを雇っている日本企業もあります。往復の通勤道路と時刻を毎日変えたりする人もいます。現在の事務所も、ビルの管理体制や人の出入りチェックが不十分で、治安上問題があるために近い将来移転するんです。今度のオフィスはガレージに車を入れるときにも、運転手がおりなくていいように、リモートコントロールでドアの開けしめができるようになっている。

一般のペルー人なんか、リモートコントロールで開けしめできるガレージなんか持ってません。だから家についたら、やたらに大きなクラクションを鳴らすのね。真夜中でも必ず使用人を起こして開けさせている。それと、盗難防止用のベルの設置。あれが真夜中でもまちがって鳴ることもあります。あちこちでサイレンみたいな音が鳴るから、ほんとにリマの夜はうるさい（笑い）。

私の立っていたところから三〇メートルくらい手前で爆発したことが二度ほどありましたからね。泥棒に財布や時計とられたり、いろいろありましたよ。ダウンタウンに高級時計を目立つようにしていけばとられても文句は言えませんね。まあ、これは外国暮らしの税金だって諦めてます（笑い）。とられる方が悪いんです。

三人の日本人技師がテロで殺害された、という不幸な事件がきっかけとなって、八〇人ほどの方々が帰国したでしょう。他社の駐在員は残ったけど、支社の規模は縮小気味です。家族は皆帰しました。日本人学校の生徒はかつては二五〇人いたんですが、現在は三〇人しか残っていません。

中南米で、どうして日本人が狙われるんでしょうか？

九〇年にフジモリ大統領となって、ペルーへの日本の援助額がアメリカを抜いてナンバーワンになったからでしょう。日本政府の援助は、三億ドルの円借款、一億ドルの世界銀行との共同――合計四億ドルにまで増額された。

これまではアメリカがやられてました。アメリカ大使館は、十回ほど爆破されてます。日本大使館は三回ほど――すべてフジモリ大統領になってからです。つい最近、日本料理屋にダイナマイトが投げ込まれたこともありました。テロリストグループのアジトが捜索されたときに発見されたコンピューターのなかには日系企業の名前が何社か並んでいたっていいますからね。

ペルーでの商売、大変なことばかり？

ペルーで仕事をしていくためには、とにかくペルーのやりかたに慣れることです。たとえばコピー機械が壊れる。日本ならサービスマンが飛んで来るでしょう。この国は物資が少ないから売り手の天下です。メインテナンス会社に登録料金を払って、来てください、と頼まなければ駄目。修理費よりも来ていただく費用のほうが高い——日本的な感覚でカッカしてたら、からだがいくつあってもたりません（笑い）。

商店も、日本なら日曜日にも店を開けるでしょう？でも、この国は皆が休むときは自分も休む。平日でも昼休みはたっぷりとって夜遅くまでは営業しない。土曜日も午前中だけ、カトリックの国だから日曜は休み。

日本が経済発展したのは無宗教だったからかもしれません。逆に言うと、カトリックがあるからペルーは発展しないとも言えます。この国の人によく「宗教は何だ？」って聞かれます。「日本では誰でも最低限のモラルをわきまえている。だから、とくに宗教にこだわる必要がない。あなた方から見れば僕は無神論者だ」——そう答えると彼らはびっくりしますよ。もちろん、酒席での冗談ですけれどもね（笑い）。でもね、なかばは本音とも言えます。交代でも休みなく働こう、という意欲をもたなければ経済はよくなってはいきません。まあ、これはあくまで日本人の論理ですけどね。

僕は支社の運営の方法も極力、日本式のやりかたを通してます。たとえば昼食時間になっても仕事が一段落しないかぎり昼食には行くな、という指導ですね。

あと、ラテンアメリカ全体に言えるのが「謝礼」です。この地域では習慣の一つなんですね。たとえばリマ市の警察官は一ヵ月の給料が一〇〇ドルくらいでしょう。いくら物価が安くても子どもが二人いれば暮らしていけません。交通警官なんかからはしょっちゅう袖の下を要求されます。でも、袖の下であっても渡し方に礼儀がある。プライドを傷つけないように、さりげなく（笑い）。

でもね、住めば都っていうんでしょうか。貧しいがゆえに人情が濃い。東京よりも精神的にくつろいでいるなあって思うこともあります。帰国するときには、やっぱり言うに言われぬ感慨に浸るでしょうねえ。こんなにテロの多発する国から解放されるっていうのも嬉しいけれど、やっぱり、ありがとうっていう感じになるんじゃあないでしょうか。

犠牲

日本のため、と言ったら嘘になります

ソウル／総合商社支社長

崔 文浩（59歳・在外8年）

長野県生まれ、岐阜育ち。国籍は韓国。東京の大学を卒業した崔さんは、「当時、日本の会社は外国人に門戸を開いてなかった」ために韓国の総合商社に就職。十四年目に独立。同時に日本の総合商社から誘われ、三八歳で再就職。大手企業で初の韓国国籍の取締役となった。

もしも私が日本のため、と言ったら言い過ぎになるんです。私にとってはそれは嘘に聞こえます。一生懸命に仕事するのは韓国のため、三菱商事のため——これは禄を食《は》んでいますからね（笑い）。

韓国と日本では、同じ商社でも全然ちがってました。韓国人だと昼飯食いに行っても上司の悪口、政治論争でワーッとなる。日本人は仕事の話題ばかりです。酒飲むときくらいやめようと言いつつ、知らないうちにまた仕事の話に戻っている。驚きました。日本人っていうのはこんなに会社に賭けてるんだ、ってね。

移籍してすぐにオイルショックでした。予定されていた仕事がなくなり、本社勤務になったんです。一番地味な出入りの仕事。商社活動の原点です。三八歳で初めて一軒一軒、足を棒にしつつお客さんを訪ねて歩きました。前の会社では社長の東京秘書、便利屋のような役割でしたからね。地味なラインの仕事について韓国だけでなく全世界を相手にした商社活動の基礎を広くみることもできました。個人的にはハッピーだったと思います。

ソウルには副支店長として赴任した。崔さん自身も一度は祖国であるソウルで働き、暮らしてみたかった。

最初にやったのは、三菱商事に合わない、現地採用の韓国人たちの整理です。日本の会社は終身雇用が原則ですから、悪いことをしないかぎりクビにはしません。それが裏目にでて、朝からずっと新聞を広げっぱなし、ストックマーケットで時間つぶしをしている、という韓国

人が何人かおられた。まず、こういう方々に辞めていただいた。仕事の場では、能力の高低は仕方ありません。しかし、努力をしないのは駄目。あいつはさぼっているのに一生懸命に働いている俺よりボーナスが少し少ないだけなのか——という不公平感が社員に残ってはいけない、そのための整理でした。

韓国では、一つの会社で人生を全うするという生き方が美徳とされてはいません。同じ会社に長々といて、社長になれない人は無能だ、と勘ぐられる社会風土です。優秀な人はどんどん、自分がより高く評価される職場に移るし、独立していく。そういう社会で育っていながら、彼らは怠け者のまま終身雇用に甘んじていた。

歴代の派遣社員は日本人だから韓国人である彼らの首を切ることはできなかった。日本人だった。私は韓国人です。韓国人だからこそ、働かない人と働いている人の不平等は恥ずかしい。それで、徹底して議論したうえで彼らを解雇したんです。ずいぶん脅されました。「あなたはソウルから一歩も出られない」とか、「KCIAに通報したぞ」とかね。

怠けている人のなかには、日本人に対する歴史的不満を口にする人がいました。しかし、これは国籍や韓国人に根強い日本への歴史的反感とは関係ありません。幸いにも私が赴任してからは、韓国人、日本人を問わず韓国の支店をきちんとやるのが当たり前、という風土ができあがってきたように思います。

複雑な過去の歴史があるために、日本企業の韓国進出はさまざまな難問の続出でした。日本人なら過去に戦争した歴史があったとしても、会津出身の男と薩摩出身の女が結婚するくらい何ともないでしょう。でも韓国では千三百年前の百済《くだら》と新羅《しらぎ》の戦争以来、この二つの地方出身者の結婚なんて考えられない。それほど歴史にこだわる民族ではあります。日本に対する感情は、四百年前の秀吉から数十年前までの植民地支配まで忘れることのできない根の深さがあると思います。

でも、怠惰でいることとそれは別です。次元の低い人たちにかぎって、雇用問題の席に過去の歴史の問題を引っ張りだしてきます。労働組合でも、そういう話はよくでてくる、と日本人の経営者が嘆いていました。それは無視するよりしょうがない——私はそうアドバイスするんです。専門レベルで話そう、ということに尽きます。会社はこれだけ儲かっている、生産性も上がった、では事業者、株主にはどれだけ配分すべきか、そういう議論ができるはずです。堂々とやって、相手よりもっと大物になってしまえばいい。人間は自分を練っていかなければいかんです。

ここでは現地採用スタッフが四で日本からの派遣社員一の割合です。だけど、能力の高い現地採用の韓国人に今すぐ日本の本社の経営を任せられるだろうか?

ノーです。ここは三菱商事であっても、外の三菱商事なんです。本社におけるような教育はあまりなされてこなかった。

それで私は、韓国の現地社員に本社と同じ教育を行うようにしました。三菱ファミリーであるとはどういうことなのか、を彼らに一生懸命に教育しています。

近頃、私自身に対する待遇(本社取締役)もそうですが、現地採用者の韓国人が管理職に登用されたり、本社やニューヨークへの駐在派遣も行われるようになってきました。彼らも「あ、部長になれる」「支店長にもなれる」と希望を持つようになった。しかし、現地採用の外国人が日本企業のなかで幹部になっていくことが普通になっていくにはまだ十年、二十年はかかるでしょう。

私も知らず知らず、日本的になっているかもしれませんが、三菱商事に入ったら、韓国人であってもやっぱりここで全うして終わってほしいわけです。

小、中学生のとき、崔さんは日本名を名乗っていた。「韓国人」であることで、ことあるごとに日本人の子どもたちからからかわれた。父親は「運動ができて、勉強ができて、快活であれば、人は絶対に悪いことはしない、いじめない」とさとした。

幸か不幸か、私は東京とソウルの二つのオリンピックをはさんでまきおこった二つの国の高度経済成長を見てきました。戦前に戦艦や戦闘機を製造する技術力をもっていた日本と韓国の戦後は全然ちがっていました。韓国は、何もなかったところに植民地時代の圧政と朝鮮動乱で荒れはてた戦後の出発を強いられた。しかも戦後、李承晩大統領は一貫してアンチ・ジャパン政策をとり、アメリカからの援助で生きのびた。結局、韓国は相当長い時間、もの乞い状態で放置されてしまったんですね。

人間というのは、ある程度食えないと誇りももてないでしょう。朴大統領がクーデターで政権をとり、ともかく食えるようにしよう、という政策をとったのは正しかった、と私は思っています。韓国に目標が生まれ、自分自身を鼓舞できるようになったんです。朴政権を引き継いだ全大統領は、インフレ抑制政策をとって経済成長を持続させていった。

それにしても、この国は八八年のソウルオリンピックを相当無理をしてやりとげたと、私は思います。オリンピック開催によってソウルも綺麗になった。諸外国も韓国を独立国である、と認識したでしょう。韓国はオリンピック特需景気で、南米に次いで世界のワースト四だった外国からの債務四六〇億ドルを三〇億ドルまで返しました。韓国経済は何とか国際レベルに追いついた。

でもね、一貫して上がり続けるということは世の中にはありえません。韓国はオリンピックを頂点に、少し奢ったんじゃないでしょうか？　この国には資源が何もありません。あるのは人間だけ。たまたま教育水準が高い。比較的勤勉であることは間違いない。しかし、「俺たちこそは」――と傲慢になってしまった。それで神様がいるのかどうか知りませんが、コツン、とやられたのが現在なんですね。

傲慢に加えて、民主化の要求です。労働者の皆さんが言いたいことを言い、生産性の範囲を越えた高額のベースアップを要求するようになった。

それと労働者のモラルの低下。韓国の某大手会社の会長さんが嘆いてましたけれど、昔は電気の使用料が九時十五分前からバーッと上がっていって、出社時間の九時にピークになったそうです。今は九時から上がりはじめて、九時十五分にならないとピークにならない。働く人の意欲、気構えがゆるんできたってことでしょう。米や金融の自由化への欧米の圧力は日本だけでなく、輸入過剰を抱えている韓国にもものすごい勢いで迫ってきていますからね。

それだけでなく、韓国は、世界の先進諸国が百年かけてやりとげた近代化を三十年でやってしまったために、解決しなければいけない問題に苦悩しています。

たとえば、韓国の企業は財閥家系のものであるために、会社への帰属意識や忠誠心は日本と比べようがないほどに低い。韓国経済の停滞の原因にはこれが根深いと思います。労働者たちは、何のために働くか？　という疑問に絶えずぶつかっています。仕事を覚えると独立していく人が多いのはそういうところからも起きる。財閥はたしかに、韓国経済発展のために一定の役割を果たした。でも、財閥の任務は終わった、というのが現在の段階です。資本と経営の分離を労働者の皆さんに見せなければ、駄目でしょう。

たとえば本田宗一郎さんは自分の息子をホンダに入れなかった。自分の弟も会社からおっぽりだした。あんな素晴らしい会社は自分が営々として築いた血と汗と涙の結晶でしょう。ところが、本田さんは社長職を退いたらいっさい干渉しなかった。これは俺のものではない、という位置づけです。家族ではなく、優秀な若者たちに経営をまかせる——これができるようになったら韓国経済も資本と経営が自動的に切り離され、結果として会社への忠誠心が芽ばえ、本物になるでしょう。

日本に対する韓国経済脅威論が根強い。

日本人が韓国経済を語るとき、心しなければいけないのは、日本のGNPが一人あたり二万数千ドル、韓国はまだ六千ドルにすぎないということです。これは他のアジア諸国に対する姿勢でも同じです。一見、韓国やタイ、台湾は急成長したように見える。たしかにアメリカで韓国製の自動車は目立つ。——でもそもそも基本がちがっているんです。

日本が韓国に工場を建てた。韓国の国内需要を上回る生産が可能になった。韓国製品として輸出する。そこで同じ会社の日本製品とアジアでぶつかってしまう。俺たちが育ててやったのに——これが一般的な日本人の心情でしょう。征服者の考え方です。でも、これを喜べるようにならないと日本は駄目なんです。あくまで技術はライセンスした段階でもう、対等です。それがビジネス社会というものです。

にもかかわらず、今、韓国では、対日貿易赤字がどんどん増えています。社会問題になる可能性がある。それをどう解消していけばいいのか、これが当面の課題です。

長い間、貿易の不均衡が続いているのは両国にとって不幸なことです。両国にプラスになっていくように脱皮していかないといけないと思います。逆にこの国は、まだまだ日本の商社活動に対して相当の法的、かつ税制の面での制限があります。韓国の商社は日本で、日本の商社と同じように活動できるのに、ね。こういう不公正は厳然として続いている。

貿易の不均衡が起きる原因も韓国側になきにしもあらず、なんですね。韓国の労働問題が激化して、納品がしばしば遅れる。品質にばらつきがでる。こういうことがないように商社が品質管理、出荷チェックなどを徹底して厳しくしていけば、韓国における製造部門の問題はなくなっていくと思います。工場のトイレを清潔にする——日本的と言えば日本的ですが、韓国みずからそういう基本から始めるしかありません。日本方式の強制と批判されようとも、どんどんいいところを導入して韓国は成長していくべきなんです。

ただし、日本の物差しを韓国で使ってはいけない。不幸なことに韓国人は風貌が日本人と似ているでしょう。似ているということで余計に誤解が生まれるんです。似ていなければ、日本人の側も冷静に、一歩下がってみつめることができるはずです。

依然としてアジア地域には韓国に限らず、第二次世界大戦などの後遺症が残っています。日本に対していい印象をもっていない国がまだまだある。日本は、アジア地域での交易が増えているんですから、こういう国々との共存について真剣に考えなければいけないでしょう。残念ながら、アジア地域が人件費と設備投資が安いことだけを進出の目的にしている企業も少なくない。日本の企業は自分の生き残りに必死になるあまり、日本的な管理や仕事の仕方を押しつける儲け本位の例が少なくない。そこで大きな壁にぶつかっている。

やはり共存のためには一種の犠牲が要求されると思います。貧しい国に対して、今儲けることに焦ることなく犠牲を共にして成長を待つ——これが今、個々の企業に一番求められていることです。私の場合、日本は韓国にいったい何をしてやれるのか、ということを一生懸命に考えながら経営を考えていくということでしょう。

私は決して日本のためということは言わない、と言いました。——でも、これはやはり日本がアジアで仕事をしていくうえで一番大切なことなんですね。

日本人!?

罵詈雑言

日本人は貧乏なのか、金持ちなのか……

とある国／一流ホテルのレセプショニスト

H・S（20代）

こんなこと言っていいかどうかわかりませんけれど、日本人ビジネスマンはわがままです。海外出張に来られる方々ですから言葉には不自由がありません。でもどこかに、日本人は金持ちだ、みたいな意識が見え隠れする。まず、待つということをなさらない。せっかちです。レセプションで「何でこんなに遅い！」って怒鳴ります。しかも、大声で。信じられません。人の国来て、人の職場に来て「きみ、何年働いているんだ!?」って現地スタッフを叱りつける。こちらの国の人々からすれば、私のようにテキパキと処理できるほうが不思議なんです。チェック・イン、チェック・アウトのときでも、待てないのは日本人の方だけですよ。

騒ぐ、怒鳴る。

日本人の私がいるから、特別早くしろ、と甘えていらっしゃるのかもしれません。でも、やはり他のお客さまの手前、特別扱いはできないんです。そして、怒るとすぐに「謝れ！」って居丈高に——。カッとなさる方が多いんですよね。日本ではサービス産業の方々はすぐに謝りますけれど、他の国ではめったなことで謝ったりしません。謝る役目はすべて私にまわってきます。平謝り。

何でもヘイヘイ、って聞いてないと気に入らない。こちらの国の人を馬鹿にしてるんでしょうか？　子どものような従業員の男の子を理不尽に殴ったこともありました。日本人の男性って皆ああなんでしょうか？　この仕事して日本人ビジネスマンとだけは結婚したくないって思うようになりました。

こちらに駐在なさっている方々も受入れのための調整、ビザとり、準備、空港へのお出迎え、食事、ホテル、車の手配、通訳、観光ガイド、会議のアレンジ……東奔西走です。それは大変だな、と思います。プライバシーもありません。でも、どうして私たちに当たり散らすんでしょうか。まるで自分が払っているみたいに傲慢な態度をとる方もいらっしゃいます。

それと働く時間を常に東京に合わせているってこと。信じられないような早朝にファックス、電話、事務機能を利用したがります。あれは日本人だけの特徴です。

そして皆さん、寸分たがわず同じパターンで行動なさいます。昼間はオフィスで会議、昼食は和食レストランで接待、夜は中華か和食。そしてバーで酔ってお休みになる。休日は現地の駐在員がついて観光、接待ゴルフ。しかもすべて会社払い。

いちばん恥ずかしかったのは、ある大きな宗教団体の最高位の方がお泊まりになったとき。事前にお付きの方がいらっしゃって、ドアのノブから部屋の隅々まで磨きをかけてました。到着直前に次々に花やプレゼントが部屋に届きます。この国にある花すべてを集めたような騒ぎでした。ベンツ五台が並んで、信仰心の篤いこっちの人が、マフィアか？　って嘲笑してたほどでした。

仲間のスタッフからよく言われるのはチップがケチだってこと。置いてあったとしても、信じられない小銭。仲間のスタッフはしょっちゅう悪口言ってます。日本人は金持ちなのか貧乏なのかわからない、ってね。

ランチタイム

日本人は仕事するために食べるんでしょうね

ニューヨーク／弁当運び
佐野　洋（24歳・在外3年）

佐野さんが高校を卒業したとき、父親はすでに定年退職していた。浪人をしたら家計に響く、と自活を決意。約二年間、建設現場などでアルバイトをして一五〇万円を貯め、カナダのトロントの語学学校に学んだ。

大学も受けましたよ。もぐりで予備校にも通った。大学生の下宿に居候させてもらいながら、出席の代返をするために大学の授業にも出ましたよ。でも二年連続して受験は失敗した。三度目の春、先輩から『留学ジャーナル』を見せてもらった。当時の受験料は三万円もかかるでしょ。五校も受けたら十五万円がふっとぶ。格安航空券だったらニューヨーク、カナダが一年オープンで十二万円。そういう案内を見てたら世界が広がったような気がしたんですよ。

だって、十日働けば外国に行けるんですよ。パチンコだって、当たると一万数千円が手に入る。

だから、決心は早かった。受験を諦めてカナダで英語を勉強しようと思った。

トロントの学校には半年通いました。最初の三ヵ月はすごくよかったですよ。メキシカンとかヨーロッパの英語のできない国の奴らとパーティをやったりしてね。三ヵ月で帰ろうって思ってたんですけど、英語を捨てるのか？　って考えちゃったんです。受験のときにはいつも英語で苦しめられてましたからね。だから滞在を延ばしました。でもね、二度目の三ヵ月はほとんど授業にでませんでした。外国人の友だちは帰って行くし、あとから来た日本人に抜かれてしまうのがいや。おどおどしちゃうんです。六ヵ月もいて、これだけしか喋れないのか？　って誰かに馬鹿にされるのがいやだった。

ニューヨークに出ようと思ったのは、お金がなくなったからです。友だちが皆、ニューヨークでは働けるって言うんです。ニューヨークで働いて、ヨーロッパや中南米をまわる。そういう人が多いんですよ。

僕もひとまず弁当屋でアルバイトを見つけた。

弁当配達って都合がよかったんですよ。あまり人に気をつかわなくてもいい。朝七時から午後一時まで、週五日働いて一日五四ドル。午後の仕込みとか手伝うことあるから、月に一二〇〇ドル。カートに日替わり弁当を六十個くらい詰めて、地下鉄で運ぶんです。僕の担当はミッドタウンだけ。

仕事は面白いですよ。大企業なんかにも配ります。三井物産とか、共同通信とか……。大企業にもバリバリの人もいるけど、普通のおじさん、って感じの人もいる。日本人って、ニューヨークでも弁当買うんですね。毎日同じメンバーが、事務所やキャフェテリアに並んで、同じ弁当食べるのが当たり前なんでしょうね。食事に楽しさとか感じないのかなあ。食べながら、電話したり書類を眺めたりしてる。休まない。

日本人にもいろいろな人がいますよ。俺たちをストレスのはけ口にしてる人もいる。そんなとき？　嫌な奴、って思うけど我慢しますよ。お客さんだもの。逆に俺たちみたいな外の人間が来るとやたらに元気になる人もいるみたい。新しい空気に「おお、お弁当屋さん、また来たねえ」みたいにね。嫌いなのは無口な人。俺が機械だって同じ、ってな感じの人。俺がその人を嫌いになると、向こうも敏感にわかるみたい。

何かというとすぐに苦情が来る。苦情？　――ゴキブリが入ってた、とか言うのもあった。ニューヨークにゴキブリは珍しくないんですけどね。かまってられないんですよ。狭い所で作っているから。

汚いジーパンとジャンパー姿で、カートに弁当詰めてガラガラうるさい音させて、あの静まりかえったオフィスに入って行くと、俺だけはこの世界の人たちとちがうんだな、ってわかるんだ。あの人たちは背広にネクタイ、俺だけがちがっている。

目がくるよ。「なあに？　あなた」ってな目がくるよ。あの人たちと一緒の世界にいれば俺も安心なのになあ、って思うんだ。できれば、ああいう生活したかったさ。まあ、「てめえなんか、やったってできねえ」ってあなどられるのがオチだろうな（笑い）。

ここにいると、このままじゃ駄目だ、みたいな感じになるでしょう。日本にいたときは、これで終わりだ、みたいな感じばっかだったもの。だからニューヨークが長くなっちゃうのかもしれないね。

でもさ、ニューヨークが長くなると、皆疲れてくるみたいだ。生きるのに精一杯なんだろうね。女の人はパワフルだけど、ほとんどが皆独身だ。ああいう女の人はいつも焦りがあると思いますよ。男と同じくらいガチャガチャ働いて――。そういう人が弁当買うときに、不思議と可愛くなったりするんだ。彼女たちは日本から来た男たちに嫌気がさしている。「あなたの気持ちわかるよ、大変だね」って声かけてくれるのはそういう女の人さ。

今、俺が一緒に暮らしてる女の人はトロント時代に好きになった年上の人。喧嘩したり、お金の心配したり、性格のちがいを埋めるのでやっとなんだ。彼女から将来について厳しく問い詰められるけどさ、彼女がいなくなったらどうしよう、って不安はあるけど、弁当運びで家族持つのは大変だもの。いつまでも弁当運びやっているわけにはいかないもの。

二八になったら帰ろうかな。

「正義派」
僕はあばき屋にすぎなかったのだろうか？

サンパウロ／日系新聞記者
上田鐵三（61歳・在外34年）

上田さんは、大学生時代、弁論部に属し、卒業と同時に政権党の内務省官僚出身の代議士秘書となった。三年後、元衆議院議員のブラジル大使を頼って移民を志した兄と共に、海外体験は政治家としての将来にも意味がある、と上田さんも移民船に乗った。

兄はもともと、商売をしたい、と言ってましたから、出発前にブラジルで何が不足しているかを調べあげました。長靴五十足、地下足袋、シャツ、ゴム製品、ゴム風船一万個、ライター五千個、ライターの石十万個――兄貴が集めました。全部で行李《こうり》五十個くらい。税金はかかりましたけど、現金より換金しやすいし、倍ぐらいの儲けになる。

まずサンパウロから六〇キロ離れたモジの農場に入った。僕は毛頭働く意志がなかったです。勉強をしなおそうと思ってましたね。それが、いつのまにか僕らが物資を持ってきたということが伝わって、サンパウロの商人が二、三十人も並んでました。当時、一コントが労働者の一ヵ月の給料だったのに、約七割を売った段階で八〇〇コント、二階建ての大きな家が二軒も買える値段になりました。えらい金持ちになった気分で、かなり遊んだですね。

兄貴はモジで大きな雑貨商を始めました。インフレと、生活苦にあえぐ新移民の人ばかりを相手にツケ売りをしてたら、またたく間に八〇〇コントが消え失せた。兄貴は無一文になって、サンパウロに出てしまいました。僕は相変わらずモジで酒を飲んでました。当時はブラジルの物価も安く、底抜けに明るい国民性が気に入って、心身ともにまったく気楽な毎日でしたね。

そうこうしているうちに、郷土の先輩が「上田、遊んでいてもしょうがない。日系新聞社が人を募集しているからどうか?」って声をかけてくれたんです。それがパウリスタ新聞でした。

戦後しばらくの間、サンパウロの日系社会は日本が戦争に勝ったと夢想し続ける勝ち組と、負けた事実を認めようとする負け組に分かれて激しい抗争が続いていた。そんななかでいくつかの日系新聞が産声をあげた。サンパウロ新聞は敗戦を曖昧にし、パウリスタ新聞は、日本が負けた事実を認める立場をとった。

勝ち組の連中は「パウリスタ新聞は国賊だ」とピストルを携帯して攻めてきたそうです。初代の社長は、ピストルを携帯して通勤してたっていいます。

新聞社に入ると、いろいろな人間と接する機会も多いし、毎日事件が絶えません。気がついたときには、ずるずると八年もたってました。でも、社内の人事をめぐるトラブルに巻き込まれましてね、結局、僕は犠牲になってやめたんです。そのとき、総領事だった方がとっても可愛がってくれて、「ちょっと外国歩いてこい」って行く先々の大使館に連絡とって金をくれました。アルゼンチン、ウルグアイ……とずっと回ったんです。

そしたら、旅先のウルグアイにパウリスタ新聞の仲間から「皆が辞職した」との電報がきた。それで急遽、サンパウロに戻りました。僕自身も以後二年間は時事通信サンパウロ支局に宮仕えしましたよ。現地勤務の新聞記者としてね。

ブラジルに行ってちょうど十年たったので、後輩に仕事を譲って日本に戻ったんです。帰ってみたら、日本の成長はかなりのものでした。大学時代の友だちと会っても、彼らは会社の管理職に落ちついている。——ああ、もう日本じゃ追いついていけないな、と痛感しました。サンパウロにもどるしかなかったです。

さて、ブラジルに帰ってもやることもない。ブラブラしてましたけど、やっぱりなにかやるしかない。記者仲間が集まって、よし、週刊誌的な月刊誌を創刊しようってことになった。ブラジルの日系社会には雑誌メディアがありませんでしたからね。当初はかなり売れました。二十人くらいの人を雇って大々的に、贅沢に仕事してたんです。贅沢にやりすぎて、二年くらいたつと経費が足りなくなった。結局、倒産。僕は責任をとってやめました。友だちがあとを継いだんですけれど、彼らもだいぶ借金を抱えてすぐにつぶれてしまった。

同じ頃、パウリスタ新聞が内紛でゴタゴタしていた。創立者の社長が脳軟化症になって、本来は親族が継ぐべき新聞社や、資金を作りだすために経営していた鰯工場と不動産のすべてを、彼の運転手をしていた奴にのっとられてしまった。彼は無償譲渡契約書を偽造乱発して、社長が脳軟化症であるのをいいことにサインさせてたんですね。裁判でも争いました。僕も創立者の家族側に立って闘いましたよ。でもね、本人の署名のある契約書を何枚も持っているんですから——。負けました。

だけど、しょせん、奴は経営のできる男ではない。最盛期には何十台もの印刷機があったけれど、全部売ってしまって、新聞社の建物だけが残った。そして現在の社長にただに近い値段で売り渡した。しょうがない、後輩から頼まれて断われず、編集長を引き受けました。

編集長として僕がやったのは、タタキ記事です。経営をたてなおさなければいけない、部数を伸ばさなければいけない、って至上命令がありましたからね。いやというほどスキャンダルばっかり書きました。バーの女の子をめぐる三角関係で、お客さんが首切られるっていうような猟奇的な事件とかあったんですよ。

スキャンダル記事っていうのは、下手に書くと反発を招きます。だからスキャンダルほど足を使って、こまめに調べて歩かないと駄目だって、徹底して取材しましたね。闘いの連続でした。狙いはあたりましたよ。部数がグッと増えました。会社の建て直しのためとはいえ、ほんとうにひどいやり方だった。

しかし、われわれの生活はちっともよくならなかった。給料も遅配遅配でまともに一回で払ってくれたことがない。僕も広告記事とか特別収入を作りだすことに必死でしたよ。そうやって六年、近頃は真面目路線に軌道修正しようとしてるんですが、逆に面白くない、という批判ばっかり。

——長い記者生活のなかで特ダネって言うと？

しょせん、移民社会の特ダネなんて知れてますけどね。一番の特ダネは、現在の天皇陛下が皇太子時代に、日系移民六五年記念でブラジルに来られる、ってドカンと書いたときです。ブラジル・日本両国が公式発表する前のすっぱ抜きでした。しかも、こちらに来られてからも特ダネ続き。日本からは記者団が三十人くらい随行し、パウリスタも特別取材態勢を組んだ。

最初に着かれたのが首都ブラジリアでした。その夜の晩餐会の席で大使と侍従長がヒソヒソ話をしていた。最後に「じゃあ、明朝五時」って別れたんです。公式の日程表には五時の予定はない。腑に落ちない。それで、皇太子が泊まっているホテル前に車を止めて寝ずに待機してたんです。案の定、五時に三台の車に分乗して出発なさった。お忍びの散策で、皇太子殿下はアマゾンの源流まで訪れ、魚を採ったり、野ばらを観察したりなさっている。僕が話しかけると、皇太子は気さくに答えてくださるんですよ。土埃が嫌いだ、とかね。僕はそれを『皇太子と単独同行記』という記事にまとめました。

さあ、随行してきた日本の記者連中が怒りました。吊るし上げを食いました。写真を二、三枚よこせ、と泣き落としにくる記者もいた。UPやAPは一枚何万ドルをだす、って言ってきた。だけど、パウリスタの社長がガンとして動かない。「これはうちの秘宝だ」ってね。日系社会は、今も天皇、皇后両陛下の写真を飾っておくほどの社会ですからね、面目躍如ってところでした。

大きな記事と言えば、日本政府の移住政策の出先機関である事業団がらみの汚職でしょう。ブラジル政府は、内政干渉にあたるとしてブラジル国内に事業団が存在することを認めていません。事業団が日本人移住者に金を貸したり、無料で援護したり、移住地を造成して日本人移民に売るというような行為は法律的に認めがたいということだった。それでとうとう、ブラジル政府に認められず業務を途中で切り上げて引き揚げることになった。

引き揚げに際して事業団、つまり日本政府は、大きな農場や何千頭の牛などの各移住地に残っていた財産をすべて売却しました。常識から言えば安い値段です。マットグロッソにあった大きな牧場もその一つでした。マットグロッソ移住地にはすでに三分の一の土地に日系移民が入っていた。住民の組織していた組合に、移住地のすべてをただ同然で譲ったわけです。大蔵省も認可していた。契約内容としては、しかし移住者組合は他に転売してはいけない、という一条がもうけてあった。ところが、組合側は資金難を理由に、日本から来た金持ちにこっそり牧場を転売してしまった。事業団の現地所長も了解していながら、黙殺したんです。

しばらくしたらこんどは別の移住地がすでになくなったはずの事業団名義になっているという。事業団自身が七、八人の職員に土地を安く分配していた。公務員が、国民の税金で買った土地をただ同然で分けて値上げを待っているなんて、問題じゃないですか。

それから何度も何度も問題にしたのは、単身赴任の日本人商社マンが現地の女性に子どもまで作らせて逃げた、という話。こういった話は、常に本人の名前、会社名まで詳しく報道しました。

サンパウロに残された妻と子どもたちが路頭に迷っているんです。子どもができてしまった、しかし日本の家族に知られては困る——悩んだあげくに自殺した日本人駐在員もいました。僕らがいくら叩いても、そういうケースは後を絶たないし、これからも続くでしょう。

スキャンダルの最たるものっていえば外交官のションベン事件かなあ。

日本から来た外交官歓迎の打ち上げで、領事館の連中の一部がカラオケクラブで呑んでたんです。ある領事が前後不覚に陥り、いきなり立ち上がってクラブの真ん中でオシッコをした。目撃者の通報で「外交官にあるまじき行為！」って社会面に書いたんです。これは大騒ぎ、日本の週刊誌がほとんど扱いましたよ。

一時は僕も恐れられました。人が隠したいことばかり追うから、相当恨みもかっていると思います。社会的に葬った人も何人いるかわかりません。しかし、やらなければならないことだった。不正は不正ですからね。

報道機関は権力と結びつきやすく腐敗しやすい。

狭い噂社会で、新聞に載ったら最後ですからね。日系社会は、名誉を重んじる社会ですから、裏工作をして記事をもみ消すというケースも多かった。おそらく三割から四割は妥協してきたとは思います。日系人が経営者の銀行を叩こうとすると社長に電話が入る——反発はしましたけれど、上司からの命令ではしょうがないですよ。逆に新聞に載れば、かなりのステイタスにつながってしまうでしょう。美談記事を書いてくれ、という申し入れもかなり多かった。正直言って、かなりの不公平があったと思います。会社に賄賂が入ったこともある。その金が僕らに流れたことも一度ならず、ありました。

パウリスタ新聞は少ない方でしたけれど、白昼堂々と金をたかって歩く新聞記者もいたといいます。この記事を書かないかわりに、いくらくれ、というような取引が公然と行われていた。裏の世界が表に登場してくる、面白い社会でした。

だから、というと妙ですけれど、ものすごくモテマシタね。全盛の頃、飲み屋で飲み代を払ったことはなかったですよ。ヤクザみたいな世界でしょう?

記者会見に行けば、お車代がでるでしょう。取材謝礼ですよ。御歳暮なんかもめちゃくちゃ来るんです。企業からも、個人からも。ウィスキーなんかは百本くらい……。誘惑だらけの世界だったですよ。

昔は僕もいっさい金なんか受け取らなかった。創立者は非常に潔癖な男でした。貧すれば鈍する、にならぬように創立者はそれなりの待遇を記者たちにしていました。パウリスタの記者は絶対に金品を受け取らない、と評判だった時代もあったんです。

しかし、経営状態が悪化してからは野放し状態になってしまった。全盛期に三万部も発行されていた新聞が、今は七千部。これでは食っていけません。生活が苦しくなるから、つい袖の下をもらってしまうようになる。パウリスタの場合には、どこで誰からもらったのか、という報告だけは義務づけてきましたけれどもね。

でも……(沈黙)。

日系社会には、今も日本語だけしか喋れない人たちがまだまだいるんですよ。たとえば部数を伸ばすために四ページのうち三ページを日系社会の中心を占める二世、三世向けのポルトガル語記事に変えるべきだとしても、あるいは日本語の読者が十人に減ったとしても、日本語の情報源を彼らから奪うことはできません。それと、期待すべきは日本に出稼ぎに行った十五万人の人たち。彼らが帰国すれば、日系社会の日本語が復活するんじゃないでしょうか。

昨年、編集長の座を下りました。まあ、これだけやってこれたのも、僕なりの正義感があったからだとも思います。僕は正直、コロニア、日系社会に疲れました。僕は十分に闘ったつもりです。

僕が理想とした新聞とは日々、かけはなれていく。もはや、僕自身がいる意味もなくなったって感じですよ。田舎にひっこむ準備をしてるんですよ。こんど来たときには、森に会いに来てください。それにしても……。

——それにしても?

パウリスタの伝統、あるいは海外邦字紙の使命感といったものを次世代につなげていけないことは申し訳なかったなあ、と思っていますけれどね。

僕はみぢかな人々までも血祭りにあげてきた、あばき屋にすぎなかったのだろうか?

おばあちゃんが死んだ

寂しい……、一晩でいいから一緒にいて

オランダ、フリッシンゲンの物語

H・R

三年前、病のために聞こえないはずの私の耳に、「助けて」っていう声が聞こえてきたんね。何度も何度も……「助けて」って。西の方から聞こえる。ロンドンの友だちかなって思って、連絡したら、皆健在だった。それでも声が途絶えない。地図を開いてみるとフリッシンゲンって町がある。以前からそこにオランダ人と結婚した三人のおばあちゃんがいるって聞いていた。一人はご主人が長く失業している看護婦さん、もう一人は「八年も日本人と会ってないから連絡とりたい」ってガイドブックにでていた人。もう一人は、ご主人が亡くなってから気ままに、贅沢に暮らしてるって噂だった。

もしや、って看護婦さんに電話したら彼女の子どもが

学校の保健婦さんから、ご主人を亡くしたおばあちゃんが火傷して車椅子に乗って診療所にきた、って話を聞いてきたって言うんね。それで、そのおばあちゃんに電話した。

そしたらなあ、贅沢で気ままなはずのおばあちゃんが二年半もの間、毎日毎日「助けてください」「日本食が食べたい、日本が見たい」って祈り続けてたって言うんよ。いたたまれなかった。おばあちゃんは「日本人は財産を狙うから」って禁治産者にされているらしい。自分の自由になるお金を持っていないって。さっそく「おばあちゃんが助けてくれって言っている。日本食が食べたいって言ってる。会わせてくれ」って財産管理をしている公認会計士に手紙を書いた。梨のつぶてやった。おばあちゃんへの電話も手紙も財産管理人がすべて検閲しているらしい。

アムネスティとか日本大使館とかに訴えても、誰もが「助けられん」ってけんもほろろ。とうとう、おばあちゃんちの近所の警察に「面会に同行してください」って頼んだわ。

よく調べてみたら、おばあちゃんは禁治産者でも何でもなかった。財産管理をしている公認会計士が「日本人は財産目当て」という不信感でいっぱいやったのね。たしかにいろいろな事件があったらしいわ。ある警察官が、おばあちゃんを時々ドライブに連れて行ってくれたんやて。おばあちゃんは感激してその警察官に一切の財産をあげる、いう遺言を書いた。ところが公認会計士が調査したら、その警察官は法外な借金に困っていたんやて。財産管理人は裁判を起こして遺言を取り消したって。

おばあちゃんは一人目の日本人の夫が浮気して離婚。そのときの子どもは父親方に残してきた。あるとき、神戸の元町を歩いていたら、オランダ人に絵はがきを買う場所を尋ねられたって。よう探しきらないから、追いかけていって彼を土産物店まで連れて行った。外人さんは感謝しておばあちゃんを喫茶店に誘った。そのときに住所を聞かれた、と。忘れた頃に「あなたにオランダを観光させてあげたい。父が迎えに行きます」という手紙が来たそうや。しばらくしたら、ほんとうにお父さんが迎えに来たって言うんよ。たった一回しか会ってないのにね。奈良や京都を見物したあと、横浜から船でマルセイユに行って、陸路オランダに入ったんだって。

ご主人って人はタンカーの船員さんで、やっぱり離婚の経験がある人やった。年に三回か四回、一週間ずつくらいしか帰って来ないから、前の奥さんは子どもを連れてさっさと家出していってしまったらしい。日本人だったらそんな結婚に我慢してくれる、って思い込んだらしいのね。

しばらくすると、ご主人が大きな一軒家を買ってくれた。広い庭の真ん中にポッンとバンガローハウスが建っている、ヨーロッパ人憧れの家。その家の庭をご主人が綺麗に手入れをしてくれるとき、それがおばあちゃんの一番素敵な思い出だったって。

ご主人は年をとって陸にあがったとたんに亡くなったそうや。だからね、おばあちゃんは三十年間というもの、ほとんどご主人の両親とだけ暮らしたんだって。しかも、両親の家から一歩も外に出なかった。

驚いたのは、おばあちゃんがオランダ語が一切話せなかったってことや。両親とご主人とは英語で話してたでしょう。買い物もおじいさんが行ってくれてたから、オランダ語を習う機会もなく三十年をすごしてしまった。

ご主人が亡くなって、おばあちゃんは日本に残してきた息子に連絡をして、日本の老人ホームに入りたいって頼んだらしいの。息子さんがオランダに来て、日本の老人ホームに一五〇〇万円ほどの手付金を払う手続きをしたらしいんだけれど、財産管理人は詳しい財産内容を教えてくれない。結局、その後の支払い能力がはっきりしないから、って日本の老人ホームもキャンセルになってしまったんですって。手付金の一五〇〇万円から手数料もひかれていた、って財産管理人が弁護士を雇って息子さんを裁判に訴えたって。

おばあちゃんはそれ以来、すこしボケてしまった。毎日の世話はオランダの植民地だったスリナム出身の家政婦がやっていたらしいけれど、おばあちゃんをベッドに入れると、男を連れ込んだり、まるでわがもの顔にふるまっていたそうや。おばあちゃんが床を叩いたり、ドアを叩いて呼ぼうとしても知らんぷり。ときには「シャアラップ！」って怒鳴ってほっぺたを叩くこともあったって。

食事は脂っこいスリナム料理ばっかり。「日本に帰りたい、日本食が食べたい、助けて」って必死に神様に祈ったって。その声が私に聞こえたってことなのねえ。もちろん誰にも通じない。どうやったら死ねるだろうかって真剣に考えたらしいわ。夜が一番怖かったって。足も立たないし、自殺もできない。足には変な火傷の跡があったわ。家政婦に煙草で苛められたんじゃないかなあ。

これじゃあ、ボケもひどくなるわねえ。

大使館に救済をお願いしたわ。信じてくれなかった。大使館の記録では、おばあちゃんはとっくの昔に帰国したってことになっていた。おばあちゃんも領事館が財産問題にけじめをつけて、日本の老人ホームに入るてはずを整えてくれたらええのに、ってぼやいてたわ。ようやくのことで領事さんがお見舞いに行ってはくれたけど、大使館は個人的な問題に口出しはできないんですって。

結局、私が毎週火曜日に通ったわ。日本食を作ってあげて、車椅子で散歩させてあげて、話相手になってあげて。

——日本語で話せることが一番嬉しいっておばあちゃんも喜んでくれた。帰り際になると、いつも「帰ったらいや、一晩でいいから泊まって」って泣いてせがむんよ。

ある日、スリナム人の家政婦から一週間休みたいから交代してくれ、って電話があった。でも、私もハーグを離れられないでしょ。それで、ハーグに来てくれるならいい、って迎えにいったの。不思議なのよ。向こうの勝手なのに、車代も出してくれない。

ハーグまでの車のなかで、おばあちゃんは海が見たいって言うのね。それで海岸線を走ってきたんよ。

おばあちゃんはもともと煙草が好きやった。けど、私の息子は喘息で、煙草の煙が駄目なんよ。そしたら、おばあちゃんが「私は坊やになにもしてあげられないから、せめて」って煙草をやめてくれたわ。

一週間の約束が過ぎて、スリナム人の家政婦が迎えにきたの。おばあちゃん、絶対に帰りたくないって泣くばかり。もうどうにもならなかった。看護管理局に電話をして、ずっとハーグにいる許可をもらうしかなかった。この国では福祉に絡むことはすべてお役所の許可が必要なのよ。

おばあちゃん、ほんとうに寂しかったんやねえ。一晩中でも話をしたがった。夜中でも私がウトウトってすると、「寂しい」って泣きだすの。わめいたり、大声で叫ぶこともあったわ。徹夜を続けてたら私もまいっちゃうでしょう。しょうがないから、一緒に抱き合って眠ることにしたの。そしたら、こんどは一晩中耳元で喋り続ける。おばあちゃんも「すまない」とは言うんだけれど、寂しいんやね。三十年分の日本語を話したい、って感じやった。とうとう足と頭を逆さにして眠ることにしたの。おばあちゃんは、一晩中、私の足を抱いていた。

最初はオランダの老人ホームに入れてあげようと思ったの。問題は食事。ベジタリアンの老人ホームは数ヵ月後じゃないと空かないって。だからうちにいてもらったわ。おばあちゃんはここに来て「ようやっと日本に帰った」って喜んでたわ。ハーグにいる日本人の皆さんも話をしに来てくださったわね。

この国はお年寄りにはほんとうに行き届いた福祉のサービスがある。おばあちゃんがハーグに来た翌日には市役所が車椅子と歩行器、お風呂用の椅子を届けてくれた。毎週水曜日には看護婦が派遣されてきて診察してくれるし、週二回はシャワー入浴のサービスもある。独り暮らしで毎日男の人が来て、歩行訓練もやってくれたわ。料理のできない人には朝と夜は軽食、昼食は温かいコース料理を届けてくれる。それは安心な国や。

二ヵ月半、ずっとそうやって過ごしたの。

そしたら急に容態が悪くなった。住所変更をしないとハーグのお医者さんにみてもらえない。正規のホームドクターやないとおばあちゃんの口座から治療費をおろせない法律になっている。財産管理人は住所変更すら許してくれなかった。とうとうおばあちゃんの糖尿がひどくなって、入院することになってしもた。オランダでは、重症の場合、家に看護婦がいるというような家じゃないと帰宅を許されないの。結局、病院で息をひきとったわ。

大使館の人が日本にいる息子さんに連絡して、ハーグでお葬式をだしました。おばあちゃんが仏式がいい、って望んでたから、葬儀屋がチベットで修行したっていうオランダ人を呼んでくれたわ。ダライ・ラマみたいな袈裟を着て、英語でお説教をしてくださった。禅宗の本にでていたお経を読んであげたわ。宗派がちがってもしょうがないやろ。

お墓はご主人と一緒。ここには日本人のお墓がないからね。私、いつか日本人の共同墓地を作らないと、って思っている。

あの財産管理人、タクシー代やおしめ代、私がたてかえたお金はすべて保険局からおばあちゃんの口座に振り込まれたはずやのに知らんぷり。おばあちゃんが息子に残したはずの財産についても音沙汰なし。おばあちゃんが亡くなったら財産管理の仕事は終わりや、って。ひどいことに、おばあちゃんの指輪を私が盗んだんやないか? って疑うんよ。病院が証言してくれたけどね。だから今——、裁判起こそう、そう思ってる。

(語り手/ルイゼ・弘子・ローゼンダール)

キッチンドリンカー

あたしってどんな声してるの？　聞かせて

ロサンジェルス／老人病院付添い婦
R・Y（58歳）

お酒のせいでどれだけ友だちをなくしたか知れない。呑んで喧嘩する。二日酔いのいやな気持ち……。いつもおびえてしまう。人に会うと怖くなって、また呑んでしまう。一杯呑むと、とまらない。

Yさんはベトナム戦争のとき、日本に駐留していた兵士と恋に落ちた。そして結婚し、彼の故郷に来た。

あたしみたいなのを戦争花嫁っていうの？　夫は白人よ。黒人じゃない、白人だったのよ？　子どもも生まれた。アメリカに来て……、気がついてみたら彼はホモだった。恋人を連れ込んでね、あたしへのあてつけみたいだった。精神的な虐待っていうのかなあ。最初はキッチンドリンカー、知ってる？　毎日毎日彼を待って呑んだわ。顔中が吹き出物でいっぱいになった。ハズバンドが日本語はいけないって言うものだから、子どもは英語しか喋れない。私も変な日本語になってしまった。それでもあたしは、日本に「幸福にしてる」って手紙だけは書き続けてたわ。英語できないのか、白人じゃないのか、って子どもにまで馬鹿にされてね。今はもう、あの子もあたしのことなんか忘れてるかもしれない。

もっと早く別れるべきだった、とも思う。だけど親に反対された結婚だったたし、失敗したからって故郷には帰れないもの。それで着のみ着のまま日系人がいっぱいいるカリフォルニアに出てきたの。いろいろな仕事をしたわ。再婚もした。白人よ。でもね、彼が嫉妬ぶかくてね、義理の母親ともうまくいかなかった。リトルトーキョーに出てきては、お酒を浴びるように呑んでた。毎日、ね。

また、別れた。どうでもいい、って思ってたの。あの頃の私、ホームレスの人みたいだったかもしれない。

それがここに来て変わったの。ほんとうに呑まなくなった。この老人ホームの日系一世や二世の方々のお世話をさせていただいて教えられることばっかりなのね。みなさん、かくしゃくとしてるでしょう。誰もが一人で自分の最後を生きる、って覚悟を決めてるのね。毎日毎晩、いろいろな話を聞かせてもらうの。身がひきしまる思いがしたわ。

あたしね、咲いてる花に目をくれたこともない女だった。だけどね、老人の方々に出会って、生きているものすべてにね、猫にしろ、犬にしろ、草花にしろ、命ってものすべてに触ってみたいな、って思うようになったの。ほんとうにありがたいことよ、仕事があるって。あたしのような者でも、皆さんに必要とされてる……。ときどき、涙が出てしまうのよ。

ね、お願いがあるの。あたしってどんな声で話しているのか、今のテープ聞かせてくれない？　自分の声って聞いたことがないのよ。

テープレコーダーを抱きしめ、録音された話を聞く。

こんな声してるんだ、あたし。こんな話しかたしてるんだ、あたし。……帰りたいなあ。だけど、誰もあたしなんか待っていてくれないでしょうねえ。

日本人母子心中事件

いったい、何のためにこの国にいるのだろうか？

ロサンジェルス／カウンセラー
山口淑子（在外30年）

アメリカにいる日本人の多くが異文化のきしみに悩んでいると思います。ストレスや悩みが異文化ゆえに起きているかどうかを判断し、理解できる特別なカウンセラーが求められている。

私の場合、私自身がこの国に来た当時の体験、そして夫が帰米二世だったことで戦争中に日本で受けた疎外感などが異文化を考えるきっかけになっていると思います。

山口さんは日本の大学を卒業し、商社で働いていた。が、もっと勉強して可能性を伸ばしたい、と妹の留学先パロアルトを訪れる。そこでご主人に出会い、結婚。十数年の後、再びカリフォルニア州の大学に通いはじめ、社会福祉学で修士号をとる。州の公認臨床ソーシャルワーカーの資格をとり、福祉事務所に就職。現在はフリーランスで日本人の相談を受けるようになった。

アメリカ流のカウンセリングは非常に合理的です。彼らはお互いが積極的に自己表現をすることを前提にカウンセリングを行います。憶測や推測については、言葉ではっきりと確認するまで受け入れません。常になぜ？なぜ？　と問いかけ、自分自身が現在置かれている立場を自覚させようとするわけです。ところが日本人は習慣的にそんな問いに答えられない。自分を表現することは美徳に反する伝統的気風があります。答えようがない。「あなたはなぜ悲しいんですか？」なんて聞かれても、それがわかっていたら悲しくない、万事は察するべきだ、というのが日本的な感情ですよね。アメリカ人は常に言葉で考えます。アメリカ的にカウンセリングされたら、日本人はもっと悩みが深まってしまうかもしれない。

日本人で面白いのは、アメリカ人のからだで示す豊かな愛情表現に触れて、いったい自分は日本人同士の関係のなかで愛されていたのだろうか？　疎まれていたのではないか？　と悩むケースがすくなくないってこと。とくにこちらで育った日本人の子どもは、自分の親はどうして人前でほめたり、抱擁してくれないのか……と迷います。アメリカ人は人前だってほめますよね。日本人は愛情深いのに、恥ずかしさゆえにけなす、という複雑な感情表現をしがちです。駄目な欠点をわざと強調したりする。反省しろ、直せ、と厳しく批判するのが優しさだって考える風潮がある。大人になるにしたがって、さらに直接の愛情表現をしなくなります。だから、恋人との関係や友人関係のなかでさえ、そういったギャップに悩む人が多い。

それと、日本人は日頃から頑張り型だから、ちょっと頑張りが足りないと「俺は駄目だ……」という劣等感にさいなまれてしまうんです。学校の成績でも優をとって当たり前、不可は努力不足、と親が考えがちなんじゃないでしょうか？

なかでも日本人に多いのは子育ての相談です。アメリカでは十八歳未満の子どもに手をかけると幼児虐待の罪に問われます。たまたま子どもをボンとつっついたら怪我をしてしまった。医者に連れて行ったら、医者から警察に通報が行った、とか。娘とやり合ったとき、娘が「そんなに言うなら死んだほうがましよ」って反抗した。

「じゃあ、死になさい！」って果物ナイフをポンと投げた。近所の人がそれを見て警察に通報した、とか。日本人としては、虐待のつもりでやってないことが、この国では別の意味に解釈されてしまうんです。

これまでに私がかかわったカウンセリングのなかで、もっとも異文化の葛藤が深かったのは、二人の子どもと入水自殺を図り、母親だけが生き残った事件でした。

今は少しずつ変わってきていますが、日本人の駐在員の方は、何か精神的な問題や悩みがあると帰国命令がでる例が多いらしいんです。臭いものには蓋を、という傾向でしょうか。帰国すれば左遷の不安がある。自分が精神的に参っていることを他人に知られないようにする。誰にも相談はできない。ぎりぎりに追いつめられて、ビルの屋上から飛び下り自殺、なんて事件もありました。

心の問題は会社の面目に傷がつく、恥の文化と会社第一の考え方が先立つんですね。

そういった悩みは家族でも同じです。家族に精神的に不安定な人間がいる、ということは日本社会では出世に影響するらしいんですね。夫はまだ仕事を通じて社会と関わりを持つわけです。でも、家に閉じこもった妻の孤立感は深まる一方でしょう。子どもには学校社会、地域社会がありますからね。ご主人はご主人で付き合い酒で帰宅は深夜。主婦は、家庭に閉じこもってアメリカ社会と接点を持てない、ただ一人の孤立した人間になってしまう。私は何のためにアメリカにいるのだろうか？　と苦しむわけです。とくにロサンジェルスでは、車の免許を持ってないとどこにも行けません。隣の店にしても数キロ先、って地域でしょう。結局、週末を待って、夫の運転を頼りに買い物するぐらいなんです。それも、夫との関係が信頼できるうちはまだいいんです。夫婦関係に亀裂があったりすると車の運転も素直に頼めない。最悪の事態を迎えてしまう。無理心中は、そんな背景で起きた事件でした。

母子心中事件が起きた翌日、こちらの新聞に詳細が大きく載りました。直接の知り合いではないけれど、同じ地域の方だったんで、アラーッて驚きました。そのうち、知人からソーシャルワーカーとして何か援助してあげたら、という電話をいただいた。さっそくご主人に、「よかったらお手伝いしたい」と電話をしました。そしたらぜひ、という返事。彼女の弁護士の方からも、頼まれました。アメリカ育ちの弁護士はアメリカの法律には詳しくても、心中、しかも子どもをまきこんでの心中という日本的な行動が理解できなかったようです。

ご主人と一緒に刑務所まで彼女に面会に行きました。ガラスごしの話でしょう。しかも、最初のうちは弁護士の私的な関係者としての面会でしたから、三分くらいに制限されてました。しばらくするうちに、裁判所が彼女の心の問題を考えるための公的なソーシャルワーカーとして認知してくれました。アメリカでは、被告には弁護士と同じ立場でソーシャルワーカーをつける権利が与えられているんです。もちろん、反対に、被告には拒否する権利も与えられています。それでようやく、彼女とじっくりと話し合えるようになりました。

日本の法律では親殺し、尊属殺人は厳しく裁かれますが、子殺しは情状が認められるケースが多いでしょう。アメリカの法律は、親が子どもを殺したらほぼ死刑が確実です。日本は親子一体、アメリカは生まれたその瞬間から、一人の人間だという考え方のちがいがあります。しかも、無理心中、心中という概念が理解できない。

母親にしてみれば、夫は仕事ばかりでほとんど家庭を省みない。夫婦の関係は崩壊寸前だった。自分が自殺したら、夫が子どもの世話をしてくれるかどうかわからない。しかも、親のいない子どもは将来にわたってハンディを背負うだろう。二人の子どもだけを残すには忍びない――それで道連れにしたわけです。日本だったら、そういった夫も批判の対象になるところですが、アメリカでは彼女本人の責任が問われるだけです。

ロサンジェルス在住の日本人の社会学者や精神科医師らが、自然発生的に集まり、アメリカ的な文化意識で彼女の行為を判断してほしくない、と主張を始めました。これまでのアメリカは支配階級の白人を基準として法律を定めてきました。その法律に従わなければ死刑ですよ、というやり方を通してきた。果してこれだけ多様な人種のいるアメリカで、そういう姿勢はいいのかどうか？少数派はそれぞれ固有の歴史と文化的伝統、習慣のなかで生きてきたわけですからね。

公平で公正な裁判をしてほしいというか、許されるかぎりの寛大な措置を嘆願するには、彼女が育った日本の文化的背景、死生観というようなものを理解してから裁いてほしい、というのが目的だったんです。

日本には文化的に心中という死生観がある、という記事をメディアに発表したりしはじめました。近松の浄瑠璃なんかでも、心中、道行は美学として扱われてます。うちの子どもなんかも、母親が日本人とはいえ、アメリカ生まれのアメリカ育ちでしょう。親に子どもの命を奪う権利はない、という考えをもっています。

一方で取り調べの際の通訳の問題も、文化理解をするためには障害ではなかったか、と大きく問題になりました。警察や裁判所関係には、文化的背景まで読み込める完全なバイリンガルはなかなかいません。ある通訳は韓国人で、日本語も英語もおぼつかない。東洋人だ、っていうだけで登用されてました。しかし、通訳のよしあしで、裁判の方向は決定されてしまいます。言葉のニュアンスや文化的背景のとりちがいで、アメリカ人には反対に誤解されてしまうこともありうる。検事が申請した通訳の場合には、それが顕著になる。傍聴する私たちも一言一言をチェックして抗議しました。

最初の担当検事は、傍聴席の日本人からの要求に一切、耳を貸しませんでした。それが二代目に代わって流れが変わった。その後何人もの通訳が交代しました。

私はレコメンデーションを書きました。彼女は心神喪失の状態であの事件を起こした。彼女はすでに子どもを失った痛手を背負って罪を償っている。しかも今、日本人として、刑務所に入っている自分を恥ずかしいと苦しんでいる。——そういう内容です。普通ですと保護観察処分で、州の病院に入院します。でも、彼女は子どもを生き甲斐に生活していた人ですし、病院で立ち直れるような人ではない。こちらでは精神病院に入るとなかなか退院できません。UCLAのクリニックで病状を観察しつつ、カウンセリングを続けて社会復帰したほうがいい、というレコメンデーションでした。

判決は心神喪失を認め、実質的に無罪。表向きには、アメリカの法律の範囲内の判決でした。少数派の文化的背景を考え犯罪を裁こう、と法律を変えたわけではありません。裁判所が日本の文化的背景を理解した文章が判決文にとりいれられたわけでもなかった。

それでも、アメリカにおける少数派の異文化問題を裁判でとりあげた最初のケースになったとは思います。

アメリカには、あらゆる人種、宗教の人々がいます。法律というのは、そこに現実に生活している人々によって、解釈も変えていくべきじゃないでしょうか？

なんとなく矛盾するようですけれど、そういう意味で日本のような単一国家の国よりも、おそらくアメリカのほうが、いい意味で発展途上の国なんです。現実に、人種問題を日常的に抱えていますから。時代の流れに合わせて、変わろうと考える、変えようとする、そのための行動をしようとする力が潜在的に残っているって信じているんですけれどもね。

パリ症候群

パリへの憧れは、劣等感の現れではないか?

パリ/精神科医師
太田博昭(45歳・在外10年)

太田さんは、学生時代から年に二回、海外への旅を続けていた。三五歳のとき、フランスの政府奨学金給費医師留学生としてパリを訪れる。

パリに来て二、三年、ここに滞在している日本人にある共通する精神現象がある、と気がつきました。要するに、日本が飽き足らない、日本がいやになった、ということでフランスに憧れをもって飛びだしてきて、いざ生活してみたら憧れとはほど遠い現実の厳しさに気づく。そこで冷静に自分をとりまく現実を見つめればいいのに、フランス嫌いになるか、幻ではあっても憧れのフランス像に固執し続けるか、と両極端になってしまう。過剰に適応するか、不適応になる。日本もよければフランスもいい、日本も悪いところがあるし、フランスにもある、という現実的な判断に落ちつく人が意外に少ない。

結果として強い自律神経失調症がでたり、抑うつ状態や妄想状態になっていく。自律神経失調症が過剰にでる場合は、不安、緊張状態が続いて身体症状として現れる。頭痛、息苦しい、お腹の具合が悪い、手が痺れる、人前で緊張する、外出したがらない、人目を避けようとする。抑うつ状態は意欲がなくなる、自分は何も業績を残してない、と落ち込みが続く。そして不当に扱われている、人から何かを盗まれるといった被害妄想が続き、幻覚、妄想に陥る。

私がパリで治療にあたった不適応による精神的動揺の現実について報告した『パリ症候群』という本をまとめた段階では一五〇ケースの治療例でしたが、現在はその倍の三三六ケースにまで増えました。

以前、日本人青年がオランダ人女性を殺害し、その肉を料理して食べたショッキングな事件があったでしょう。あれも広い意味でのパリ症候群の極端な例と見ることもできます。そもそも彼は日本にいるときから外国人女性との問題を抱えていた。それで日本から引き離そう、とパリに送りだされてきたわけでしょう？

どうしてこういった症状がでるようになったのか？

基本的には、日本人が急にお金持ちになってしまったということでしょう。一人歩きできない人が、格安便で大量に海外に出てくるわけです。その脱出の量とスピードに精神の成熟が追いついていけてないってことです。

パリは昔から日本人の憧れの都だった。

フランスやパリに憧れる、というのは一面、劣等感の現れではないでしょうか？　その原因の一つには、過去の日本型知識人の罪もある。大学の先生や知識人が一年留学しに来て、フランス絶対の礼讃記事を日本に送った。西洋崇拝の姿勢ですよね。それで、憧れのパリ——という精神の構図が日本人に生まれてしまった。そういう若者たちは、日本について知りもしないのに日本を全否定してしまう。日本人に対して「この田舎者め」といった対応になる。観光業などでアルバイトしている人に多いタイプですね。やたらにフランスかぶれしている自分の方がおかしいのに、日本人を低く見ることでバランスをとろうとする。

逆に、どういう人がパリ症候群に陥らないか、を考えたらいいかもしれない。つまりは順応性があって、バランス感覚を常に維持していける人でしょうね。物事には常に裏と表があり、建前も本音もある、ということを自覚している人でしょう。なにも建前社会というのは日本だけにかぎりません。そのことを理解しているかどうかが異文化のなかで柔軟に生き抜くうえで大切なんです。

日本社会で自由に泳ぎまわれない人が外国で自由に泳ぎまわれるって例はそれほどないと思います。異文化を克服できない人は、日本でも社会的な人間として活動できない人じゃないか——私はそう思うことがあります。昔も同じような症候群があったのかもしれません。ただし、日本人の医師がいないために言葉の壁をそのままにして病気、と診断されたケースも多かったでしょう。

私費留学生、現地の事情もよくわからないまま国際結婚した日本人妻——彼女たちには経済的な自立基盤がありません。社会生活を営むための言葉もよく通じない。孤独に陥りやすい。

それと現地雇い組。日本企業というのは、同じ学歴でも東京派遣組と現地雇い組の待遇が極端に違うんですね。現地雇い組が極端に低い。にもかかわらず、東京出向組は現地雇い組がいてはじめて業績をあげていけるわけです。目立つところはすべて東京からの出向組にとられてしまう。人事権も東京からの指令で動いている。そこで、心身のバランスを崩すんですね。「フランスのことをわかりもしないくせに……」という対応になる。

そして留学生。いろいろな留学の形があります。語学留学、ファッション留学、美術、音楽、そしてフリーライター志願……。

シャンゼリゼなんかを歩いていると、仕種とか会話が非常に不思議な日本女性たちが群れをつくって歩いてます。物事を論理的に考えられない人たちであることは、仕種を見てもわかります。そういう人たちはフランス語を習いに来ました——と日本の両親をごまかせてもフランス人まではごまかせません。言葉の壁にぶつかります。彼らは周囲がわからない言葉で話していると、皆が自分の悪口を言ってるような気持ちに陥る。英語なら、十二歳からやっていたから、まだ何とかなるかもしれない。二十歳過ぎてから始めたフランス語はよほどの覚悟がなければやり抜けないでしょう。

そしてコミュニケーションの方法のちがい。こちらでは看護婦さんにいたるまで日本的な意味でのやさしさなんかありません。気持ちを察してくれる人などいません。常に自己主張を要求されます。反対に日本人にとっては内容よりも、言い方がやさしいとか、表情が温かいとかが、いつも問題になってしまう。そうなると、やっぱり彼らは……と被害妄想に陥っていくんですね。

パリやロンドン、ニューヨークは、日本人コミュニティのなかであれば、一応はアルバイトで食いつないでいける世界です。日本で有数の大学を卒業した人が、こちらで皿洗いとか掃除夫、ウェイトレスなどを生業としている例が多い。こっちにいれば、他人と没交渉でも生きていけます。日本人社会に漬かりさえしなければ……。

そんなにしてまでなぜ、こちらにいたいのか？

一つは、日本に席を失ってしまって戻れる場を失ったケース。もう一つは日本よりパリのほうがまだましだ、と幻想を捨て去れないケース。後者の場合、ひたすら自己合理化をはかって、幻想を強めていくしかバランスがとれなくなるでしょう。

太田さんの相談室は、パリのダウンタウンから車で四十分ほどの十五区にあるアパートの一室である。

相談室を始めてから青息吐息ですよ。ここには私以外に専門スタッフがいません。日本で扱っていた患者数よりはるかに少ないんですけれど、一件一件が複雑ですからね。だいたいは日本に帰国させるしかないでしょう。

そうなると日本の親族との連絡、飛行機の手配、アパートの整理——そういう雑務まですべて私の仕事になってしまいます。しかも、あまり治療費をもらえません。精神科の場合、心の悩みをうちあけた相手から請求書が届いたら、不信感につながって心を閉ざしてしまう場合もありますからね。患者さんとの信頼関係を崩さないためにも、公的な補助金を申請するしかありません。毎晩、申請書を書きまくってますよ。

海外にいる日本人の心の問題については、まだまだ日本の各界は危機感を持っていません。日本が、心の問題に公共的に援助するなんて考えられない。

今、私は世界各地で日本人の心の問題にとりくんでいる人々とネットワークを作りだしたいと思っています。どうしたら、パリ症候群に陥らずにすむのか。

駅の客引き

日本人のお客さんは日本人の私を信じます

ウィーン／民宿経営、ピアニスト
弘子・シューベルト（在外18年）

ウィーン西駅の手荷物預かり所。後ろから突然「コインロッカーのほうが安いですよ」と、日本語で話しかけられた。続いて「今晩は泊まるところあるんですか?」弘子さんは初対面の私に、ティンパニー奏者のご主人と一緒に経営する民宿の説明を始めた。

いつもこんなふうに日本人に声をかけるのだろうか?

予約客を迎えに出ていると、妙な客引きに言いくるめられている日本人に出会うんです。そんなとき、いたたまれず、声をかけます。

日本人と見れば高いだけのホテルに連れて行く悪い客引きがいるんですよ。最近、ザルツブルグで日本人女子留学生が殺されたでしょう。ローマやメキシコでも、このところたてつづけに日本人が狙われている。ちょっとしたアドバイスでおおまちがいをしないですむ場合が多いから。うちに予約していたお客さんも、簡単に彼らの口車にのせられて連れて行かれてしまう。そこで散々、うちの民宿の悪口を言うらしいの。

一番困るのは、『地球の歩き方』などに「ウィーン西駅には、悪い日本人の客引きがいる」って投稿させ、のコピーをお客さんに見せて、うちの民宿に泊まるのを妨害しようとする人たちがいるってことね。私が宿泊客の住所を巧みに聞き出して、「旅費が足りないから送れ」ってお客さんの実家に手紙を書く、っていうものすごい嘘の投稿もあったわ。編集部の方々が、それを信じたんじゃないかって思うと耐えられないですね。

しかも、駅の客引きが連れていくホテルが連れ込み宿のようないかがわしいところでしょう。料金も前金で三日分とられてしまう、ってケースもありました。

日本人は餌食なんですよ。日本人は用心深くないし、値切らないでしょう。契約とちがっていても我慢して泣き寝入りする。

警察に駆け込んで、部屋代を返せ、って言ってもきちんと契約が成立したうえでのトラブルだから手に負えない。警察官だってたどたどしい英語で説明する日本人より、流暢にドイツ語でまくしたてる彼らのほうが理解しやすいでしょう。今まで、どれだけ被害を受けたお客さんを警察にひきとりに行ったことか。

ウィーン西駅の観光案内所に、「日本語で話しかけて、ホテルに誘う犯罪が増えています」という注意書きが貼ってあった。

オーストリアの国鉄も彼らを訴えていますよ。だけど、証拠集めがむずかしい。なかなか裁判で勝てません。だから、私自身が駅で待つことにしたんです。

五歳からピアノを習っていた弘子さんは、音楽大学を卒業したが日本で芽がでなかった。最後の賭、とウィーンに滞在。そのときに大作曲家と同姓同名の夫フランツ・シューベルト氏と出会った。民宿の名も『フランツ・シューベルト』。

ウィーンで弾くと、音色が変わってくるんです。結婚とピアノへの未練からウィーンに残ることにしたんです。もう十六年もたってしまったわ。

こちらでは音楽家や学校の先生が自宅を改造して民宿や下宿を経営することはよくあることなんですね。彼は無類の日本びいき。うちのホテルは、各部屋に素晴らしいシャンデリアがついているんです。彼の趣味ね。日本のお客さんにウィーンらしい時間を味わっていただこうって、こういう贅沢なインテリアにしたんです。綺麗でしょ？　バス、トイレ、朝食付きで七〇ドル——。

主人はティンパニー奏者だから、エゴイスティックなんです。決して妥協しない。ナイン、ナイン、ナインで通してくる。

夫婦だけれど、彼の会社に勤めてるって感じです。主人はもう一軒、ホテルを増やそうって言います。でも、私はピアニスト。これ以上ピアノを弾く時間がなくなってしまったらウィーンに来た甲斐がないですものねえ。

日本人と出会うとつい、こうして話し込んでしまうの。駅でお客さんを待って立っていられるのも、日本人に会えるからだって思ってます。やっぱり、年とったら日本に帰りたいって思ってるわ。

しかし、子どもの成長とともに自立したい、という欲求はますます膨らんでいく。

オペラ歌手になりたかった理由は、有名になりたかったから。有名になれば高いギャラをもらえる。お金を貯めたら孤児院を経営しよう、って夢をもっていたのね。北京では、大勢の孤児たちが路上に暮らしてました。毎朝、うちの門番が扉をあけてそういう人たちにご飯をあげるのを見てたから……。歌手のジョセフィン・ベーカーがやっぱり孤児院を経営したでしょう。あのニュースを聞いたとき、アイデアを盗まれてしまった、って悔しがったものよ。

やむをえずやめてしまったけれど、オペラ歌手へのこだわりがやっぱりあるんでしょうね。美術展には屈託なく行けるのに、独唱会にはめったに行きません。二年前、芸大の後輩たちが家に来てピアノを弾いてくれたの。言いしれぬ涙が溢れてしまったわ。悲しくて泣くなんてこと、今までに決してなかった人間だけど、思い出に泣いたのね。

一九七五年、一家の住んでいたアパートが全焼した。

買い物狂騒曲

日本人は高い品を価値がある、と信じる傾向がある

パリ／ルイ・ヴィトン店員
松田京子（在外38年）

——おいくつですか？

あら、パリジェンヌに年齢は関係ないわ。いつも二十歳って思って生きてきたから。年齢がわかったら消えてしまう現実もあるものよ。人に知られずにおくことで幸せ、って生き方を大事にしたいじゃない？

松田さんは父親の仕事の都合で、中国で生まれた。小学生の頃から中国のラジオ合唱団で歌い、芸大に進んだ。オペラ歌手の国費留学生として渡仏した彼女は、まもなくあるフランス人青年に見初められ、結婚。オペラ歌手の夢は二児の誕生と夫の反対で断念。

あの日はちょうどパリのホテルに勤めに出ていた日だったわ。パリから帰るとアパートの前に七台もの消防車がとまって、群衆がものすごかった。「マダム、お宅が火事ですよ!」という声を聞いて、次に気がついたときは管理人の部屋でした。子どもたちの安否を尋ねて「ウィ」という言葉を聞いたらまた気を失ってしまった。

原因はクリスマスツリーの漏電。だけどね、フランス人ってほんとに親切なの。翌日には、管理人の家一杯になるほど生活に必要なすべての日用品が届いたのね。近所の人たちが、無名の贈り物をしてくれた。靴、洋服、オーバー、毛布、食器、テーブルクロス……。一袋のスパゲティを届けてくれた人もいたし、私が音楽家だって知ってる人はショパン『ワルツ』、ベートーベン『ソナタ』なんかの古い楽譜を置いていってくれた。その時にいただいた品物は、今も捨てられないの。テーブルクロスなんかはつい最近、ボロボロになるまで使ってから、泣く泣くようやく雑巾にしたってほど。

何もかも燃えてしまったらなんだか「清められた」って感じたのね。若い頃のアルバムなんかもすべて。だから日本時代の私の写真も家族の思い出もなくなった。こだわるべき過去が消えたって感じだったわね。

翌月、裁判所に離婚を申し出てました。

子どもたちは、私が一方的に別れたことを恨んだこともあったらしいのね。だからあまり結婚生活については語りたくないの。ごめんなさいね。

別居が成立して、娘たちをナポレオン時代に創立された格式の高いレジョン・ド・ヌールという寄宿学校に入れました。そしてアナイス・メイという工房ともう一つ小さな贈り物の店を開店したの。ノートルダム寺院の近くに借りた工房では松田京子ブランドのスカーフやルイ・フェロウのファッションショー用の手描き生地の下請けをやっていたわ。

だけどね、国境を越える商売ってむずかしかったです。ヨーロッパは陸続き、電話で注文を受けて品物を届けるでしょう。遠隔地だから、と断れません。その支払がとどこおってしまう。まさかベルギーやドイツまで交通費を使って代金を回収にいくわけにはいきません。五年でまたたくまに数百万円の未収金がたまってしまった。

占い師にみていただいたら「今年中に店を売りなさい」って。ようやく店を買いたいって人が現れたの。その人が食べ物屋をやりたいって聞いたらいてもたってもいられない。「あなた、とんでもないわ。こんなフランス人ばかりの住宅地でラーメン屋をやっても売れませんよ」って逆に忠告してしまった。

それから一年たたなければ店の買い手は現れなかったのよ。借金はたまる一方（笑い）。

そんなとき、日本から「父、危篤」の知らせが入る。

とるものもとりあえず飛行機に乗りました。通夜のとき、最後まで結婚に反対した父が、ポケットに私の子どもたちの写真を離さなかった、という話を聞きました。

身内の不幸、借金、失業、最悪の時期でしたね。会社が潰れて十ヵ月、借金はかさむばっかり。あるお店に履歴書を持っていったら「あなたを使いこなせない」って断られた。で、知り合いが「ルイ・ヴィトンの店長があなたのような日本人を探してます」って教えてくれたの。さっそく「マダム・フェレ店長をお願いします」って電話をかけたわけよ。電話口に出た人の声が太い声で、男の人とばかり思って、何度もマダム・フェレに代わってくれって頼んだのよ。そしたら、電話口に出ている人がマダム・フェレ当人だった（笑い）。大声で笑っちゃったの。だけど会ってすぐ、お互いに何か通じるものを感じたんでしょうね。

マダム・フェレ――ルイ・ヴィトンの先代の店長。立派な方でした。エジプト生まれのフランス人です。ご主人はエジプト王家の政治顧問でした。ご主人が亡くなって四五歳のとき、はじめてフランスに引き揚げて来られた。以来、エルを皮切りにクリスチャン・ディオールでは店長を十年間も勤めた方でした。七十歳でルイ・ヴィトンに呼ばれたんです。ケネディ家の方々とか、世界の政財界に広いつながりのある方でした。

店では赤い制服の松田さんが、街を歩くときは一変。真っ黒のミンクのオーバーコートにつば広の黒い帽子、エナメルのハイヒール、マダム・ロシャスの香水――豪華な装いの松田さんと歩くと、人が振り返る。

面接のためにルイ・ヴィトンに行ったら、気どった店で、皆なんだか冷たい表情の人ばっかり。ああ、こんな店に入れなくたっていいわ、って途端にいなおってしまったわ。そして店長を待った。電話の声から察するに大女を想像してってたら、ちいちゃな女性が入ってきて「私がマダム・フェレです」なんて握手するでしょう。「こんな華奢なご婦人でしたの?」って思わず。

そのとき彼女は七二歳。フランスの上流階級とどのくらいの付き合いがあるか尋ねられたわ。しばらくして、電話が入ったの。「もう一度いらっしゃいますか?」って。こんどはヴィトン家のお嬢様のラカミエ会長夫人が待っていらした。普通は、会長夫人が面接することはないんですよ。美しい声で青い目の素晴らしい方でした。そして「あなたがここで働いてくださったら嬉しいですね」っておっしゃった。感激しましたよ。変わった人種とでも思ったのかしら? それでね、最低賃金よりほんの少し高いお給料で入っちゃった。

ヴィトンが目指した店員の条件は、どのような立派な方がお客様としていらしても堂々と会話のできる知的教養と人生体験と品格のある人。マダム・フェレは三十歳以上の女性を望んでました。お客様が見えたときに、どこの誰、と瞬時に判断して、その人の背景すべてを察知できる眼力も必要。

『星の王子さま』の著者のサン・テグジュペリの姪ごさんも、陸軍中将の奥様なのに、店員でした。私が入った八一年は、店員の三分の一は貴族出身者でしたね。

でも、最低賃金だけでは子ども二人を育ててはいけません。火事や破産のときに積み重なった借金も返せない。週末は別の仕事をして稼ぎました。エージェント、ガイド、通訳、翻訳……それはハチャメチャよ。私、それを会長夫人と店長には隠しませんでした。「他でアルバイトしてます」って打ち明けてました(笑い)。

その頃から、日本人の客がまたグンと増えたでしょう。中国語の通訳もやらなければならないから、人の三倍働くことになる。あんまり仕事がきついから、日本人の店員を増やすようにお願いもしたわ。でも、店長は中流以上の人でなければ駄目って言われます。「離婚した、とかよほどのことがないと中流以上の日本女性は稼ぎません」と申しあげたら、会長夫人も「あなたみたいに何でもはっきり言う人も珍しい」なんてびっくりしていた。二年後には、お給料も倍になり、日本人店員も二人になりました。

それまでの結婚生活は家事もすべてお手伝いまかせだったでしょう。そんな私が自分一人で仕事もアルバイトも家事も育児もすべてやらなければならない。店も軍隊みたいに規則正しい毎日でしょう。ぐうたらな私は夜中に急に本が読みたくなる。朝、起きられない。深夜三時に起きて、近くのアトリエで私自身のブランドのスカーフのデザインを始めたら、朝九時までやめられない。子どもの朝食のために家に帰る——当時は九時十五分だった開店時間に間に合わない。だから面接のときに遅刻を許してほしいって頼んだの。四年間続けて遅刻。マダム・フェレもモーニングコールをしてくださいましたよ(笑い)。「マダム・マッダ、もう十一時ですよ! 早くお食事して出てきなさい」ってね。

芸術家気質がいつまでも消えない、って苦笑いされましたけれど、不思議に叱られはしなかったですね。もちろん、お給料は減らされましたよ。

でもマダム・フェレは他の店員に対するよりもなぜか私に温かった。彼女にはいつも「悔いのないように生きなさい。夢を持ち続けること」と励まされてました。

遅刻しても普通以上の成績は残したのよ。マダム・マツダでなければ、って私を待っていてくれるおばあちゃまもいらした。彼女からはクリスマスに、ワインやチョコレート、香水をいただいたわ。さすがに古参の店員にはにらまれたけれどもね。

ヴィトンならでは、っていうような上流階級のお客様はかぎりなく来られます。カタールの王様なんか、専用飛行機で王子十一人、王女三十何人を連れて、テーブル一つを囲んで次々にお買物なさった。入口からズラッとボディガードが立ってね。直系のお子様の周辺の警備はものすごかったわ。アラブ系のお金持ちの方は太った女性が上流の証拠なんです。札束をサラリと出して、ハードトランクを十何個も買われました。

ルイ・ヴィトンの店は一八五四年に誕生、初めてトランクを発表した。当時は「グリ・トリアノン」と呼ばれるグレーの無地の布地製だった。創業百周年の時、凱旋門近くのマルソー大通りの現在の本店が開業する。そして一九五九年、新技術の応用でトアル地を開発。現在のLVマークのソフトバッグの製造が始まった。店内は、連日、日本人客でごったがえしている。

昔はヴィトンのマークの入ったバッグが嫌いだったの。そう公言してもいたのよ。なにかのときに会長夫人が贈り物として小銭入れをくださったの。使ってからは、やみつき。丈夫なのね。飽きないの。

あなた、今日のお店を見てびっくりしているけれど、今日は少ないほうですよ。私が入ったときには黒山の人だかりをかき分け、かき分けなの。ほとんどのお客は日本人とアメリカ人。一時間、二時間、テーブルの前で自分の順番を待っているなんてザラだった。苛々してヒステリーを起こしたり、卒倒する方もいらしたくらい。

九時十五分の開店と同時に、バーッと日本人が駆け込んでくる。店内を走り回ってる。「お店の中で走らないでください。家の中じゃ走らないでしょう?」なんて注意を繰り返さなければならなかったんですよ。日本人はいまだに高い物をいい物って信じる傾向がある。私、いつも注意するのよ。「あなたがしっかりと自分の目で見て、気に入らなかったら買わないでください。あなたが使うんですからね」って。

高度成長の頃はトランクに一千万円の現金を詰めて買いにきましたよ。はっきり言って、日本民族ってすごく下品だって思ったの。お金を腹巻から出すわけ。ズボンのチャックなんか人前で開けちゃうのよ。私、初めてそういう光景に会ったときは「キャーッ」って悲鳴をあげちゃった。同僚たちには苦笑いされたわ。そのうちに、だんだん慣れてきた。見ないようにして「トイレット、あちらです」ってさりげなく。

それからね、店の中で大声で「母ちゃん、姉ちゃん!」って叫ぶの。私「ここは、田んぼの中じゃありません!」って怒鳴りましたよ。

一度ね、太いステッキで棚をさしながら「おい、おめえ、あれ見せろ」って。私「ハッ? どなたに言ってらっしゃるんですか?」って。知らんぷりを決め込んだわ。まあ、その人からつぎつぎとでてくる言葉がとても乱暴でね。よく聞くと、高利貸しだって言うのね。人を人とも思わない態度に腹がたって一刀のもとに切り捨てたわ。蘇りますよ、プライドがね。そしたら、ほんとうに怒りだした。マダム・フェレが出てきたので、説明しました。マダム・フェレはわかってくださいましたね。

四十歳過ぎると顔に生活が滲み出る。自分のことを棚にあげて言うけれど、怖いものですよ。一日千人くらいのお客様の顔を見ているでしょう。だいたいの人の歴史がわかります。貧しいかっこうしていても、素晴らしい方はすぐわかりますよ。ボロは着てても心は錦――。馬子にも衣装、ってのは嘘ですよね。

学生にしても、サンプルをひっぱりあうのよ。そんなときはお説教してしまいます。「あなたね、教養と教育とは別の問題だけど、品物を取り合うなんて、日本の恥です」――大学生と言えば、普通は礼儀を知っていると信じられてますよ。店の品物を投げ合っている人もいたわ。私、脇に座っちゃってね。にらみつけてね、怒鳴ったわ。失礼でしょう。人格が疑われるでしょう。

あの時期の日本人は一億総中流階級だって言うけれど、お金があるだけ、お金で買えないものを知らないみたいに見えました。でもね、日本人に対しては内心驚きの連続、下品だって怒りの連続だったのに、フランス人の同僚が日本人を軽蔑すると「あなたね、フランスの山の中から出てきた人はいったいどうなの?」って弁護してました。店長に「とんでもない店ですね」って、抗議したり。

同僚たちが素晴らしいってほめちぎる日本人ももちろん、いらっしゃいます。偉い方ほど高ぶらないんですね。近頃の日本人はほんとうに見違えるようです。今では同僚たちも皆、親日的になってます。

マダム・フェレはほんとうによくしてくださったわ。私が忙しそうにしていると、店長室に呼んでくれて、会議中ということにしてそれとなく休ませてくれました。私生活、健康のことまで心配してくださった。借金なんかの後始末で弁護士や執行士から店に電話がかかると店長室を使えって。月末になると、ご自分のお金を貸してくれたこともある。店長が店員と特別親しくすることは禁止されているのに、クリスマスにそっとクリスチャン・ディオールの香水をプレゼントしてくださった。

店を辞められた日、彼女に呼ばれました。

「マダム・マツダ、今日からはマダム・フェレと呼ばずにマリエールと呼んでちょうだい」

でも、私にとってあの方は今もマリエールではなくマダム・フェレです。彼女の亡くなる前日もお見舞いに行きました。お互いに、こんなに素晴らしい人はいない、って信頼しあっていたって思うのね。ラカミエ会長夫人にも感謝してます。あの会社始まって以来の借金を許してくださったんですもの。遅刻ばっかりしてたのに、ね。

帰宅途中、松田さんはしばしばオペラ座前のカフェに立ち寄り、一人でワイングラスを傾けつつ書きすすめている短編小説の構想を練る。

私、ボケーッとしながらこうしてコーヒーを飲んで道行く人を眺めているのが好きなの。ときどき、見知らぬパリジャンが「私に御馳走させてください」って代金を支払ってくれるような、二度と出会うこともない、不思議なできごとがあるのよ。いっぱい恋もしたし、ね。

今でも、ほんとうにお金がなくなってしまうことがあるの。ミンクのコート着て、金の指輪ジャラジャラつけて、一フランの現金もない、なんて誰も信じないわよね。ときどき、明日のこと考えると眠れなくなることだってある。でも不思議と翌日パラッと忘れるのよ。翌日になると何らかのお金の工面ができる。デカダンスなのね。

パリってほんとうに面白いところですよ。

傷痕

捕虜収容所の日々

いったい僕らに青春はあったのだろうか？

クアラルンプール／歯科医師
川内光治（78歳・在外70年）

日英通商条約下、戦前のシンガポールには二万人ほどの日本人が働いていた。歯科医院を開業していた父親を継いで川内さんも歯科医の資格をとった。

大東亜戦争が始まったのは二八歳のとき。二人の兄貴が亡くなって、親父は病床にあった母親を背におぶり、三人の妹たちの手をひいて帰国したんです。母は帰国直後に亡くなりました。そんなとき、シンガポールが英国の植民地だったから、残った私は他の約四千人の日本人と一緒に抑留されたわけです。次は俺が死ぬ番だな、って思ってました。自暴自棄になってましたね。

今も収容所に入れられた日のことは忘れられません。

早朝三時半に日本軍の空襲があったんです。三時四十分には自宅で捕まえられました。警察署に連行され、八時半には四千人の男性全員が捕まった。十時にシンガポールの波止場から百トンくらいの船に詰め込まれ、マレーシアの収容所に運ばれました。

船の中は立ったまま、小便なんかたれ流しでしたよ。三日くらい遅れて婦女子が入って来ました。日本軍の偵察機が連日、何度も上空を飛んでました。白いシーツの真ん中に赤い腰巻で日の丸を描いて合図したら、羽を上下に揺らして合図してくれました。警備兵はマレー人でしたね。彼らはやさしかった。あんたたちはかわいそうだって同情してくれました。食事は米飯とアヒルの卵を蒸したやつだけ。塩もスープもない。両方ともカラカラに乾いた味のない食べ物でしょう、喉を通りません。せめてお茶でも、と頼んだら、水やお茶をくれました。

二週間ほどたって、インドのニューデリーに移されました。一月のインドは寒いですよ。与えられたのはインド人が寝る網のベッドだけ。布団もない。最初はプラナキラ城に一年ちょっといて、次はラジャイタナ州デオリーの政治犯収容所に三年八ヵ月。凍えのため、眠れるのは一時間がやっと。暖をとろう、と若者が四、五十人固まって走りました。坊さんが水風呂を勧めてくれた。真冬に水風呂に入るには相当の覚悟が必要でしたけど、たしかにからだが温まって、四、五時間は眠れました。

食料は慢性的に足りなかった。砂糖は班ごとにコップ半分。一人分にすればティースプーン一杯あったかどうかです。一番苦しかったのは、野菜不足。ビタミンBの欠乏による脚気性心臓麻痺で一八〇人ばかり亡くなりました。薪割りや炊事を担当した若者が次々に衰弱して死んでいく。私たちはコレラじゃないか、とあわてたものです。これはいけない、と水辺近くにある草を食べました。英国側も米飯に大麦を混ぜてくれるようになった。

そんな生活でも、人間って慣れますとね、自然に何かしなければいけない、と思うものです。道具も材料もろくなものもないのに、池の魚を捕る網を作った沖縄の人がいました。英国に要求して種をもらい、野菜を栽培したり、芋の麴で味噌を作りました。醬油だけは大豆がなかったからできなかった。麻雀牌や花札、下駄も自分たちで作りました。煙草も一日の配給が八本しかない。根元まで吸うためのパイプを作りました。洋服の配給は一年に一回、下着は一枚、シャツ一枚、オーバー一枚、毛布、ソックス二足。靴の配給はありません。赤十字を通して日本政府から払い込みがあるはずだったけど、配給も滞りがちでしたよ。小遣いは一ヵ月に二ドル四〇セント。

塀が高く、外の世界は全然見えません。護衛も厳重です。私たちのキャンプにはドイツ人、イタリア人、インドネシア人も収容されてました。ドイツ人とイタリア人は時々逃亡してましたけど、日本人は逃げません。鉄条網を隔てて別のテントに収容されている女性たちの多くは奥さんたちです。最初は台湾人や朝鮮人の従軍慰安婦も皆一緒でした。だけど、二番目の収容所に行ったときに彼女たちは捕虜ではない、と解放されたようです。

私ら、若いですから婦人用テントにもぐりこんだこともあります。素裸になって洋服をまず鉄条網の仕切りの向こうに送り、向こう側に入ったらまた服を着て、女性に会いにいきましたよ。見つかると独房に二四日間。子どもが生まれたりすると、さすが英国ですね、インド国籍に登録してくれてました。

終戦を知ったのはインドでした。収容されてた人たちのなかでも勝ち組、負け組の争いはありましたよ。日本が負けた、ということが信じられなかったんでしょう。あの騒ぎで軍人に向かっていって、終戦後に射殺された人が二二人くらいいましたよ。

インドからシンガポールの収容所に輸送され、さらに収容所生活が続きました。戦争は三年で終わっていたのに四年八ヵ月も収容されてたってことです。なぜかっていえば、日本から救助の船が来なかったからです。

シンガポールの収容所には、インドネシアから二万人の慰安婦が入ってきました。朝鮮系、台湾系のおばさんでした。みな四十代、五十代のおばさんは一万二千人くらいはいたんじゃないですか。解放されるときにも、彼女たちはあまり嬉しそうじゃなかった。

私はシンガポールキャンプで現在の妻と結婚したんです。家内もマレーシアで生まれているので、できれば帰国したくなかった。でも、許可されませんでした。

帰国後、川内さんは九州の米軍基地で歯科医師として働く。しかし、妻が日本の寒さに耐えられず、再びマレーシアに戻った。そして長い間、日本人会の会長として尽力してきた。

二八歳で捕虜になって、ちょうど五十年がたちました。今は捕虜仲間も半分に減ってしまってます。長生きしすぎたな、って思うことあります。日本の繁栄のすさまじさの陰で、いったい僕らの青春はあったのだろうか、って。

忘れてほしくないのは、現在のクアラルンプールの日系企業の繁栄のかげに、そういったたくさんの日本人の長い歴史があったたってことです。

たとえば日本人の墓――今の日本人墓地は企業の献金やら何やらで立派になりましたけど、戦後、荒れはててた時期が長かったんです。その時代、墓守を続けてくれたのは、明治時代に日本で人買いに売られ、半島で身を削って働いたからゆきさんでした。当時は二十人くらいマレーシアに残っていたんです。今も五人ほど生きてます。彼女たちが月に五ドル、一〇ドルと貯金しながら墓守し続けてくれてたんですね。彼女たちがいなかったら、日本人の墓はなくなっていたかもしれないってことです。

戦争の責任
50年間、日本人は知らん顔していた

ロンドン／元商社支店次長
平久保正男（72歳・在外33年）

太平洋戦争開戦時、大学二年だった平久保さんはドイツ全体主義観にもとづく経済学を学んだ。非常時のため、昭和十七年九月に繰り上げ卒業。後の丸紅である大同貿易に入社。徴兵。大正デモクラシーの影響の濃い父親と論争が絶えぬまま、軍国青年の誇りを抱いてビルマ戦線に応召。

貿易商だった父は「日本の生きる道は貿易立国しかない、国防はあってもよいが、あくまで交渉と妥協でいかなければいけない」という意見で、国運を武力に賭ける当時の支配的な考え方には大反対でした。

私は師団司令部に着任してすぐ、経理部長からインパ

ール作戦の説明を受けたんです。瞬間、「なんたることだ」と思いました。彼は「後方から食料を送れない、そもそもが無理な作戦だと思う」「お前たちの部隊が何週間戦えるかは君たちの双肩にかかっている」「君たちとはもう会えないと思う」「もしも途中に村でもあるなら、そこで米を徴収できるだろう」——現実には村人が食料らしきものをすべて持って逃げていました。国家というものは、米一粒、弾薬も補給せずに兵士を戦場に送りだすものなのか、と愕然としました。忠君愛国とか、大東亜共栄圏といった、親父と決して相いれなかった理想が、ガラガラと音をたてて崩れたんです。何のための戦いだったのか……。それでも私は一個大隊約千人の食料を探そう、と覚悟を決めました。

皆で二十日分の食料を担いで、絶壁の道を歩き、戦地を目指しました。やはり戦場に着いたら、食料はなくなった。結局、インパール作戦では生き残った人間の倍くらいの人間が死にました。しかも私たちにはその遺体のほとんどを埋葬する余裕もなかったのです。

命からがら帰国船に乗ったとき、私は「せっかく祖先が築いた日英の良好な関係を台無しにしたのは、兵士、銃後、また敵味方を問わず、われわれの世代全員の責任だ。すぐにでももどってきて、あなたたちの遺骨を拾い、慰霊します。廃墟と化した祖国の建て直しを自分たちの力でなし遂げ、日英関係をもとの段階まで戻す努力をします」と戦友たちの亡き御霊に誓ったんです。

インパール作戦については、多くの記録がある。戦闘はもとより、敗走過程での飢餓、マラリア、アミーバ赤痢といった悪疫による死者の数もすさまじく、英国兵士はもちろん、日本兵は三十万人のうち十八万人、そして無数の民間人が死亡した。

戦後、平久保さんは総合商社丸紅に復職した。

まず第一の誓いである祖国の復興のために努力しました。中近東に七年、英国に二十年の駐在生活——それはいつに、日本の国力回復に尽くしたつもりです。中近東には日本から初の機械類の輸出、英国でも当時としては画期的だった商社による日本の機械類の輸入、在庫販売、サービスの一貫した配給を行いました。

最初に英国に立ち寄ったのは一九五四年。英国の反日感情がひどい時期で、反日映画も上映されてました。六五年に赴任してきたときも、まだまだ……。地下鉄の中で労働者風の男から、私の隣にいた同僚が、日本人だという理由だけで唾をひっかけられたこともありました。天皇陛下がキュー・ガーデンに植えた記念樹が引っこ抜かれたって事件もありましたね。とくに、泰緬鉄道の捕虜グループから旧日本軍に対する悪評が国会議員、新聞社に広がった。戦争を忘れようとする日本とちがって、英国では戦争博物館に行けば、捕虜収容所でのフィルムを延々と流し、それをお爺さんや父親が民族の歴史として子どもたちに語り継いでいる。

日本人にしてみれば、しつこい、と感じるでしょう。しかし、私はいわゆる日本人論に深い関心があって研究をしてきたんですが、これは「臭いものには蓋」「日本人の恥には触れるな」といって無視する政府をはじめとする日本人に反省すべきところが多い。誰だって加害者が被害者の前にいて知らんぷりしていたら怒るでしょう。

そんな時代でしたから、もう一つの、自らの手で日英関係を修復する誓いを果たすのはいつになるのか、とひっかかり続けてました。

一九八三年、丸紅との縁が切れたちょうど同じ頃、インパール作戦でコヒマに従軍した二人の英国人元軍曹がロンドンの日本大使館に「日本に行きたい、指導してくれ」と連絡をとってきました。

僕はさっそくウェールズに行きました。会って話をしていたら、彼らは私の望んでいたこととまったく同じことを言っている。まず、ビルマで戦った日本兵士と英国兵士は会って和解しなければいけない。彼らは靖国神社で日本の戦没者へのお参りをしたいとも言います。彼らの旅を絶対に失敗させてはならない。それには英語のできる私がついて歩くのが正解だと思って申し出たら、願ってもないということになった。それで、三人で日本に行くことにしたんです。

それまで日本の戦友会には敵である英国人と仲直りするなんて発想はまったくありませんでした。日本政府が戦後処理を何もしてこなかったから、遺骨収集、墓参、慰霊碑建立などを自分たちでやらなければならなかった。そういう活動で手一杯だった。英国の側ももちろん、ありません。この二人が特別だったんです。

私が二人の英国人の目的達成を自費で手伝う、ということを日本の戦友会に報告したら、戦友会の仲間も奮いたってくれたんです。三週間をかけて東京、京都、高知の三一師団の戦友会をまわることになりました。かつては敵同士だった両国の元兵士が集い、あちこちで記憶をたしかめあいました。各地でいわゆる日本式の丁寧な接待も受け、その温かいもてなしが彼らの胸を打ったんでしょうね。帰国した彼らは、旅の感動をあらゆる機会、仲間に宣伝してくれました。

私も、彼らが作りだしてくれた波をとぎれさせたくない、と「日本の戦友会も英国を訪れ、和解のための対話が必要だ」と訴えました。

一九八五年、コヒマの古戦場にカトリック大聖堂を建立し、戦没者のためのミサをあげよう、とある司教が建立募金を募っていることを知りました。三一師団関係者に宗教の違いを乗り越えた募金を訴え、約三千人から募金を集めることができたんです。

九二年に行われた大聖堂の献堂式には三一師団から十五人と英国側から十七人が招待され、私は司教に献堂式のあとで日英和解の儀式をお願いしました。きっと日本人には退屈ではないか、と心配して事前に司教の祈禱文や式次第をいただき、戦友たちがわかりやすいように日本語に翻訳し手渡しておいたんです。

ところが杞憂でしたね。皆、心に宿っている亡き戦友が喜んでくれた、と感動していました。しかも、最後に司教が「和解のしるしをみせましょう」と言ったら、まず英国側の一人が日本側の席に握手を求めてきた。その一瞬後には日本人全員がワッと英国側の席に押しかけ、握手、握手。抱き合う人もいたのです。

私自身は戦時捕虜問題にいっさい関係のない者ですが、私の日英戦友和解の運動を推進するためにはどうしても捕虜問題を避けて通れない、と考えるようになっていました。大使館にも働きかけたのですが反応はない。政府の方針としては「相手の神経を逆なでしないように捕虜問題は無視して、日本にはもっと高尚な文化があることでまず交流を図る」――という姿勢です。

誰かがやるべきだと思い、私は一人一人に連絡をとって訪ね歩きました。何十年かかろうと、話を聞いてあげるべきことなのです。これまで会った十二人のほとんどが、堰を切ったように収容所の記憶を話します。もちろん、最初は抵抗が強かった。日本人を憎んでいた元兵士も多かった。なかには、机を叩いて怒りをぶつけてくる人もいました。

私も自分の体験を話しました。インドの英国軍が、日本軍が日本人の重症者二五〇人ほど担架に乗せて運んでいるときに石油をかけて虐殺した記録についても話しました。彼らは、そんな事実があったことを知りません。

戦争っていうのは、双方が自国が被害者になった情報だけを聞いて、信じて成り立つ世界ですからね。だけど皆さん、話しているうちに変わってくるんです。そして最後には必ず「ありがとう」と。

ある人の場合、訪問した二日後に奥さんから電話がきました。「話をしたお蔭で主人は人が変わったように明るくなり、医者からもよかった、と言われました。今までは近所に日本人が住んでいても、無視してたのに、挨拶をするようになった」って。心の重荷は健康にまで影響を及ぼすものなんですね。それからは、何度も一緒に食事したり、私が帰国しているときに彼も日本を訪れたりしています。

結局、彼らも私と同じ気持ちなんです。死んだ戦友に対して、自分だけ生きてきてしまった、という無念さ、戦地で白骨となってろくに埋葬もされていない戦友に借りを返せないままでいるという改悟の念——そういった気持ちが「日本人はひどい!」「人非人!」といった憎しみの表現になってでてきていたんですね。

彼らにしても私から言われなくたって、日本人すべてが悪いわけではないと十分わかっているんです。

生き残り戦友の和解を通じての日英両国の心の繋がりに貢献した平久保さんの行動に対し、英国政府はO・B・E勲章を授与した。

九一年九月、突然、英国外務省から手紙がきました。「あなたのやっているボランティア活動が女王陛下に報告されました。陛下はあなたの心の交流運動に感動され、政治、経済、文化の交流に貢献した人々に陛下が毎年授与する賞とは異なる単独叙勲をなさることになりました」という内容だった。十月三十日、外務大臣を通じて大英帝国勲位四級を受賞しました。

日英が心底和解するには、かつて戦場であいまみえた日英兵士が対話を重ね、戦争を究明し、生存者は戦死者のおかげで生きているという共感をもって、平和な未来をつくろう、と確認しあうことしかないのです。

捕虜を含む元兵士たちの日本訪問旅行も、すでに四回になりました。日本の戦友の訪英も二回目までは自費の旅でしたが、九二年からは笹川財団のおかげで無料で来れるようになりました。

英国にも、ビルマ作戦戦友会による、ビルマ・キャンペーン・フェローシップ・グループが設立されました。

この運動の英国側の受け皿です。私は例外として、敵の日本から役員会のメンバーになりました。

国籍、国境にこだわらず同じ目的で人が集まる。これが面白いんです。近頃では、合同慰霊祭という言葉もでてくるようになりました。生きている者として、亡くなった両国の兵士たちすべてを弔おう、という気持ちです。かつて敵同士だった者が同じ気持ちになると、普通とは異なる深い友情を結ぶことになるんです。

一九九四年はインパール作戦から五十年、九五年は終戦五十年となります。私たち老兵も年々、死界にいく人が増えています。われわれがいなくなったら、この運動の灯も消えてしまうのでしょうか。過去を空白にして新しさを求めても長続きしません。われわれの時代にはこんな戦争があった、そしてその戦争は長い間両者に憎しみを残し、それを克服するために私たちはこの活動を続けたのだということを、戦後世代に克明に伝え、その基盤のうえに立って親善を深めていってほしいと祈るような気持ちでいます。

孤立

自分たちは祖国にとって大切な皇民だ

サンパウロ／日本移民研究者
宮尾進（64歳・ブラジル生まれ）

宮尾さんは進歩的な文化運動ユババレーや日系人文学発祥の地として名高い移住地アリアンサ出身の日系二世だ。九歳のとき訪日。戦争中は日本に滞在した。戦後、信州大学哲学科卒業と同時にサンパウロにもどり、日系女学校の教師を皮切りに日系人の農協組織コチアが発行する機関紙の編集者となる。そしてブラジル全土の日系社会を取材で飛び回った。その経歴をかわれ、『移民七十年史』『同八十年史』の編纂にたずさわることとなる。

戦後、日本が復興しはじめた頃になっても、ブラジルでは二十万人いた日系人のうち十二、三万人が日本の勝利を確信し、勝ち組を自称してたんです。彼らは、ポルトガル語新聞の記事を読んで敗戦を認め、早く現実を認めたうえで再出発すべきだ、と発言した人たちを負け組として十数人も殺しました。ブラジル警察に捕まった勝ち組のテロリストらの調書六千枚が、今も全部残っています。

戦前は国策移民が多かったですからね。日本の国力を何とか広げたい、という意識が強かったでしょう。移民は一種の民族政策でもあった。戦前のブラジルの開拓移民は天皇に忠実な人たちだったんですね。文部省の役人も一緒にやってきて、日本国内の文部省のカリキュラムにそって国粋主義的教育をやっていました。修身教育や宮城遙拝、教育勅語にのっとった授業があった――まあ、現在でもそういった教育方針を貫いている学校がありますから迂闊《うかつ》なことは言えません。一世なんかは、開拓小屋に明治天皇、皇后の写真を飾って毎日拝んだそうです。クリスチャンだった人の書いた文章にも「日本民族の発展」という意識が強烈に読みとれます。戦前の雑誌『キング』なども皇民教育の影響が強い。だから、うっかり移民は棄民だった、などと言えません。国家のために自ら進んで出てきたんだ、って自負心がありますからね。

このように、成り立ちからしてブラジルの日系人は、アメリカに渡った日系人と比べ、きわめて強いナショナリストだった。それに加え、日本人にかぎらず一般的に異民族、異文化の中に入ると民族意識が強まるでしょう。私たちが調査したブラジルのドイツ系移民などは、三世になってもまだドイツ語しか話さず、四、五世になってもドイツの歴史を学び、ドイツ式の暮らしを崩してないですからね。

一方、一九三〇年代のブラジル政府は強制的な同化政策をとりました。日本語教育も禁じ、日本語の新聞や刊行物の発行をすべて禁止したんです。結果としてブラジル在住の日本人は、戦時下にあってまったく本国に関する情報から閉ざされた。横文字の新聞は読めない。性能のいいラジオを持っていた連中は、戦時中も日本の大本営発表の海外ニュースを聞いている。とにかく、彼らが受け取っていた情報のすべては、日本が勝っていたわけです。

情報に閉ざされると、不思議なデマをまことしやかに信じるようになっていく。しかも皇民教育を受けていた人びとが日本語の情報から閉ざされたわけです。集団の相乗作用で妄想にも近い状態になっていく。

たとえば戦争中、ブラジル産の主な農作物の値段がボンと上がったことがある。とくに絹とハッカ。この二つはアメリカ向けの輸出品でした。戦争前、アメリカはこの二つの農産物を日本から買っていたんですけれど、日米貿易が途絶えてブラジルから輸入しはじめた。日系人の多くも、そういった農業に従事していた。すると、けっさくな情報が流れます。ハッカは清涼剤だから、これを爆薬に混ぜると爆発力が増加する。絹はアメリカでパラシュートとなり、日本攻撃に使われる、とかね。

しかも、情報にはドイツ人の○○博士曰く——という但し書きが添えてある。となると、ハッカや絹の生産に従事している日系人は非国民にされてしまうんです。ハッカと絹の生産をやめさせる運動が起こり、愛国団体は言うことを聞かない連中の家を焼き討ちにしたりする。

八月十五日の天皇の詔勅は終戦から二ヵ月後、スイスからアルゼンチンを通じてブラジルに届いています。しかし、そのような情報が横文字で入るはずはない、アメリカの陰謀だ、と疑うわけです。自分たちは祖国にとって大切な皇民だ、と信じる彼らに詔勅は直々に日本語で届けられるはずなわけです。日本は必ず勝つ、勝ったら帰国して祖国再建の役にたつ、と思い込んでいる。

妄想がつのって希望的観測となり、それが確信にまでなっていく。敗戦の情報を打ち消そうとして勝利の情報を流しはじめ、敗戦情報を語る人間を非国民扱いしていくわけです。

天皇の詔勅を翻訳し、これに署名して発表した人がまずテロに狙われました。当時、臣道連盟というグループがもっとも組織力を持っていましたね。十二、三万人が参加してたという記録があります。

テロリストの警察調書を読むと、そのほとんどは一世。しかも日本で皇民教育を受けてきた青年たちです。そういう連中がもっとも日本人意識を強く抱きやすい。彼らは特攻隊を自称していました。「日本は勝っているかどうか？」という質問に、全員が「勝った」と答えてます。理由は「天皇様が生きていらっしゃるから」ということに尽きます。日本が負けているなら、指導者のすべてが切腹をしているはずだ、と言うんですね。

臣道連盟の人たちのほとんどが捕まりました。多くの者は裁判を受けず、「外国人の政治結社禁止法」にそむく有害人物と見なされ、ある島に収容された。ブラジル政府はしばらくして曖昧なまま釈放したみたいです。

一九四六年末にはサンパウロの日系社会でいくつかの新聞が発行許可となります。パウリスタ新聞は真実を知らせよう、と主張し、その他の新聞は勝ったか負けたか曖昧にしておこう、という姿勢をとる。負けた、などと書いたら講読収入がなくなってしまいますからね。

合成写真も登場しました。ミズーリ艦上で行われた日米会談の写真に写っているアメリカの旗を軍艦旗に変えたり、日本側代表の軍人の腰に剣をぶらさげたり……。アメリカ兵士たちは丸腰に変わっている。写真メモには「ルーズベルトが戦艦上で天皇の前に頭を下げている」というのもある。

信念に燃えた人も多いだろうけれど、こういう合成写真を作って金を儲けた奴らも多いでしょう。

こういう不穏な状態は一九六〇年くらいまで続いてましたね。つい最近まで、勝ち組、負け組の存在についてすら、サンパウロではおおっぴらに話もできない雰囲気が残っていたんですよ。

一九七八年に編纂した『移民七十年史』の頃は、敗戦の名残が強く、勝ち組、負け組の実態について深く触れることができませんでした。その後十年たってようやく『移民八十年史』に記録できるようになったんです。

2

住めば都

サラブレッド誕生

大事なのは、いつも遠くからじっと見てること

ダブリン／国立牧場厩務員
マーク・木内（45歳・在外21年）

木内さんは日本で、日高の牧場、三里塚の牧場などを転々として、一九七三年にアイルランドにたどりつく。

馬ひとすじ。もう三十年にもなる（笑い）。それしか能ねえもん。……馬は文句言わねえし、騙《だま》さない。ちゃんと面倒みれば必ずなついてくるだろ。

アイルランドの馬は世界中に知れてる。輸出品のひとつなんだ。アイルランドには馬に必要な三拍子が揃っている。暖かい気候で、年中草が生える土、それから馬を扱える人間がたくさんいる。馬はこの国の誇りなのさ。国中で馬を大切にしてる。昔からなんだ。ダブリンのパブに行くと、馬の絵が飾ってあるよ。前の総理大臣が馬

の税金なくして、今は種つけ料まで無税になってる。だから世界で一番いい種馬がアイルランドにいる。

去年は世界のあっちこっちでずいぶんアイルランドの馬が勝ったよ。日本で一九九二年の朝日杯三歳ステークスに勝ったエルウェイウィンもアイルランドの馬さ。

ここに来たときは国立牧場の研修が終わったら帰るつもりだった。ふと考えたら、日本に俺の仕事なんかねえだろう。ここの生活、楽だしね。日本ならもう少しいい金もらえるかもしれないけど、仕事ばっかりで家族と一緒にいられないってのが納得いかねえんだ。俺がコロッといってしまったら家族はどうなる？　アイルランドはそういうとこあったかいからなあ。それでここに残った。

馬の育て方も日本とアイルランドはちがうみたいだなあ。日本は、みんな数字なんだそうだ。生まれたら何時間で立たなければいけない、とか。何時間後におっぱい飲まなければおかしい、とか。その時間がちょっとずれると、すぐ普通じゃねえ、って烙印押して躍起になるらしい。俺たちは時間なんて気にしないよ。自分で立ちたいって思えば立つし、おっぱい飲みたければ母親にすりよっていくさ。

ま、たまには子どもを寄せつけない親とか、おっぱい触るとパニック起こして、子どもを食い殺すなんて馬もいる。感受性が鋭すぎる、慣れてない、ってこともある。だけど、気分だってあるしな。どうしてもおかしいときには手を貸すけど、九八パーセントは黙って待つさ。遠くからチョコチョコって見て、確認しとけばいいのさ。


「今夜は生まれるぞ」——臨月の夜勤はベテランの仕事だ。木内さんは二十分おきに馬を見回る。電灯をつけ、馬に語りかける。牧場を覆う闇の静寂が一瞬、ざわめく。待機の小屋で話を聞く。暖炉にピートをくべる。柔らかい炎。部屋全体がおだやかに温もってゆく。訥弁《とつべん》である。


昔はな、俺も馬にものすごく深い情をもったね。馬が死んだりしたら泣いたよ。腸捻転で死んだら、馬は苦しむよ。苦しんで苦しんで、それでもアイルランドでは腸捻転のときは殺さない。自分で死ななければならない。骨ぶっかいちゃった馬はすぐに殺すけどな。

腸捻転だと、助かる可能性あるのに、保険金目当てで殺すっていう奴がいるからさ。傍で見てると可哀相でな。殺してやりたいって思うよ。腸捻転起こさないように、燕麦《えんばく》とかを水にふやかすようにして、乾燥した飼葉《かいば》食わせねえようにしてたのにさ。

ずっとまえ、日本でテンポイントが骨折したとき、種馬に残そうって、助からないのを承知で治療しただろう。かわいそうだったらしいよ。苦しんで苦しんで、最後には薬殺したってさ。あんなことアイルランドじゃ、許されねえな。実験みたいなもんだろ。

近頃はもう、泣かないよ。泣いてたら生き物の商売はやってけねえ。医者と同じよ。変な言い方だけど、医者も人間殺しながら一人前になっていくんだ。失敗しなけりゃ、一人前になれないんだ。生き物なんて、一生勉強だもの。毎年ちがった馬てがけるんだからなあ。馬には同じのは一頭もないんだからな。間違い恐れて、なにもしないで成功する奴はいねえ。だけど、二度同じ間違いやっちゃ駄目さ。何度も同じ間違いする人間はまず、出世しねえよ。だから俺もぜんぜん出世しねえ（笑い）。

十時過ぎ、父方の血統ニジンスキーの孫馬ケレシャンソンが産気づく。木内さんはアイルランド人の同僚を起こす。「この人、名人なんだ」と紹介される。二人は言葉も交わさず、しばし、馬を見守る。どうやら逆子らしい。

たいがい産むときってのは寝ころぶけれど、そうなってほしいなあ。安心させて、待つしかないよなあ。

この母馬の父ニジンスキーってのはすごい馬だったんだ。馬やってる人間でニジンスキー知らない奴はいないよ。こいつはホットな馬だから手を焼かせるよ。短気ってのか、感情的ってのかなあ。アメリカ女みてえだ（笑い）。俺は手を焼かせる女は嫌いさ。

馬ってのは、一頭一頭個性がちがうんだ。いじめられた馬ってのは、やっぱり危険で人殺しみたいになる。人間を敵だと思ったりする。あまやかされて、人間の言うこときかないのもいる。

約三十分後、無事生まれる。胎盤がすべて体外に出たかどうかをたしかめ、バケツに入れる。翌朝、獣医の診断を受けるためである。厩舎の濡れた藁《わら》を新しい藁にかえる。はいつくばる仔馬を抱いて母親の鼻先に置く。母馬が仔馬の全身をなめる。震えながら、怯えながら……ひ弱な足を踏ん張り、仔馬は、立った。

平均すると一生に十頭産んだらいいほうだなあ。それだってさまざまさ。健康で毎年産む馬もいれば、子ども連れてたら、その年は孕《はら》まないのだっている。不思議とここの牧場に来ると馬が安心するみたいだね。

仔馬が腹のなかで大きくなりすぎたときは、だいたいは母馬を助けるな。骨折のときだってそうさ。男馬は助けない。母馬はまた仔馬産むことができるもんなあ。胎内の仔馬を切り殺したりしたこともあったよ。何度か帝王切開やったこともあるけど、母馬が死んじゃったね。馬はじっとしてられないからな。運動してないと蹄《ひずめ》が腐ってくる。動くのが本能さ。

数分を待たずに二頭目が産気づく。こんどは安産らしい。木内さんは私の手をとって、馬の産道に導いた。温かい。柔らかい。足や頭の感触。仔馬の鼓動が伝わる。多いときは一晩に五頭も六頭も生まれるという。

母親ってのは、すごいもんだろ。何度やっても、生まれたときって嬉しいよなあ。生まれた瞬間に、いい馬だって思った馬が競馬で勝つと、やっぱり嬉しいよ。でもな、俺は馬券は買わない。馬券を買うと、馬を見る目がかわってしまう。金がかかると、人間はゆがむから。

結婚したのは一九七六年。二六歳のときだった。

日本にいたときから俺と結婚できるのは普通の女じゃないって思ってた。俺、ちょっと変わってるから。水商売の女か外人じゃねえと駄目だって思ってた。ケイティと知り合ったのはディスコのダンスパーティ。この国じゃ、そういう所に行かないとどうしようもねえんだ。こっちの国の夜の遊びって面白くねえ。もう今日かぎりにしようって思った日にケイティと会ったのさ。

ケイティがいなかったら、俺はここまでやってこれなかった。この仕事は給料がものすごく安いんだ。だけどケイティは一言も愚痴こぼしたことないさ。ケイティは嘘つかねえ女だった。俺と一生付き合おうっていうんだから、よっぽど度胸あるんだろう（笑い）。

俺たち夫婦はなんでも話すね。誰だって弱みがあるけれど、それを隠すのはすごく体に悪い。悪いことでも全部言っておいたほうがいいさ。ときたまケイティに聞かれる。（笑い）。「他の女の人、好きになったことがある？」って男ってのは、結婚したって他の女の人を好きになるもんさ。なんぼ奥さん好きだって、ダブリンまで出れば「あ、いい女だな!」って（笑い）。言うだけで、手はだしてないからな。つまらない男さ、俺なんて。

いくら貧乏したって、俺は子どもが小さいうちは、母親が家にいるべきだって思ってた。ケイティは子どもの大事な瞬間はすべて見てた。歯が抜けた、とかね。

いろいろあったよ。下の娘は死にかけた。寝ているうちに体温が下がってコロッと死んじゃう病気だった。だけど生まれてからずっと一緒だったから、すぐにおかしいってわかった。医者なんかより一緒にいる奴のほうがわかるもんだ。すこしのことで医者に行ったら、子どもが薬づけさ。かえって体が弱くなっちゃう。

馬もおなじだよ。毎日毎日同じことしてるんだから、ちょっとおかしければすぐにわかる。牧場でいちばん大切なのはそれさ。じーっと、遠くから見ていること。飯食わねえな、とか便所に行かねえなあ、とかな。一緒にいれば、わかるもんさ。

もう一つ、馬だって子どもだって、生まれた日からきちんとしつけないと生意気になる。変なことしたらひっぱたく。だって、ちゃんと歩かないと怪我するだろう。競走馬なんか切実さ。あとずさりなんかしたら、競走馬としてパアになっちゃう。あとずさりしないようにケツひっぱたいてやるのが親ってもんさ。動物には、俺はお前よりも偉いんだってことを徹底して教え込むんだ。なめられたら、しつけはできねえ。

夜がふける。ゆったりとしたピートの炎を眺めながら、時がたった。「腹へっただろ?」とキッチンに向かう。

「何か食えよ。俺は食べない。座って食うだけじゃ人間がトロンとしてくる」

こっちの野菜、色がいいだろ。人間と同じさ。日本は色も味もなくなってるんだ。

アイルランドはいい国さ。空気はいいし、食べ物は旨いし、俺の給料が安いから子どもの学費も全部タダだしなあ。上の子は大学行ってるけど、県から家賃補助がでて、小遣いまでもらってるよ。貧乏だけど、俺、出世しようとも思わねえな。自分で家持ったし、子どもも育てた。金はなくても、俺は成功したって思ってるよ。

人生は一回だけさ。楽しく生きるか、苦しく生きるかはその人しだいだと思うよ。あんた、いつも笑顔でいろよな。笑顔が一番だよ、人間はな。

いっぽんどっこの唄

借金も背負わず、ってのは好きじゃないね

クアラルンプール／食品加工貿易会社経営
澤田 喬（48歳・在外18年）

超一流ホテルのロビー。ピアノ弾きが、懐かしいアメリカンポップスを奏でている。大胆にスリットの入ったロングドレスのウェイトレスが床に膝をついてオーダーをとる。

今日は日曜日や、レミーマルタン持ってきて。あんたも飲むやろ？

俺？ 貧しい育ちです。要するにうちの家族は精神貴族。親父はカンカンの教育者だった。子どもの頃は殴られたり蹴飛ばされたり、でも俺は親父が一番好きでしたね。俺は末っ子。上の三人の兄貴はみな博士。

高校のときに家出して釜ガ崎のドヤに住み込んだ。釜ガ崎近くのナイトクラブでボーイの職にありついた。無我夢中だった。広域暴力団の三代目から気にいられ、バッジをとれって誘われて、一生懸命に人生考えたね。これでいいのかって――。それで店長と組長に挨拶に行った。まっとうに生きます、ってね（笑い）。

みな、いいところあるって納得してくれた。

家の近所の郵便局から家に電話した。おふくろがでた。「あれ、タカシ？ どこ？ 何してるの、帰ってきなさい」――怒りもせず、まったく自然だった。

二階に上がろうとしたら、おふくろがあっち向いて泣いてた。夕方、親父が帰ってきた。食卓でいつもの席に座ろうとしたら親父は手酌してた。「大阪行ってたんか？ どうせ靴磨きかキャバレーしか行けなかっただろ？」「うん」「馬鹿野郎が……」

親父の髪が真っ白になっていたね。

もっと辛かったのは三番目の兄貴が俺の家出先をすべて調べて、ナイトクラブに面接に行ったことまで知って連れ戻さずに待ってたってことを聞いたときさ。

親父は苦学してね、子どもは大学出さなければいけないって信じてた。どうしても大学受験しろ、って言われて、いいところだって思って旅行がてら金沢大学と信州

大学を受けた。受験に行って、試験場に顔だして、すぐに映画館やストリップ劇場に逃げたよ。大学の受験場から人生劇場に直行！（笑い）。俺、御所に出入りする植木屋になりたかったけど、なんとか親孝行しなけりゃって思って、浪人して大学に進学した。もちろん、世の中のことが面白くて、面白くて、勉強なんて長続きしやしないよ。

　ここに来る前にはグアムでレンタカー屋をやってた。


澤田さんの経営していたグアムの事務所に、ドイツ系アメリカ人青年ジャンがいた。彼は過去、ギャングスター（不良少年）だった。澤田さんと働いて一年後、思いなおして大学にもどった。父親から感謝の電話があった。ジャンの父親は、ジェネラルモータースのグアム、沖縄、サンフランシスコの販売権を持つ実業家だった。


　ジャンも俺と同じに人生が面白かったんだろうなあ。親は心配してたんだろう。恩返ししたい、って言う。俺は車を売ってくれ、と頼んだ。ものすごく安い軍隊値段で仕入れて、またたくまにレンタカーの台数をのばしたね。そんなとき、名門幼稚園の経営をやっていた幼なじみの親父が死んだ。幼なじみは二億円の遺産をちらつかせ、車の販売会社やりながら並行輸入やりたい、って助けを求めてきた。二億円の預金通帳も見せてもらった。親父の遺言ですぐにはおろせない、という彼の話を信じた。帰国してそいつとジョイントしたんですよ。ジャンの親父に協力を頼んだ。もちろん、ＯＫさ。

　ある日、「金がないから融通してくれ」って。俺の何百万か持っていった。ちょっとおかしい。調べたら、俺が絡んでいるからって、二十何人が百万円ずつ収めてた。彼の土地も担保に入って、第三抵当権まで設定してあった。彼は詐欺罪で警察に捕まったけれど、皆、俺がだましとったって思い込んだ。名実ともに破産でしたよ。

　女房の親父の家に転がり込みました。子どものミルク代もなくなって、いろいろなことしましたよ。友だちがやっている薬局から、後払いでコンドーム譲ってもらって友だちに無理やり押しつけてね。あれ、二百円で仕入れができるのに、八百円の定価――暴利だろ（笑い）。毎日、何千円かずつ家に持って帰ったよ。

　そうこうしてたら、昔のレンタカー屋関係の人に京都木屋町にある有名な料亭に呼び出されたんです。彼は仲人でもあった。芸子を呼んでね、飲まされた。しこたま飲んだあとで「じつは、マレーシアの旅行会社に一千万円先払いしたらその会社が破産しかかっている。ちょっとマレーシアに行って建て直ししてくれないか」と頭をさげられた。こっちも仕事ないし、少しは英語もわかったから、じゃあ、行こうかって。

それが十八年前。

引き受けたはいいけれど、あの頃で五千万円の借金抱えたスタートだったでしょう。苦しかったですよ。ホテルだってレストランだってクレジットがきかなかったもの。毎日毎日、日本の観光会社を訪ねて「お客さんよこしてください」って営業して歩きましたよ。五年後には、借金は残ってはいたけど、日本の大手旅行会社の全部を扱うクアラルンプール随一の旅行会社になりました。マレーシアに澤田あり、と格もあがった。

一度ね、東京の有名な大学の柔道部の連中が来た。教授というのもいたし、学生連中もいた。彼らを乗せたうちのバスがひっくりかえっちゃった。あわてて現場に行って謝った。皆さん、かすり傷でしかなかったけれど、なにはともあれ、こちらが手配した医者にいってほしい、と頼んだ。保険会社にも連絡をした。そしたら、部長というあんちゃんが「内密にするから、いくらか出せ」ってささやいた。俺、そういうの嫌いなんだ。「なんですか?」ってわざと聞き返した。もめたね。でもね、一度いやだって言ったらいやなんだ。最後は「皆さんの前で謝りましょう」って、おしまいにした。

暴力団の大騒ぎもあった。

連中が十何人で来たんです。組長クラスも六人くらい入っている。ヒルトンホテルで、下っぱ組長がドアを開けっ放しでイーハン一万円のレートで徹夜マージャンをやった。

翌朝、徹マンに負けた下っぱ組長が「六十万円が盗まれた」ってフロントに申告した。マレーシア人のナイトマネージャーが下っぱ組長の肩を叩いて「お客さん、きのう部屋に呼んだ女の子が犯人ですよ」って口をすべらしてしまったのが騒ぎの原因だった。

下っぱ組長が怒って、大声で騒いだ。俺は会社でその報告受けて、一瞬青ざめたよ。日本人マネージャーには前もって注意しておいたけれど、マレーシア人にはヤクザの世界なんか理解できない。とるものもとりあえず、ヒルトンに駆けつけた。そしたら下っぱ組長が息巻いてましたよ。一番格の高い組長も、座り込んでいた。

まずはロビーの他の客に配慮して、彼らの部屋に誘った。そっと日本人マネージャーに「誰でもいいから外国人呼んでこい。英語で好きなこと言わせろ、俺が通訳するから」って耳打ちした。運悪く、アメリカ人のゼネラルマネージャーは出張中、アシスタントゼネラルマネージャーもコスタリカだって言う。とにかくフロアマネージャーを呼んだ。彼に適当に英語を喋らせた。彼は正論を言うよね。「ホテルの部屋での被害は、ホテル側には弁償する責任がない。私は日本のホテルでも働いたけれど、そんな話を聞いていない」って英語でまくしたてる。俺は「彼は日本のホテルでも働いていた。日本人っていうのは正直やし、絶対に嘘は言わん、と言ってますよ」と誤訳をする（笑い）。

そしたらね、連中の態度がガラッと変わった。「そやろ、そやろ。それをこいつはな、俺が女連れこんだからで、金盗まれたのは嘘や、言う」って。フロアマネージャーがそっけない英語で「ホテルとしてはお気の毒に思う」って。再び誤訳の通訳（笑い）。「彼はものすごく恐縮してあやまってます」――（大笑い）。

目的は金でしょう？　それで「弁償する方向でその話進めましょう」って持ちかけました。ただし「弁償するには警察の報告書が必要になります。大使館にも出てきていただかないと駄目でしょう」――。

「おお、ええやないか」って彼らも居直った。けっこうやるなあって思って警察を呼んだの。事情聴取が始まった。下っぱ組長と同室の男にも事情を聞かなければいけない。その男はもっとも位の高い組長のボディガード役っていうか、格が高いんだろうね。警察は、一応すべての関係者を疑ってかかるのが普通だからね。

そしたら同室の男が大股開いて怒鳴りはじめた。「なんだ？　わいを疑うのか？」――ものすごい睨みだ。下っぱ組長はびびってしまったね（笑い）。

「もうええ。財布もでてきたから、もうええわ」って。もういいって言われても警察も来てしまった。「あの人の事情聴取しないと弁償してもらえませんよ」って俺は言うしかないよね。「そんなもんいらんわ。あいつはやっとらん、わしが証明したる」（大笑い）。

下っぱ組長は嘘つきよばわりされた腹いせにナイトマネージャーに示談金を出せって絡む。仲間にも顔が立たないんでしょう。「気がすむまでここに残らしてもらいます」って大組長の姐さんに耳うちしていた。姐さんも「好きにしたらええ」ってあきれてる。

残られたら困るものねえ（笑い）。

しょうがない、大組長に頭さげましたよ。「このままだと大使館を騒がせるしかなくなる、何とかおさめてくれ」ってね。そしたら、大組長、「○○！　いい加減にせんかあ！」の一喝。一瞬で、全員が荷物まとめてバーッと出発してしまいましたよ。

澤田さんはしだいに、自分はサービス産業に向かない、と悩みはじめた。複雑な社内事情や人間関係の軋轢《あつれき》が重なり、退職。みたび裸一貫からマレーシア政府と合弁会社を設立した。

私の人生はいつも成り行きですよ。だけど、せっかくマレーシアにいるんだから、なんらかの形でマレーシアのためになることをやりたかった。

最初がマンゴスチン。あれはデリケートな果物でしょう。ちょっとのショックで、殻に傷がついてなくても果肉が変色してしまう。ミバエもつきやすいのね。まず三十トンを冷凍して日本に送った。冷凍したままでは殻を綺麗に切ることができない。とりあえず持ち込んだファーストフードのコックは、湯に入れて解凍した。中身がひどい状態になる。いくつもいくつも、殻を切っていると皿に盛るだけで五分以上もかかってしまう。コックが怒っちゃって、いっぺんで嫌われて三十トンのマンゴスチンを全部捨てましたよ。

一方、マレーシア政府はマンゴスチンを日本に輸出できるって大騒ぎ。外貨獲得に貢献してくれた、ってんで第一便を送りだして、駄目だという報告が入った後、それとは知らぬマハディール首相自ら合弁会社を視察に来てしまった。ときすでに遅し。正直に言うしかないでしょ。首相からは励まされたけれど、しばらくは事務所でボーッとしてました。

そしたら友だちが来てアイデアをくれたんです。半分の殻を蓋のようにかぶせ冷凍したらどうか、ってね。おぼれる者藁をもつかむ——すがるような気持ちでした。カッターで殻切って、また殻をかぶせてセロテープでとめて元の形にもどす。それを五つ作って、冷凍庫に入れた。一週間後、祈るような気持ちでセロテープはがしたら、かわいい形がそのまま。果肉の色は真白。解凍して食べても新鮮さは変わらない。

こんどは大事をとって五十個だけを冷凍して、自分で銀座の千疋屋さんに持ち込みました。部長さんは「マンゴスチンは大商社が十何年も手がけてどうにも輸出できなかった」ってとりあってくれない。とにかく見るだけ、って見せました。その場で五千個の注文がとれたんです。五千個はまたたくまに売り切れ、次々に五千個の注文がくる。最初は採算を度外視して送りましたけれど、ドライアイス入れて飛行機運賃をたすと五千個ずつでは完全に赤字。コンテナで送りたい、って申し入れたら東京の有名果実店十店がまとまって買ってくれることになった。「マレーシアから飛んできた自然のシャーベット」って売出し文句で空前のヒットになったんですよ。しばらくしてJALの通信販売商品にもなりました。

ところが今度は注文がきすぎて困った。マレーシアのマンゴスチンは味がいい。けれど、野生に近いんですね。サイズにばらつきがある。日本で商品化できるマンゴスチンは全体の一割弱。で、しょうがない。農園で栽培しているタイに工場を建ててました。ところが、広告は「マレーシアから――」とそのままにしていた。公正取引委員会にひっかかっちゃったんですよ。今はタイとインドネシアから出荷しています。

そして次はドリアン。輸出は絶対に不可能って言われていた別名「キング・オブ・フルーツ」の出荷方法を考えだした。ドリアンの味は最高ですけれど、問題は腐ったようなあの臭い。マレーシアのドリアンは野性のままだから近隣諸国に比べてほんとうにおいしい。果実が熟しきったときに二、三十メートルの高い木からドーンと落ちてくる。村人はまさしく「待ちぼうけ」(笑い)。タイは輸出用に落ちる前に切ってしまいます。

マレーシアの農民はいろいろな栽培技術を伝えても「うん、うん」と聞いてはいても、家に帰ったらやっぱりじーっと木を見上げて落ちるのを待っている(笑い)。

宗教のちがいかもしれない。タイの農民はとても素直に新しい技術を受け入れるんです。タイの農業政策はマレーシアの十年先をいってる。量産するために養蜂して、蜂に授粉させている。サイズが揃って、商品化しやすいですけど、人間の手が入っているから、やっぱり味が落ちますね。

マレーシアのペナシオって村に行って、マンゴスチンにホルモンを打つとこうなる、って説明したの。タイなら喜んで「村の連中みんなでやりたい」って言うよ。でもマレーシアでは「その薬は誰が買うんだ?」「あなたがた農民が買う」「え? 政府が買わないの?」「それなら今のままでいい」。

――インシャアラー、神のおぼしめしの通り……でしょう（笑い）。

俺自身としては、マレーシアでやりたいでしょう。結局、自分で農園を持った。せめて、タイよりも優れた世界一の果物をマレーシアで作ってやりたいからね。

で、ドリアンだ。タイ産のドリアンは青いうちにもいで日本に運ぶから色も味も悪い。そしてあの匂い。食べた体験のない人は食べ方もわからないから敬遠するよ。いまひとつ人気がでてこない。それで、考えた。

毎日ドリアンを眺めましたよ。ドリアンってのは必ず五つに分けられる。一つが三日月みたいなボート型になる。まずはそのボート型のをイガイガの皮をつけたままぶ厚いプラスチックに入れて、高周波をかけた。しばらく置いても、匂いが外にもれない。これはいけるって、プラスチックを発注し、ステッカーを貼った。食べ方もステッカーに印刷してね。食べた後の種は、プラスチックの中に捨てて、ステッカーからもう一枚のシールをはがして蓋にする。芸が細かい！（笑い）。

しばらくして失敗に気がついた。ドリアンって怖い果物さ。脱酸素剤を入れると常温で二週間、冷蔵では三週間はもつ。だけど常温のまま十日間置いておいたら、ポーンと爆発した。醗酵してたのね。生きてる。生命力の強い果物なんだ。このままじゃ欠陥商品になってしまう。だから完璧になるまで今もまだ考案中なんだ。

ほんの一杯、と始まった日曜の午後のレミーマルタンが一杯、また一杯と重なっていく。

人間関係と金の問題はホント、逃げようったって逃げられない。とくに、俺なんかはバシッと物言ってしまうしね——日本人としては異端だなって思うよ。

俺の仲人が言ってた。「澤田な、社員がニコニコしている会社は成長しない。喧嘩する奴がいなきゃいかん。山登りも二人でなく三人で登らなければいかん。三人のうち一人は必ず気の合わん奴を入れろ。気の合う奴だけだと必ず遭難する」って。俺は、それを信じているね。

最近の日本人って、死ぬ間際で何思うのかなあ。俺は好きなこと目一杯やって、精一杯生きたんだ。今、目をつぶることになっても、子どもを枕元に呼んで「お前には借金残すけど、俺は好きなことさせてもらった。悪かったけど許してくれ」って堂々と言えるね。保身ばかりで、本音も言わず、自分だけ借金しなければいいって生き方はどこか好きじゃないね。

日本語でいういっぽんどっこ、俺のような一匹狼は先細りよ。でも、俺は最後の一線だけは譲らないよ。俺は最後まで異端児でいるだろうな。貧乏したって、人に何言われたって、自分の信念だけは守りたいもの。

アジアも日本的になっていってるよ。砂上の楼閣みたいな日本の経済成長がアジアの手本になってしまった。金、金、金さ。俺の知っていたほんとうのアジアってこんなじゃなかった。金も何もなくたって、フルチンでね、幸せそうだった。

家族がいたから、たまたまこういう生き方してきたけれど、いなかったら俺……、ものすごい不遜な言い方だけど、家族がいなかったら釈迦になりたかったね。

マレーシアでは旅のことを「マッカン・アンギン」って言うんだよ。マッカンは食べる、アンギンは風。「風を食べる」っていう言葉が旅をするって言葉なんだ。

そう、俺はこの言葉みたいな美しい生き方がしたかったね。

田舎の温もり

都会だけが暮らしの場じゃない

パナニコム／味醂加工工場職員
矢吹秀喜（37歳・在外7年）

矢吹さんは北海道生れ。農家の次男である。高校卒業後、ある宗教団体がタイ東北部の貧しい農村で始めた開発プロジェクトにボランティアとして参加した。タイの土地なし農民の次、三男が働く農場を造成し、技術を教えるというプロジェクトだった。

僕の故郷と同じでしたね。学校にも電気がなかった。お弁当を持ってこれない子どもが何割いたかなあ。両親の離婚、親父さんが出稼ぎにいったまま帰ってこない、そんな話ばっかりでした。でもね、温かいんです。お金がなくても「わあ、お金がない」とケラケラしてる。何もないほうが執着がなくて、いいですよねえ。

二年後、ボランティアをやめた矢吹さんは、味醂やアサリの佃煮を製造する日系企業に勤めた。工場のあるパナニコム工業団地はバンコクから車で四十分。同じ敷地には、串刺しの焼鳥を作る工場がある。この焼鳥も日本に輸出されている。他に海老、冷凍鮨など、日本人の食べるかなりの日本的な食材がアジア産となっている。

イカ鉄砲や春巻き、ロールキャベツなんかもここの工場で作ってたことがあるんですよ。タイはもち米がおいしい。はっきり言って旨い。味醂や焼酎なんかタイで作ってますよ。

今、日本じゃアサリがとれないんですってねえ。佃煮もすべて中国とインド産、そしてタイ産だって言いますよ。佃煮の昆布、なめこ、三つ葉だけは日本で混ぜてます。醤油も日本製です。

失敗ですか？　ありますよお。佃煮を煮る調味料と色素の分量の割合はきちんと決まってるんです。それが、何だか色素を一つ多く入れちゃったんですね。黄色い佃煮になってしまった（笑い）。二袋目の色素を入れたら、こんどは赤くなった（大笑い）。しょうがない、釜から出して一生懸命に洗いましたよ。釜が四つあるから、別の釜に混ぜてごまかしましたよ。僕が知らないうちに、塩を入れすぎた佃煮が日本に輸出されちゃったこともあったなあ（笑い）。

味醂や佃煮の作り方より、むずかしいのが労務管理ですよ。おだててやってもらうしかないです。

どういうわけかこの国の人って、ある程度命令しないと動きません。こちらが気持ち的に少し上にならないと、甘くみる。それでも僕はなるべく指示しないようにはしています。時間がかかっても、彼ら自身で考えるようになればいいなって……。日本の会社ではあっても、タイ人が働いてるんだもの。

ここいらの工場には東北タイの貧しい農村出身者が多いんですよ。田舎には仕事がないですからね。村から一人バンコクに出て、その友だちを頼って次々に追ってくる。六畳一間くらいの部屋に五、六人が一緒に暮らしている。日本でいう雑魚寝ですね。彼らは一人暮らしなんて寂しいって言います。幽霊が怖いって（笑い）。

うちは単純労働でしょう。ほとんど女子工員です。タイは男が怠け者だから女性ばかり雇うことになる。隣の焼鳥屋では十八歳から二四、五歳までって年齢制限をしてるみたいですけれど、三十代になると皆どこかに消えてしまいますね。近所の日本の大手ＯＡメーカーは中学卒、高校卒しか雇わない。三ヵ月は見習い期間で、働きの悪い奴はクビを切る。三ヵ月以上になると、簡単には首切れませんからね。給料も三段階に分けて、一番下のランクの人はすぐにやめてくみたいですよ。回転を早くしてるとも考えられる。人間の能力ってそんなにすぐにはっきりとしてしまうものなんでしょうかね。

うちなんかでは、タイ人にそんなに早く教えられません。日本に研修に行った子でも、やっぱり軌道にのるまでに二年から三年はかかるって言ってます。彼女は「日本人はタイ人を信用しない、技術者もじっくりと教えてくれない」って不満タラタラでしたよ。

そういうトラブルはどこにでもあるみたいです。

近くにスーパーマーケットがあるんです。僕が買い物してたら、日本人二人がビールを買って飲みはじめた。店員がおつりを渡そうとしたら「チップだ、チップだ。とっとけ」って言うんです。スーパーにはチップなんていらないでしょう。やっぱり日本人は金持ちなんだ、って印象づけるんじゃないでしょうか。

だからタイ人の仲間には「日本で働くほうが金になるのに？」って不思議がられます。彼らにとって日本っていうのは金が稼げる国っていう印象なんでしょうね。

僕は正月は必ず、東北タイの農村で過ごすんです。この七年で田舎もずいぶん変わってしまいました。道路ができる。ディスコも、バンコクや外国の出稼ぎから帰郷した若者たちであふれてる。バンコクがそのまま移動したって感じです。仏教離れもものすごい。お坊さんも托鉢で食べていけないから現金で食べ物買ってますよ。

こんなこと聞いたことがあります。日本の若者がタイに来て討論会をやった。タイ側の学生曰く「日本が進出して、タイ人を安くこき使って、その製品はわれわれが一生かかっても買えないものばかりだ」――ところがどっこい。ここいらへんの若者たちのアパートには、テレビや冷蔵庫、ステレオ、なかには四万から五万バーツもするバイクまで持っている奴がいる。すべてローンでしょう。そういうものを買って、プラス親に送金してます。僕はとてもバイクとか車なんか買えません。維持費を考えるととんでもない。

僕の給料？　あんまり言いたくないけど三万バーツ。日本円で十五万円。日本企業の現地雇いなんてそんなものですよ。バンコクで暮らすには全然足りません。

でも僕、バンコク嫌いなんです。ビザの書換えなんかでバンコクに出ると、途中でクラクラしてきますね。光化学スモッグと大気汚染で、人間の住むところじゃないです。交通整理のおまわりさんもマスクしてますものね。一日で洋服もからだも真っ黒になってしまいますよ。

やっぱり田舎より町のほうがいいって感じ、あるじゃないですか。東京で働いていたとき、北海道まで列車で帰るたびに思ってたことがあるんです。夜、海辺走っていても、山の中走ってても家の灯が見える。僕は東京の人間になりきれなかったけど、こんな田舎にも、こんな海辺にも灯火があり、人間が生きてるんだな、って。

日本に帰らなかった理由？　これと言ってありません。ただ……。決まった道ってあるじゃないですか。卒業して、会社に入って、結婚して、子どもができて……そういうのがいやだったんですね。タイでも結局は変わりないんですけれど、日本のように金稼ぎに追われませんからねえ。結婚？　そろそろ決めます。東北タイの村で知り合った女性です。日本人と結婚したら、今の給料じゃやっていけません。

僕はタイ人として生きていくしか能がないんです。ここで働かせてもらってる――感謝してます。

ドイツ語人生

われながらほんとうによく勉強しました

ベルリン／翻訳会社経営
是澤正明（43歳・在外16年）

閑散とした旧東ベルリン。その一角にあるビルの五階に是澤さんのオフィスがある。彼はハイデルベルクでドイツ語を学んだ。以後東ドイツの日系企業に通訳として勤めたが、一九八九年にベルリンの壁の崩壊。終《つい》の住処を日本ではなくベルリンに定め、独立した。

長い間、東独にお世話になったんだから、東の会社と日本をつなぐ仕事していこうって、あえて旧東ベルリンに事務所を借りました。予想通り、最初の一年はなかなか厳しいものでした。何よりも電話がなかなか通じない。国際電話はすぐにつながっても、東ベルリンと西ベルリン間がもっともつながりにくい。日系企業はほとんど旧西ベルリンにあるから、統一後、しばらくは電車で行ったほうが連絡が早いっていう状態でしたね。

近頃、痛切に思うのが日本語の力。ドイツ語がドイツ語でわかってしまうからスッと日本語になってでてこないことがある。小学校のときに国語の本を声だして読まなかったからかな。通訳の場合ドイツ語と日本語が同じくらいに完成された表現でないと駄目。自分に笞打《むちう》って、外国語を学ぶように日本語を学ぶべきでしたね。

大きな壁一面のドイツ語の本、辞書。よくみると、同じ本が二冊並んでいるものもある。

私はいい本だって思うと必ず二冊買います。ハイデルベルグに留学してた頃、ものすごく気にいってた本を新婚旅行先でなくしたんです。絶版になってしまって、未だにその本が見つかりません。その時からの習慣です。本って赤線をひいたり、破れたりするでしょう。しかもいつどこでわからない言葉に出会うか予測がつきません。ある種の辞典は、いつも手の届くところに置いておきたい。プロは徹底しておきたいし、そうじゃなければ駄目でしょう？

だから、二冊どころか何冊も買った本もあります。この文体辞典は私のドイツ語の先生です。この本はこれまで何冊買ったか覚えてません。結婚前、女房とデートするときにも持って歩いてましたね。ずいぶんいろいろな人にもプレゼントしました。こちらは東独のイディオムを集めた本。見て、赤線だらけでしょ。気にいったイディオムはすべて覚えましたよ。これを読み込んでいたら、いつのまにか毎日のテレビ、ラジオのトークショーやバラエティが霧の晴れたように理解できて、笑えるようになりました。ドイツ人って、実に多彩にイディオムを会話のなかにすべりこませるんです。イディオムを知らなかったら、ドイツ人の会話の六割くらいしか理解できないんじゃないかなあ。

自分のからだの奥底に記憶されていた日本語表現が、文体辞典やイディオム集のなかのドイツ語の記述と突然つながることがある。ひょっとしたらこれじゃないか、とよみがえるんです。ものすごい感動ですよ。その感動を求めていつも持って歩いている（笑い）。

三十代半ばまではドイツ人も感心するほど言葉を覚えてました。最近、記憶力が悪くなったのは、感動がなくなったからかもしれないなあ。

統一後、変わったこと。

東独と西独では通訳事情が全然ちがってました。東に来る日本人ビジネスマンや技術者はほとんどドイツ語ができなかったし、東ドイツ人も外国語が話せなかった。それが西独では日本人もドイツ人もすくなくとも英語が話せます。

それと、東独時代は日系企業で技術関係専門の通訳だけやればよかった。それがフリーランスの通訳としてスタートして専門の技術以外の分野もてがけるようになった。それがよかったかどうかわかりませんが、自分の領域に広がりができたと思います。

しかし、プロフェッショナルの通訳としてはちょっと不満です。私は本来、言葉一般の専門家という職業があるのかどうか疑問をもっています。私自身は技術に関しての通訳の専門家です。内容もわかりますし専門用語を学んでますからね。そういう私が政治の通訳を引き受けていいのだろうか？　経済交渉の通訳を引き受けていいのか？

ほんとうなら専門領域を越えてやるのは恥ずかしい。徹底して勉強はしていますけれど、正直に告白するなら、二年間、まだ一度も満足できていません。

通訳に要求されるドイツ語のレベルも、西独のほうが高度のドイツ語が要求されていたみたいですね。東独にいる人たちは短期赴任型だったけど、西独にはすくなくとも十年以上滞在している日本人がたくさんいましたから。専門の通訳でなくとも、毎日の暮らしのなかで誰もがある程度のドイツ語を話せる。主婦、学生といったアルバイト程度の通訳がうようよしているから、プロフェッショナルの通訳には非常に高いものが要求された。逆に言えば、西側では通訳の専門家は逆にほんとうに少なかったんじゃないだろうか？

一つだけ驚いたのは、通訳がやるべき仕事の範囲です。私はお客さんが一切の不自由を感じないってこと——そのすべての配慮が通訳の仕事だって思ってました。ホテル、交通のアポイントメント、会議の設定、時には音楽会のアレンジまで私の仕事、って考えているんです。——この国を知らない人への心の通訳ってことかなあ。お客さんが普通の西側の通訳はそこまでやらない、って意外性を示すんですね。西側では、それらはツアーガイドの仕事だって言うんですね。

事務所を始めて、自称通訳という日本人にもずいぶん会いました。人の言葉のレベルって、すぐにわかるものですよ。われわれ日本人は一言の会話、文章の読み方を聞けばその人の日本語の理解度、解釈の深さ、すべてわかるでしょう？　それと同じ。まあ、言葉のレベルと通訳のレベルはちょっとちがいますけれどね。通訳ってのは人間性、性格に左右されますから。

旧東独の経済は、統一前に期待したようには回復しませんでした。思ったよりひどい状態です。

残念ながらベルリンの壁の崩壊のときに抱いた理想――東独と日本の架け橋にはまだまだなっていません。思った以上に厳しい選択でした。私の事務所もほんとうに厳しい。貯金も使い果たしている。

友だちには助けられてますけれどもね。

まあ、私自身も厳しいとき、困ったときこそ友だちには親身になってやろうと思ってます。困ったときには心して助け合う、お互いさまですから。――これは私が東独の人々から学んだことかもしれません。

義兄弟仁義――遺跡編

僕らはファイトで這い上がってきた

カイロ／コーディネーター
斉藤栄二（50歳・在外16年）

斉藤さんの義理の兄は、エジプト学の吉村作治氏だ。彼は早稲田大学エジプト学現地事務所のコーディネーターである。

僕の奥さんは小さいときから発掘一筋、エジプトがすべてというけたはずれのお兄さんを見て育ったから、結婚相手には普通の人だったら誰でもＯＫしたんじゃないかなあ（笑い）。彼女は僕のつとめていた自動車修理工場のお客だった。結婚してしばらくは同じ修理工場で働いてたんだけど、吉村の兄がテレビ番組でナイル河下りをするってときに、板前と自動車修理の技術がある僕に白羽の矢が当たった。エジプトで必要な二つの技術を持ってたなんて、便利な人間だろ？

それが最初のエジプトでしたね。

以来、十五年以上、一膳飯屋から貿易商、発掘の資金になることなら何でもやってきたね。なのに、お金にはほんとうに縁がなかったなあ。

昔、十数年間、数十人の日本人がスエズ運河で現場仕事をしてたことがある。困ってるにちがいない。日本食品の売店とレストランを開こうって話になった。開けてすぐに行き詰まったね。荷物は船で運ぶから三ヵ月に一度くらいしか届かないでしょう。船が入って二週間は日本人が行列作って開店を待っている。あまりの混雑に警察から怒鳴られたくらいさ。でも、その後の二週間は誰も来ない。当然だよ。せっかく日本からの食品を買ったんだから、皆自分で料理するってわけだ。同じ食品使ってるからレストランの料理も同じようなメニューなんだ（笑い）。

一日中、店で客を待ってたよ。しかも開けて一年もしないうちに作業は終了。日本人が一人もいなくなってしまった。

大赤字さ（笑い）。

商売の発想の原点は、すべて吉村の兄がエジプト生活で体験した苦労。日本人に同じ苦しみを味あわせたくない、単身の人に安く日本料理を食わせたい、って気持ちがカイロの日本料理店の始まりだった。

僕もずっと単身赴任で板前をやったよ。日銭稼ぎってけっこう忙しいのよ。朝早く市場で材料を仕入れて仕込みして、店を閉めるのは夜中でしょう。その後はあとかたづけと帳簿づけ——。日本にいる家族がどうのって、思いだす余裕もなかった。ようやく家族一緒に暮らしたのは、四三歳くらいになってからだったね。女房の両親が、あまりにも申し訳ないから、って娘と孫を送り込んでくれた。

僕が最初にカイロに来た頃、早大発掘隊はルクソールにしか発掘現場がなかったから一年に一回しかエジプトに来なかった。カイロ事務所を持つ必要もなかった。

それがここ数年、ようやく吉村の兄が食えるようになって発掘現場が四ヵ所にも増えたんです。それで飯屋から撤退して、僕がカイロ事務所を預かるようになった。だから僕の一応の肩書は早稲田大学になったけれど、基本的にはフリーランス。発掘隊が来ないときには、テレビなどのコーディネーターを頼まれる。そんなときには斉藤栄二自身が親分、って気持ちで働いてるよ。

仕事を始めるとき、吉村の兄に聞いた。コーディネーターって何をやるのか？　って。一言だった。

「すべてさ。なにからなにまで――」

以来、僕はね、プロに徹してる。テレビ局からコーディネーターを頼まれると企画の相談、三脚持ちから弁当の手配、空港の送り迎え、政府との交渉、軍との交渉、町の人集め、風景さがしからホテル、レストランの手配……。番組が完成するため、発掘が成功するために必要なすべてをやりますよ。給料でやってるなら一度ならず、失敗も許されるかもしれない。でもフリーランスのプロである僕は一回一回が最高じゃなければお金にならない。

まあ、金儲けだけならやらないね。エジプトがきちんと紹介されるってことだけが僕らの仕事の条件さ。知識は吉村の兄に聞けばいい。僕のほうは、発掘や撮影に際してこういう作業をしなければいけないとなれば、無理とわかっていても必ずそれができるように役所とかけあう。エジプトなら斉藤栄二、って言われたいからね。

エクスキューズは絶対に言わないよ。引き受けた仕事は絶対にやりとげる。吉村の兄だって同じさ。もし僕が愚痴でもこぼそうものなら「あ、ご苦労さん。撤退するの？　撤退なんてできないでしょ。それならどうしたらいいのか考えるしかないだろう」って逆に怒鳴られるよ。まして中東なんて、相手のせいにすれば何だって許されるでしょう。エジプト人が働かない、エジプトの行政の役人がシステマティックに機能しなかった、とか言えば日本人は納得するでしょう。それはやりたくない。だってね、働かない働かないって日本人がけなすエジプト人が、他国に出稼ぎに行くとものすごくいい労働力だって評判なんだよ。一生懸命だって、ね。

エジプトにいるエジプト人は怠け者で、外で働くエジプト人が働き者っていう違いはどこにあると思う？　理由は簡単明瞭、お金。よりよい生活になる、って具体的な目標ができると人間は働くんだ。

たしかにエジプトってエジプト人さえいなかったら僕も大好きな国なんだ（笑い）。エジプト人相手に仕事してるとほんとうに疲れるよ。義理人情が通じると思うと通じなかったり、お金で済むと思ったら済まなかったり、その微妙な絡みがとっても難しい。でもね、僕らはエジプトの遺跡がなければ発掘研究できないわけでしょう。毎日毎日の人間関係を積み重ねていくしかない。

ここの国の人たちはすべて独立採算。国家とか社会のため、というようなことは考えません。自営が基本。すごい生命力ですよ。逆に言えば賄賂が横行する。

たとえば発掘や撮影のときに必ず役人がついてくる。僕らが頼んだのではない。この国のシステムなんだ。日本の習慣に慣れてる僕らは、彼らの給料の範囲の責務だって思うでしょう？　それが必ず日当を要求されます。もちろん支払いを拒否したってかまわない。じゃあ、その反動で何が起きると思う？　すべて駄目になってしまうんです。「僕、明日は朝十時まで働けないよ」って一言。そう言われたら十時まで動きがとれません。

きりつめたスケジュールでやってくる日本人にとっては何もできない一日になってしまうでしょ。いくらか彼らに日当を払って早朝から夜中までっていう日本的な仕事をしてもらって、滞在日数を三分の一に削ったほうが安上がりになるでしょう。

たとえば僕が、仕事を頼むときにしか役所に挨拶に行かないとするでしょう？　「おまえ、全然顔ださなかったじゃないか？」って一言チクリと言われる。それが下っぱの、ちょっとした賄賂ですむような人ならいいけれど、お金で動かない人には常に挨拶を欠かしてはいけない。挨拶も、形にしなければ駄目。彼の息子が就職――「そう、よかったね」って時計をあげる。就職を世話してくれ、と言われれば知り合いの企業をまわってお願いしなければいけない。

そうやって、人間関係をつないでおかないとエジプトのコーディネーターは勤まらない。発掘隊が来てから役所まわりしたって、何の発掘許可もおりませんよ。テレビ局の人が三日で一時間分の撮影を完了するためには、すべてが事前に準備されていなければ駄目でしょう？

一回だけ、えらい失敗しましたよ。ピラミッドから砂漠に向かってまっすぐ線を引きたいって現代芸術家がいたの。高校の美術の先生だった。その人がロケハンにやってきたとき、僕を頼って、会いに来たのね。おかしな人だなって思ってたけれど、協力してくれって言われたから「話は承りました」って答えた。二年くらい音沙汰がなかったのに、東京の吉村の兄の方に連絡があった。

それで僕は役所に許可をもらおうとした。二年前と担当者が替わってしまって、許可申請を一からやりなおさなければならなかった。

彼の作品は、プラスチックのテープの大きなやつで砂漠に線をひいていく。固定用にアルミ盤を砂漠に埋め込んでいかなければいけない。

そしたらピラミッドの使用料をよこせって言われた。

金額は三百万とか四百万っていうすごい金額だった。遺跡にはいっさい手を加えてはいけないっていうのがこの国の建前だからね。担当者に「すこし高いんじゃない？」って素朴に聞き返した。そしたら、えらい剣幕。「おまえ、何だ！　もうけ主義の業者なのか？」って問い詰められたのね。

しまった、って思った。僕はあくまで考古学の研究者集団を支えるためにカイロ事務所にいるってこと――彼はそれを指摘してきたのね。家に帰って知り合いに頼み、あたかも芸術家が書いたような偽造の手紙を書いてもらいました。「私は一介の高校教師です。そんな高いお金は払えません。なんとかしてください」ってね（笑い）。

――なんとかきりぬけたけれど、彼はあの作品を作るのに七百万くらいかかったって言ってたな。

吉村の兄は、何に対しても媚びない男なのね。義憤を感じたら本気に怒っちゃう。ほんとうに闘っちゃうの。僕たち闘って生きてきたから――。それじゃなければ生きてこれなかった。権力に負けるようだったら、この国でだって、大学のなかだって何もできなかったって思うよ。エジプトで発掘現場をこれだけもてるようにはならなかったって思うよ。だって、西欧の人たちは百年とか二百年も発掘をやってきていたんだ。欧米の連中にすれば「今頃やってきて、お前たち、エジプト学なんかできるの？」って冷やかな感じだったと思うよ。

必死で、早稲田大学のエジプト学が認められるまで這い上がってきたって感じなんだ。吉村を中心とした僕らのファイトだけでやりぬいてこれたってことなんだ。

私の給料？　でてますよ。五年間すえ置きだけれどもね（笑い）。身内が一番損をするっていうのが相場じゃないかなあ。だけど兄さんの夢だからね。まあね、本音を言えばお金になんかならなくたっていい。発掘ってほんとうに面白いんだから。われわれは皆さんの寄付で贅沢な大人の遊びをさせてもらって申し訳ないな、って思っているくらいなんですよ（笑い）。

僕は吉村って人についていくよ。兄弟って関係を越えてるね、この感情は。

彼は自分で自分をいつもギリギリまで追い込んで、闘ってきたからね。

吉村の兄ががんばってるかぎり、死ぬまで僕もこの仕事やっているでしょうね。

マニラ浪人立志伝

極道してないときは親をあてにしないもんですね

マニラ／貿易会社経営
村上弘雄（45歳・在外16年）

フィリピン人の日本人に対するイメージは、大きく二つに分かれます。まず、五十歳以上の戦争体験者は「日本人は気が荒くて残酷な殺人者。戦争中、日本兵は俺の家を焼いて年がら年中、村の女を漁りにきた」——面と向かっては決して言いません。だけど、彼らは死ぬまで忘れず、そう思い続けていくでしょう。若い連中にとっての日本は「金持ちの工業国、金払いのいいお人好し」。

近頃、「昔満州浪人、今、マニラ浪人」って笑い話が噂の種ですわ。何やってるのかわからん、というマニラ滞在の日本人男性がふえました。

マニラに来る前には日本で普通のサラリーマンしてた奴らが多い。酒と女と博打には不自由しない都会だからたちまち金に困る。日本から持ってきた数百、数千万円が二、三年で底をつく。結局、日本人相手に寸借詐欺に走るってケースがぎょうさんあるんですわ。

一番てっとりばやいのが麻薬、拳銃、女に詐欺。資本と努力なしにできますからね。日本のヤクザの温床。この国は犯罪者が流れ込みやすいんですわ。すべて金次第、法律があってなきがごときの一面がありますからね。極端なことというたら、日本はいびきかくのも気がねして寝れない、って隣からやかましく叱られるでしょう。ここは正反対。

貧乏にもちこたえるだけの気力がないからつい詐欺に走ってしまうんやろな。本人は友だちに借りたって気持ちでいるから始末が悪い。詐欺に合う側の日本人も金払いがいいし、トラブルに巻き込まれるのを面倒がります。警察や裁判所に訴えても、しょせん日本人同士の争い。無視されるだけ。だまそうとすれば百万単位で儲かるって言われてます。

村上さんは家電メーカー、家具の輸入会社に勤務していた。いずれも東南アジアへの出張が多い職場だった。そして脱サラ。マニラを訪れ、縫製工場に勤める。

縫製工場の日本人経営者っていうのがデタラメな人でした。まず計算ができない。収入が百円なら八十円の暮らしをしなければいけない、ということがわからない。フィリピン人相手に詐欺まがいのことやってました。支払いもきちんとできないとわかっているのに、苦しまぎれに材料を注文してしまうんです。自分はあちこちにフィリピン女性を囲って遊び呆けていながら、女工さんたちの給料は不払い続き。フィリピン人からも訴えられてました。工場で働く子たちが可哀相やった。

その縫製工場が倒産したあと、しばらくはブラブラしてました。蓄えを使って遊んでたんです。日本語教師したり、翻訳や通訳、観光ガイドなんかをやってね。そうして遊び暮らしてると、やっぱり彼女もできますわ。そのうちに、お腹が大きくなる。今の女房ですよ。こりゃ真面目にやらなあかん、と日系企業でもう一度サラリーマンやりましたよ。

山から大理石を採掘して日本に輸出する会社でした。それがこれもまたデタラメ。出資者は日本におって、別の日本人に経営をまかせてたわけです。まかされてた人間が経営者の器ではなかった。従業員はやりたい放題、日本から出張してきた社員が女を買ったお金まで交際費で請求するのを黙って見過ごすほど。こんな会社が続くはずないでしょう。

ちょうどその頃、子どもが生まれたんです。

子どもの寝顔なんか見てますと、子どもの将来は私しだいだ、って考え込みましたよ。フィリピンでは、貧乏人の子どもは小学校さえも行けません。ストリートチルドレンが表通りにもたくさんいるでしょう。自分の子どもをそんなふうにするわけにはいかないもの。一方で、フィリピンって日本以上に学歴社会で、大学を卒業してないとホワイトカラーの職業には絶対につけない。大学卒業したって、なかなか就職できないのが現実。勤めた会社には頼れません。それで自分の会社をやろうって思ったんです。三七歳のときでした。

大理石の会社にいる間から少しずつ準備を始めましたよ。倒産してからじゃ遅いですからね。最初はやっぱり少しは経験のある石にしよう、と考えました。日本から業界新聞をとりよせたり、いろいろ友だち関係をあたったり、一つ一つリストアップしては可能性を探ってました。この国に日本の敷石に使う玉砂利があるんです。日本ではあまりとれなくなってる。当時は台湾からほとんどを輸入していた。辞める三ヵ月前に、日本のお客さんが半年間の注文をしてくれました。毎月の収入が十万から十二万円になるほどの注文でした。

最初の事務所は下層階級の住む汚いアパート、長屋でした。電話一本だけをひいて、貿易ブローカーから始めたんです。

考えなおしてみるとそれまでの人生、仕事も女もチャランポランだったです。親にもさんざん極道して借金してきていました。ちょっと五十万円、ちょっと百万円という具合に、ね。独立して会社を始めるときは最後の勝負、せっぱつまってました。これで駄目なら、妻子を連れて帰国して親のところに転がり込むしかない――そう思って始めたんです。

だけどどの面《つら》下げて帰れます?

現在の会社を始めたときには三十万円だけしか残ってませんでした。数百万円あった蓄えはとっくに食いつぶしてしまっていた。そうとう覚悟してたんでしょうね。極道してるときとちがって、かえって親をあてにしないものですね。そのお金を持って日本に行き、ホテルにも泊まらず親の家に居候して関西の石材問屋をズーッとまわったですよ。一月なのに冬服も持ってなくってね、親に寸足らずの冬服を借りましたわ。中小企業をまわると、親方衆が忠告してくれました。独立しても、本人の力量はもちろんだけど運がないとうまくいかないよ、ってね。

たしかについてました。台湾経済が上向いて人件費があがり、台湾産の玉砂利がものすごく高くなってしまった。日本の問屋さんが、渡りに船とばかりにフィリピン産玉砂利を次々に注文してくれたんです。逆に、採取が間に合わんほどで謝りの電話いれるほどでした。

日本からやってきた親方連中が、薄汚れた長屋の事務所を見ても驚かず「見栄はる男にろくなやつはいない」って励ましてくれました。感謝してます。

三ヵ月後には、東京でいえば丸の内、マカティ地区のオフィス街に事務所を借りました。

だけど資金繰りは厳しかったです。注文は殺到する、人を雇わなければ間に合わない、支払いばかりで入金は日本に品物を納品してから――すぐに金不足。

ミルク代やプロパンガスも買えないありさまでした。炭をおこして炊事しろって女房に言う始末でしたよ。今では懐かしい思い出ですわ。なにやら日本の戦後の焼け跡暮らしみたいでしたね。

玉砂利が安定したんで、次に観葉植物ブームをあてこんでホンコンフラワーを始めました。最近はすこし下火だけれど、当時はフィリピン人がやっていた。様子を見てたらけっこういい商売になっている。それで始めました。ホンコンフラワーの材料を香港から輸入してフィリピンで加工して日本に輸出する。近頃は籐製のカゴや園芸材料なんかも商ってます。

世界各国共通のことだが、ほとんどの現地定住者は大使館や大企業駐在員たちが主宰する日本人会の会員ではない。村上さんは自らの体験をもとにマニラに定住する日本人のよろず相談にのろう、と商友会を結成した。

近頃多いのは、フィリピン女性との結婚で金の問題に行きづまった中年の日本人男性の相談や。去年、こちらの女性と結婚した日本人が五千人以上。大多数は日本に住んでます。中年になって日本の商売を整理して、人生最後の資金を手に、フィリピン女性と結婚してマニラに新居を持つ人もぎょうさんおる。みなさん、フィリピンなら物価が安いから、準備した自己資金で一生、楽に暮らせるって罠にはまるんですわ。来てみたら、彼女の親族からいろいろな商売をやれ、土地を買え、弟妹の学資の面倒をみてくれ、とたきつけられる。さて、どうしたものかって相談ですよ。

それと結婚してみたらフィリピンの女性は強い、日本の女性のように男をたてようとしない、という相談も多い。この国はだいたいにおいて女性の方がしっかりしてますからね。私だって、男と女が同じ学歴・能力だったらかならず女性を雇います。

でもね、しょせん金をちらつかせてもてただけ。そんな夫婦関係で有頂天になっても、金の切れ目が縁の切れ目。それをわかってない人が多い。いや、わかっていても事実を信じたくないのかもしれない。金目当てでも結婚してもらえるならまだいい。フィリピン女性に入れこんで、さんざん貢いだあげくキスもできずに逃げられた、と怒り、悲しむ漫画も数えあげればきりがない。

大阪でフィリピンクラブを経営している友人が言ってました。「日本女性にもてない男がフィリピン女性に入れあげて、やっぱりフラれてしまってる。せんないことや」って。

日本に出稼ぎに行く女の子をさして言うジャパユキって言葉は、今はもうタガログ語になってしまっている。この国は、大学行けない女の子にはお手伝い、掃除婦、ウェイトレスといった道しかないですからね。給料なんか知れてます。人並みの暮らしをしたいと思ったら、水商売。しかも日本人相手。さらに日本に行けば、フィリピンで同じ水商売をやるより十倍、二十倍の給料が稼げる。おまけに日本の旦那を連れてきたら、それはもう孝行娘って言われます。

そうやって日本を捨てて来た中年の男たちのなかからたくさんのマニラ浪人が誕生する（笑い）。そういう人たちにがんばってもらいたいって思うんです。まだまだ日本に関係した商売がある以上、この国では日本人が独立して経営者になれるチャンスがあるんです。

そのチャンスをつかむかどうかは、独立して極貧状態に陥ったときにもちこたえるだけの気力にかかってるのではないかな。

ホロ酔い中国談義

よその国まで日本にしたろ、思たら、あかん！

北京／便利屋
根箭《ねや》芳紀（50歳・在外8年）

北京にある「居酒屋兆治」のカウンター。二人の男が杯を交わしつつ話に夢中になっていた。

私は便利屋や。日本企業の便利屋。北京は、第三次産業が遅れてるでしょう。いや、第三次産業って感覚が中国にはない。だから外国企業は戸惑うことばっかり。印刷、情報、インフラ――そういった、外国企業が進出したときに必要なすべてをサービスする隙間産業やな。仕事は面白い。だけどもうかりません（笑い）。

なにしろ日本人の数が少ない。今は半分ボランティアってとこや。今日は大阪の焼肉屋の板前さんから相談を受けた。来年、北京で一番の高層ビルの一階に焼肉屋を開店するんで、その準備に来てる。食器揃えたい、どうしたらええんや、ってことやった。

根箭さんは、過去二十年を中国関係の団体職員として勤めた。そして自分の力を試そう、と北京で第二の人生を始めた。経営が安定するまでは、単身赴任である。

合弁会社をやろうとする中国側の考え方ははっきりしてる。外国人はここであんまり金儲けしてはいかんのや。外国人は金と先進的な技術とだけもってくればええ。経営管理の方法を持ち込んでくれればええ。彼らが自分でできることは、協力なんてしてくれなくていい。はっきりしてるわね。

多くの日本人はそら、とまどうわ。大手企業の駐在で来ている人は、ほとんどがカレンダーとにらめっこや。もちろん頑張ってる人もいる。だけど少数や。だいたいが帰る前に、中国について言いたいこと言って帰る。中国を否定すれば自分の業績が悪かったとしても日本の仲間に許される。仲間意識やね。そういう人はいつも本社、東京の方を見ているわけね。ここで失敗したことを認めたくないわけだ。それで、適当に波風たてんように日を過ごす。

だけど、部下となった中国人や、一緒に合弁やろうと生活かけて一生懸命になってる中国人がどう思うかなあ？　中国ってのは現場に近づけば近づくほど中小企業のパターンや。大企業の発想はない。人間対人間の関係、中国人を理解しようって思うことが大切なんや。

この国には二つの「宗教」がある。一つは儒教、もう一つは道教や。簡単に言ったら礼儀作法とヤクザの仁義作法や。道徳律の社会と仁義の社会――彼らと合弁やってこう思たら、この両方に棹ささんとあかん。これがわかるには、彼らの生活の中に突っ込んでいかんとね。

極端に言えば、結婚して中国人の暮らしに入り込んでいくとかね。そうなると、中国人のほうも「こいつは中国に骨埋める気やな」って、態度変えてくることがある。

来年、もう一つ挑戦しようと思ってるものや。北京に外国人のクラブを作るつもりや。名前は「北京かわら版クラブ」。日本人が中心のクラブやけど、他の外国人にも声かける。テーマは「日本のほんまの国際化」。

今、日本は国際化、国際化で大変や。それだけ大国になったゆうことやろうけど、ノウハウがない。やっぱりこの前の戦争で何で負けたか、よう考えてみるべきや。

動機はよかったけど、やり方がまずかった、という人もいる。動機が悪かった、という人もいる。はっきりせんまま、ずるずると教科書問題になってしもた。

けど、もっと根本的な問題があるんやないやろか。合弁がうまくいかないのと同じで、日本人は自分だけが完全や、と思い詰めてしまったからや。もしも「五族共和」がEC連合みたいやったら、こうはならんかった。よその国まで日本にしようとしたらあかん。日本はパッとアメリカナイズされてしもた。日本を負かしたアメリカはもっと完全や、と思ったからやろ。次に「やっぱアメリカはあかん、日本の方が完全や」って同じこと繰り返すんやないやろか。ほんまにゾッとするわ。

もっと自分で工夫して積極的によその国と付き合わんとあかん。チャリティゴルフしたり、助け合ったりな。

要するに、日本村から出て、世界市民にならんとあかん。日本人はこういうこと苦手やろ。一人ならできんことをクラブでやろうってわけや。みぢかなとこから、やれることを少しずつ確実にやりとげていく——それが国際化やと僕は思う。あなたも入ってや。

インド行脚

男を夢中にさせるものが女とは限らない

カルカッタ／画家
足立眞三（59歳）

女房に離婚されたんで、年末からカルカッタに来てるんですわ。養子やったから、家を追い出された。

考えてみたら、夫婦に共通の話題なんてこれっぽっちもなくなってた。子どもがある人はそれでいい。僕らには子どもがなかったからな。ま、子どもが成長したらそれもおしまいやろ。女房にしてみたら、女がおるんやないか、って誤解したんですわ。こっちはインドをはいずって絵のことばかり考えてたのに……。

なんでこんなことになったのかわからん。だけど、俺にはやめられん絵がある。

人生というのは死ぬまでの暇潰しや。偉くなりたいとか、平凡に暮らしたいとか、なんだって結構です。それで生きていければええ。一九五〇年朝鮮動乱前後、学生運動やってました。友だちに心の怪我人がでたね。あとでよう考えたら人が傷ついたり別れるというほどの問題じゃなかった。以来、人の流れには逆らわん。

結婚する前は何も考えず、リュックをかついで放浪してました。結婚後はきちんとした家庭生活を送ってました。三十歳すぎたら、頭のなかが真っ白になってた。人間のエネルギーはパターンを繰り返していると消えていきます。あとは技巧、アレンジしか残りません。僕にとっては抽象的な思考、感覚を絵に描けなくなるというのは死んだも一緒やからね。イメージがなくなってしまった僕は死ぬか、場所を変えるしかなかった。

それでインドに来たんです。インド旅行をするために高校で東洋美術を教える教師やりながら、ダボハゼのようにアルバイトやってお金を貯めました。

すさまじい国でした。カルカッタの空港で荷物待ってるあいだも、役人のおっさんが「煙草くれ」とか、ぶしつけにいろいろ言ってくるんですわ。やっとタクシーに乗ったら、運転手はデブッと太ってて、山賊みたいに毛むくじゃらだった。椅子は破れ、メーターも壊れとる。道路の脇にはワラ葺き屋根の掘っ建て小屋がびっしり建っていた。どこも真っ暗で、裸電球がポッポッとしか見えない。闇の中を走っていくと突然、夜霧のなかにブワーッと市内の灯が湧いてくる。おぞましいほどの幻想の世界やったね。

最初に泊まったのがこの日本寺やった。目がさめたら庭で鳩と雀とカラスが並んで水を飲んでた。日本にはありえない光景です。ああ、仏さんの国やなって思った。

家に連絡もせず、高校の春休みが終わってるのも忘れてインド中歩きまわったです。帰ろうと思ったときには一円もなくなってた。香港から着払いで電話して、女房に頼んで空港までお金を持ってきてもらった。

僕の絵にインドが登場したのは、まず色やった。その色を感じるまでにカレー食ったり、ボーッとしたり、インド人と一日中座り込んでいたり、十年かかりました。

赤や。僕は強烈な赤を求めてたけど、インドには強烈な赤ってのはありません。補色関係になっても目立たんような赤しかない。微妙にずれている。クールなんですね。圧迫感がない。

インディアンレッドって僕が名づけた色。ちょっと紫が入った深い赤。底から滲み出るような赤。ホットじゃない赤。混乱しましたよ。日本で身につけていた色彩に関する常識がすべて崩れてしまった。

結局、何かつかもうとしてインドへの旅に出たけど、逆に自分の根拠をなくしてしもうた。高校の教師はクビになりましたよ、もちろん。それからは彫刻をやりながらインド行脚ですわ。焦りはなかった。意欲が消えなかったからね。それが消えたら自殺してたやろ。そして描いても描いても無視される十年が続いたんです。


そして十年。足立さんは大阪芸大の教授となった。


インドとの付き合いがこんなに長くなったのは色もあったけど、もう一つはドクラやろな。職人の作った鋳物のような民芸品です。最初のインド旅行のとき、インド国内勧業博覧会のビハール州館に一個だけ大きなフクロウのブロンズがあった。あれ？　とひっかかった。質の悪いブロンズなんですけれど、インドですかし彫りのブロンズを見たのはそれが初めてやった。まとめかたがシンプルでありながらアルカイック。

驚きっていうのは美の一種なんですよ。念のために買ってインド関係の文献をかたっぱしから調べたけど、どこにも出ていない。インドの政府高級歴史研究協議会の博士にも手紙で問い合わせた。誰も知らない。いよいよこんがらかってきて、三、四年たって図書館で借りた本に載っているのを見つけた。

執念みたいなものやね。
六、七年間、ひっかかった所はすべて訪ねて、結局わかったことはほんの少しだけ。ドクラっていうのは民族の総称やった。彼らは不可触賤民の上の階層。ガンジス河流域で、アーリア系民族が侵入してくる以前から狩猟生活や焼き畑農業を生業とする先住民がいた。彼らは道具やアクセサリーなどの鋳造技術を持っていなかった。ドクラは、そういった原住民の居住区域をまわりながら、鋳造に関する一切の仕事を引き受けて生活してきた移動の民族やった。ビハール州の山間部で四、五百年前に発生した民族だ、っていうのが一番ポピュラーな説になってる。まあ、根拠はないんですけどね。
彼らは、畑作の祈禱の儀式で使う生贄の代わりの置物やアクセサリー、畑作の道具などを作った。僕が買ったフクロウの置物はその生贄用の一つやった。ドクラが対象とする人びとは、現在も五千万人以上もいる。ですがドクラ自身は五百人もいないです。

ドクラは純粋に代々受け継がれた職人です。ずっと低いカーストのため他の職業につけなかったんですわ。近年、ようやくドクラも別の職業につきはじめている。ドクラが対象とする狩猟民族や焼き畑農業をする民族たちが生きていけない。彼らも商売変えをせざるをえなくなった。それで家大工をやったりしている。土壁が鋳造のときの技術とまったく同じだから。

三年前にユピ州にいる技術的にはトップクラスのドクラの兄弟に会いにいったんです。彼らの年収は一年一万円くらい。ときどき農奴なんかをやってかろうじて生きている。四畳半くらいの真っ暗な家に七人の家族が暮らしてましたわ。鋳物は炎天下で作っておった。ただ、ちょっと心配なのは、新しくなるにしたがって技巧に走る傾向があるってこと。

まだまだ僕は百点くらいしか集めてない。ドクラはもともと移動する人々やから、あちこちに散っています。これからもインド中を捜し歩いて五百から千点を集めないと、ドクラについて何かを推論するわけにはいかんでしょう。

私が彼に出会ったのはカルカッタの日本山妙法寺。釈迦の一生を描く壁画作成中だった。華やかな仏画だった。

そうやって夢中でインドを歩き回っているうちに、女房に追いだされました。追い出されても来るところはこしか考えられんかった。それでこの寺の壁画を描かせてくれって頼んだんです。いつも金がなくなると転がりこんで食べさせてもらったから——。釈迦尊の絵、というのが寺の希望やった。そう言われたって何もわからん。親が死んでもまともに仏を拝んだことないのに、この仏画を描いてる。完成までに五、六年はかかるやろ。インドで絵を描いておったら、黒、白、ぶちの子作ったなんて友だちに茶化されても、嫁はんだけは安心しよるやろって思ってたのになあ。腹たちまっせい。

だけど、男を夢中にさせるものが女とはかぎらないやろ？　神様に惚れる人だっている。このインド、カルカッタのゴミゴミした小便臭さ、汗の臭い、埃の臭いを嗅ぐと落ちつくっていうのもあるんです。

ドクラと同じで、インドはエネルギーなんです。僕はプッシュされんと動かん人間なんです。その点、インドは僕をプッシュし続けてくれる。

それが、どうして女房にはわからんかったんやろか。

白い日程表

考えるってことは、毎日の家事と同じですから

パリ／自由業
小沢秋広（41歳・在外15年）

哲学の道に入ったのはなりゆきでした。最初は仏文学を専攻してたんです。大学生のときに吉増剛造の詩に憧れ、詩人になろうとした。でも、訪ねて行った小さな出版社で偶然に出会った文学者の柄谷行人さんに大学にもどってもっと勉強しろ、ってさとされてもどりました。大学院入試に二回落ちて、それでフランスに来ました。

二年目のある日、哲学のドゥルーズの授業に出たんです。授業が始まった瞬間、ひきこまれました。二時間の授業でしたが、いわゆる講義じゃありません。ドゥルーズ自身が、今自分のやっている仕事のプロセスをだしてくるわけです。ガタリとの共著『ミル・プラトー』で展開しつつある思考の構築を現在進行形で提出してくる。それに対して出席者が自由に意見を言う。学生より聴講生の方がはるかに多い、不思議な授業でしたね。

たとえばドゥルーズは、貨幣のない時代における人類の最初の交換において交換される物の量はどのように決定されたのか、ということについて狩猟採集をする原始人のAとB、二グループを例にして説明した。Aグループは木の実をたくさん採集する能力にたけている。Bグループは生活の糧はあるけれど、それ以外に斧を作る能力を持っている。AとBのグループが木の実と斧を交換する場面を想定するわけです。原始社会ですからマルクスが言ったように余ったものを交換するわけではありません。余分なものといった概念がまったくない。基本的には木の実は種子です。Aの種子数キログラムとBの斧十本の交換となる。Aは十本の斧を現在の生活で使いこなせる。十一本になると使いこなせない。一本が余り物として別の働きを始めるわけでしょう。つまり、現在の生活のなかで斧を何本まで持てるのかが、交換で受け取る量の目安になっている。人類は現在の生活ギリギリのところで交換の基本を設定していた。

ドゥルーズが優れているのは、こういう概念を説明するときにポン、と日常的な生活場面を例にもちこんでく

ることなんです。たとえばアルコール中毒の人が、お酒を呑んでいる。これ以上呑んでしまうと明日は病院に入れられてしまう。つまり、十一本目の斧っていうのは、アル中の人の最後の一杯と同じだ、って説明をするわけです。思想というものを、具体的な生活と結びついたところで考えようとしているということです。

僕のなかの哲学のイメージが根本からひっくりかえりました。その日から八年間、彼が退官する日まで、僕はもっとも熱心な聴講生の一人だったと思います。

もう一つ大事なのは舞踏家の田中泯との出会いでした。出会いは単純です。八一年に彼がフランスに来た。僕はパリ第三大学で修士論文を書くか、書かないか。なんとなく文学の論文に本腰がはいらないで、ドゥルーズの授業に夢中になっている時期でした。

当時、一つの恋愛が終わりかけてた時期でもあり、またうちのガス湯沸かし器が不完全燃焼してたこともあって、シャワーを浴びるたびに弱い一酸化炭素中毒にかかっていたらしい。十日くらい体がほんとうにおかしかった。そんな時期に田中泯さんがワークショップとパフォーマンスをやったんです。しかもドゥルーズ関係の仲間が彼らの通訳をやっていた。

やっぱりシャワーを浴びた翌日、彼のワークショップを見学しました。ベルグソンかなにかの本を片手に、退屈したら読もう、って程度の軽い気持ちでした。二十数人がそれぞれ自由な恰好で一つの空間で呼吸するわけです。具体的な作業をさせながら、離れているそれぞれ自由な固体が一つの空間を共有し、一緒に呼吸する。それまでの僕にはない新鮮な体験で、翌日には夢中でしたね。みるみるまに自分の身体が変わっていきます。早朝から猛烈に身体を動かしますから、家庭教師のときも居眠りしてしまうんです。自然に大学のほうは途切れがちになっていってしまった。

僕としては考える仕事と、身体を動かすことは両立できるものと思ってました。いや、身体動かしていれば、考える仕事にプラスになる、と思ってたんです。刺激的な作業だったので、八王子の泯さんのところに行って集中的な身体作業をしました。数ヵ月間でしたが、フランスに来て以来、一番長い日本滞在になりました。でも、両立なんてできないとわかりました。田中泯という人はいわゆる日本的な人生設計、タイムスケジュールからは遠いところにいる人です。彼はあらゆるところで、さまざまに迫ってきます。本気かどうかを、ね。それで結局、フランスにもどって「考える」仕事に戻ったんです。

フランスで生きることを選んだ一番大きな理由は、子どもができて結婚したってことかもしれません。彼女も踊りをやっている人で、僕が身体の作業をしていた時期と彼女が踊りに行き詰まって悩んでいる時期とが重なっていたんです。そんなときに子どもができて、これは何としても面倒みなければ駄目なんだ、と。それまでの僕は、やりたいことしかやってこなかったから——。二人目の子どもができて就職しました。

フランスにいると、四十歳だからどうの、というような日本的な人生のタイムスケジュールにまどわされなくてすみます。外国人であることでフランス人のタイムスケジュールからも無縁でいられる。

でも、女房は踊りたいと思っている。ダンサーは肉体でしょう。年齢がシビアに関係する。僕としては女房が踊り手としての肉体を維持しようと律している姿を見てると、自分自身が考え、書くことより、彼女の今のほうが重いって感じます。書くってことは、スケジュールどおりにできることではないし、書けなければしかたがないんだから。僕の今は彼女の今よりも長く続くわけです。逆に言えば、「考える」という仕事はいつでも、どこでも続けていける。考えるってことは毎日の具体的なレベル、家事とかそういうところで問題を抱えてしまうことと同じですからね。ドゥルーズの思想とはそういうことです。思想っていうのは、そういう日常のなかに置き換えて考えていくことだって思ってますから。

自分を棚にあげて言うなら、日本からフランスに来る人というのはだいたいは進んだ文化を見にくる、という感覚があったと思うんです。とくに、ものを考えるインテリ層にその傾向が強かった。でも、それはちがう。

近代以降の日本人のフランスの摂取のしかた——つまり、優れた西欧から学ぶという姿勢——を誤りと断じるよりも、フランスで日常の生活をする日本人の自分として、いったい何ができるのか？　それを考えるのが自分の仕事だ、って言うしかありません。

共訳した『ミル・プラトー』がようやく出版された。

アマゾン・キッドが行く

まともな生活、人に喜ばれることとしたいよ

ベレン／養鶏業、日系人防犯組合
T・T（56歳・在外39年）

家族のことは聞かないでくれ。今、ここには女房も子どもたちも誰も残ってはいない。俺にもメンツがあるからね。一つだけ言えるとしたら、日本のテレビのホームドラマみたいに母親にかわいがられたことはないよな、俺って。遠足とか運動会のとき、普通の母親って、皆に見せて恥ずかしくないような弁当を作ってやるでしょう？　俺は、いつも隠して弁当を食べてたよ。ただ、親父のしつけは厳しかった。嘘だけは言うなって。

昭和二十年だったな。朝鮮半島からひきあげて、親父は常磐炭鉱に入った。昔の炭鉱って、いつ死ぬかわからなかったから、金もパッパッと使っちゃうしね。喧嘩も絶えなかった。喧嘩は嫌いだけど、売られた喧嘩はしかたないよね。俺の将来を心配したんだろうな。俺が高校を卒業したとき、親父はブラジルに来るって決めたんだ。

一九五五年、Tさん一家はアマゾン河中流にあるアメリカのフォード財団が経営するゴム園に入った。入植の条件は三人以上の大人の働き手がいること。ある一定期間働けばいずれは独立させる、という日本政府機関の呼びかけに、数百家族が入植した。しばらくするとブラジル政府は、日本人はブラジル人労働者の職場を奪う、と入植禁止政策をとった。Tさん一家はモンテアレグレに移動、ジュート栽培を手がけた。

十八歳で電気もないところに来たんだ。やっぱり俺もショックだったよ。ただ働くだけさ。数キロも歩かないと人に出会えない所だった。町のフェスタでダンスを踊るのがたった一つの楽しみだった。夜になると一人、森のなかの道を何十キロも裸足で歩いて、河で足洗って、持ってきた靴を履いてダンスをするんだ。

栽培したジュートは、種を政府に納めることになっていた。あるとき、ある議員候補がジュートの種を選挙運動に使うってことになった。無償で種を援助して票を稼

ごうって魂胆さ。町で種の値段がバッと上がった。盲腸の手術して、仕事もできない俺がブラブラっと町に遊びに行ったら警察署長から呼ばれたんだ。「田中、おまえ、ジュートの種持ってないか?」って。警察署長が先頭に立って選挙違反やってるってわけさ。聞けばすさまじい高値だったよ。政府に納めた残りをぜんぶ、その候補者に横流ししたのさ。だいぶ儲かったなあ。その金で、アマゾン河口の港町ベレンに土地を買って養鶏を始めた。三ヵ月、夜遊びを続けたよ。それでもまだ金が余ってトウィストっていうナイトクラブを始めた。この辺じゃあ、最高の店だった。親父には水商売なんかまともな人間の仕事じゃない、って言われたよ。それで、ベレン一の店になったらやめよう、って決めてた。

七〇年代、石油ショックで負けた国がブラジルの資源目当てにポッポッと金貸したんだ。ブラジル全体が、借金で贅沢した。店は繁盛したよ。たしかにトウィストはベレン一になった。それで、やめたよ。儲けたのか、儲からなかったのか……。

ブラジルはあれから景気が落ち込んだ。借金のツケが回ってきたのさ。

七年ほど前から治安もものすごく悪くなったよ。ベレン郊外に住む五百家族ほどの日系人ばかりを狙うネゴン——黒い奴らって意味さ——っていう強盗がいた。白昼堂々とピメンタ(胡椒)をかっぱらっていく。それがエスカレートして、堂々と飯食って、酒飲んで、貴金属とって帰っていくようになった。日系農家が数十軒、次々と襲われた。

俺も強盗に縛られた。あれは夜の六時頃だった。豚に餌をやってこの部屋に帰って、鍵閉めないで寝ようとしてた。そしたら隣の小部屋に強盗が隠れてた。ピストル突きつけられて、ぶん殴られながら縄で後ろ手に縛られた。奴らは部屋の中を荒しまわった。スコールがけたたましい音をたてて降り始めた。奴らは俺を警戒して「こいつは危ないぞ」ってブツブツ言ってたよ。奴らに気づかれないように縄をほどいて、チャンスを伺った。俺はピストルや散弾銃のコレクションをしていた。本箱に、ブロニンゴ765があった。ピストルをとろうと近づいたら、奴らに気づかれてしまった。

今度は針金で、足まで縛りあげられた。散弾銃や金を盗まれた。ちょうど、友人のブラジル人が訪ねてきた。なんとなく雰囲気がおかしいって感じたんだろうな。思い切り自動車のクラクションを鳴らし、エンジンをふかしたんだ。奴ら、驚いて逃げだしたよ。友だちが針金をほどいてくれたから、トラックで奴らを追ったよ。スコールのなか、ビショビショになって追ったね。

盗まれた銃や金はすぐに転売されてしまってた。金は溶かして別の形にされちまった。散弾銃やピストルはとっくにトラックの運転手に渡ってしまってた。その運転手が警察に捕まったっていう。情報を聞きつけて俺が警察に行ったときには、すでにものすごい安い保釈金で放免されてたよ。

ある日、とうとうネゴンは二人の日系人を殺してしまった。強盗が怖い、って都会に引っ越した人もいる。

アマゾンでは警察なんか信じられない。法律では現行犯じゃなければ罪にならない。警官も安い給料だから、たかりの構造っていうのもしょうがないからね。真面目な奴より泥棒のほうがたかりやすいわけよ。

自分の財産は自分で守る——これがアマゾンの鉄則だってことさ。警察や法に頼ったら、逆に命なくしてしまう。だからね、悪い奴らには消えてもらわなければならない。仲間が消された、ってことが奴らに伝われば、日系人を相手にするとやばい、ってことになるだろう。

——こんなこと日本の日本人が聞くと、俺がヤクザか殺しのマニアだ、って誤解されちゃうだろうな。だけど、アマゾンは日本の秩序感覚ではとても解釈できない世界なんだ。それで日系人防犯連合会を組織することになったんだ。

素肌にジーンズの短パンとベスト。肩の筋肉と少々出はじめたお腹がはちきれんばかり。打ち放しのコンクリート床の居間。アマゾンの夕暮れに扇風機の音が部屋中に響きわたる。十代なのに成熟した肉体のガールフレンドが、オレンジジュースを運んでくる。

俺はね、これまで好き勝手に生きてきた。若き日々は黄金の日々、酒池肉林の世界さ。楽しかったよ。もう一回生まれてこれるなら、もう一回俺に生まれてきたいよ。

女を悦ばすのは慈善事業さ（笑い）。女は十三から十四の娘がいい。俺は年寄りだから、若い女と付き合うんだ。気持ちが若返るからね。ただし、疲れているときには日本語の女が懐かしくなる。

女を学校に行かせたこともあった。もしこの地域に基金作って学校作る、なんて計画があるなら俺は骨折ってもいいって思ってる。学問しないと、怖いもの知らずになるからなあ。弟にも子どもたちにも学問だけはさせてやりたい、って働いてきたんだもの。自分に満足したら、人間終わりだよなあ。

防犯連合会を組織したって、日系人はおとなしいから実際に自分の手を汚そうって人はいないよ。動物だってなかなか銃で撃てない、って人もいるくらいだからね。俺くらいしかできないよ。

ラテン系、アングロサクソン、ゲルマンは肉食さ。彼らははっきりしてるよ。「生活できないから悪いことする」、そして「俺が食べれるようになったら、人に施しをする」って。俺も、おなじさ。

俺は日本の修身教育を受けて育ったからね。日本人のために汚れ役を引き受けた。だから、俺のやってることは奉仕さ。ガソリンなどの必要経費は防犯連合会からもらうけど、強盗を捕まえるのは奉仕。俺は養鶏で十分食えるもの。

とにかく、最初の二ヵ月で六十人以上を捕まえたね。地域の警察や保安長官が「協力」してくれたからさ。お金の好きな警察官にも「協力」してもらったよ（笑い）。捕まえてどうしたかって？　詳しくは言えないよ。言いたくない。日本にいる日本人の感覚だと、俺のやったことは、いくら自分たちを守るためでも、犯罪だもの。俺は日本の器からはじきだされるのはいやだもの。

（苦笑。――沈黙）

やっぱり、言えない。まあな、こらしめに男のキンタマを撃ち抜くってのはよくやったね。だって、放っておいたら日本人が殺されてしまうんだもの。

話はそれるけど、拳銃が好きっていうのは精神医学的になにかあるんだよな、きっと。

最初は猟をやりたかったから買ったんだ。猪とかバクを撃ってた。――食料確保だよな。だんだんと、いい銃がほしくなってくる。やっぱり動物が相手だって残虐だよ。人を撃つ、なんてことは的が人とわかっていたらやりきれないよ。麻薬とかやっていれば別だけどね。

強盗と戦うってのは、やっぱり怖い。日本から防弾チョッキを買ってきてもらったね。電話で「殺してやる」って脅迫もされた。もちろん、口では「こっちこそ殺してやる！」って脅しかえしてやった。

いつ報復を受けるかわからないよ。だから、俺は外出するときには死角をつくらないようにしている。壁際に座らないようにして、入口や物陰が見渡せるところに座るようにしている。ピストルって、普通十メートル離れたら、動いている頭に当てるのは難しいんだ。狙っていたら別だけれどもね。出るときも車から下りるときも、必ず周囲をうかがう癖がついてしまってる。

一九九四年、日本人女性領事がベレンの自宅で殺害された。しかし、全般的に「防犯」の効果があって、現在、ベレン地区の日本人を狙った強盗は激減している。防犯に協力したTさんに、郡は表彰を決めた。二度目に会ったとき、ホテルに現れたTさんは真っ赤なスポーツシャツに黒いスラックスのいでたち。足元と腰、そして手さげカバンにピストルが潜んでいた。深夜、日系人の集まるカラオケバーで、彼が最初に歌った歌は『湖畔の宿』だった。

今日もね、牛泥棒に入られたから何とかしてくれ、って連絡がはいった。女がいるときには防犯の仕事なんか面倒さ。でも、強盗が続くかぎりは、同じように報復しなければなくならないでしょう。しょうがないよ。

まともな生活がしたいよ。

——まともって？

あまり聞かないでくれよ。恥ずかしいから——。まあ、もう余生を生きてるって感じなんだ。

里心がついたわけじゃないけどさ、誰かのために何かやってやりたいのさ。罪滅ぼしだな（笑い）。

とりあえず好奇心

戦争が見たい

戦争がなくなる、だから記録をとろうと思う

ベオグラード／戦争カメラマン
O・U（20代・在外2年）

大学生のときに記録写真家を志したUさんは、卒業後の三年間、アルバイトで四百万円を貯め、まず英語を学ぶためにイギリスに行く。一年後、泥沼化する旧ユーゴスラビア紛争を取材しよう、とベオグラードに向かった。

写真の記録性がもっとも生きる被写体は何か？　決して犬や花ではない、人間だ。人間といってもプロ野球やサッカーのようなスポーツ写真ではない。そういった写真に僕は興味がない。時間と手間をかけても悔いのない仕事、自分にとって一番価値ある記録の対象はなにか。

それは、戦争だ。

学生時代に見ていたベトナム戦争の写真集の影響も強

いと思う。あんなに危険なベトナムの戦場に行って、湖とか沼や川につかって一日中、写真もとれずにシャッターチャンスを窺う。――そこまで人間が自分を賭ける写真っていったい何だろうか？　自分も何かに賭けてみたい、試してみたい。それで今一番激しい戦争が続いているユーゴスラビアに行こう、と考えた。

戦争の写真は、誰が何枚とってもすべて価値があると思う。僕はもうすぐ地球上に戦争がなくなるんじゃないかって思ってるんだ。だから記録しておかなければいけない。写真を仕事にする人間は、どちらが正しいのか、という基準で行くべき所を選ぶのではなく、人がいない所、行かない所にこそ行くべきさ。それで僕は、たくさんのカメラマンの行っているボスニア・ヘルツェゴビナのサラエボではなく、セルビア側のベオグラードにやってきた。セルビア側からの報道は圧倒的に少ないでしょ？　多くのメディアがベオグラードに入っていたら、僕は逆にサラエボに行っていたと思う。ボスニア・ヘルツェゴビナのセルビア人は、そういう僕の考え方を高く評価してくれた。「現実的で勇気のある考え方だ。どこに行くときにもお前を助けるよ」ってね。

だけど、ベオグラードには、戦争がなかった。ここに来たのは戦争の写真を撮ろうと思ったからでしょう？　一刻も早く戦場に行きたかった。取材許可証を受け取って、もっとも激戦地区と報じられたボスニア・ヘルツェゴビナに行くことにした。

最初に行ったのはネベシネという町だった。現地に着くまでは、ベオグラードで知り合ったセルビア人ガイドに脅されたよ。弾はどこから飛んでくるかわからないぞ、伏せろって言ったらすぐに伏せろよ、とかね。彼は最激戦として世界中に報じられたブコバルの戦いにはセルビア共和国連邦軍の従軍記者として同行したって言う。現実には停戦協定が締結された翌日だったから、戦争は終わっていた。がっかりした、と言えばがっかりしたよ。

写真は撮った。だって撮らなかったらどうしようもないでしょう。とにかく僕はそこに行ったんだから。煙がモクモクたちのぼっている家、大砲の跡が残る壁、クロアチア人の兵士に撃ち殺された女性の死体、あとは兵隊さんたちの記念写真。ガイドは、あれは撮っていい、こっち側から撮ると敵方から方角がわかってしまうから撮っちゃいけない、とかいろいろ言ってた。僕には彼の言っていることがわからなかった。あんまり頭のいい人じゃないみたいで、どう撮ったって空しかない所なのに……。何を基準に彼が撮っていい、悪いを決めているのかがわからなかった。

それにしても、フリーランスって大変さ。まず取材に金がかかるんで驚いた。一日のガイド料が一二七ドル、プラスガソリン代。十日間で二千ドルちかくかかってしまった。あんまり高いんでまけてもらったよ。フリーでやってるし、日本人だし、って。僕は外国の報道が伝えているほどセルビアが悪いとは思わない、とか言ったら一六〇〇ドルにまけてくれた。

ベオグラードの下宿も、そのガイドに紹介してもらったんだ。大家さんは四二歳の暇な舞台女優なの。月五〇マルクの給料をもらっているみたいだけれど、それではとても足りない。近所の人から借金して暮らしてるみたいだ。最初は一泊一五ドルだったけれどユースホステルなら一〇ドルで済むって交渉したら、一〇ドルにまけてくれた。一部屋を屛風で仕切っただけの空間が今の僕の住まいさ。

朝食は出ない。家の中にあるものは食べていい、って言う。気さくな人なんだね。けど、衛生的な人じゃないから、ゴキブリがいっぱいいるし、ほんとうは食べたくないんだ。食器を使おうとか思ってバッと戸棚を開けると、食器の中でカサカサ動いているの。まあ、付き合いっていうか、これからのこともあるから食べてますよ。

大家さんはセックスに奔放な人みたい。僕という男が同じ空間にいるのに、二人の男を手玉にとってるんだ。一人は近頃、捨てられちゃったみたい。その男は暇つぶしの相手をさせられたみたいだね。見てて痛々しかった。本命らしきボーイフレンドと喧嘩したりすると、彼が電話で呼ばれるの。たまに寝ていると、酔っぱらったボーイフレンドがドカドカと部屋に入ってくる。部屋に仕切りがないんだもの。聞きたくもないのに二人のやりとりが聞こえるんだ。テレビより面白いけれどね。

それと、大家さんが夢中になっているのが占い。占いは新ユーゴスラビア中で流行しているみたいだけれどもね。彼女も、悩んでいる人相手に中国の占星術で占ってあげてるみたいだ。

サラエボから逃げてきたホームレスのお婆さんも顔をだすね。もう六十いくつの人だ。手荷物一個持って知り合いの家を転々としているらしい。大家さんも厄介なんだろうな。居留守を使ったりして、あまり親切にしてない。大家さんがOKって合図をしたときだけ、僕が扉を開けて中に入れる。そしてご飯を食べさせてあげて、翌朝にはまた宿泊先を探して冬の寒空のなかを出て行くんだ。かわいそうだったよ。

この国にいても、戦争を撮影できないし、戦場に行くとお金がかかるでしょう。戦場となっているボスニアの首都サラエボに行こう、とも考えたけれどガイドが病気になってしまったからね。

だから、一月にアンゴラで戦争が始まったって聞いたときはすぐに現地に飛んだ。各国から写真家も入ってないみたいだし、これはすごい戦争になるって思った。

でも、ビザがなかなかおりない。二、三週間待ってもおりない。ポルトガルとソ連のアンゴラ大使館の規模が大きいって聞きつけ、ポルトガルに飛んだ。予想通り、二日でビザはおりた。一ヵ月滞在のビザが一万円だった。

首都のルワンダ空港に到着してプレスセンターに電話をかけたら迎えの車が来た。いやに親切だな、妙だな、と思っていたらやっぱり料金をとられた。紹介されたホテルも高い。もっと安いホテルはないか？　と聞いたらイギリスの民間援助団体OXFAMに一泊四〇ドルの宿泊所があるという。水道も止まり、停電してる有り様だったけどね。水タンク三個とガスボンベだけはおいてあった。食事もついていない。危険だからって、鍵を三重にもかけていたよ。

僕は、前線で反政府軍ゲリラと合流すればとりあえず水と食料は何とかなるって予想していた。それでポルトガルにある反政府側事務所を訪ねたら、案の定、ジャーナリストの滞在費はとらないって言う。政府側はとるらしい。反政府軍に従軍できれば、一緒に寝させてくれるし、安全だって思った。お金がかからない、っていうのが第一だからね。ルワンダ市内では数本のフィルムしか撮らなかった。前線にも行けなかった。しょうがない。

路上で子どもが新聞を売っているのを撮った。戦争が続いた国でもっと子どもが暗い顔してるのかって思ったけど、とっても明るかったなあ。

僕は別にどっちも支持していないからどうでもいいんだけれど、お金のかからない反政府軍側陣地にはたどりつけそうもなかった。ルワンダで動くかぎりは一日百ドル以上はかかってしまう。どうしたって長期滞在は無理だった。政府軍も取材陣の従軍を認めてないみたいだった。アンゴラの人は水代わりにビールとかコーラを飲むのね。安全と水と移動の自由を、お金をださなければ手に入れられない。お金のある人はいいけれど、お金がなければアンゴラでは取材できないって思ったね。

滞在費を節約しようと一日一食に制限してたら、フラフラしてきてね。結局、四泊してふたたび新ユーゴに帰ってきた。

そういう意味ではつくづく大新聞やテレビ局の記者がうらやましいよ。ホテル、車、ガソリン、通訳、フィルム――何から何まで会社が払ってくれるものね。だから、本屋さんと付き合いたい。本屋さんは大事件しか写真にしない、大金目当てでニュースを作りだすニュース屋さんとはちがうと信じたからさ。それで中央公論と岩波書店に手紙を書いた。僕の記録に協力してくださいって。なんとなく良識があるんじゃないかって思ったからね。

返事はなかった。カンボジアでもソマリアでも、どこでもいいんだけど、歴史としてきちんと記録する取材班みたいなのを組んでくれないだろうか。

――どんな戦争写真が撮りたい？

戦争っていうのは人と人の殺し合いだよ。突き詰めて考えたら、それしかない。あとは壊れた家、泣いている人たち、難民……。

イギリスにいるとき引っ越しをするたびに荷物が重いなあって思ったの。予定していたホテルの前にたどり着いても、満室だって断わられて眠る場所がない、そんな体験をしたことがある。疲れてね、フラフラする。難民って、あんな感じなんだろうなあ。それと寒さ。イギリスの大家さんがケチでね。風邪で寝込んでいるのにヒーターを切っちゃうの。ボスニアの人たちも寒さに凍えているだろう。あれも戦争の一つだな。それと空腹。俺の母親って継母でしょう。家にいるときも、大学を出てからはあまり家に頼れなくて一日一食しか食べなかった。金も貯めなければならなかったから自動販売機から買うのだってためらった。ひもじいのは嫌だな。それと、痛み。あ、肉親が死ぬのも嫌だね。精神的な孤独はもっと怖いでしょう。

戦争はなくなるといいとは思うけれど、今生きている人間にはしがらみや損得感情があってどうにもならないかもしれない。後世になって残酷な戦争の記録写真が残っていれば、人間は考えるんじゃないかな。自分たちが戦争で失うものについて……。

そういう写真を僕は撮りたいんだ。

恋のエネルギー

兵役があるからかしら。男の人が皆、大人です

イスタンブール／ホテル勤務
C・S（20代）

今、結婚を考えているんです。トルコ人です。同じ職場の人です。この国の男性と結婚する日本の女の人が増えてるんですよ。

私は日本の社会には合わなかったかもしれません。日本の男の人には怖がられたようにも思います。感情の起伏が激しいし、しかも感情を表情にだします。自分の意志もはっきりしている。日本の男性はそういう私を受けとめてくれなかった。日本にいる間は、そういう自分は女らしくないんだ、って必死に抑え込もうと思いました。抑えているうちに、自分がねじくれてしまった。

トルコに来て、抑えられない自分の方が自然だったって思えるようになりました。私の激しさを受けとめてくれる男性が、それこそたくさんいるんです。彼らは兵役で戦場を体験しているから、一種の開き直りというか、何人殺しただろうか、死体をどれだけ目撃しただろうかってほどの強靭な生命力を身につけたんでしょうね。その分、独占欲も強いし、嫉妬深い。

兵役がいい、なんて思いませんけれど、日本の男性はほとんどひ弱っていうか、責任感のある優しさを失っている。たしかに男性が強い分、結婚したら私の自由も束縛されるでしょう。

でも、日本で自分の感情、激しさ、自分の意志を抑えて生きていた頃よりも、はるかに今の私は元気です。

反論・イエローキャブ

女たちは皆、自分の人生を必死に生きてると思う

ロンドン／フリーライター
T・K（30代・在外3年）

Kさんは大学を卒業してから、小さな出版社を転々とした。子宮筋腫、卵巣膿腫、さらに二七歳で子宮内膜症を患い、医者は「結婚すれば治ります」と診断した。

結婚したら治る——なんて絶望的な言葉でしょう？職業人として生きようとしてた私に、人生の方向を変えろ、と言っているように聞こえた。生理のたびにまったく動けなくなり、苦しんで、救急車を呼ぶのが常だった。二四時間態勢で働くことが要求される編集の仕事にも支障がでてきて、でも医療費を稼がなくてはいけない。——悪循環のなかにはまって身動きとれなかった。そんなとき、魔が差したっていうのか……。子どもを産んで離婚しちゃえばいい、という考えが頭をよぎったわけ。

親の勧めるお見合で結婚を決めたが「流し込みのなかのトコロテンにはなりたくない。ごまかして生きるのはやっぱり間違い」とKさんは東京へ戻った。そして編集者として働き、五百万円を貯める。ジャーナリストの勉強をしなおそう、とロンドンへ。三二歳の再出発だった。

こちらでの生活は朝から晩までびっちり勉強でしょう。それもジャーナリズムというよりは英語、英語でしょう。せっかく英国に来てるのにアカデミックな世界に閉じこもって終わってしまう。五五〇〇ポンドも払って、ジャーナリズムどころじゃない。少しでもどこか風穴を開けておきたくて、陽気なラテンダンスを習いに行ったんです。最初、私はダンスの先生がちょっといいな、ぐらいに思った。綺麗な男の人でね。フェミニンな感じだった。フッと気がついたの。あ、この人はゲイだ、って。

あるとき、同じダンス教室に来てた陶芸家から個展に誘われたのね。彼の名刺には彼の作品がカラーで印刷されていた。なんて面白い作品なんだろう、って展覧会に行ったの。それがきっかけで次に彼が英語を教えにきて

くれた。そのとき、彼に指圧をやってもらったの。彼は指圧の勉強もしてたのね。気持ちがよかった。精神的には男の人を必要としてなかったけれど、からだの欲求もあったと思うな。お互いの家を訪ねるようになったのね。

東京で必死に稼いだ五百万円は一年半でみるまになくなっていった。月に十万円そこそこで暮らしてたけど、本が高いの。取材費もかかるでしょう。就職活動もやってみた。日本の大新聞のロンドン支局のアシスタントに応募したの。仕事の内容を聞いているうちに馬鹿らしくなってきた。男性ジャーナリストのために、あちこち駆けずりまわって資料を集め、取材してあげて、全部日本語に翻訳してあげて、最後に書くのは男。私、我慢できないと思って電話を切りました。日本にいるときから、自分はいつも我慢するような環境に身をおいてこなかったから。

仕事もないけれど、どうしてもロンドンにいたかった。日本に帰っても、また昔に戻るだけでしょう。忙しいだけの生活に引きずり回されてしまう。でも学生ビザの期限は切れる寸前だった。

彼も結婚はしたくない、って言ってたの。自分たちの愛情を政府に登録する必要はないっていう簡単な理由よ。そういう二人が自分たちの意見をひっくりかえして結婚したのは、ひとえにビザの問題。三ヵ月ごとにビザの更新するのも大変だし、学生ビザをとるには学費が高い。労働許可証はむずかしい。私たちは革命を起こせない。国籍の問題を無視して外国で暮らすことはできない。しょうがない。お互い、助け合うために夫婦づらして登録すればいい。それで彼に泣きながら、頼んでみた。「ほんとうに悪いんだけれど結婚してください。ビザがおりたら、いつでも離婚しますから」ってね。ビザの問題から自由になって、自然に仕事がしたかったのね。

ただし、結婚したら、相手も私も現状を守ろうとするようになるんじゃないかなって不安はあった。そうなったら私、ケツまくって逃げようって決めていた。でも、今のところ大丈夫。急いで離婚しなくても、自然に離婚すればいい。

経済的には彼と私はまったく別。結婚するとき、貧しい移民がイギリスの社会福祉を利用することを恐れる移民局に対して、一千ポンドぐらい見せ金が必要とか言われていて……。それを彼に借りた以外はまったく関係ない。結婚する前も、毎日のようにどちらかの家に行ってたから、生活に変化はなかった。ただ、いつも一緒にいると私の方はやっぱり辛い。個性が薄れてきて、どんどん彼の色に変色されてきているような気がする。彼の作品っていろいろな色を持っているでしょう。すごいバイタリティがあるのね。私の方はモノトーンだから……。これまでは真っ白い色に住んで、すまして生きていきたいって思ってたけれど、今は彼の作品みたいにグチャグチャなのが美しいと思うようになっている。これ、いやだなって気にしてる。

——（沈黙）。

だから、やっぱりいずれは離婚して別々に暮らそうと思ってる。

——イェローキャブって言葉、知ってる？

日本の男性に満足できなくて、魅力的だ、と思う白人や黒人と軽く寝ちゃう日本女性に対してアメリカの男たちが言っている陰口ね。アメリカのタクシーのイェローキャブみたいに手をあげれば安く、簡単に乗れるってあれでしょう？

日本人の一般的な常識から言えば、もしかしたら、私もイェローキャブにぴったりあてはまってしまうかもしれない。だけど、イェローキャブと騒いでるのは日本のマスメディアでしょう？　キャンペーンをはられているな、って感じます。自分も含めて、他のそういう女たちをみてもイェローキャブという言葉にはそぐわないもの。もっとセックス好きな日本人以外の女性たちも大勢、見てきたもの。その人たちにはそういうレッテルが貼られていないでしょう？

アメリカの女が強くなったときに、いろいろなキャンペーンがはられた。リブたちに対するカリカチュアの漫画がでたり、リブたちは怖い女だ、というレッテルを貼った。日本の女たちが自由に、能動的に活動するようになって、自分の意志でセックスパートナーを選ぶようになったことを日本の男たちが許せないんじゃないかな。世界の男たちが日本の女がもっとも妻に適している、と認めることに対する日本男性の嫉妬じゃないかなあ。

外国人と寝る女に対する日本人の蔑視って、相変わらず根深いな、って思っている。日本にいるときにも、イギリス人のボーイフレンドがいたけれど、女性からは「英語の勉強ができていいわね」という憧れ、嫉妬がものすごかった。男性からは「日本の女のくせになんで外国の男と寝るんだ？」って、これこそ嫉妬かなあ。その瞬間に尻軽っていうのが言外に付く。

男の人と寝るということは、気持ちとしてはご飯を食べるのと同じ。私はおいしいものを食べているとセックスをしたいという欲求が薄れてくるみたい。もちろん、間があくとご飯より優先することもある。昔、友だちのボーイフレンドとの関係で私はセックスについて突き抜けた快感を知ってしまったことがあった。彼に対して精神的には全然興味がわかないのにセックスが最高なわけ。精神的に好きっていうのとセックスとは別に存在しちゃうことを自覚したのね。

その点、今の彼は、私にとって精神的な存在ね。

私自身は、イエローキャブって言葉でくくれないほど、現代は一人一人の女たちが自分の人生を必死に生きてるって思うけれどもね。

――これからどんな仕事をしていきたい?

今は当面、フリーのライターとして日本人向けの新聞や雑誌にテレビに関する記事を書いてるの。でも、これは食べて行くための仕事。飢え死にしませんよ、っていうための仕事。私はどうしても物書きになりたい、っていうのではないの。ガツガツと頑張るというのはいや。出版してくれるかどうかは別にして一生のうちに一冊か二冊、ね。それは書いていく。でもそれは食べる仕事とはまったく別です。

先のビジョンってないんです。ただ、日本から来ている語学留学生の、とくに女性たちにたくさん会ってインタヴューをしてみたい。私みたいな女性、つまり外国に出て、生きるために外国人の男性と一緒に暮らしながら自分なりの生き方をさがしている女性をイエローキャブって一言でくくってしまうのは、とってもつまらないことだって納得させていくには、まずはたくさんのそういった女性たちの話を聞くことと集めることからしか始まらないものね。だって、ニュージーランドなんか半分以上の女性が、国を出て勉強してるっていうじゃない? 日本は男性より女性の方が多くでているから目立つだけなんじゃないかな。

よその国に住むなんて今では普通。故郷に錦を飾らなければ生きて帰らじ、なんてだいそれた話じゃないの。私も故郷から東京に出たのは親戚中で一人だけでしたけれど、あのときの方が身構えました。東京から外国に出るっていうのは自然でしたね。スーツケース二個、コンピューターぶらさげて見知らぬ空港に降り立つあの冒険と不安がないまぜになった気持ちが好きってこともある。

もう一つやりたいな、って思うのは先進諸国にあふれているホームレスの人たちのインタヴュー。イギリスではとっくに百万人をこえたって言われてるけれど、ニューヨークやパリ、ロサンジェルスでもものすごい問題になっているでしょう。インドなんかのホームレスとちがって昨日はエリート社員、今日はホームレスってのが現実でしょう?

ただし、私は彼らを救え、とかホームレスをなくそうというようなキャンペーン的な目的をもったインタヴューをしたいんじゃないの。この状況はいったい何ですか? ということを淡々と見つめていきたいだけ。

インタヴューってとっても楽しい。でも仕事を目的としたインタヴューって、時として楽しいだけで終わっちゃったっていうことに気づくのね。街を歩いてて、知らず知らず立ち止まって話しこんでしまった、メモをとって連絡して今度は家に呼んでみる、みたいなのがいいなって思っているの。

ただし、私って自分がいい子しようって緊張しちゃってちょっとむずかしい。一生懸命に相手の話を聞いて、全部を受けとめなければって思うわけね。

たとえば二十歳のホームレスの人に「どれくらいホームレスなの?」って聞くわけですよ。「十七年くらい」って答え聞くと、次に何も質問が続かないのね。十七年もの長い時間を路上で暮らすって何だろう? って言葉を失ってしまう。相手は親切だから、呆然と立ち尽くしてしまった私をおもんぱかって自分から進んで話してくれた。だけど、「立ち止まらないんだよ」って。朝から晩まで、寝ているとき以外は歩き回っているんだって。そんな私、メモもできずにずっと彼と一緒に歩いてた。そんなことしてたら、本になることなんかないかもしれない。でも、それでいいって思ってます。

Kさんは、その後、ロンドン在住日本人を対象にした日本語新聞社に職を得た。

父からの逃走

リキシャこぎのにいちゃんが発想の基本です

デリー／放浪青年
E・T（20代）

Tさんの父はたたき上げの実業家だ。Tさんは高校卒業と同時に父の命令で会社を設立し、経営者となった。しかし半年で二八〇〇万円の借金を背負う。サラ金業者などから借金を重ね、やむをえず保証人に無断で父親の名前を使った。金利はかさむ。連日の督促。サラ金から訴えられ、差し押さえ処分を受ける。同時に父親からも裁判所に訴えられた。

にっちもさっちもいかなかったです。従業員が十三人もいました。二十歳の若造が三五歳にもなる人をつかわなあかんのです。やっぱり、そういうのがしんどかったですね。ほとんど寝ずに働きました。土曜日、日曜日もお金集めに走り回ってました。しばらくしたら、もう一つ別に進めてた仕事が順調に動きだした。父親もようやく軌道に乗ったと安心してくれました。

そうなったら今度は天狗ですわ。運転手つきの最高級車に乗ってましたよ。十九歳でレミーマルタンを呑んでました。

大学に行った友だちへのコンプレックスもあったかもしれません。同窓会にもわざわざ運転手つきの高級車で乗りつけ、札束の入った財布を見せつけたりしてました。

何とか八ヵ月で借金を返しおえたら、胃に三つ、腸に四つの潰瘍ができてた。

入院してボーッとするうちに、高校時代からあこがれていたインドのこと考えるようになったんです。社員が仕事しているのに、たまらなくインドに行きたくなった。そんなときに、友だちがインドのことをよく知ってるっていう今の彼女を紹介してくれたんです。

彼女の話を聞いていたらあとさきも考えず旅に出てました。三ヵ月——デリーから南に下って彼女と一緒にカルカッタまで一周しました。インドではこの寒空に、薄っぺらい布にくるまって屋根もないところで人がゴロゴロ寝ている。わが身の幸せっていうか、いかにありがたい人生を送ってきたのか、考えこんでしまった。せっかくの人生をお金追っかけて生きてくのがいやになった。

帰国して、会社つぶす、って父親に言ったら、勘当されました。十九歳のときに作った会社やから代表取締役は親父の名義になってます。「勝手にしろ、引退する」啖呵きって家を出てしまった。それからは公園のベンチに寝て、日雇いで働きながら、彼女と一緒に金を貯めました。そして再び旅にでてきたんです。期限なしのインドへの旅です。

インドにリキシャこぎがいるでしょう。彼らは自転車でお客を運んでお金を稼ぐんだけれど、食べるのも眠るのも自転車の上なんですよ。あの人らにとっては自転車一台が生活のすべてです。ああいう生き方が一番や、思いました。ところが、もし僕が彼らに何か大切な物をあげてごらんなさい。彼の生活は変わってしまいます。その大切な物を守ろうとして、ゆっくりと眠ることもできなくなる。盗まれる心配をして他人を疑うようになる――それはまるで会社を経営してたときの僕の姿なんですね。

あんな生活には二度ともどりたくありません。

将来は鍼灸の仕事をしていくつもりです。西洋医学はあかん、そう思ったんです。そして赤髭とはちがうけど人助けになる診療所をやりたいです。払いたい人からお金をいただいて、払いたくない人からは一円もとらない。僕の治療は、相手の受け取り方によっては一円の値打ちしかないかもしれないけれど、百万円の価値を認める人もいるってことでしょう。だから大根一本置いてく人がいたっていい、そういう診療所をやりたいんです。

自分の心のレベルに合ったことをやろう、インドが教えてくれたことです。これからは発想の基本をいつもインドのリキシャこぎの生き方におこうって思ってるんです。

モラトリアム

僕だって、故郷に錦を飾りたい、って思ってきたさ

ミネアポリス／鮨職人
山本龍樹（44歳・在外25年）

日本を出たのは父親に対する反発だった。親父ってのは自分の価値観が絶対なんだね。息子たちにその価値観を押しつけようとする。それと浮気――お袋は子どもにのめりこんだよ。そういう家庭から離れたかった。

住み込みの新聞配達やって、親から逃げたい一心で七十万円貯めてアメリカに来たんだ。

芸術をやりたかったけれど、父親は絶対に反対するし、建築ならゴタゴタしないだろう、って兄貴と同じシカゴの芸大を受けたら落ちてしまった。これ幸いと兄貴が建築事務所を開いているミネアポリスのミネソタ大学レクリエーション学科に入ったよね。もし、建築家になれたとしても、兄貴ほどには腕はたたないって諦めてたからね。

とりあえず、最初は大学の寮に入ったんだ。仕送りもしてもらってた。だけど、アメリカの大学って無茶苦茶じゃない？　大量の本を読まされる。クビにならない程度に続けるのがやっとだった。僕なんか高校の英語も赤点だったからね。単語なんか覚えられない。人前で喋るのも苦手でしょう。一年くらいたったとき、兄貴に「いいかげん、お前もバイトして自力でやれ」って言われて、日本食レストランを紹介してもらったのさ。

皿洗いのバイトから始めた。一年くらい皿洗いをやって、表に出て客と接しても平気になってからバスボーイになった。バスボーイってテーブルの後片付けとセッティング。バスボーイにはチップがつくからね。バスボーイはウェイトレスの五パーセントから一〇パーセントくらいもらえる店もある。皿洗いの方が時給としては高いけれど、バスボーイは現金収入としてのチップが目茶苦茶いいのさ。三年後には大学にも通わず週三五時間も働いてた。ただし、いつももぐり。不法労働がばれるんじゃないか、と脅えてた。最後は社長が、グリーンカードももらってない僕を社員扱いにして健康保険に入れてくれた。社長はミネソタ大学を出てアメリカ人と二度結婚

した日本女性で、やり手だったからけっこう日本人には嫌われてたけど、なぜか僕は気にいられてたんだ。

三年目にR子と会った。結婚するなんて全然考えてなかった。日本に恋人を残してきたって境遇も似てたんだ。彼女は社長の家に下宿してたんだけれど、それが窮屈だって僕のところに引っ越してきた。そのうち、彼女が妊娠しちゃったじゃない。まずは結婚ってことになった。同じ頃、調理師の資格をもつ彼女がグリーンカードをとれる可能性がでてきた。そうなると伴侶の僕もOKだからね。親父になるんだ。大学も諦めた。バイト稼業もやめてコックの道に入ろうと思った。

アメリカに来たとき「食えなくなったら鉄板焼きやっていくといい」って兄貴が言ってたのを思いだしたんだ。

鉄板焼きってのは、客の前で肉や野菜を焼くのを見せるショー形式の調理。一日にだいたい五台から九台焼くわけね。料理の形式、手順、そしてプログラムは最初から最後まで決まっている。一つのテーブルのお客さんは八人平均。僕が焼き始める前にウェイトレスが準備をする。お客さんは前菜やお酒を呑んで待っている。チキンレバー、野菜、シーフード、牛ヒレ肉、最後にもやしを焼いて終わり。三十分から三五分で一台を焼き終える。焼いている合い間に僕らがシェーカーって呼んでる木製の胡椒と塩の入れ物を、天井近くまで放り投げたり、リズムをつけて叩いたり、スピーディな包丁さばきを客の前で見せたりするショーが入る。適当にギャグを言いながらね。アメリカ人はほんとうに面白がる。日本食がアメリカ全土に広まったきっかけは鉄板焼きだった。

プロになろう、と車を運転してるときと寝てるとき以外はいつもシェーカーや包丁のさばきかたを練習してたよ。友だちは皆、対人関係が下手な僕が人前に立ってやる仕事をできるかどうか心配だったらしいよ。コックとして移籍した店はカナダ、ミネソタを拠点に、大金を投資して開店したばかりの店だった。ポーンと排除されたね。孤立してたね。

そんなとき、R子が死産してしまった。もう堕ろせない時期になって、羊水チェックをしたら子どもに障害がある、って医者に告知された。生まれたとしてもたぶん助からないとも言われた。もし助かったらどうしよう、頭のなかが一杯になってしまった。かわいそうに子どもは、生まれて二、三時間で死んでしまった。死んで、ある意味ではホッとした自分がいやだった。

医者には、こんなことは何度も続かないって励まされて親父たちのようにゆっくりと暮らしたいから。

——結局、親父にもどってしまったよ。

た。でも、次の子どもを作ってもいいかなあって思うまでに七年以上もかかってしまった。性ということが怖かった。R子も悩んでたと思う。

ようやく決心して次の子どもが生まれたら、R子が別れるって言いだした。アメリカ人の恋人ができた、って言う。引きとめる理由が僕には何もなかった。

鉄板焼きの腕は一年でセカンドになれたよ。ひっちゃきに練習して、働いたからね。

自分の性格ではいつまでもコックをやっていられないだろうって思っている。五十歳くらいでリタイアして、親父のように悠々自適の暮らしができるようになりたい。——そう思って借金しながら一方で下宿屋を始めたんだ。下宿屋に来た客の一人が今の女房さ。R子と同郷で、お互いによく知ってる。考えてみたら、自分以外の人を幸せにしてやりたい、ってそういうふうに思ったの今の女房が初めてだったな。

ようやく、自分の人生がスタートするって感じさ。

こんど店のチーフになった。これから二十年はコックよりもランクの高い鮨職人の技術をマスターして、ひっちゃきに働こうって思っている。女房を食わせていかなければならないし、不動産を増やして将来は下宿屋とし

女は進む

40歳の放浪

年齢がいったい何だっていうの？

ロサンジェルス／ロフトカフェ・オーナー
加藤尭子（53歳・在外12年）

芸術家の妻、そして二児の母だった加藤さんは四十歳になったとき、思うところがあって一人、放浪の旅にでた。澱《おり》のようにたまった疲れ、自分とは何かという問い。そして六年目、ロサンジェルスにカフェをオープンする。

二十年間、私、妻としてほんとうによくやったって思います。アーティストって二四時間サポートが必要な人たちで、なぜかいつも悩んでる。食べるお金を稼ぐのはまちがった生き方みたいに思っている。私自身も、芸術は食べることより崇高な仕事だって思い込もうとしてました。でも、もういいわ。卒業させていただこう、って思ったの。それでメキシコを皮切りに世界十一ヵ国を思いつくままに旅をしました。

私自身は内心、年齢ばかり気にして、年甲斐もなくこんな旅をしてていいのかしら？　って不安だった。最初の四ヵ月の旅で、さまざまな人に出会い、いろいろな忠告を受けたわ。親子ほど年の離れているソルボンヌ大学の経済学の大学院生に「あなたがなぜ自信がないのかわからない。どうしてそんなに焦点のぼけた顔してるの？　タカコ、年がいったいなんだっていうのか？」と問いつめられたり……。彼女とは半年間、カリフォルニア、メキシコ、ニューヨーク、パリ、と周りました。

あの旅で何かがふっきれたのかなあ。それで財産を家族四人と姑がきちんと生きていけるように分けて、離婚しました。なんとなくカリフォルニアで暮らしたい、そう思いました。それからさらに六年、時々頼まれるままに日本の美術雑誌にこちらの美術事情をレポートしながら、放浪を続けてました。

それまでの私はいつも家族を基準にした生活だった。旅の間中、「私はどうしたいのか？」って何度も自問自答してました。答えなんかでません。日本での四十年間は、自分自身の基準を一つ残らず壊してしまってたんですね。ようやく、何かしなければって思ったのは、お金を使い果たしてから（笑い）。

長男は、結婚してたので日本に残りました。でも、高校生だった次男には両親の離婚が響いたみたいです。それでこっちの学校に連れてきました。カリフォルニアに来ても、暗い顔してことごとく私に反抗してました。

あるとき学校で、自分の現在について全員が話し合う時間があったんですって。そのとき「お前はいつも黙ってるし、暗い。どうしたんだ？」って聞かれたそうです。息子は「親が勝手に離婚してここに連れて来られた。早く日本に帰りたい」って答えたらしい。そしたら「お前は家族を理由にしてばかりいる。それがなんだ？　お前はお前じゃないか」って言われたのね。

彼はそのとき初めて、クラスメイトの三分の二が離婚家庭だったってことを知らされたそうです。それからは悩むのが馬鹿馬鹿しくなったって。彼はその後、レストランで皿洗いしながら自力で高校を卒業しました。

カフェをやれ、と勧めてくれたのは、カリフォルニアで知り合ったアーティストたちです。彼らが私の性格を分析してくれたの。「人に会うのが好き」「からだを使って働くのが好き」「理屈っぽいことが嫌い」「アーティストっぽい」「ボヘミアンな性格」――これらを合わせたらカフェしかないって結論がでたんです（笑い）。ユダヤ人の彼らは金銭面ではけちだけど、精神面でずいぶん助けてくれましたね。お金のない私が現在のロフトを借りるときも「大事なのはお金じゃない。気持ちをずっと育てていると必ず協力者が現れるものだ。まず君がその場に立つ。この場所を欲しい、って毎日思い続けることだ」って。私も思い込みが激しいから、言われたとおり、ここだって念じて毎日この場に来て立ちました（笑い）。

開店に際して加藤さんが参考にしたのは、七〇年代の学生反乱の闘士であり、作家として活躍するアリス・ウォーカーの開いたカフェ。ガスを使わず、トースターとエッグクッカーのみ――アリスが二千ドルで開いたカフェは爆発的にヒット。一日六百人の客が押し寄せる。

最初の計画ではこちらで知り合った友人と共同で経営するはずでした。私の方の資金は日本の友人が無条件で貸してくれた二万ドル。共同経営者は四万ドルの資金提供、そして私は経験と実務を提供する。でも、しばらくしたら、家庭の事情もあって、共同経営者が計画半ばで下りてしまった。彼女が投資した全額をすぐに返さなければならない。お金なんかありません。彼女の弁護士と交渉して、一〇パーセントの利子をつけて分割で返済することになりました。借金だらけの再出発でした。でもね、初日から仲間が来て売上げに協力してくれました。必死でした。低血圧気味だったのに、朝八時から十四時間立ちっぱなし。一ヵ月続けたらからだの震えがとまらなかった。おかげで三ヵ月で軌道にのりました。

でもね、後々まで借金が足を引っ張ったですね。彼女の四万ドル、そして工事費。最初の一年で三人の人に裁判所へ訴えられました。それは生きた心地がしなかったですよ。取立業者に毎朝毎晩、ひっきりなしに電話で責めたてられ、怒鳴られ、どう頑張っても返していけない。死にたいって思いつめました。

そんなときに、友人から「絶対に怯えてはいけない。とにかく払う、って強くでることだ。カリフォルニアには借金の催促であっても電話で営業妨害してはいけない、って法律がある」って忠告されたんです。つまり店に頻繁に電話をかけてきたり、私が店で働くために必要な安眠を妨げてはいけない法律があるっていうのね。それで、ある日電話ではっきりと言いました。「You can not do that」ってね。私が怯えて眠れなくなるほどの借金とりたてはできないはずだって宣告したんです。殺すなら殺せ、っていう開き直りでした。それからピタリと電話が止まった（笑い）。

こんどは直接交渉にきました。「八〇〇ドルが無理なら、今週は三〇〇ドルでどうか」って。取立て屋も必死です。期限通りに取立てなければ、彼らのペナルティになるわけでしょう。

加藤さんのカフェは、インテリア、料理すべてにわたってシンプル、フレッシュ、ライトという考え方が基本になっている。そのセンスが評判となり、さまざまな催しの申込みがきている。インタヴューの日も、全米で高視聴率をあげているテレビドラマの収録が行われていた。

それにしても、なぜ私は日本であんなに自信を失って生きてたんだろうか？ 考えてみると、日本にいるときの私はいつも、あれもできない、これもできないって自分のマイナスを数え上げていく暮らしでした。でも、カリフォルニアの友人たちは、あれもできる、これもできる、ってプラスカウントしていくことで自信を蘇らせてくれたんです。喉が乾いてどうしようもないときに「だから言ったでしょう！ 水筒を持ってこないから駄目なの！」って叱られる日本は私にとっては息苦しいばかりの国でした。水がほしいなら持ってきてあげればいい。私のできることを具体的にやってあげよう——それがアメリカだったんです。

「できないことにエネルギーを使うな、そうすれば人はあなたの欠点を忘れてくれる」——それを自分のものにするのに六年かかったってことでしょうね。

今では、ようやく次男も成長して鮨職人として働いてます。彼も私の生き方を理解して、時々私の店なんかもヘルプしてくれてるんですよ。

無国籍

やっぱり何か還元してあげたいじゃないですか

ハバナ／合弁会社支社長
K・K（57歳・在外18年）

Kさんの両親は留学生だった。両親の故郷、朝鮮民主主義人民共和国は日本と国交がなく、日本で誕生した子どもに日本国籍の取得権限が与えられていない。そのため彼女には書類上の国籍がない。三十代の頃、キューバ人外交官と恋に落ち、日本で数年間の新婚生活を過ごした後、ハバナへと向かった。

国籍がないために国際赤十字のパスポートでハバナに来ました。新婚旅行をかねて東欧各国をまわり、社会主義の国について夫からいろいろと教えてもらいました。「僕を愛するなら、僕の国も好きになってほしい」っていうのが彼の望みでしたから……。

うーん、結婚生活ってむずかしいですよね。お互いに我慢して、歩み寄らなければいけない。初めのうちはちょっと歯車が狂っても懸命に合わせようとしましたけれど、時間がたつと怠慢になってしまうんですね。そうなると相手も他に目が移ってしまう。

夫婦の関係がおかしくなってから八年ほどはやはり辛かったですね。一軒の家に彼の新しい妻と子ども、そして私が一緒に住んでいたんですから。私には彼しか頼れる人はいませんでしたから。

キューバに来た十五年前、この国には七百人の日系人を除いて大使館関係者と数人の留学生しか日本人がいませんでした。日本の両親も亡くなっており、叔父が一人いたんですが、キューバに来るときに勘当されてます。離婚したとしてもノコノコとは帰れません。

それでも耐えられず、四五歳で離婚しました。離婚したての頃は、彼も責任を感じて生活費を援助してくれてました。でも、私自身はこれからの人生を、自力で生きたという実感をもちたい、って働くことを選んだんです。

離婚直後は、キューバの国際協力委員会で日本語を教えながら日系の漁業会社の仕事を手伝い、日本の報道関係者の手伝いや通訳の仕事もやってました。でも、人間食べていくだけじゃつまらないでしょう。何か自分の毎日に意味がほしいって思っていたんです。

そんなふうに考えているうちに、キューバの経済状態がほんとうに厳しくなってきたんですね。

それでキューバが経済復興をはかるために外国企業との合弁事業を奨励するようになったんです。外貨獲得のためにそれまであまり入れてなかった西側からの観光客を歓迎するようになった。

この国も本音では観光事業をやりたくなかったんでしょう。観光国になると、せっかく革命で消えた売春や物乞いなどの弊害が蔓延することは避けられませんもの。若者たちが、外国人が贅沢に遊ぶのを横目にどれだけ貧しさに耐えていけるのか、疑問ですものね。

カストロ議長自身は観光を絶対にやりたくなかっただろうと思います。でも、背に腹は代えられないってところだったんでしょう。エネルギーや食料を買うには、どうしたって外貨が必要なんですね。

原子力発電所ができていたら観光には手をださなかったでしょうね。この国の原子力発電所は旧ソ連の援助で九割まで完成してたって言います。それが旧ソ連と東欧の崩壊で断念せざるをえなかった。原子力発電所関係で働く予定だった労働者五千人のうち千人が、原子力発電所のために開発された町の機能を維持するために残り、あとの四千人は観光事業にまわされたんです。

あるとき、偶然に観光でいらした日本人と知り合いました。その方を通じて、日本の観光会社の社長と知り合い、お手伝いをするようになりました。最初は年に二、三人くらいずつ観光客を迎えてたんです。だんだんとお客さんが増えてきました。それで私も外貨獲得のために協力したい、って合弁会社を設立したんです。

観光客を迎えるにあたってほんとうにこの国は努力しています。皆さんがお土産に買って帰るラム酒や煙草、葉巻はキューバ人には手がとどかない物なんです。キューバ人はエチルアルコールのようなお酒をたまに配給で買える程度。ガソリンなんかも一般国民にはほとんど手に入りません。皆、自転車か徒歩です。公共のバスも大幅に少なくなって待っている時間がものすごいんですね。空席がある公用車は必ずヒッチハイクさせよう、って政府も呼びかけているほどなのに、観光関係の車には優先してガソリンを提供しています。

ホテルの料理も、同じ。一般国民は肉や海老なんか手に入らないのに、外国人観光客には連日のご馳走をもてなしている。

毎年来てくれるお客さまもいます。キューバの音楽が大好きなアマチュア・バンドの方々でね。彼らに頼まれて、ハバナでもっとも古い音楽を聞かせる酒場の名前、ナートローバっていうのを彼らのバンドに名付けてあげました。

今、キューバにいらっしゃる日本人のお客さまって、自分の青春時代の夢を思い出しているんでしょうね。キューバって国は貧しいけれど、日本が失ってしまった理想を目指して生きようとする健気さを感じるらしい。できることならこのままの国でいてほしい、って。自分が青春時代に抱いた清貧の理想をキューバに託して、それがなくなるのは寂しいって気持ちになるみたいです。

今、日本から観光客を送るだけじゃなく、キューバ人を日本に研修で送って日本式のサービスなんかを教えていくシステムも作りだそうって企画を進めてます。やっぱり貧しくともがんばっているこの国の人々にこちらも還元していってあげたいじゃないですか。


キューバは旧ソ連崩壊後も社会主義を堅持している。


私自身は基本的にはこの国の行きかたはいいと思っています。もちろんこんなに皆が苦しい生活を強いられて、ろくに食べ物もないような政治には、全面的には賛成できかねます。でもね、ご存じのように医療費も学校も無料なんです。この国の政府だって、ほんとうなら国民がそれぞれ自分で食べていってくれれば楽だって思っているでしょう。食べられないのはお前の努力が足りないからだ、って突き放すことができればどんなに楽だったか——。でも、それじゃ国の基礎が崩れてしまう。未来を担う子どもが育たない。配給制度はすべての国民が平等に最低のカロリーを国から保証してもらうためのギリギリの選択だったんです。

社会主義堅持というカストロ議長の方針に反抗する若者も多くなりました。でも、まだまだ革命以前に誕生した人たちがたくさん生きている。彼らはこの国はこうやって生き延びるしかないってことをよく知っているんです。スペインやアメリカに支配されて、革命後はロシアに依存して何が起きたのか？　革命しかなかった。年寄りは皆、それを肌で感じ取っているんです。これがもし、体制が変わって再び強いアメリカが入ってきたら、キューバ人の七割は失業して、革命前のようにマフィアと売春とホームレスの国に逆もどりしてしまうでしょうね。現在の飢えは苦しいけれど、ふたたびアメリカ人の奴隷になるのはいやだ、って協力しているっていうのが人々の本音かもしれません。

カストロ議長はまだ大丈夫でしょう。カリスマ的な人ですからね。彼のために一肌脱ぐって人がまだまだたくさんいるんですよ。私も一肌までいかなくても半肌くらいは（笑い）。ま、むずかしいですけれどもね。キューバの人たちはホラ、歌と踊りが大好き、日本人のように勤勉な人たち？　とは言えませんから。

ただし、ある学者が言ってました。キューバを日本と比較してもらっては困る、って。日本は歴史も長く、文化も高い。キューバはたかだか五百年の歴史、自分の頭でものごとを考えだしたのは三十年前の革命以後です。そういう背景を理解したうえで判断してほしいって言うんですね。ほんとうにそうだと思います。

この国の人たちは日本を尊敬しています。戦後の短い期間で、キューバと同じような島国があれだけの経済大国になったわけですからね。多くの人が日本に憧れているんです。NHKで作ったコンピューターの歴史ドキュメントをこの国の人たちに見せると、何も言わずしおれてしまいますよ。

過去のボランティア活動などが認められ、Kさんはキューバ政府の好意によって一軒の家を手に入れた。

おかげさまで、日本大使館の方々の尽力もあったんですけれどもね。この国は日本とちがって老後が安心ですから、この国で骨を埋めることになるんでしょうね。

もちろんこれからだって恋愛しようって夢みてますよ。やっぱり、女性一人で働いているとしんどいこともあるんです。とくに歌に生き、恋に生きといったお国柄のこの国では、女性が一人でいるのはどこかに欠陥があるんじゃないかって誤解される（笑い）。なにしろ、離婚した翌日は別の人と結婚してるってのが普通という国なんですから。

万が一、恋をするとしたら日本人がいいですね。私は生まれて育った日本が一番好きですし、日本が一番合っていると思ってます。年とったからかなあ。気持ちの通じ合いって、生まれたところに影響されるってことかもしれません。

——国籍をとるとしたら、日本？　キューバ？

このあいだ、ちょっと日本に出張しました。十四年ぶりの帰国でした。キューバはパスポートの代わりに旅行ビザを出してくれました。日本側には無国籍者の入国という前例がなく、ビザがなかなかおりませんでした。大使館の方々や日本企業の方々が一生懸命にやってくださって、ようやくおりましたけれどもね。

そんなとき、多少不便だって思います。でも今は強いて国籍をとりたいとも思いません。好きな人ができたら、その人の国が私の国籍だって考えてます。

女ともだち

女ともだちだけが自分の理性で選べるものでしょう

ベルリン／ギムナジウム教師

水野博子（59歳・在外28年）

旧西ベルリンのアパート七階、水野さんは猫二匹と暮らしている。壁には墨絵の掛け軸、テーブルには水野さんお手製の鮭とご飯、味噌汁、そしてワインが並んでいる。

私、自分が人間プラス女性であることにほんとうに目覚めたのはベルリンに来てからです。

結婚はしてなかったんですけれど、日本の男とずっと一緒に生活してたんですよ。敵サンは絵描きでした。若いときからサルトルとボーヴォワールを尊敬して、相手を束縛しない自由な関係、というようなことを言ってたわけ。あるとき、ふっと気づいたら一生懸命に尽くして、亭主の出世を望む普通の女になってた。ところが敵は自分流の生き方を崩してない。

しかも、絵描きだからなのか、天性なのか、敵はドイツ女性にもてたわけです。次々に女を作る。理屈のうえでは私も自由を語っていたから、嫉妬なんか感じると自己嫌悪に陥るわけよ。それまでは決して涙も見せない女だった。それが男と話をしていると、こらえていた感情がカーッとこみあげてきて、話をしているうちに追い詰められてくる。「窮鼠《きゅうそ》、猫を噛む」って諺があるけれど暴力的に抵抗するのね。茶碗を投げたり、熱いお茶をバッとかけてみたり、殺そうとまで考えた。寝てるとハラハラと泣けてくるわけですよ。空が白みかけるまで庭のブランコに乗ってたこともある。

誰でもそういう体験はあると思うのね。

私はそういうことをすべてフラウエン・グルッペで話したの。フラウエン・グルッペ――女性グループ。四、五人の女性たちが自然発生的に集まって語り合うドイツの女性運動のひとつね。ちょうど世界的にウーマンリブの時代だった。活動家たちは皆七〇年代に学園闘争に関わっていた人たちよ。男たちはかっこよく平等とか解放とかのイデオロギーを吠えてたけれど、いざ同棲してみたら全く古典的な君主でしかなかったのね。そういう男たちを見て、ドイツの女たちは考えた。

まず小さな集団を作り、性の問題から政治、文学、生活、あらゆることについて語り合う場にしよう――これがフラウエン・グルッペの運動だった。男友だちでは駄目なの。彼らは頑張れ、と言葉では励ますけれど日常的な議論をうるさがるようになる。女たちはどんな話題でも聞いてくれるわ。それはありがたい存在だった。

私の話を聞いてくれた仲間たちは、私ともう一人のイギリス人以外は皆ドイツ人。彼女たちには日本的な発想が微塵もなかった。ほとんどの日本人の女って、いくら進歩的でも最後は古きよき道徳教育の域を出ないでしょう。相手が成功したら、結婚して家におさまれっていうのが日本型のアドバイスよね。そうすれば女の問題も解決できるって幻想をふりまく。

フラウエン・グルッペで出会ったドイツの女たちはそういうことを全然言わなかった。問題は相手との愛で自分を失ってしまっているかどうか。一個人としての領域を残しているかどうか。相手にも問題はあるけれど、まずは自分の側の問題点をあきらかにして、早く自分を自由にするべきだっていうのが彼女たちの意見だった。

私は嫉妬に苦しんで、相手を恨んでばかりいたけど、彼女たちに質問されたわ。「嫉妬っていうけれど、なぜあなたは相手の男にそれほどこだわるのか」ってね。

「いったいあなたは何をしたいのか」

「あなた自身に生き方とか生きる領域があるのか」

……次々に突っ込んでくる。

人間って意外と自分のことがわかっていない。そういう討論をつうじて、はじめてフッと気がついたの。自分はいったい何をやっているのか？　私は社会とどんな関係をもっていただろうか？　私はどこの国の人間なのだろうか？　ってね。結局、自立とか自由を叫んでながら、頼まれもしないのに相手に尽くして、喜んで重荷を背負いこんじゃってた。そのうちに自分の存在価値がなにもなくなっていたのね。相手が他の女にうつつをぬかしたことに傷ついていたけど、一番の問題は自分自身の側の虚ろさだった。私という人間はドイツという社会にも日本という社会にも関わりのないところで、男との関係ばかりに夢中になっていたのね。いや、社会との関係が断ち切れていたから、私生活にばかり熱中したってことかもしれない。

当時、すでに四十歳になろうとしてたわ。それでまず、敵に一応の生活保障をしてもらいながら大学を卒業して地域の成人学校の非常勤講師となり、まだまだ自活するには心もとなかったけれど、男ときっぱり別れたのね。そしたら不思議に運がついてきた。四十半ばで高校の日本語教師になった。経済的にも自立できたのね。

自力で暮らすようになったら、不思議に自分が何をしたいのかピンとわかるようになった。パッと行動できるわけです。わが道を歩きだしたんです。

日本語教師という職業も自分を安定させるのに役立ったような気がする。自分の母国語を教えるわけでしょう。日本語教室では私が神様ですからね。私でなければ駄目、という領域を持てたってことが大きかった。日本をベースにしていないと、いつまでも劣等感につきまとわれる。外国にいると、常に「あなたは外国人だ」って問われ続けるのね。けれど、いくら自分が日本人であることを否定しようとしても、決してドイツ人になることはできない。無理をしてドイツ化しようしたら、敵方のルールで、敵方の審判員に囲まれて試合を続けているようなもの。心がズタズタになってしまうと思うわ。自分はどうあがいても、彼らから見たら日本人なんだ、ってことをきちんと意識してないとまったくとりかえしがつかなくなるでしょうね。

私自身が安定した後、今度はベルリンに住むドイツ人と結婚した日本女性たちのフラウエン・グルッペを始めたの。社会的な人間として活動したいと考えたからよ。そこで彼女たちの悩みの種だった、日本人女性を母親に持ちドイツ人の父親を持っている子どもたちの国籍問題を解決しようと語り合いました。彼らは日本で外国人扱いされていています。ドイツも日本と同じようについ最近まで父系血統主義をとっていました。でも女性たちの運動で変わった。私も、日本女性たちと一緒に日本の国籍法を変えていく運動を始めたの。

その結果、国際結婚した日本女性たちの子どもたちも日本国籍をとれるようになった。二重国籍ね。

それと、ドイツでは国際結婚がうまくいかなくて精神的におかしくなってしまう日本人女性の例が多いのね。そういう女性たちが、真夜中でも電話をして心おきなく話す場を得て、彼女たちが自立していけるようになるといいな、と考えました。

国際結婚ってほんとうにむずかしい。お互いが好き好きって言っているうちはいいの。最初はとくにセックスがあるからね。ところが数年たって、そこに精神的、知的交流が成り立たないと欧米ではとたんに駄目。それも、きちんとした言葉による交流ができなかったら駄目。日本の男性なら以心伝心、家事や育児を一生懸命やってれば会話なんかなくたっていいでしょう。でもこっちは駄目。セックスがあるからって安心してたらすぐに終わります。家事を一生懸命やっても、いいおかあちゃんだ、という評価にはつながらない。

それとセックス観の違いも大きい。こちらの人は二人の間がピリピリとしてこなかったらすぐに離婚します。日本の女性って性的にもサッパリしているでしょう。子育てで忙しい、とか言っていやがったりする。欧米の女性たちはベタベタしてますよ。まあ、逆に東洋の女と結婚する欧米の男って夢みるような、孤独癖のあるか細いタイプの男でね。ある種の傾向がある。東洋人好みの男が好む家庭ってサラサラしてますよ。

愛が冷めた、となるとすべては物質、お金と法律の世界に変わってしまうんです。ついこの間までベッドを共にした相手なのに、敵になってしまう。

そういった危機に陥った人々も日本人のためのフラウエン・グルッペでお互いに語り合い、自分をとりもどして見違えるほど立派に立ち直り、離婚して一人になっても素晴らしい女性に成長していています。

私も地獄見てきたからね。男の問題抱えてのたうちまわった頃はほんとうにギスギスと緊張してたと思うわ。でもね、あの時代があったから、今はほんとうに陽気でいられるの。自由になったから経済的な問題が解決したのか、経済の自立が自由にさせたのか、それはどちらかわかりません。

ま、私の先は短いから残りの人生は充実した生き方がしたい。そうなるともっとも大切にしたいのは友だちね。親兄弟は選べない。男はセックスが介在してしまうから選ぶ、というようなものではない。友だちだけが自分の理性で選べるものでしょう。友情は、おたがいに努力しないと花も咲きません。その努力が楽しい。そうなると今度は人に好かれるようになるのね。素敵な仲間がたくさんいるから、よけいにそんなふうに考えるのかもしれないわね。

夫はトルコ人

「君だったら日本の男性と結婚して幸せになれたのに」

イスタンブール／ウェイトレス
F・Y（22歳・在外4年）

Yさんはロンドンの語学学校でドイツ生まれのトルコ人留学生だった現在のご主人と出会った。

彼は国際線のスチュワードになりたい、という夢を持っていた。夢を果たすにはクィーンズ・イングリッシュが必要です。それでドイツからロンドンに英語を習いに来たみたいですね。ドイツ生まれのトルコ人にとって、いい職につくには英語が必要条件だって言ってました。二年間、押して押して押しまくりのプロポーズが続きました。電話と手紙と。クリスマスや父の日には私の父親に花束が届く。最初は結婚に反対だった父親も、そこまで熱心にされるとホロリとくるみたいでしたね。今もそのやさしさは変わりません。

言葉はあまり通じませんでした。でも彼は愛があれば乗り切れるって、ゆずりません。

そう、彼はドイツ生まれ、ドイツ育ちのトルコ人。国籍はトルコです。彼の両親がトルコの農村から経済移民としてドイツに渡ったのは三十年前。結局、国籍まではとれなかったそうです。

ドイツって観光するにはいいけれど、トルコ人に対する差別がひどい、って彼は言ってます。中学や高校のときから差別に苦しんだって。体育の授業でサッカーをやっているときでさえドイツ人だけでボールを回し、トルコ人の彼はボールにも触れられなかったそうです。ドイツ人はドイツ人こそ一番すぐれた民族だって思っている、トルコ人は遅れた民族だって思い込んでいる——彼はそう言ってましたね。そういうドイツ社会に嫌気がさしたって。結婚を決めるときも人種差別の厳しいドイツにお嫁さんは連れていけない、って彼が言ってくれました。

差別がひどいと知ってはいても、トルコ人にとっては今も昔もドイツがナンバーワンなんです。それで今も何とかしてドイツに移民しようと試みる人が後を絶たない。仮に運よくドイツに入国できたとしても、トルコ人というだけでトルコ人居住区域のトルコ人社会のなかでだけ暮らさなければならなくなるのに。

ドイツも不景気になって、外国人労働者への差別と暴力的事件が年々ひどくなっています。憲法が変わって、これからはトルコ人も続々帰国させられるでしょう。彼の両親も九月に帰ってきました。ドイツに行ったトルコ人で商売に成功した人たちは少なかったみたいです。大学を卒業しても失業したままの人も多い。男性には肉体労働しかなく、女性はヘアドレッサーになるのが精一杯だって聞きました。

今、トルコのトルコ人にとってドイツに次いで人気がでてきたのが日本です。日本に行きたい、日本で働きたいっていう若い子ばっかりです。この店で働いている女の子たちも、日本料理店で働けばひょっとしたら日本に行くチャンスにめぐまれる、と期待してますものね。

ウェイトレスという仕事でいやだなんて思うことはありません。ただ、私自身、トルコ人と結婚したせいか、日本人のお客さんはリッチだな、という感じがします。それと日本人のお客さんがトルコ人の悪口を大声で、平気で言うときはとまどいます。少数のトルコ人だけしか見てない、エリート意識を捨てられない日本人がかわいそうになってしまう。

「何でトルコ人なんかと結婚したんや」ってしつこいお客さんもいます。「君だったら日本人のええ男性を見つけて幸せになれたのに」――そう言われても彼らの言う「ええ男性」っていうのは日本人の男性が見たええ男性で、女性にとってのええ男性とちがいます。

「今、女性にとってのええ男性って、日本にいないのとちがいますか?」喉元までそう言いたいのをこらえて我慢します。

だけど「主人はアメリカの会社で働いてます」って言うとまた態度が変わるんです。ほっとしたような、安心したような顔になる。もし、主人が靴磨き屋さんやったらどういう顔されるんでしょうか。

ユダヤ教徒

信仰する者にとってこの国は楽で日本は苦です

エルサレム/日本語講師

高田・バティヤ・裕子(35歳・在外8年)

カソリック教徒だった高田さんは、旧約聖書をより深く読みたい、と日本に来ていたイスラエル人にヘブライ語を学んだ。そして学生時代の一年間、イスラエル国家を支える共同体、キブツを体験した。

この国は全世界に散ったユダヤ人がいつでも帰ってこれるために建設されたので、海外から来ている外国人もウルパンという語学学校でヘブライ語を学べます。キブツに入ったウルパン生は、半日働いて、半日は語学を学ぶという毎日を五ヵ月くらい送ります。生活費は一切必要ありません。かわりに労働を提供する。皆が平等、キブツでは特別の専門職というのはありません。なんでもやらなければならない。ウルパン生以外の人たちは、労働時間はだいたい六時間から八時間。夏は蒸し暑く、バナナ園の労働なんかは大変でした。暑さを避けて朝四時に働き始め、九時には終わるようにしてました。

ウルパン生にはそれぞれにホスト・ファミリーがついています。皆さん親切で、抵抗感なくユダヤ人としての暮らしが体験できるように配慮されているんですね。

キブツでは社会を家族という単位で考えません。夫婦には個室が与えられていますが、子どもは二歳になって保育園に通うようになると、家族と一緒の時間は午後のひとときだけ。食事は皆と一緒に食べます。それぞれのグループ用のダイニングルームもありますが、だいたいは巨大な鍋で人数分の料理を作る。後片付けも皆で一緒にやる。夜は、子どもは子どもの家で団体生活を送る。

キブツでは、財産も子どもたちも、日常生活のすべてを共同で行うのが基本です。子どもはキブツの子どもであり、両親の子どもではない。待遇は大人になるほどよくなっていきます。十五歳になると個室が与えられ、十八歳になると徴兵。兵隊の家ではまた共同生活をします。自然に親離れ、子離れして自立していくようにできているんですね。

面白かったのは、子どもの家で保母として働いたとき。私が三歳までの九人の子どもたちを預かったことがあります。そこで出会った子どもたちが日本の子どもたちと全然ちがう。日本でいい子と言われるのは素直で、大人の言うことをきく子でしょう。イスラエル、とくにキブツではちがいます。ここでは、どんなに小さな子どもでも、自分は何を求めているのか？　を自分自身で考え、主張する教育をするんです。そのために、大人はあらゆることについて何度も子どもに質問をする。あらゆる行動は自分自身の選択、という意志をはっきりと自覚させるためです。

たとえば二歳の子どもであっても食事のときは、一人一人がいくつもの大きな鍋から自分のほしい料理を選ぶシステムになっています。大人は「あなたは何が食べたい？」って聞きます。その子が「キャベツのサラダ、肉」って答え、それを自分で食べたい分量だけ皿に盛るわけです。でも、二歳の子どもって一般的には残すことが多いでしょう。そうすると、ここでは大人が「なぜあなたは食べないのか？　自分で選び、よそったのだろう？」って問い詰めます。自分の意志に責任をもたせる教育なんですね。

あるとき、二歳くらいの男の子が水道水で床を水浸しにしてしまったんです。私、「そういうことしたら駄目！」って怒った。そしたら、二歳の男の子が「僕はあなたの意見に賛成ではない！」って抗議するの。「外で遊ぶよりも僕はここで、水を流して遊ぶのが面白いんだ」「地面なら水はしみ込んでしまうが、この床は水溜まりができる。面白いじゃないか」って。それが、まるで大人の表情で私に議論をしかけてくる。しかも、ヘブライ語には大人言葉、子ども言葉の区別がありません。私のほうが背も高いし、力も強いのに、何も言えなかった。モップも使えないほど小さな子どもなんだもの。

とにかく議論がすべてのベースになっている。大学の授業もすべて議論です。「なぜ？」「なぜ？」の連続。常にその根拠を問われる。日本では百パーセント言い切らない、というのが美徳でしょう。でもこの国は論理がすべてなんです。曖昧、ということは許されません。

銃を担ぎ、頭にキパと呼ばれる小さな丸い帽子のようなかぶりものをつけた戦闘服姿の兵士が平服のガールフレンドと談笑しながら路地を歩いている。

キブツから帰って、カソリック教徒からユダヤ教徒に改宗しました。ユダヤ教っていうのはものすごく世俗的な宗教なんです。重点はこの世にあるんです。だから日常生活の戒律が事細かに決められている。食事についても、旧約聖書で定められた食餌法がある。食べていいもの、悪いものがはっきりと決まっています。豚は駄目、鶏も殺し方によって食べてはいけないものがある。日本にいて、それを守ろうと思うと百パーセント、ヴェジタリアンの店くらいしか、私たちには入れなくなる。ユダヤ人コミュニティのラビが「この店は大丈夫」と認めると、皆そこに食べに行くんです。

私自身も戒律のなかの食餌法や安息日を守ろうとしました。でも、そうやっていると日本社会から孤立していくんですね。日本の企業ではやっぱり付き合いっていうのが大切でしょう。居酒屋に行っても、私は何も食べれない。ひたすら飲むしかない（笑い）。かといってユダヤ人の社会にも入りきれない。一週間のうち六日間は日本社会にいて、一日だけユダヤ教徒になる、そういう生活に疲れてしまった。それで、もう一度この国に来てそのままズルズル……と。

日本にはイスラエルから若者たちがたくさん来ている。

日本の原宿や池袋の街頭で物売りしているイスラエル人、あれ、暴力団とつながっているんでしょう？　有名になってしまって困りますよね。

日本に行くような人たちは、普通の家に育った食餌法も戒律も関係のない自由気侭な人間として暮らしている人たちです。イスラエルって国は国民皆兵でしょう？　男は十八歳から三年、女は二年の徴兵義務がある。兵役が終わると、気分転換のために海外に行けることになっているんです。イスラエルの経済状態が悪いので、そういう人たちはヨーロッパやアメリカで働きます。最近、そのお金で日本に旅行をするのがブームなんです。そして日本で剣道、柔道、合気道、鍼灸なんかを練習する。

いちおう、彼らもユダヤ人ですから土曜日にはユダヤ教の会堂に集まります。戒律とは無縁な日本なんかでやりたい放題にやっていると、イスラエルでは宗教心のかけらもなかった彼らの多くが宗教返りしていくみたいですね。だんだんと戒律を意識するようになる。そうなると、日本では戒律が守れないことを知って帰国せざるをえなくなる。私の友だちは五、六年も日本にいて、今は超正統派までエスカレートしていきました。超正統派っていうのは、黒い帽子を被り、髭をはやして、黒ずくめの恰好して、厳格に戒律を守り、タルムードという五、六世紀に残された膨大なユダヤ教に関する書物を学ぶだけの生活、中世そのままの生活をしている人々です。タルムードの研究は男性だけ、彼らは日常のすべてを女性に養われている。宗教なしで育った人が意識的に宗教返りすると、無駄に使ったそれまでの人生に対する罪悪感に苛まれるみたいです。極端な超正統派になっていく。

この国は世俗シオニストの建国した国だから、そもそもそういった超正統派が世俗的な人々からうとまれる傾向にある。戒律ばかり守って、国家とか日常生活と無縁に暮らす堅物ってことなんでしょう。

このあいだ、女性問題について語り合うテレビ番組に出演したんです。日本女性でありながらタルムードを研究課題にしている人間として、ね。ユダヤ教には、女性はソロで歌を歌ってはいけない、という不文律がある。にもかかわらず、テレビで私、歌まで歌ってしまう羽目になってしまった。ソロにはならない、ってタカをくくっていたんです。観客も一緒に歌うだろうって。ヘブライ語のポピュラーソングを会場の人たちと一緒に歌う、という打合せだった。それが、番組直前に日本の歌『上を向いて歩こう』に変わってしまった。結果としてソロになってしまった。

歌った後、司会者が「女性の声は男性の勉強の妨げになる」という古い諺を引用してました。宗教的な友人たちに、いろいろチクリチクリと言われてしまいました。タルムードを研究する超正統派の人たちはテレビも見ません。テレビ番組なんか冗談じゃない。そこでソロで歌うなんて、もっと冗談じゃない（笑い）。

そのくらい、この国では宗教が抜き差しならないところにあるってことなんです。

逆に言えば、信仰する者にとってこの国は楽で日本は苦痛なんです。そういう意味で、私はこの国を故郷と思っていますね。

出産の思想

果して人間がコントロールするのはいいことなのか？

オクスフォード／助産婦
高橋浩美（36歳・在外7年）

ヨーロッパではこの十数年で助産婦が非常に認められてきているの。とくに最近のイギリスの助産婦中心のお産は評判がいい。日本の妊産婦の死亡率もイギリスの倍。人口十万人に対して日本が十三人、イギリスは六人。

高橋さんは、高校卒業後、自力で食べていくために看護学校に入学。しかし、生命の誕生の瞬間に立ち会う感動を知り、助産婦に転向した。

子どもを日本の母に預け、今年で留学四年目。私がこちらに来た一年後に夫が合流したけれど、子どもは相変わらず日本の母にみてもらっている。

この夏、ようやくイギリスの助産婦の免許がとれるの。ＥＣ諸国間の協定で、これからは欧州のどこでも仕事ができるんです。

助産婦という、人類史始まって以来の仕事の現実は、国によってずいぶんちがうの。アメリカは助産婦の数が少ないのね。人口二億人に対して四千人しかいない。それは助産婦という職業が一度消滅した経緯があったからなの。再開したのは二十年くらい前。ウーマンリブの運動と深い関わりがある。助産婦をきちんと資格として認めたり、教育して制度化してきた歴史は欧米よりも日本のほうが長いかもしれない。でも、日本は戦後にアメリカの影響をもろに受けてしまった。進駐軍が入ってきたときには、とにかく近代化したいって方向で助産婦廃止の動きがあったんです。政府は「助産婦は非近代的」というアメリカの姿勢に従う政策をとったから助産婦の数はとても少なくなったし、医療の現場でも専門家として認められなかった。ただ、当時の日本では九割以上が家庭分娩だったし、病院で産む習慣がほとんどなかったでしょ。私が生まれた昭和三三年頃でさえ、五割が家庭分娩でした。それで日本の助産婦は生き残った。

イギリス、とくにオクスフォードでは正常なお産には医師が立ち会いません。基本的には助産婦が診て、お産をし、そのまま病棟へあげる。ただし鉗子分娩や吸引分娩、帝王切開などの異常分娩のときは助産婦の業務外。未熟児もね。

オクスフォードは大学の町。わりとインテリが多いんですよ。「自分のお産は自分でしたい」と考える人が他より多く、助産婦を望む声が高かったのね。「お産は助産婦が中心になってやるのがいちばん安全だし、妊婦のためにもいい」と主張した文化人類学者シーラ・キチンガーもオクスフォードの出身です。

一九九二年、英国議会は妊娠、出産の実態調査を行った。その結果、病院でのお産がとりわけ安全ではない、と発表。正常な妊娠、出産に関しては助産婦が最適なケアを供給しうる、と未来像を助言した。

イギリスでは体外受精クリニックで問診したり、実際に子宮に受精卵を埋めるのは助産婦の仕事なの。オクスフォードはその成功率がものすごく高い。ひょっとしたら医者がやるよりも助産婦がやったほうが着床率がいいんじゃないかしら？

医者というのは、基本的にはできるだけ感情的な側面に巻き込まれない、という姿勢をとろうとするでしょ。助産婦は逆なの。お産という現場では一緒に喜んだり、悲しんだりする関係をもてる助産婦が介助するほうが、結果的にいいんじゃないかしら。

近代医療が始まって以来、お産にはほんとうにいろいろな流行がありましたね。どこの国でも八〇年代初めまでは計画分娩が花形だったでしょう。できるかぎり手を加えて出産日、時間をコントロールしていくやりかた。そのために産道に傷をつけて赤ちゃんが出やすくする。

ラマーズ法は、日本ではかなり流行したけれど、イギリスではあまり聞きません。呼吸法を習わなくても、もっと自由にお産できることがわかったから（笑い）。日本では父親が傍らにいてあげる、ってラマーズ法が注目されたけれど、別にそういうことではないの。ラマーズという医者のキャラクターだっただけなの。彼の女性への接し方とか、妊娠中から分娩まで一貫して診つづけていく彼の医師としての態度とかのキャラクターが非常に大事だったってことです。彼なりの手順、方法を発表しただけなのに、それが先進的だって錯覚してしまった。

極端なのは、ある時期のアメリカでは帝王切開のほうがいいとされていたこと。ブラジルやインドでは今もハイソサエティや中流階級の七〇パーセントまでが帝王切開だという統計がでています。日本の帝王切開率は二〇パーセントくらいかな。しかも大学病院のほうが一般病院よりも高い率でやっている。無痛分娩はまさにアメリカ的ね。陣痛の間、ずっと盲腸の手術と同じように腰から下だけに麻酔をかける。陣痛の間、ずっとなにも感じない。母体に押し出す力がなくなるから、半分以上が鉗子分娩や帝王切開になっているという報告もあるくらい。

つまり、ファッション、ステータスシンボルとしてお産のスタイルに流行があるってことです。

ミッシェル・オダンって知ってる？　水中出産を世界に広めたフランス人のお医者さん。彼が今ロンドンにいるの。彼は夫がお産に立ち会うことに反対なんです。男にとってお産は、大変に傷つく体験だから、何かあって結果が悪くでたときに「守ってあげられなかった」という後遺症が夫の側に残るっていうのね。

現在のイギリスでは七〇パーセントは特別な方法を取り入れず自然に出産してるの。よく言うの。「産科っていうのは詐欺みたいなもの」ってね。基本的には、何もしなくても女の人は普通に産んでいるわけ。

それに反してアメリカって国は人間の力と努力でなんでもできる、人間が手を加えていけばよい方向にいくという開拓者的な考え方が根強いのね。私はイギリスに来る前、欧米全体がそういう考え方なのだろう、と思いこんでいたわけ。ところがイギリスは全くちがっていた。自然を残している。なるようになるっていうところが強く残っていた。

私はもともと日本の医学の世界にいてアメリカ流に学んできているでしょ。医学は人を助けるもの、手を加えることがいいことだ、って信じていたわけ。だけど、オクスフォードで学んだのは、何もしないこと。何が起こっているか、きちんと経過を把握する観察は必要だけれども、何かが起こるまではそれを見守ること。何かが起きる、と予感したら防ぐための努力をすること。

起こってしまったときの判断——これが助産婦の仕事だっていうことだったのね。何も起こってないのに、何かをするっていうのは助産婦の仕事ではないわけ。

果して、人間が思うようにコントロールしようとすることがいいことなのだろうか？

一つは安全性の問題がある。薬を使って計画的にお産する誘発分娩は、最終的に帝王切開になる率が高い。帝王切開は悪いことではないけれど、基本的には女の人の身体に対して外からストレスを与えるし、病院に止まる時間も長くなって赤ちゃんにお乳をあげるのが大変になる。もう一つは感染症の罹患率や死亡率が高まるってこと。それと大きな問題は経済的な負担ね。イギリスでは、一年以上滞在している人の出産は無料なの。帝王切開は人件費もかかるし、薬も多量に投与する、入院費用もかかる。それを国家が税金で賄うわけだから大変な負担でしょう。自然分娩の場合は、産んで二時間後にはシャワーを浴びて家に帰る。帰った後は、助産婦が定期的に家庭訪問する。助産婦がきちんと機能するようになったら、三割から四割の産科の医者がいらなくなるかもしれないね。助産婦による自然分娩は安くて安全、って結論になるの。

ただし——。基本的にはまだまだこの国でも日本と同じように助産婦の待遇はよくはなってない。だけど、好きで仕事している人が責任もたされているから生き生きしている。誇りも高いしね。

資格をとったらイギリス人の仲間二人とロンドンでク

リニックを開業することになっているの。今、パンフレットを作っているところよ。だけど……。

——何か心配があるの？

日本人の妊産婦さんを相手に開業しても、当分は家庭分娩を浸透させていくことは無理でしょう。皆さん、病院のほうが安全って思っているでしょうからね。それと多くの日本人の奥さんたちは、こちらではなくて日本に帰国して出産するケースが多いから、果して仕事として成り立っていくのかどうか……心配なんだ。

もうひとつのメディア

国際政治に関心のある人にはたまらなく面白い所です

ワシントン／テレビ制作会社
池原麻里子（37歳・在外8年）

池原さんは会社の同僚と結婚した。三年後、夫のニューヨーク赴任と同時に退社。理由は夫婦で海外赴任する制度がなかったからだ。そしてワシントンのジョージタウン大学大学院で国際関係論を学ぶことにした。

自分の収入がない、人に頼る暮らしって自由がなくなるからいやなんですね。だから結婚してからも夫婦別々の財政でした。夫婦の形って、それがいいかわるいかは別として、自分の親がモデルになると思います。私の父は家事もすすんで手伝うし、自分のことは自分でやる人で、私はそれが普通だって思っていました。けれど、夫はちがっていました。妻が家事をやって、夫は新聞を読んで――典型的な日本の家庭像をもっていたんです。お互いに働いているうちは家事も共同作業にしたかったのですが、その一方で納得いかぬまま日本社会の規範に合わせよう、と努力もしました。

会社勤めをしてたときは、日米や日欧間の通商問題に携わってました。職場も男女差別があまりなく、仕事はほんとうに面白かった。ただ、いつも政治、経済や法律の基礎的な知識がない、と感じ、自分たちのやっていることはほんとうに日本のためになっているのだろうか、消費者のためになっているのだろうか、と疑問を抱き続けていました。そんなとき、彼のアメリカ赴任が決まったんです。

私はワシントンの大学院に行きたかったので、任務先の違う彼とは別居しました。彼には多少無理を押しつけたような気もするけれど、自分の人生は一度しかないでしょう。これで家庭にひきこもったら、子どものオムツをかえていても何となく悔いが残る、そういう気がしたんです。

一度離れると、前々から気になっていた彼の日本的な男性中心のものの考え方についていけなくなっていました。それで、離婚したわけです。

もともと一人っ子で育ったし、両親とヨーロッパにいる二年間は英国系の学校に通ったんですけれど、学校の関係で私だけ先に帰国し、祖母と二人暮らし。親離れがとても早かった。両親も独立心を大事にしろって育てたものですから自立心旺盛な性格になってしまって――(笑い)。今もそれは変わりません。

卒業と同時に、アメリカの連邦議会の審議模様をコメントをつけずに全米ネットで流し続けるケーブルテレビ、シースパンを日本に配給し、日本でも同じように国会審議の模様を衛星放送で生中継しようと計画している会社に就職した。

現在はシースパンの紹介を兼ねてシースパンの映像から一週間のワシントンの動きをまとめたビデオを制作したり、日米関係やアメリカ政治報告番組を制作して日本に送っています。私にとっても、アメリカの政治をまじかに見れるし、仕事を通じてアメリカがいったい何を考えているのかをつぶさに見れるので、とてもいい勉強の機会になっています。

最近面白かったのは全米の注目を浴びたクラレンス・

トーマス最高裁判事の判事承認時のセクハラ疑惑をめぐる公聴会。アニタ・ヒルという女性が、クラレンス・トーマスという黒人の判事が選ばれるにあたって、彼はかつてセクハラ事件を起こした、と証言した事件です。

この事件については日本もアメリカのテレビ局もセクハラ事件としてセンセーショナルな取り扱いをしましたが、シースパンはそういう扱いをしませんでした。日本だと、最高裁判事が誰であるか、最高裁の判決がどうだったのか、なんてあまり関心をもたれませんが、アメリカ国民にとってどのような人間が最高裁判所判事になるか、という人事は大変重要な問題です。たとえば女性の生む権利、生まない権利なんかの問題にしても、判事がどういう立場の人であるかによって判決が左右されます。

シースパンは上院司法委員会による判事候補承認の公聴会を必ず最初から最後まで放送します。

たまたま友人の弁護士がアニタ・ヒルの同級生で、上院司法委員会の法律顧問だったり、アニタ・ヒルがかつて在籍していた法律事務所の同僚で彼女に批判的な弁護士も知っていました。そういう事情もあって、共和党と民主党の間での裏の政治的やりとりを耳にしていたので、個人的にも強い関心をもって眺めていたんです。

ブッシュ前大統領が、トーマス判事は最高裁判事として最適の人物であり、彼を任命した経緯に彼が黒人であるかどうかは一切関係ない、と発言したのは建て前だったと思います。あきらかに政治的な判断をしたはずです。クラレンス・トーマスが、保守的な考えの黒人だから選んだのです。

アニタ・ヒルのように社会的に信用されていた女性が証言したにもかかわらず、結局、クラレンス・トーマスは最高裁判事になってしまいました。この事件はセクハラだけでなく、アメリカの人種問題や保守とリベラルの闘争を浮き彫りにする興味深い事件でした。

もう一つ興味深かったのは、湾岸戦争の頃、アメリカで日本の憲法九条がどのように論議されているのか、という番組を制作したときのことです。そのために戦後、進駐軍の将校として憲法作成に参加し、憲法九条を書いたアメリカ人にインタヴューしました。そのインタヴューを通じて、当時は、いずれ日本が軍事的国際貢献を行なうような国になるとは予測していなかったし、考慮にも入れていなかったとわかりました。

湾岸戦争の頃ほど、日本はどういう選択をすべきか、という点で私たち在米日本人と国内の日本人との間のギャップを感じたことはありません。日本にいると湾岸戦争はみぢかな問題に感じられないようですけれど、ワシントンではそうはいきません。アメリカ政府、議会での議論、参戦者、その親族に囲まれ、アメリカはどういう道を選び、同盟国としての日本はどうすべきなのか、を考えなければならない。憲法九条の問題は、現在の国際社会で日本がどのような役割を果たすべきか、時代の流れにそくして検討したうえできちんと論議されるべきではないでしょうか。

そういう意味でも、良くも悪しくもアメリカはやはり国際社会に大きな力をもっているわけで、日本が自分自身の道を選んでいくためにもアメリカが何を考えているのか、日米の情報のギャップを埋め、情報を正確に伝え、いい議論のきっかけになっていくような仕事をしていきたい、と思ってます。そしてシースパンというもう一つのメディアを通じてそれが可能になればいいな、と私は思っています。

——これからもワシントンでずっと？

政治に関心があって、国際関係に興味がある人にとって、ワシントンはたまらなく面白い所ですね。アメリカの側から世界が見える。

アメリカの方が生活しやすいのはたしかです。物価が安いから、同じ収入だったら生活水準も日本よりもずっと高い。ただ日本の方が安全ですけれど。

何よりも嬉しいのは個人主義が発達しているから社会的なプレッシャーに苦しむこともない。日本はある程度年齢のいった独身女性や、離婚した女性にとっては生きにくい社会だって思います。

オペラや芝居が大好きだから、日本のように切符の高い社会に行くと貧しい気分になってしまいます。

当分はワシントンでしょう。

生々流転

さあ、きもの着て、葬式用の写真を撮りに行くわ

ハーグ／ホームステイのおばさん
ルイゼ・弘子・ローゼンダール（65歳・在外17年）

日本を出てから十四年間、着たきりスズメだったわ。パーマネント代ももったいないから髪も伸び放題でしょ。服も靴下も私のものは一度も買わなかった。破れたタイツの底を切って、息子からもらった靴下はいてるの。

弘子さんは神戸に生まれた。子ども時代をヨーロッパ系の血が混ざる両親とともにドイツで過ごす。そして帰国。戦時中、特高警察につけまわされた神戸に住むユダヤ人の人々や、ある大手製鉄所に強制連行されてきた朝鮮半島出身の人たちのタコ部屋生活の悲惨な姿が幼心にやきついた。弘子さん自身も何度も空襲にあい、右耳が聞こえなくなり、左足に火傷を負った。戦後、教師となり、養護教育の道を歩む。

そして極東特派員だったスイス人と出会い、結婚。彼は取材に飛び回り、帰国すると世界中のできごとを話して聞かせてくれた。しかし、ベトナムの戦場で死亡。一九七〇年、一歳半の乳飲み子を抱えて弘子さんは独り途方に暮れる日々を送っていた。

スイス人の主人が生命保険を残してくれてた。でも、主人の両親は日本が中国大陸にあると信じている人たちでね、私たち母子をなかなか認めてくれないのね。それで結局、裁判沙汰になってしまった。生命保険は両親のものになったけれど、養育費として少しもらったのね。

生活のために塾の教師をしたんだけれど、あるとき私が病気で休んだんよ。そしたら優秀な子が家に来て、「僕が受験に落ちたら、先生の責任だ」って責める。あとから来た障害者の子は「先生、ゆっくり休んで」ってやさしく慰めてくれたの。日本って国は、やっぱりやさしい子よりも優秀な子のほうがいい人生送れる国なんだろうな、日本でこの子を教育するわけにはいかない、ってつくづく考えてしまったわ。

しかも息子は混血でしょう。いろいろと悩んでアメリ

カ人の友だちに「ハウスキーパーをしながらアメリカで子どもを育てたい」って相談したんよ。そしたら彼自身がアメリカで生まれ育ったのが不幸の原点だった、って言うの。彼はイギリスの教育がいいって勧めたわ。

イギリスの全寮制の学校は授業料が高いでしょう。いろいろ調べたらリバプール市近郊のメルセーラインにあるカソリック系の全寮制の小学校が見つかったのね。うちはもともとカソリックだし、他の私立の学校に比べたら学費に格段の差がある。全校で九六人しかいない学校やった。イギリスでの当面の生活費と子どもの授業料を稼ぐために必死に働いたわ。

一日三時間しか眠らなかった。ある会社の寮母になって家賃を節約する。十一時までに掃除、洗濯を終えて、近くの生協でお昼の賄いさんを二時まで。週三回は近所の友だちの家の家事手伝い、朝と夜は寮のお兄ちゃんたちの世話。日本の会社は帰宅が遅いから、そんなアルバイトがたくさんできたのね（笑い）。

四年間で一千万円を貯めた。でもね、あんまり働きすぎて胆石の大手術を受ける羽目になってしまったのよ。外国に行って再発したらいけないから、って胆嚢を全部摘出してしまったのね。イギリスに渡る半年前だった。

ポンドが下がるのは目に見えてたから、将来に備えて一千万円は円のまま持っていたわ。問題はビザよ。当時からイギリスでは外国人の不法労働が問題となっていたでしょう。子どもには入学と同時にビザがでたけれど、私にはなかなかビザをだしてくれない。それでオーペアの職を見つけた。昔からイギリスにある習慣で、外国人の滞在を保証するかわりに家事手伝いをするってシステムなの。ところがサッチャーさんが首相になって、アジア人がイギリスでオーペアとして働くことを禁止してしまった。結局、学校の先生に相談して、子どもが喘息持ちだっていう理由で観光ビザだけれども、二年間の長期滞在ビザを許可してもらったの。

手術の後遺症で、イギリスに行ってもしばらくは働けなかった。それでしかたなく、マンチェスターの友だちの家に居候してた。お金はどんどん減っていく。物価はあがる。不安ですぐにロンドンに出たわよ。

まずは日本人家庭のハウスキーパーになった。信じられないくらい給料が安いの。とてもじゃないけれど息子の教育費までだせない。毎日、新聞の求人欄を探しながら、次はイギリス人の神父さんのところに移ったの。不法労働で給料は安いけれど、料理ができるなら、って条件でね。七四歳の老神父とチャールズ皇太子と同い年の神父さんの二人の面倒をみてたわ。イギリス人の食事って毎日決まってるし、簡単な調理でしょう。わりに楽だったわ。でもその神父さんが定年になって、一年ほどでお払い箱になってしまったのよ。

次はユダヤ人のおばあちゃんの家。ちょうどチャールズ皇太子とダイアナ妃の結婚式のときだった。夏休みには子どもも一緒に過ごしていてもいい、っていうから嬉しかったけれど、困ったのは食事。ユダヤ人だから食事作法に厳しい掟があるの。ベーコンを厳重に包んで冷蔵庫の奥の方に隠していても「何だか豚の臭いがする」って嗅ぎつけられて、ゴミ箱に捨てられてしまった（笑い）。ほんとうにどうしてあんなに遠くから冷蔵庫の中のベーコンの臭いがわかるのかしら。もったいないから、夜中にゴミ箱から拾って食べてしまった（笑い）。おばあちゃんは雇い人とは一緒に食事しない人だったけれど、あそこでユダヤ料理を覚えたわね。

おばあちゃんが入院して、次は九七歳のロシア系ユダヤ人のおじいちゃんの家にいった。日露戦争の前に両親がパリに逃れ、パリで毛皮商をやっている家系だった。おじいちゃんはイギリス支店を預かっていたんだけれど、いつも「小さな日本が巨大なロシアをやっつけたことが生涯のビックリナンバーワンだった」って話してた。

そのおじいちゃんがグルメでね。旬のものを料理しなければいけない。豚でもエスカルゴでも何でも食べる。毎日一緒に市場まで買い物に行ったわ。おじいちゃんのパーティはそれは盛大にやったものよ。ただね、財産管理人が意地悪でとうとうやめることになってしまった。

それで日本人家庭の住み込みの子守。給料が安かったんで夜はレストランに皿洗いに行ってたけど、割が合わないからすぐにやめたわ。結局、日本レストランで働いたわ。きつかったわあ。一日何里、ってぐらい歩いた。不法労働者でも働けるからしょうがなかったけどね。一日五千円くらいになったかな。

ビザの期限切れの不安は常につきまとった。

当時のイギリスの法律ではビザ更新のために三ヵ月以上は外国に出国してなければならないし、次のビザも下りるかどうかわからなかった。西ドイツに出たかったけれど遠すぎるでしょう。息子は年に三回は親元に帰ってくるわけだから、近い方がいいと思ってオランダの日本レストランで働いたわ。だけど、ウェイトレスだけじゃ厳しいでしょう。それで土曜日に日本料理を教えはじめた。レストランの雇用契約が切れた頃には日本料理の他に、和裁、お習字、生け花……女学校時代に身につけた芸事をオランダ人たちに教えていたわね。だけど不安定よね。それで新聞に「部屋を貸してくれたら、週一度、お料理と掃除をします」って広告をだしたの。たくさんの申込みのなかからハーグのローゼンダールさん宅を選んだの。彼はここには英国人学校もあるから、息子も呼んだ方がいい、と言ってくれた。私自身、手持ちのお金も少なくなっていたから寮制の学校を続けさせるのもむずかしい、そう思いはじめていたから……。

ローゼンダールさんはアメリカ系のオランダ人。お父さんはオランダでもトップランクの牧師さんで、宗教大使みたいな家柄だった。戦争中にドイツの収容所に入れられた精神的後遺症に苦しみ、六〇パーセントの税金をとられても十分なほどの軍人恩給や障害者年金をもらっていたわ。この国は戦争で傷ついた人や祖国のために戦った人に手厚い保護をし続けているの。

彼にとって私は便利だったんでしょう。コックを抱えているようなものだからずっと彼の家にいればいい、って言うの。春休みに帰ってきた息子とも話が合う。三人で温かい家庭を作ろう——夢みたいな話ばっかりだった、ほんとに。

そんなこんなでバタバタしてたとき、日本料理教えていたオランダ人が、正式に結婚しなければ駄目、って忠告してくれたの。オランダ人同士なら同棲もいいけれど東洋人は法律的に守られてないって。それで十年ほど前、遅ればせながら結婚したわ。ビザの問題もあったし、結婚したら収める税金も下がるっていうからね。

初めのうちはまあまあ、よかったわ。彼は独身が長かったからガールフレンドがとっても多かったの。今日は彼女、明日はこっちの彼女って、毎週二、三回ほどはガールフレンドを呼んでくる。そのたびに日本料理やフランス料理でもてなさなければならない。別にそれはかまわない。私はオランダ語が話せないし、彼がそれでストレス解消できるならいい、くらいに考えていたの。私たちもご馳走になれたからね。

ただ、暴力がひどかった。収容所の後遺症らしいけれど、彼は電気を消すと眠れなくなるの。不安にうなされたり、おかしくなってしまうのね。疑り深さってのも後遺症でしょうね。嫉妬がひどくて、どこにでも監視するように私につきまとった。戦争中は手紙などすべてがチェックされたから、って私にくる手紙もすべて検閲する。戦争中の怨みを私に向かって晴らしてるようなところがあったわね。収容所の監視員に叩かれたからって私を叩いた。音にも敏感だったわ。主人は一階の部屋、台所と居間が二階にあるでしょう。私が台所で鉛筆落とした音がうるさいって、ものすごい勢いで階段を昇ってきて、いきなり叩かれたわ。

そのうち、私、自転車で転んでしまったの。医者は脛から下を切断しろって言う。シェークスピアじゃないけど、血を一滴も流さずに切れるなら、って医者を困らせた。そのうちに、お料理仲間のインドネシア人が中国人の鍼医者を紹介してくれた。だいぶ歩けるようになったけれど、今もちょっと不自由なのね。主人は足が痛い、って愚痴る私のすっぱい顔みるのが嫌だ、って怒るようになったわ。「家事ができなければハウスワイフの資格はない。金をやるから日本に帰れ」って。ヨーロッパのお金持ちって、ある面でそういう冷酷なところがあるのよね。三年前、主人が離婚訴訟を起こしたの。いまだに決着がついていない。この国の法律では別れるときに財産をすべて半分にするの。でも私には何もないでしょう。主人は自分ばかりが一方的に与えるだけっていうことに不服を申し立てているの。訴訟が続いている間は、主人からこの国の生活保護の最低費用一二〇〇ギルダーをもらっている。それで、一九八九年に民宿を始めたの。主人が家を出て、しかも、家の月賦も払わなくなったのよ。一方的にこの家を売りにだしたこともあったわ。

前から日本人留学生の世話をしてたけれど、きっかけはお菓子の修業でオランダに来てた一人の若い男の子。修業を終えてその子がイスラエルに旅行したのね。そしたらA型肝炎にかかってしまった。イスラエルの病院は高いし、エジプトに行ったけれど一向によくはならない。這うようにしてここに戻ってきたわ。一ヵ月、わが家で寝たきり。二ヵ月目には歩けるようになったけれど、安静と栄養が必要だっていうので一生懸命に看病したの。日本料理は油も少ないし、栄養もいいから一番の食事でしょ。

その子が勧めてくれたのね。「僕みたいにホームシックにかかった日本人や病気の子の面倒をみて」ってね。『地球の歩き方』に体験記を書いてくれた。

半年くらいたった頃、ひょっこりと別の子がやってきた。白いご飯に味噌汁、ぬか漬け、マグロや鮭、タラの刺し身なんか喜ばれるのよ。でもまあ、面白いお客さんが多いわよ。ヤクザをクビになったっていう三五歳のチンピラに宿泊料を踏み倒されたり、去年来た二一歳の綺麗な女の子には宿泊料だけじゃなく、お金や市電の回数券まで盗まれてしまった（笑い）。

　ま、うちは儲けるつもりやないからいいけどね。


ハーグ在住の日本人留学生の面倒をみるのも弘子さんの喜びの一つである。


　生活に行きづまって自殺した子がいたの。あのときに孤立させちゃあかんな、と思って時々ラーメン作ったり、巻き寿司作って日本人の留学生たち集めて食べさせてる。六年前には麻薬事件に巻き込まれてしまったわ。その子もあまり日本人と交際しない子やった。町ですれちがったから声かけたのね。そしたら数日後に、「家が寒くていられない」って電話をかけてきた。食費だけもらって、機嫌よくしてたわ。しばらくしてすぐ近くの日本食レストランのウェイターと仲良しになって、彼のアパートに引っ越していった。それでドラッグを吸ったのね。初めてだったから、ひっくりかえってしまったのよ。救急車を呼んだら、警察沙汰になってしまった。精神病院行きよ。日本から家族が来ないと出られん、って。

　つい最近、また自殺事件があったの。だから今、憂鬱なのよ。二九歳のお金持ちのお嬢さん。彼女もあまり日本人と付き合わなかったわね。アンティークの家具に囲まれて、二部屋もある豪華なアパートに住んでバロック音楽の勉強に来てた。睡眠薬自殺だったわ。遺書には「今が一番幸せだから死にます」って。幸せだから死ぬっていう時代になったんやね。なにもしてあげられなかったなあ、って思うと今も心が痛むわ。

　今夜もね、留学生集めてラーメン食べさせる。息子も大学生になってコンピューターなんかを専門に勉強しはじめてる。ようやく一安心でね。

　さあ、今日はきもの着て葬式用の写真を撮りに行かなければいけないの。

　これからの夢？　夢なんかないわ。オランダに骨を埋める、っていう日本人のためのお墓をハーグに作るのがこれからの大きな仕事になるかもね。

　そこに巻き寿司作っておいたから、お弁当に持って行きなさい。それと、オランダのお菓子、おいしいよ。

海を越えた日本文化

修復の美学

理屈でなく、からだで学ぶことが大きいんです

ニューヨーク／メトロポリタン美術館表具師
大場武光（54歳・在外17年）

表具師の修業をした店は東京でも有数の店で、すぐれた先輩を目標にがんばってきましたね。その先輩たちが伊勢神宮遷宮などの仕事で関西の表具師と一緒に仕事をすると必ず、ある京都の老舗の表具師たちの技術の高さ、確かさ、感覚の素晴らしさをほめたたえていたんです。年季があけたら、必ずその店で修業をしよう、とひそかに決めてましたね。

念願の店に入り、再び一から修業を始めたわけです。日本の国宝級の文化財の仕事はほとんどその店がやっている。海外からの注文や研修生もたくさんやってきました。その店の二代目さんも、国外にある日本美術の調査や修復の実技指導のためにしばしば海外に出てました。

二代目が帰ってくるたびに、海外の東洋美術が放置されている、まちがった修復をされている、と心を傷め、嘆いておられたんです。

そんな話を伺うたびに「俺にもできることがあるな」と思ってましたね。海外で仕事がある、って聞くたびに「私でよかったら」と手をあげてました。でも、いろいろな事情で行く機会にはめぐまれなかった。それで辞めました。

伝統を重んじる職人世界では、修業した店から出る、というのは難事業です。とくに私は二度もそれをやったわけですから……。でも、私は自分の仕事をしたかった。それが脱出を決心させた大きな理由の一つだったかもしれません。

十六年の修業生活に終止符を打ち、失業保険をもらいながらアメリカ行きの準備などをしてましたら、在米の美術史学者を通じて、数年後にメトロポリタン美術館が東洋美術のギャラリーをオープンする、その保存修復分野の責任者にどうか、と誘われたんです。

こちらに来てはじめて、欧米、アジアの図書館や美術館がすべて修復部門を併設している、ということを知りました。日本だけが、美術館が文化庁を通じて民間に発注するという特殊なシステムでやっているんです。

逆に言えば、日本がいちばんうまい方法をとっているのかもしれない。自分で人を抱えないから、いつでも最高の技術を要求できます。同じ修復でも、人によって特徴があるから、文化庁が情報を集めて、発注先をコントロールすることも可能です。たとえば京都には、表具師が五百人くらいいるわけです。壁をやる人、襖をやる人、障子はりの人、軸をやる人——国がそれぞれのエキスパートに依頼するのは非常に効率がいい、とも言えます。

大場さんはメトロポリタン美術館の東洋美術修復室長である。仕事場は美術館の迷路のような回廊を抜けた屋上の空間だ。全体に準和風の造りになっている。アメリカ人の若者が畳に座って仕事をしている。

寸法というのは昔から受け継がれてきた生活や文化の感覚ですよね。尺貫法の空間認識、感覚は何ミリ、センチといったメートル法とは全然ちがいます。メトロポリタンで、私はすべてを尺貫法でやっています。日本人以外のスタッフも、みな尺貫法です。もちろん尺貫法がアメリカ人の身につくかどうかはわかりません。でも、文化的な感覚は、ある程度までは理屈ではなくからだにたたき込んでいくよりしょうがないものじゃないでしょうか。

たとえば半紙の大きさ。畳六畳の広さの感覚。あれは決まりであって、日本人にはあの大きさが肉体的な感覚となっているでしょう。

日本では役所への申請が尺貫法では駄目、センチでなければ受けつけなくなった——悲しいことですよね。

夕刻、電灯の少ない仕事場は、薄暗い。

多くの人は湿度、温度を問題にしますが、美術品の保存にとって一番の問題は光なんです。相対的に東洋絵画の材質は光や摩擦に大変弱い。日本美術に適した保存場所はやはり光線を遮断しないと……。

たとえば日本の表具には象牙を使う例が多いでしょ？

日本で保存された象牙は長持ちし、欧米の象牙軸に亀裂が走りがちなのは欧米の乾燥がひどいからだという人がいます。しかし、そもそも象牙は日本原産ではありません。亀裂は主として、他の物と組み合わせて無理に接着したために環境の変化に対して弱くなっているわけで、湿度、温度といった一般的な科学的分析では語れないわけです。現在のメトロポリタンは、二四時間態勢でエアコンディションをしていますが、まだまだ改良しなければならない。私が来た頃はもっとひどい保存環境でした。やはり、この豊かな国で、冬の暖房をきかせすぎて乾燥がひどかったってことが一番の問題でした。私がここに入って、まずやったのは暖房を切ること、余分な電気をはずすこと——彼らから言わせれば質素な職場に下げたわけです。寒いのは我慢できる、でも残業はできない(笑い)。

東洋美術の絵や書は鑑賞上の外見を整えるために、それぞれ独特の異なった仕立ての技術を使っています。掛け軸や巻物の軸装や、屏風、襖など木の骨組み……。中の構造をいい加減にしたまま、材料を吟味せず、安物の紙で仕立てたりすると、保存の温度や湿度をいくら整えても簡単に病気を患ってしまうものなんです。

メトロポリタンの東洋美術品コレクションはいろいろな歴史を経てきています。これまで東洋絵画の修復や仕立てについての知識がなかったために、西洋美術の修復技術を使って板に貼ったり、強すぎる接着剤で「強化」されたものもありました。厚紙で裏打ちし、革の表紙をつけて豪華に見せた浮世絵もあった。紙と紙なら、お互いがお互いを破れないように守りあえるのに、かえって和紙や絵の具に非常に重い負担をかけてしまっている。たまたま、そういう製本技術を持っている修復師がそれが一番の修復方法だ、と信じてやったわけです。

そういう仕事をしたのは、外国人に限りません。たとえば明治時代、フランスに絵の勉強をしに行った日本人がいました。おそらく日本人だから日本的な感覚がある、と安易な気持ちのフランス人に頼まれたのでしょう。彼はフランスに所蔵されていた掛け軸や浮世絵に裏打ちをした。短期間でものすごい量の絵の裏打ちをなしとげ、その画家はフランス政府から勲章までもらった。今の私が見ると、ひどいことをやって悪くなってしまっている。そういう意味で、私も含めて修復の仕事をしている人間は常に完全ではない、不十分だ、と自戒しつつやっていかなければならないんではないでしょうか。表具師だからパーフェクト、日本人だからパーフェクトということはないってことです。

それと、いつも聞かれるのはその表具がオリジナルかどうかということです。何百年も前の絵画や書について言うなら、オリジナルのままということはめったにありません。東洋の絵画は、まわりの裂《きれ》も裏打ちによってよい雰囲気をかもしだし、保存されて伝わっています。薄紙や澱粉糊だけを使った裏打ちは、水を含ませるだけで簡単に解体できるものなんです。技術の高い人が手がけた裏打ちほど気持ちよく解体できます。これが、日本、中国、朝鮮半島の美術が修理を繰り返しつつ伝わってこれたもっとも大事なポイントなんです。

もちろん、全体と部分を構成する色彩や空間どりの感覚など、時代の影響も密接に受けます。日本では中国の絵画がきわめて日本的な感覚で表装されているでしょう？　時代や場所が変われば評価も変わってしまう。だけど、伝えるってそういうことでしょう。

専門的に言えばその時代、ある限定された地方にしかないような裂や付属品が表装に使ってある例があります。表具も含めて作品だったわけで、そういう場合はなるべく、同時代のもの、同じ地方の産出品を使わないと調和が壊れてしまいます。中国にしても日本にしても、その国の、その作品の誕生した時代の物が一番合うわけです。多くの人が、ほんとうならそこまで徹底して仕事したいと思っているでしょう。でも、現実的にはそういう材料をそろえる財力もありません。また、工芸の技術も衰弱していっている。肉筆浮世絵につける布をさがしても、現代では当時のレベルの布が織れないんですね。大森貝塚を発見したモースは「日本人が男も女も同じ模様の着物を着たのを見たことはない」と書いてました。かつての日本はそれだけ多様だったのに、現代ではそのような裂の伝統が消えつつあります。

中国の表具裂も日本よりひどい状況にあります。現在の中国には、過去の遺産を受け継いで、布や紙を復元したい意志があるんです。布の研究者でも、色の組み合わせを昔のように豪華な世界を復元したいって思っている。技術は今でも残っている。しかし今の中国には財力がない。

海外に流れている中国の美術品の数といったら、数えきれないほどでしょう。うちにも、十世紀から十一世紀の美術品が残ってますからね。しかし、表具の裂は再使用できるかどうか、きわどいところです。

だから、表具師たちは、あらゆる角度で使える材料を少しずつ蓄えようと努力してるんです。技術を高めると同時に、消えゆく布、紙を蓄えようとする努力が表具師に求められているのです。蓄えた人が評価されるべきなんです。

そう、私も努力の連続でした。環境としてはアメリカよりも日本や中国の方がずっといいわけです。古い絹を見つけやすい。昔の技法で和紙を作っている人も残っている。だから、日本に行くと、あちこちに電話かけてます。こういう布ない？　こういう紙ない？　ってね。でも、こちらにいて得な面もある。メトロポリタンの名前をだすと、特別の材料を提供してくれる人がいる。しかも、だいたいは最初からある一定のレベル以上のものがでてくる。こうなるとニューヨークも日本も休まる場所ではなくなってしまう。いつも、探し歩くからね。だから、アフリカとかメキシコとか、日本や東洋と一切関係のない地に行ったときだけ、旅人らしい気持ちにひたれる。

しかし、一生懸命に探してはみても、今の高級品よりも昔の安物の表具の方がセンスがいい。もうどうしようもない（笑い）。紙にしたって、寒漉きの紙と暑い時期に漉いた紙では全然質がちがいます。理屈に合わないつながりの強さみたいなものが紙の質、強さになって表れるんですよ。でも、今はあえて厳寒のなかで仕事するほどの職人はいなくなったでしょう。全体的に、いいもの風にごまかす技術はうまくはなりましたけれどもね。

表具師もこれからはむずかしい時代だって思います。近い将来には、大学で保存修復のコースを学んだ人たちがこの分野に進出してくることでしょう。そこでは、科学を駆使した調査、分析を基礎にして、修復もまた科学的に行われていくかもしれません。

しかし、個々の美術品はそれぞれの体験と歴史を経て残ってきているのです。その美術品がたどった時間、風土、人の技術、人の心……それらを個別に感じとるまでになってくれないと……。科学万能という考え方は時として怖ろしい結果を生むこともありえます。

よい意味での伝統的な職人魂を忘れない近代的修復師が誕生し、育ってくれると嬉しいですね。

故郷との出会い
地味な仕事が今、ほんとうに実りはじめてます

ダブリン／チェスター・ビーティ東洋美術館学芸員
潮田淑子（62歳・在外34年）

潮田さんは、有機科学研究者である夫と共にダブリンに来た、ごく普通の主婦だった。一九七〇年、潮田さんは富豪チェスター・ビーティが収集した膨大な東洋美術コレクションの存在を知る。無造作に所蔵品が山積みされていたのを見かねてボランティアとなり、整理を始め、そのうち独学で研究開始、公式の学芸員となる。

自分の時間ができたのですこし勉強したいなと思っていたときに、願ってもない美術品の宝庫に当たったのです。それが四十歳のときでした。

購入された後、美術品を展示もせずにとてもいい状態で保存していました。倉庫から出すときはほんと、胸が

ワクワクしましたね。開けられたことのない物を開けるわけですよね。

最初の八年間は、無給というよりは持ち出しでした。参考資料もなにもなく、日本から全部自費でとりよせました。調べてもわからない点は、日本の専門家に手紙を書いたり、帰国したときに図書館で自分が納得いくまで、それが何であるのか、どういう内容であるのか調べました。調べた結果はカードにまとめました。専門家の方々がそのカードを見て、そのカードを通じて一九七八年にダブリンで初の学会を開くことができたんです。

チェスター・ビーティは、もともと美術品のコレクターではありません。一九世紀の終わり頃、コロンビア大学で鉱物学を勉強なさったけれど不景気で就職できず、コロラドの銅山の労働者から出発して、やがてダイヤモンドや金で財産を作り上げた方です。

ちょうどその頃、山中商会という東洋美術商がボストンとニューヨークにお店をだしました。そこでいろいろ買い集めたのが、コレクションの始まりです。日本の根付けとか、印籠《いんろう》とか、刀の鍔《つば》などのデコラティブな美術品はその時代に集めました。日本の専門家の先生方も、日本でも見られないようなものがどうしてヨーロッパの小さな国の小さな美術館にあったのか、と驚かれます。公式の記録にもチェスター・ビーティは日本に行ったことはない、と書いてあります。日本の専門家の先生方からは「日本で買ったのでなければどこで手に入れたのか、それを調べてくれ」と依頼を受けました。いろいろ調べているうちに、まったく偶然なんですが、茶色に変色した古いファイルが出てきました。それを開けてみたら、自筆の日記、一九一七年の世界一周の旅で日本に立ち寄られたときの京都、奈良の宿泊先の請求書とか人力車にいくら払ったという細かい資料がでてきました。

彼はコロラドの鉱山で成功した後、職業病の珪肺を患い、加えてスペイン風邪や肺炎にもかかってしまった。お医者さんに「余命いくばくもない」と宣告されたにもかかわらず、奇跡的に回復し、健康のためには海の旅がいいと言われて奥様とお嬢様、女中さんを連れて船で世界一周の旅に出たわけです。運命はわかりません。その方が九四歳まで長生きしたのですから……。

チェスター・ビーティは四ヵ月間も日本に滞在しました。メモにはチップにいたるまで細かい明細が書いてあります。日本に帰ったとき、私は彼が泊まったホテルを三つほど訪ね、宿帳を見せていただきました。ちゃんとご自分で記帳なさっていました。

お付きの女中さんは、やはり格のちがう部屋に泊めているってことも宿帳でわかりました。

神戸や横浜からニューヨークに送った船便の書類も出てきました。日本の絵巻物、絵本などは山中商会ではなく、ご自分で京都、奈良、神戸、大阪、東京と巡りながらお求めになったようです。必ず京都帝室博物館の専門家のお墨付きのものだけをお買いになっていたこともわかりました。

そのときに買ったものは、絵巻物、絵本で室町後期から江戸中期ぐらいまでのもの二百点ぐらいでしょうか。保険と輸出申請書を見ると、当時のお金にしてもすごい高価なものだったことがわかります。

面白いのは、当時高かったものが今も高いかというと、そうでもないことです。逆に、安かったものでも、ものすごく評価が上がっているものもある。

たとえば『伊勢物語』三冊は、室町時代の絵本ですけれど、絵師と書家が渾然となって描いたきれいな本です。この本から五十年後、百年後になりますと『伊勢物語』も工房で量産されていきます。書は書、絵は絵で描かれ、あとから綴じる方法です。チェスター・ビーティの買った『伊勢物語』は後の量産の絵本より、絵が非常に稚拙、洗練されていない。だからあまり価値が認められていなかったのでしょう。わりとお安くお求めになっている。それが今、最高のお値段に上がっています。

チェスター・ビーティのコレクションには、ある傾向があったようです。雪舟とか、いわゆる水墨画はあまり買っていません。だいたい室町から江戸中期にかけての、金銀をふんだんに使った極彩色の絵巻物、絵本が多いようです。鉱物学者だから、華麗な色彩にひかれたのでしょう。鉱物標本の石と同じように絵の具を見ていたのかもしれません。江戸時代に秘密に描かれた佐渡の金山の図も買っています。どういうふうに金を発掘して精製したのか、という工程を描いた三巻本の絵巻物です。その他、お金の鋳造の方法を描いた図、銀座の図、安政の大地震の図、天保飢饉の図などのドキュメンタリー風のものもかなりあります。極彩色の絵が中心のため、他国に比べて日本のコレクションは少ないです。一番多いのはイスラムのコーラン。ペルシャの絵画、インドのムガールの細密画。どれも皆、非常に色彩が豊かで、金、銀もたくさん使われています。やはり、彼は色彩の方から入っていったのだと思います。

それとゴッホの『ひまわり』。ロンドンのクリスティでバブル絶頂期に日本の企業が法外な値段で落札して今は日本に行きましたけれどもね。あれは昔、チェスター・ビーティが所蔵してたものです。彼がロンドンに住んでいたときに、ご自宅の暖炉の上に飾ってあったそうです。他の印象派の絵は、アイルランド国立美術館に寄贈なさっています。『ひまわり』は寄贈品にも入っていなかったところをみると、よほどお好きだったのでしょう。だから、あれが落札されたときにはアイルランド中で話題になりました。息子さんが亡くなられ、その未亡人が『ひまわり』を売ったのです。あのような値段（五八億円）になるとは予想もしませんでした。この国の人々の愛着が深かったからか、アイルランド人にとって歴史的因縁の深いロンドンで落札されたからか、あの買い方、買われ方はとてもひんしゅくを買いましたね。

日本人、しかも普通の主婦だった潮田さんがアイルランドの学芸員に混じって働いた。

やはり、正直言って大変でした。彼らとは考え方、発想が根本的にちがっていました。最初はこちらの方々に合わせていましたけれど、最近は強くなりました。それは私個人にとってはプラスでもあり、マイナスでもあります。日本的なしとやかさを失いました。下手な英語でなんでも対等に頑張ろうとします。日本の美術品の扱いについて、まちがったことをされたりしたら、館長とでも議論してしまう（笑い）。

たとえば展示方法――西洋人は壁一杯に絵をたくさん展示します。でも、日本の書などは一部屋に二幅くらいで十分でしょう。空間の感覚が全然ちがいます。館長としてはやはり、世界各国からの依頼をどんどん受けて、コレクションを巡回させ、資金を稼いだほうがいいと言います。私は美術品が痛む方が恐ろしい。展示する場所や相手の条件を徹底的に調べ、安全を確認してからじゃないと認めません。そういうたぐいの議論が絶えないのです。

はじめた頃はボランティアで、持ち出しはあるけれど、責任はありませんでした。でも今は、日本関係の美術品をすべてまかされています。いまだにフルに仕事しても、半日分のお給料しかもらっていませんけれどね。そのかわり、仕事をしたくないときは、午後から自由にしてもいいと言われてます。

ただし、山ほど仕事がありますから、結局家にもちかえってやっていますけれどもね。

ほんとうに地味に仕事してきましたけれど、今になっていろんな実りがでてきています。こんど、日本の文化庁が世界に散っている日本関係の美術品の修復に資金を出してくださることになりました。

私、日本にいたら日本の美術品とか文化についてこれほど勉強しなかったと思います。チェスター・ビーティ・コレクションに出会えて、勉強させてもらったという感じです。ここのコレクションはヨーロッパやアメリカの大きな美術館などに劣らない素晴らしさがある。非常に誇りに思っていますね。

娘に「主婦業は捨てたのね」と笑われてます。息子にも皮肉まじりに、変わったって言われました。でも、私がいつも家にいてお菓子を焼いたり、洗濯をしたり、主婦業のみを続けていたら、今の私はありません。彼らも今の私を喜んでくれているのです。

この十年の間に二度の大病をしました。子宮癌と腎臓結石の手術。完全に人生観が変わりました。それまではくよくよしてすごく神経質でしたが、それ以後はプラスの人生。なんでも前向きに考えるようになりました。ぶつかって駄目なら駄目、と開き直ると、なぜかうまくいくってこともあるんですね。

そうそう、アイルランドについてもう一つ付け加えたいことがあります。病気になって実感したのですが、アイルランドの医療のすばらしさ。お医者さまも看護婦さんもじつに親切で、患者を安心させるように一緒にお茶を飲んだり、話し込んだり……。

麻酔担当医師の先生が手術の前日に「自分が担当するが、安心して大丈夫」と声をかけてくださったり。外国人だから特別ということでなく、誰に対してもほんとうに親切で温かいんです。

こうした温かい人々に囲まれ、大病から救われ、今は日本の美術品の魅力がさらに生きる意欲を与えてくれているのだ、とより強く感じるようになりました。

敗北の魂

道よりも勝負、負けるのもしょうがないかなあ

ベルリン／柔道家

青木光義（47歳・在外24年）

ヨーロッパの柔道は力の柔道ですよ。日本の柔道はこれに負けてますよ。からだの大きさで負けたんじゃないと思います。日本の柔道は昔、ものすごいシゴキにも耐える精神があったから何とか勝てたんです。今の日本の柔道場には、はりつめた、痺れるような緊張感がないですものね。技の美ばかり追い求めている。

こっちの人の勝負にかける執念はものすごいです。型なんかどうだっていいんですよ。勝てばいい。

逆にいえば、このコーチの指導では勝てないって判断すると、コーチの言うことを聞け、って命じても何も聞きません。負けたときも自分の技術や精神力を云々するよりもまずコーチの問題になってしまいます。疲れるような練習も駄目です。いかに短い時間で効果をあげるのか、というのがヨーロッパの柔道です。子どものときに心の柔道、精神の柔道を教えても、ある程度までいくとやっぱり力の柔道に変わっていってしまいます。

根本的に考え方がちがうんですね。

大学の体育学部で柔道一途だった青木さんは二三年前、青年海外協力隊メンバーとしてまずザンビアに赴く。そこで図書館のボランティアに来ていた現夫人と出会い、結婚。五年後に帰国したが、日本はドイツ人の奥さんに冷たい国だった。そして夫人の故郷ミュンヘンのコーチを引受ける。が、組織内部のもめごとで旧西ベルリン市のコーチに移動。十四年間「市連盟コーチ」を勤めたが、東西ベルリンの壁崩壊後、解任された。

一時はショックでしたよ。仕事探して歩きました。ミュンヘン近郊の小さな町からも招待されたんですけれど、数年の契約だったし、子どもの学校の問題もあるから——。それで一九九三年四月、壁の崩壊後、日本人ビジネスマン家族がベルリンに激増したために新設された日本人学校の体育の教師になったんです。

今、ベルリン市柔道連盟のトレーナーは男女ともに旧東の出身者が務めてますよ。崩壊の直後は、旧東独時代の秘密警察出身者や関係者のコーチを雇わないって言ってましたけど、スポーツ選手、トレーナー、スポーツドクターなどは皆、西ドイツに移住して就職してます。

東ベルリンにはオリンピックのメダル級選手が目白押しでした。秘密警察の秘密練習場も東ベルリンにあったんですからね。彼らは徹底して柔道だけをやってたんです。ドーピングをフルに活用して、勝つためのすべての努力を惜しまなかった。

これは東に限らず、西ドイツでも変わりません。ヨーロッパだけでもない。世界のすう勢ではドーピングを隠すような人はいないでしょう。オリンピックや世界選手権などの国際試合前後になると、ドーピングの反応を避けて使わないっていうだけじゃないでしょうか。

ドーピング効果によってかなり激しく練習しても、試合前に休む必要がなくなるんです。常にベストの状態に筋肉を回復できるアナボリカという興奮剤を使って、緊張感と集中力を高めるんですね。練習しているときにアナボリカを使うと、試合をやっても一週間と休まずに元の状態にもどります。もちろん、どこかで体に負担がかかって、それが後にドッとでてくるんですけれど……。

解任された直後、僕は西ベルリンのあるクラブでコーチをやってた時期がありました。東ドイツ出身の人が何人か、コーチになれないか、って職探しに来ました。ことごとくドーピング漬けなんですね。薬の後遺症で毛が抜けてたり、心臓がおかしくなっていたり、無茶苦茶にからだの傷んだ奴らが来ましたよ。

あらゆる手段を使って、強くなりたかったんだな、って痛ましかった。今、アジアの国々のドーピングが問題になってますけれどもね。小さな国が世界の桧舞台で注目を浴びるにはスポーツは欠かせなかったんでしょう。スポーツ選手になることも、特権を手に入れる重要な手段でもあったでしょう。

旧東ドイツでは、授業そっちのけで医者がめぼしい子どものからだのすべてを測定し、有望な奴はピックアップされていったって聞いてます。そして科学的なトレーニングを受ける。三、四年やって、伸びなかった人はちがう道に行くしかないでしょう。まあ、東に限らず、ヨーロッパ全体がスポーツ医学を駆使して、筋肉強化をはかってますけれどもね。

ベルリン市のコーチを辞した青木さんは、気功法、剣道の個人道場を始めた。

やっぱり、日本人の僕にとっての柔道って、力の柔道じゃなく、気の柔道、精神の柔道だって思いなおしたんです。昔の日本の柔道って、手を下す前に気力で相手を倒すほどだったでしょう。気の力って、筋肉の何十倍もの力を発揮できますからね。集中力、念力をつけていくんです。だから、私のクラブは国技館って名をつけました。日本の国技を教える、青木の柔道は心の柔道、技の柔道という気持ちをこめて、ね。

四、五年たったら、今まいている種が花開いてくれるでしょう。

弟子二百人

バルカンではスポーツも政治です

アテネ／空手ナショナルチームのコーチ

大嶽哲夫（47歳・在外20年）

旅ではなく、外国に滞在したい――大学を卒業した大嶽さんがアテネに来た理由である。まずは先輩に紹介された道場で空手を教えはじめる。一年間は労働許可証もなく、三ヵ月ごとにビザの書換えのために出国しなければならなかった。自らの道場を開いたのは二年後。そして現ナショナルチームのナンバーワンである女性と結婚。なんとなく始まった旅先の生活も、いつのまにか二十年を越えた。

今、アテネの道場には二百人の弟子がいます。学生出身者、インテリが多いんです。十五年間、アテネ大学とポリテクニック工科大学で空手を教えてましたから、ロコミで来るんですね。でも、ギリシャでは学生のスポーツ熱はまだまだそれほど熱くないんですよ。

ヨーロッパでは、空手は四番目か五番目に人気があるスポーツなんです。まあ、十四、五年前にブルース・リーの映画がはやった頃からカンフーと間違えて申し込んでくる人も多いですけれどね。柔道と空手のちがいもわからない人がいます。ヨーロッパでは、一番がサッカー、二番目はギリシャではバスケット、フランスではスキー、フランスでは三番目に柔道が入ってます。ギリシャの空手人口は一万人くらいかなあ。ドイツでは八万人くらい、スペインはもっと多い。最初は白人ばかりだったけれど、大会で勝利するのは黒人が多いですね。黒人は武道的な空手はあまり得意じゃないですが、ポイントをとる勝負に強いんですね。何よりも勝つのが目的だから、型というよりボクシング感覚ですよ。

心の問題など教えたって、勝てなければ生徒が集まりません。あるコーチなどは試合が近くなると、ポイントをとるための練習を集中してやってます。僕の道場では、基本練習の時間が長いんです。基本がなっていないと選手生命が短くなりますからね。空手は基本さえしっかりしてれば、一生続けることもできます。でも、基本やっているとポイントがとりにくいんです。皆、チャンピオンになりたがって、基本をやりたがりません。黒板使って理論的な説明をしたりすると、ヨーロッパ人は飽きてしまいます。それでも十年選手がけっこう増えました。僕の道場でチャンピオンになろうと思ったら、最低でも五年は続けてなければ駄目でしょう。

ビルの二階の道場で大学生の練習が始まる。めりはりのきいた大嶽さんの声が響きわたる。女性は四人。白帯のなかに数人の茶の帯の若者も混じっている。

このあいだ、僕のことが新聞で批判されました。アスレティック愛好者の『イーコ』って専門紙です。「ナショナルコーチのオオタケは連盟を利用して、ここに日本の植民地を作ろうとしている」って書かれた。

僕の一期先輩が教えた弟子でヤーニス・ベロニスという人がいます。僕は彼と対立しているんです。彼は総会の席で「オオタケはナショナルコーチになりたいために自分の生徒を役員に入れた。奥さんと一緒に海外旅行をしたいためにナショナルコーチになった」と誹謗してきます。家内はギリシャ選手権で一位になった選手ですから、文句言われる筋合いではないんです。

ギリシャの空手連盟が国に認められたのはヨーロッパでも最後の方でした。一九八六年、他の流派と一緒に連盟を結成し、国に認められたのは八九年でした。ナショナルチームができたのも一九九二年。ずいぶん働きましたよ。クラブの数を増やすために全国を歩きました。国から認められる前には、ヨーロッパの大会や世界大会に自分の道場からずいぶん人を送りだしたんですけれど、自分たちのポケットマネーでまかないました。

初めて自分についての批難がましい噂を聞いたときは、ガックリ落ち込んだり、怒ったりしましたよ。でもね、最近は、ポリティカルなゲームがかえって面白くなってきました。僕は連盟の役員にもなっていないし、この道場の政治的な面での代表者でもないから、総会の席でしゃべる権利は与えられていません。彼らは、反論できない相手に対して、名指しで足を引っ張るんです。ナショナルコーチの座からおろしたいんでしょう。そのために評判を落とそうとしているんです。

醒めて眺めていると、面白いですよ。

もちろん自分の生徒が反論をします。反論の方が、はるかに説得力がある。「総会において個人攻撃をするような論争にはのりたくないが、大嶽先生は批判されるようなことのない、コーチ料ももらってない人だ」ってかばってくれました。連盟が国に認められてない時期には、コーチ兼役員、通訳、すべて自分がやったんです。――そういうことを弟子が説明してくれました。会場がシーンと静まってしまいました。

でも、国の予算がおりるようになると人が群がってくる。自分は外国人ですから、役員にはなれません。弟子がやっているんです。ギリシャでは、有段者や強い人がトップに来るのではなく、民主主義で運営されるんです。オリンピック誕生の地であるとともに民主主義発祥の地でもありますからね。すべては多数決です。

ギリシャで何かやると敵も味方も多くなるんですよ。スポーツもこうなると政治の世界ですね。この国ではスポーツコーチもバルカン政治家にならないと生きていけません。先週の日曜日、連盟役員選挙がありました。先々週から票読みで、電話のかけまくりです(笑い)。

昨日の敵は今日の友、今日の友は明日の敵って感じです。誰もが役員になりたがります。役員に与えられる特典が目当てなんでしょう。ヨーロッパ遠征なんかにも連盟役員は国の資金で行けます。あとは名誉欲しさ――。

政治的駆け引きが露骨ですよ。それだけに多数をとるようになると面白い。自分のグループは選挙に強いんです。ひとり、「小沢一郎」みたいな奴がいるんです。

大嶽さんの活動範囲はギリシャ全土、キプロス。最近はバルカン半島のブルガリア、ルーマニアに指導に行くようになった。国際大会出場、連盟の運営と忙しい。

ブルガリアとルーマニアは伸びていくんじゃないかなあ。一週間ちょっと行って、彼らにしてみれば大金をコーチ料として払ってくれてます。僕にしたらないのと同じような金額（笑い）。ああいう国にこそ日本の政府が資金をだして道場の畳なんか寄付してやるといいんだけどなあ。

包丁一本

ウィズ・ハート、ほんとうの成功はこれからです

ビバリーヒルズ／板前
松久信幸（45歳・在外22年）

青空とヤシ並木を縫って走るハリウッドとロサンジェルスのダウンタウンを結ぶウィルシャー通り——。ビバリーヒルズの一等地にシェフの王冠ザナットを連続受賞した松久さんの店はある。フランスのミシュランに匹敵するカリフォルニアのこの賞で日本料理店が選ばれたのは初めてのことだった。彼は一枚の写真をとりだした。戦前からパラオ島で材木を商っていた父親の写真である。

僕が外国に出たい、と思ったのはこの写真がきっかけでした。高校でてすぐ、新宿の鮨屋に住み込みで働いたんです。修業時代には辛いことばかりでした。朝は早いし、夜は遅い。親方にも先輩にも絶対服従。雪のなか、

かじかむ手で自転車に乗って、オカモチを運びました。優しい声かけられると嬉しく、いじめられれば「この野郎！」って歯食いしばってね。

最初の三年間はくる日もくる日も仕込み、出前、お茶くみ。シャリなんか触らせてもらえません。握りの技術だって誰も教えてなんかくれません。先輩が握っている隣に立って、じっと横目で見ながら晒《さらし》を使って、握りの型を覚えました。だけど、とにかく好きな道ですからどんなことだって耐えられましたよ。

三年目に初めて板場に立ちました。役者で言えば舞台です。足が震えました。

たまたまペルーから来ているお客さんが「店をやらないか？」と誘ってくれたんです。職人です。いつかは独立が夢です。小さいときに見たパラオで撮った親父の写真が一瞬よぎりました。しかも、ペルーっていうのは今でこそ不景気な話ばかりですが、当時は世界一の漁業国だったんです。独身だったんで、身軽でしたしね。その場で決心しました。

ペルーのリマにまず店を開けました。だけど、経営者と合いません。われわれ職人は金と関係なくいい材料を使って、新しい料理に挑戦してみたいもんなんです。経営者はちがう。小さな資本で大きな利益をあげたい、しかも確実な線で、って思う。三年間、そのずれは広がる一方でした。思いっきりできないっていうのがすごくいやでしたね。結局、衝突してしまいました。日本から来て結婚した女房、子どももいるのに前後の見境なく、自分の道を全うしたい、と手をひくことにしました。短気なんです。

翌日から何もすることがありません。そうなると、ペルーという国、ペルー人まで嫌いになってしまう。一刻も早く、ペルーを出たいと思った。

そんな気持ちを察してかどうか、大使館の一等書記官の方がアルゼンチンの日本食レストランを紹介してくださいました。

ペルーは魚の国ですが、アルゼンチンは人間より牛の方が多い。牛肉しか食べない国でしょう。日本料理店の客は限られた日本人だけですよ。しかもラテンの国ですから、街の賑わいは午後十時、十一時から始まって明け方三時くらいまで続きます。お昼はなし、日本人客が来ませんから夜も午後十時までしか店をやりません。魚を扱う職人は陸《おか》にあがった河童ですよ。仕事なんかほとんどない。給料は安い。物価が安いからかろうじてやってはいける。定住するならいいでしょうが飛躍のチャンスはありません。一年間、暇にまかせて司馬遼太郎の本をむさぼるように読みました。今思うと、あんなに自分についで考えた時間もなかったですねえ。

一年ぶりにペルーの知り合いの結婚式に呼ばれたんです。そこで久しぶりに会った知り合いから「外国にいて何もすることがないなんてよくない。やりなおしがきくうちに日本に帰れ」って叱られました。

とるものもとりあえず家族一緒に帰国したんです。ところが僕の留守中にオイルショックがあったんですね。日本は変わってました。それに四年も外国で暮らしてしまうと日本に馴染めない。甘えかもしれませんが、就職した鮨屋でもテンポが合わない。給料もらっている身ですから、親方に反抗もできません。鮨屋をやめて十ヵ月くらい家業の材木屋を継いだ兄貴の手伝いをやってました。でも、耐えられない。もう一度外国に出たかった。たまたま俳優の金子信夫さんから「アラスカに行って店を開けないか？」って誘われました。

パイプライン建設でアラスカの景気がいい、日本からのヨーロッパ直行便やモスクワ経由便がなく、アンカレッジは空の十字路って言われてました。日本人の客が多かったんですね。まだ二七歳、やれるって思ったんです。一銭も持たせずに女房、子どもを実家に預け、支度金を借金して単身でアラスカに向かいました。

アラスカでは、以前からあった店の改造に半年かかりましたね。大工仕事からやりましたよ。メニューも完成してアパートを借り、女房と子どもを日本から呼びました。一生懸命に鮨握りましたよ。さあ、これからって、ほんとバラ色の未来ばかり夢見る五十日が過ぎたんです。あれはちょうど感謝祭の日でしたね。雪の降る夜でした。友だちの家でくつろいでいたら電話が鳴ったんです。

店が火事だ、って言う。

すっとんで行きました。雪に埋もれたアンカレッジで、ようやく開けた店がガンガン焼けてました。目の前、真っ暗になりました。神も仏もない、って思いました。それからは、飯も喉通りません。ボーッと座ってるだけ。手を動かすことも思いつかない。言葉も忘れてしまった。何かたべても、吐いてしまう。

――（沈黙。うっすらと涙が浮かぶ）

悪くなると人間関係まで悪くなるもんです。それからは店のパートナーとのいざこざが絶えない。彼はスポンサーも下りるって言いだしたんです。ビザの保証人がいなくなったら僕はアメリカにいられません。

帰る航空券を買うお金もありません。すべて借金のスタートでしたからね。これから返そうってところだったんですから――。そんな時に日本航空のパイロットの方があの当時で五〇〇ドルのキャッシュと航空券を貸してくれました。出世払いでいい、ってね。地獄で仏を見た、っていうのはあれを言うんでしょう。悩んだあげく、まず、家族を日本に帰しました。それで、ペルー時代に一度だけ立ち寄ったロサンジェルスの友だちに電話しました。そしたら「来い」って。ビザが切れる直前でしたから、そのままロサンジェルスに移ったら不法滞在になってしまいます。受入れ先がはっきりしてからしか動いたことのない僕には不安でした。でも、道のある方に進むしかありません。一週間後、ロサンジェルスに友だちを訪ねました。たまたま二ヵ月前に開店した日本食レストランが鮨の職人を探してたんです。

親方は、天皇陛下がアメリカにいらしたときに料理番をされたほどの方でした。頑固者でね、仲間からはあの親方の厳しさによく耐えた、って驚かれます。でもね、僕はもう、どんなことにも耐えられるようになってましたからね。

ロサンジェルスでも、最初は疫病神がついているんじゃないかって参るほどついてなかったです。半年して親方から中古自動車を買いました。ロサンジェルスでは車がなければどこにも行けませんからね。でも、買ってすぐに盗まれてしまった。保険にも入ってなかった。しょうがない、次に自転車を買いました。一週間でまた盗まれてしまった。まったくついてないでしょう?

二年後、親方から追い出されました。鮨についてはもちろんですが、アメリカで暮らすためのすべてを僕は親方に教えていただきました。日本食レストランではグリーンカードや永住権をとったらお礼奉公するのがしきたりだったんですが、親方は「もっとアメリカを知れ。もっと大きな仕事をしろ」っていう親心、愛情で追い出してくれたんですね。

次に松久さんは「王将」というレストランの鮨バーにスカウトされ、カウンターをまかされた。

僕は、自分のやりたい料理を作っていければそれでいい、って思ってたんです。お金に関しては淡白な男でしたからね。だけど六年目、オーナーが僕に相談もせずに店を売りにだしてたんですね。僕はその話をお客さんから聞いて初めて知りました。過去に何もなくなった経験がありましたからね。二度と失敗は許されません。不安定な職場でウロウロしている余裕はない。オーナーは「家を買って金が必要だった。気の迷いだったがもう売るつもりはない」って言います。その場は信じました。しばらくして二度目に同じ噂を聞いたときには裏切られたって地団駄を踏む思いでした。だからといって、いきなり尻まくるのもおかしい。恩義があります。半年だけお礼奉公して、七年目にやめました。

やめた時、ペルー時代の仲間が癌を患ったっていうので見舞いのために日本に帰りました。同じ頃、僕にアルゼンチンの店を紹介してくれた方も日本にいた。その人が「この金を使え」って何も言わずに七万ドルを貸してくれました。そのお金で、ビバリーヒルズに自分の店を開けたんです。一九八七年でした。

王将時代、松久さんはペルー、アルゼンチンで学んだ料理を日本料理風にアレンジし、数々の創作料理を生み出していた。アメリカ人のコンピューター技師の客がその材料や作り方を克明に記録して本の体裁に整えてくれた。それが現在の松久のメニューとなっている。

こんどこそ文句言う奴は誰もいません。自分の店です。僕を入れて七人のスタッフで、五ページのメニューから始めました。最初の三ヵ月はスタッフ全員が、一日も休みませんでした。もう失敗は許されない、絶対に以前の僕には戻りたくありませんからね。

嬉しかったのは、ロサンジェルスに来た最初の鮨屋時代から続いているお客さんの気持ちです。一人はアメリカ人ですけれど「開店祝いだ」って、店いっぱいのお客さんにお酒をもてなしてくれました。なによりの励ましでした。

僕の料理は、ありあまるほどの贅沢を究めた材料からアレンジしていくんです。最初は料理の値段に占める原材料の価格の割合が五〇パーセント、六〇パーセントにもなってしまいました。普通のレストランだったら三五パーセント、せいぜいが四〇パーセントでしょう。一五パーセントに抑えているレストランだってざらですよ。でもね、ようやく経営者の目を気にせずに材料を使える自分の店を持てたんです。だから、市場に行っていい材料があればなんでも買ってしまいます。パウンド五〇ドルの素晴らしいトロを見ると、買わなければかわいそうな気になってしまうわけですね。とにかく買います。どういうふうに売ろうかって考える。われわれ鮨職人は極上のトロを焼くなんて考えもつきません。なんとか生で、と考えます。でも生で売れる量には限度がある。ひとまず日本人の観念を捨ててみます。あ、そうか、ステーキはどうだろうか。しかもドンと厚く切ってレア気味に焼きあげる。それだけじゃ面白くない。金箔をかけてみよう。二四金の金箔。トロリと溶けますよ。もっと驚く豪華さをだしたい。キャビアをのせる。言葉で聞いているとどうかなあって疑うでしょう。だけどね、料理の理にはかなっているんですよ。トロは味、金箔はインパクト、キャビアとの組み合わせは意外性と贅沢な雰囲気。

値段なんか気にしません。今月いくら儲けよう、なんて考えたら職人はいい仕事できません。

もう一つの創作源はお客さんとの会話です。プロには固定観念がありすぎるんです。とくに日本料理の職人にはね。素人は自由な発想しますよ。たとえばソフトシェルクラブ。脱皮した直後の、カナダ産の殻ごと全部食べられる蟹です。これが手に入ると嬉しくてしょうがない。セオリー通り、唐揚げにします。そうするとお客さんが巻いてくれ、って言うんです。こっちにはそういう発想ないでしょう? カリカリに揚げた蟹、かつらむきにした胡瓜、マサゴ、アボガド、刻み葱と一緒に海苔巻にする。鮨としては邪道かもしれません。でもね、お客に喜ばれる料理を完成していくのが職人です。

見てください。五ページだった創作料理が今は何十ページもの分厚いものとなりました。

贅沢な日本料理、それが高級店が並ぶビバリーヒルズで受けた理由でしょうね。オープンした当初から、いろいろな人が何の前ぶれもなく客を装って取材に来てたようです。新聞や雑誌に紹介され、あれよあれよという間に注目されるようになりました。

これまで僕はお金でずいぶん苦労しました。お金のある人はお金で解決しようとします。これ、世の中の仕組みでしょう。はっきり言ってお金で解決できないことって何もないって言ってもいい。そういう言い方に反発する人もいるでしょうが、アメリカってそういう所です。ところが僕には金がなかった。金がない人間には真心しかありません。自分の知恵を絞って、真剣に新しい料理を考え、お客にアピールしていく。そういうパワー、エネルギーをいつでも持っていなければならない。

レストランの基本は、旨い料理、それに見合った値段、そしてサービス。この三つに尽きます。アメリカでは一流店の評価をするときサービスを重くみるみたいです。食い物まあまあ、サービス最低、これは最悪。

だけどね、サービスっていっても日本的な平身低頭っていうのとはちがうんです。目茶苦茶言う人やひどい酔っぱらいには「すみません、お帰りください」と言うこともあります。伝票見て、高いなあっていう表情をしたり、嘘をつかれていないかチェックしたりするお客さんに目の前で伝票を破り「二度と来ないでくれ」って啖呵を切ったこと、何度もあります。僕、自分の仕事に誇りもってますからね。値段だって決してボッてないですから。ビジネスだけなら儲かったほうがいいでしょう。でもね、これまでも家賃が払えて、魚屋さんや八百屋さんに払えて、皆の給料が滞らない、自分は去年よりも百ドル給料がアップすれば上等っていうふうにやってきましたからね。決してそれ以上の値段つけません。だからお金で不満を示されると、プッツンしてしまうことがあるんです。お客さんのために料理したんですからね。

だけど、僕もまるくなったらしい。昔はよく喧嘩しましたけれど、今はてめえの方から飛び込んで友だちになってやろうって思うことにしてるんです。喧嘩したお客さんも皆さん帰ってきてくれます。そういう人から「おいしかったよ」って言われたときには、ほんとうに職人やっててよかったなって思います。

五年間、一日も休まずにやってきました。七人で始めたスタッフも今では四三人に増えましたよ。一生懸命にやっていると、自然にお客さんがついてきます。

九〇年にザナットで最初に一位をもらったとき、やっぱり嬉しかったです。あらゆる種類の料理店のなかから選ばれたんですからね。ザナットの人に「ありがとうございました」って頭下げました。そしたら「われわれではない。何百人というお客さんが君を選んだ。そういう人たちに感謝しなさい」って言われました。

あのときまで、アメリカ人はほんとうの意味では、日本料理を高級とは感じていなかったような気がします。アメリカには伝統と格式のある日本料理店が一軒もありませんでしたからね。

二年続けて一位になって、こんどは追われる立場ですからね。辛くなりました。要は一生懸命に後悔しない仕事をしていくことだって、言い聞かせてます。

インタヴューの席となった個室をこれまでに訪れた客には、ブラウン元カリフォルニア州知事、歌手のマドンナ、俳優のロバート・デ・ニーロ、リチャード・ギア、そしてイメルダ・マルコス夫人……。

近頃、全米の料理人たちが集うチャリティに呼ばれるようになりました。つい最近呼ばれたのは、マイアミのハリケーンの被害者に対するチャリティディナー。日本人の板前で呼ばれるのは、僕一人だけです。一人六五ドルの会費で二千人ほどのお客さんが集まります。全米から選ばれた有名シェフが料理を作るわけです。材料選びから仕込み、当日まで前後四日のボランティアです。無報酬ですよ。モチロン！　包丁一本持って、チャリティには必ず行くようにしてます。

恩返しなんですよ。今、僕がこうして好きな料理で食べていけるのも蔭で支えてくれた人がいたからですからね。自分が好きでやっている仕事で人のためになれるなら、これにこしたことがないでしょう。

最近、真心を尽くすと必ず相手に通じるってことがようやくわかってきました。

料理って仕事は残りません。消えてしまうものだからこそ手をかけて作りたいっていうの、わかりませんか？

一生懸命心をこめれば必ず通じるはずなんです。

ウィズ・ハート……。

人間を大きくするのは人間でしかないんです。いかに人間と付き合って、人間から何を学ぶのか。

「成功してよかったね」ってよく言われます。でもね、僕にとってのほんとうの成功は、四三人のスタッフ全員が独立してパリ、ニューヨークに松久の店をだしたとき、それが成功したときだって思っているんです。

ほんとうの成功への挑戦はこれからです。

成功物語

デヴューの日

終わった瞬間、観客が総立ちになりました

ベルリン／指揮者
浮ヶ谷孝夫（41歳・在外16年）

川口の鋳物工場の職人の家庭に生まれた無類の音楽好きの浮ヶ谷さんは、占いを信じる青年でもあった。十五歳のある日、易者に手相をみてもらうと二五歳で結婚、将来は外国に渡り、音楽で成功すると言われる。占いどおりの年齢で結婚、意気揚々とベルリンへと出発。すべては易者の予測通り、順調に進んでいた。

それがベルリンに来て八年間は絶望と希望、不安と絶望との間を行ったりきたりでしたよ。

ベルリン音楽大学指揮科に入学したとき、先生に「どうしたら大成できるか？」と伺いました。

ヨーロッパやアメリカには自らシンデレラ物語をこし

らえ、センセーショナルに世の中に登場する人が厳然といます。そしてたしかに力さえあれば、伸びていく。しかし、僕は日本で音楽大学の学閥とは無縁でしたし、音楽界に頼れる人も組織もありません。僕には、どう考えてもそのスタートはありえません。

次の道は、やはりコンクールです。コンクールで賞をもらったら、音楽家としての道が保証される、と思われがちです。僕も初めはそう思っていました。とくに僕のような一匹狼にとって、コンクールは頼みの綱でした。

毎回、緊張してコンクールを受けたんですね。あるコンクールを受ける直前には願をかけ、それまで一日二箱も吸ってた煙草をやめたこともある。でも、コンクールの舞台で禁断症状がでて震えがとまらなかった（笑い）。コンクールには落ちてしまったけど、煙草はやめられた（笑い）。結局四回のコンクールで二回受賞しました。だけど、仕事に結びつかない。なぜか？　そのうち、どこのコンクールでも出会う顔触れが似てる、ってことに気がついたんです。

大きなコンクールには何百人という応募者がいます。主催者側はどうやって大枠の選別をすると思いますか？まずは書類選考です。賞の経歴があるかどうかが第一の基準になる。となると、コンクールに招待される人は、ほとんどが賞の経験者ってことでしょう。ヨーロッパのコンクールでも日本人が次々に優勝していきます。でも彼らが何度もコンクール会場に来るってことは、コンクールにはデヴューのチャンスがないってことでしょう。

次は、有名な指揮者の助手からひきあげてもらって道です。僕もカラヤンコンクールで賞をいただき、カラヤン先生の練習に参加して、自ら「カラヤンの弟子」と名乗れる一人に選ばれました。

だが、待てよ……。カラヤン先生がベルリンフィルを指揮するのと、僕がちがうオーケストラを振るのでは練習だって全然ちがうものになるはずでしょ？　「カラヤンの弟子」と有名人の名前に寄り添うような人間にはなりたくなかった。カラヤン先生に「貴重なお墨付きをいただいたのにもうしわけありません」って申し上げ、途中で見学に通うのをやめました。ごまかして中途半端な評価をもらうより、少し我慢してもっと大きく自力で伸びていきたい、ってこと。欲張りですねえ（笑い）。

指揮者にかぎらず、自分を追い抜くような人間を育て、チャンスを与えるような純粋な芸術家はなかなかいないでしょう。それに指揮者は、実際に舞台でオーケストラを指揮しなければ育たないものじゃないでしょうか。経験、風格、そしてオーケストラとのやりとり――これらは知識で学べるものではありません。ピアノでスコアを弾いていても、鏡の前でステレオかけて指揮の型を練習しても、何かが足りず、そしてその足りない何かこそが指揮者が舞台で要求される重要な要素だってことではないでしょうか。

仕事もなく、時ばかりがいたずらに過ぎ去っていく。八方塞がりでした。

もっともしんどかったのは、日本の母が亡くなったとき。そしてベルリンに来て五年目に、僕を教えてくださったドイツの先生が亡くなってしまったとき……。先生は知り合いのマネージャーに紹介の手紙を書いてくださったりしました。もちろん結果としてみれば、そういう手紙はあまり効果がありませんでした。でも、僕に目をかけてくださる方がいる、というだけでも心の支えになってたんです。先生が亡くなって、ヨーロッパでの僕のデヴューの道は完全に閉ざされてしまった――すくなくとも、僕はそう思い込んでしまった。

六年目にさしかかったときはまったく、出口なしの状態でした。夜中なんかいてもたってもいられない。自分はたぶん指揮者になんかなれない、身分不相応だったんじゃないか――、後悔とも不安ともつかない気持ちに苛《さいな》まれます。無駄とわかっていてもスコアを読み、鏡の前で素振りをし、腕の筋力の保持のトレーニング、健全な精神状態を保つ努力……いつどんな瞬間に舞台の声がかかってもいいように続けました。それからの二年間は、やむにやまれず毎日妻の順子と走りました。指揮者って体力が重要ですからね。走りながら、僕は「勝つぞ！勝つぞ！」――それに応えて彼女は「頑張るぞ！」って声かけあいながら、ね。思いだすと、恥ずかしいなあ(笑い)。何に「勝つぞ！」なのか今もってわからない。

――でも、デヴューできた……。

僕、占いを信じるんです（笑い）。いや信じたい。十五歳のときが易者が占った「三十代前半で仕事が始まり、あとは最高」って言葉を何度も思い出し、それを自分に言い聞かせました。自分が小さいときから不思議と強運に恵まれていたってことも、ね。子どものとき家が放火されたときには、カナリアが騒いで皆に知らせてくれた。ベルリンの家に泥棒が入ったときには猫が啼いて助かった。僕はいつも動物に逆境を助けられてきた(笑い)。

　チャンスは小さい室内楽団のレコーディングをお手伝いしたときにやってきました。一人のマネージャーが「なかなか上手だ」って程度に僕に目をつけた。ある時、彼がマネージメントしてたポーランドの交響楽団の常任指揮者が政治的な理由で出国できなくなった。あるオーケストラがドイツに演奏旅行に来るにあたり、マネージャーがその常任指揮者から「若手指揮者でやってくれ」というテレックスを受けとった。そのとき僕を思い出したんです。提示された契約はポーランドに行って練習をし、ポーランドとドイツで演奏する、という内容でした。最初、知らされたプログラムには僕の知らないショパンと同時代のポーランド人作曲家のオペラ序曲が含まれてました。徹底して勉強しました。それに加え、演奏会の四週間前に突然、ドボルザークの八番がプログラムに加わってきた。これは以前から勉強してたからよかったですけれどもね。

　契約のとき「この演奏旅行でいい評価を得たら、あなたがマネージャーになってくれますか?」と期待をこめて聞きました。そしたら「ウキガヤ、それは駄目だ。指揮者を売るのはむずかしい。成功しにくい」って。ガックリして寝込んでしまいましたよ(笑い)。この音楽会が終わったら日本に帰って、音楽とも縁を切ろうって思った。八年ドイツで頑張ったし、十五歳のときから必死に勉強してきた。あきらめもつきます。

　あとで知ったのは、ポーランドでの演奏会はテストだったっていうんですね。それが悪かったら、マネージャーは僕をドイツへの演奏旅行には加えない、という腹づもりだった。僕のほうは、そんなこと知らない。でも、最後のチャンスは与えられているんです。マネージャーがつかなくても、オーケストラの人たちがいい指揮者だ、とまた呼んでくれるかもしれない。まあ、過去にオーケストラがいい、と言って成功した指揮者の例はありませんけれどもね。

　ヨーロッパで初めての仕事でした。練習のとき、緊張して力んでしまいました。ただただ一生懸命に振るから思うようにいかない。

　最初の休憩のとき、妻の順子が見かねたんでしょう。さりげなく言ってくれました。

「なんだか肩に力が入ってない? もっと自由になってみたら? 自分がやりたいことを一生懸命やって駄目なら駄目でいいじゃない。好かれよう、結果をだそうって思うからおかしくなるんじゃない？」

順子の言葉、神通力（笑い）。不思議にリラックスできたんですね。背水の陣というか、自分のふだんの力が自然にでてきたんです。オーケストラの音もガラッと変わり、自分も、オーケストラものめりこんでいくのがわかりました。

一回目の本番が終わった瞬間、観客が総立ちになりました。オーケストラの人たちも「マエストロ、これからも僕たちの指揮者としてやってほしい」って言ってくれました。ドイツの演奏旅行も大成功でした。

演奏旅行の最終日、あのマネージャーと別に、もう一人見るからに気障な男がやってきたんです。彼が「おめでとう！　あなたをマネージメントしたい」と手をさしだす。内心、ウム？　ってな気分ですよ。隣に契約を断ったマネージャーがいましたから「ドウダイ！」って気分でしたね。僕は「駄目」と断ったマネージャーに礼を尽くすつもりで「この人はこう言ってるけど、あなたがチャンスを持ってきてくれたんだから」って再度契約の話をもちかけました。そしたら二人はパートナーでもあったんです。両方と契約できるって言うんですね。

それが、僕の指揮者としてのデヴューでした。

現在、浮ヶ谷さんはフィルハーモニア・ポモルスカ常任指揮者をはじめ、エドモントン（カナダ）、カンヌ（フランス）、ポーランド国立、ベルリン放送交響楽団、北ドイツ放送、ハノーファー放送交響楽団など数々のオーケストラの客演指揮者として欧米にその名を知られるようになった。

一九九五年はRSOザールリュッケン、九六年には北ドイツ放送ハノーファー交響楽団を率いて渡欧以来初めて指揮者浮ヶ谷孝夫の日本での凱旋公演が行われる。

デヴュー以前には考えられないような夢のような指揮者の毎日です。もちろん今でも時として疲れたり、苦しむことはあります。もっともっといい指揮者になりたいですからね。そんなときには庭の雑草を抜きながら考えるんです。答えがでるまで、ね。

長い長いデヴューまでの時間にくじけなかったのは、音楽とはこうあるべきだ、あるべきことをすべてやり抜く、という変わらぬ信念があったからです。

雌伏の八年が僕に教えてくれたのは、事実をそれ以上にもそれ以下にも見ない、ということ。人間って、どうしても自分にまつわる事実を粉飾しがちでしょ。とくに、自分が不安定なときには、事実を過剰に期待したり、ひがみや妬みが加わって過小に判断したり……。それが、自分が今どういう状態にあるかという判断を鈍らせてしまうんです。自分自身をとりまく現実を冷酷なほどに見つめる。しかし、たとえ事実がいやなことであっても、僕は自分を信じました。僕は必ず逆境をプラスにもっていきます。障害もなく順調にいったことよりも、悪いことを体験したがゆえに、結果がよくなったというほうが強靭なものになっているはずでしょう。

僕は、オーケストラ練習にもこの真理を応用する。本番前の練習で演奏が最高潮に達したとき、一度必ず、「駄目！」とつきはなします。緊張が走って、本番にはもっとよい演奏になるケースが多い。

日本刀は叩かれれば叩かれるほど強く、しなやかな切れ味になっていくということですね。

プロモーション

日本にいたらお掃除屋を続けてたかな

アムステルダム／薩摩琵琶奏者
上田純子（31歳・在外6年）

東京って、音楽を志す者が音楽を続けていけない町なんですね。劇場で演奏し、その合間にレコード売り場の店員、ビルの掃除、バーの皿洗い——。アルバイトの合間に演奏や作曲をする。タフじゃないと音楽を続けられません。危険なのは、アルバイトの機会が山ほどあって、そこそこ食べていけるってこと。自分がプロなのかアマなのか曖昧になってしまうんですよ。

日本人のボーイフレンドはアルコール中毒ぎみだった。意見の食い違いからアメリカ人の作曲家に恐喝・乱暴されたこともあった。アルバイト、音楽への焦り——上田さんはほとほと日本の暮らしに疲れていた。そんなとき、オランダ人のフルート奏者が大学で演奏をした。彼の音楽、人間性に感動し、彼を楽屋に訪ねた。彼は「音楽家は音楽を続けていかなければいけない」と彼女をオランダに誘った。すべてを捨てて、上田さんは、音楽とそして彼の待つオランダを目指した。

最終的な決断のきっかけを作ってくれたのは琵琶の師匠である鶴田錦史女史の言葉でした。「琵琶音楽は世界中、どこにいても演奏できます。あなたが琵琶の本質を知り、語りの登場人物になりさえすれば――」

彼、ウィル・オッフェルマンズと私が住むこのアパートの周辺はアムステルダムでも貧しい地域です。トルコ人、モロッコ人とか移民の人たちばっかり。私は大好きなんですけれど。彼も現代音楽家だから貧しいんですね。でもね、音楽だけをやって貧しいなら耐えられる。

オランダにはアーティストが多いんです。この国はアーティストに生活保障をしている。一年に一枚の絵を描いただけでも、自分でアーティストと申告すれば食べてはいける。アーティストをめぐるそういった優遇に私も彼も批判的です。それでは強い芸術は生まれない。

コネもないところから始めるのは、ほんとに大変です。自分で自分をプロモートしていかなければならない。日本人の私はどうしても自分を打ち出していくのが苦手です。マネージャーに頼めば楽なんでしょうけれど、それではお金がかかるでしょ。CDも自分で製作し、自分で写真を撮り、ビラを刷って全世界に送る。「ソロコンサート、自分で作曲した現代音楽と古典の語りの二本だてでコンサートできます。デモテープ同封」って、ね。まずは彼とのデュオでアメリカ合衆国に四百通のプロモーション資料を送りました。以来、アメリカへの旅は多いですね。八九年には二六都市から返事がきましたけれど、世界の経済不況で翌年は半分だけ。

世界全域にすると一〇パーセントくらいの反応が返ってきたかなあ。

いろいろなエンターテインメントのイヴェント、バックグラウンドミュージックといった申込みもきます。でも、そういうのは断ります。私たちの音楽は大きな音楽祭から小さな小屋まであらゆる状況で演奏できます。だから、自分たちが演奏していく場を選ばなければならない。そこの選択がむずかしいんです。

もう一つ心がけているのは、琵琶というような珍しい楽器ですけれど、エキゾティシズムでは売りたくなかった。自分のフィールドは現代音楽、そういう頑固さをもっていないと、結局長続きしないって思いましたからね。

オランダの現代音楽のサークルに入っていれば、国内で定期的な演奏会に参加できるし、そこそこ安定したお客さんも入る。批評も受けられる。ただし、一部の現代音楽マニアの内部のできごとにすぎないわけです。私たちは、隣のおばさんやおじさんの現代音楽、いわば毎日の暮らしで使われる音楽に挑戦していきたいんですね。

田舎町なんかだと、現代音楽のコンサートを開くのは私たちが最初で最後かもしれない。聞きにきてくれる町の人たちの意気込み、熱気がちがいます。そうなるとお客さんと一緒に見えない何かを生みだそうっていう不思議なエネルギーが生まれ、演奏にも熱がはいるんです。

その喜びと裏腹に、ギャラは少ないけど……（笑い）。ある程度のギャラをもらわないとプロではなく何でも屋になってしまうでしょ。そんなときは、二人でいろいろ考えます。自分たちが旅したい南米とか、東欧なら受けるけれど近場のときは別の条件を吟味するとか。

以前、あるオランダの村から呼ばれました。グラスハウスで盆栽に囲まれながら演奏してください、っていう申込みだった。あんまり突拍子もないからとまどったんですが、行きました。村の皆さんがものすごく一生懸命なんです。農民のおじいさん、おばあさんまでコンサートに来ている。初めは静かに聴いていらしたんですけれど、そのうちに皆さんの感動が演奏している私たちにひしひしと伝わってくる。コンサートが終わったら、CDの取り合いになっていました。ああ、これが使われている音楽なんだな、と感動を覚えましたね。

上田さんの最新のCDは『How to survive in paradise』『Voice and Noise』――ウィルと二人で作成した。

日本を出て以来、東西ヨーロッパ、南北アメリカ、そしてアジア各地をコンサートで回りました。今度作ったCDはそんな私たち二人の旅から誕生したんですね。

私は「音」自体のおおらかさに戯れていきたい。琵琶、声ともに実に音色豊かな表現体です。それを極めながら日本の枠にとらわれず人類に共通なユニバーサルな表現を見つけられれば、と思ってます。その音楽には私の人生経験や興味、思いが反映されていくにちがいありません。だから、世界中を旅しながら様々な人や土地に出会うことは私にとってとっても大切なことなんです。
私たちは旅と音楽を通じていろいろな人に出会い、いろいろな世界を発見する——それもパラダイスだって思うんです。パラダイスだから飛行機に乗って旅ができる。飛行機に乗ると、結果的に公害をまき散らして地球を汚している——そういう矛盾と葛藤こそが重要ではないでしょうか。その葛藤のなかで、でも音楽は私たち人間にとって贅沢な楽しみなんだっていうことですよね。

そしてオランダに住んで五年が経過した——。

時々ね、あのまま日本にいたらどうなってただろうって思います。きっとまだビルのお掃除してたんじゃないかなあ。琵琶も上達せず、コンサートなんかやれなかったかもしれない。
日本では、音楽に熱中できる——この非常に簡単でむずかしく厳しい状態はほんとうになかったことです。

抜擢
ソニーの精密機械のように踊れ！

ニューヨーク／プリンシパル
堀内 元（在外14年）

一九八〇年二月、ローザンヌ国際バレエコンクールで優勝した堀内さんは、ニューヨーク・シティ・バレエ団の創立者ジョージ・バランシンにプリンシパルに抜擢された。

若かったんですね。ローザンヌのコンクールも受験戦争みたいなもので、十五、六だからできたってことでしょう。あの頃は、自分がいいものは世界もいいと言うはずだって信じてましたからね。
バレエを職業、というふうに考えたのは最近です。それまでは習い事の延長みたいで、気がついたらお金をもらっていたってな感じでした。逆に言えば、職業なのかどうか悩む時間もなかった。それしかなかった、って感じです。鍛えあげ、積み重ねて作りあげた肉体ですから、三日休んだら、もとにもどるのに何倍もの時間がかかってしまいます。立ち止まっては悩めない、歩きながら悩まなければいけない。

バランシンはストラビンスキーと親交があり、彼の生誕百年のとき『ストラビンスキー・フェスティバル』をやりました。プログラムにバランシン振付の新作があって、僕が抜擢され、その他大勢の役を勤めずに一足飛びにポーンとソリストになれたんです。

幸運でした。たまたま僕を見た日、バランシンの機嫌がよかったんでしょうか（笑い）。彼には「お前は皆とちがうんだから、そこをわきまえてやりなさい」って忠告されましたね。

肉体のハンディはありました。こちらの人は背も高くガッシリとしている。僕は日本人のなかでも小さい方でしょう。悔しかったです。バランシンには「ゲンは背が低い、華奢だ。その分トヨタやソニーのような精密機械みたいに踊れ、ジャンプしろ」と徹底して言われました。

シティ・バレエの場合、舞台のない日で四、五時間、舞台のある日でも二、三時間は練習をします。一応ニューヨークで高校と大学に進学したんです。両立はむずかしい、と大学をやめたら、急速にバレエが伸びました。

僕はほんとうに指導者に恵まれました。たとえば、今の日本とアメリカの貿易摩擦の問題もそうだけど、アメリカが受け入れているから日本のメーカーが伸びているわけでしょ。同じように、芸術の世界でも東洋人だから駄目、日本人だから駄目、というのではその才能はとまってしまうわけです。才能を見いだして、それに適正なポジションを与える指導者がいるかどうか。僕はバランシンという人にめぐり会えたってことです。

バランシンは、誰よりも早く黒人をバレエの舞台にあげた人です。人種の壁を超えるバランシンのネオ・クラシズムがあったからこそ、僕が生き残ることができた。『白鳥の湖』の王子様をやらなくても、バレエで生きていける場所があったっていうことかな。

デヴューした堀内さんの日本での評価は厳しかった。

ほんとうに日本の批評の世界って閉鎖的でした。最初の五年間はソッポ向かれてました。批判ばっかり書かれました。ニューヨークで認められたからって日本では認めない、っていう感じだったんでしょう。

「もの珍しさでニューヨークで評価されているだけだ」って批評ばかりでした。バレエの仲間たちも「元ちゃんは特別」っていう冷たい視線。素直に喜んでくれません。日本って人の不幸を喜ぶ国ですね、ホント（笑い）。

たった一人ニューヨークで日本人が頑張っているんだから、応援してくれればいいのに……。そのときに僕は東京には戻るまいって決めたんです。最近になって、やっとですね。批評の流れが変わってきたのは。

ブロードウェイ・ミュージカル『キャッツ』にも出演。評価を得た。

一九八五年に『ソング・アンド・ダンス』というミュージカルに出たんです。そのときのキャスティングディレクターが『キャッツ』十周年記念にしっかりした公演をやりたい、って誘ってくれたんです。ちょうどバレエのオフシーズンだったし、せっかくの誘いだったので一生懸命にやりました。やはり、歌は踊りほどの水準まで表現できません。これからも歌は無理だなあ（笑い）。

亡くなったジョルジュ・ドンのようなスターは別として、バレエでは三五歳、四十歳が一つの壁です。いずれは演出や振付、プロデュースを目指したいって思ってますが、当面は現在のままでしょう。「継続は力なり」という諺があるでしょう。職業として意識するようになって、現在の力を維持することほど大変なことはないって思うようになりました。生まれて初めて食事や睡眠にも気をつかうようになりましたよ。これから体力が伸びるってことはないから、練習量を増やしていくしかありません。少しでもいい仕上がりにもっていく努力、見せる技術を磨くってこと。俗っぽく言えばジャンプを高くする、回転のキレをよくする、というようなことです。いろいろな人の作品を観て歩くことにも貪欲になりましたね。他人の仕事を盗む――これはニューヨークの利点です。バランシンだってモーリス・プティパから盗んでいるし、ジェローム・ロビンスはバランシンからいっぱい盗んでいる。とにかくバレエに限らず他人の仕事をいっぱい知っていることが、勝ちにつながります。それはプリンシパルとしての僕の義務なんですけれどもね。

厳しさに耐えてこられたのは、負けず嫌いだったからでしょう。それと海外に一人でいる、という緊張感。日本にいたら、こんなにやっていたかどうか。

アメリカンドリーム

いつも「これから!」とエネルギーをかきたてられる

ハリウッド/ウォルト・ディズニー・プロダクション
パロ・穂積(56歳・在外20年)

穂積さんは日本の大手アニメ製作会社の契約社員だった。当時、親会社は人件費節減を図り、スタジオを韓国に移し、穂積さんも技術指導者として韓国に派遣されそうになった。どうせ外国に出るなら、と一九七二年、彼は本場ハリウッドに向かった。

夫　ハンナバーバラという会社が製作した『シャーロットのおくりもの』というアニメーションを見たとき、この程度のレベルの背景美術なら自分の技量で何とかやれそうだな、と思ったんですね。それで、まず英語ができる妻が現地にリサーチに行ったんです。

妻　彼のポートフォリオ(画集)を持って、まずハンナバーバラを訪ねました。単純に主人の仕事を信じていたからできたんですね。アメリカって懐が大きいなって感じました。日本人の無名の人間の仕事であっても、作品をきちんと見てくれます。これはなんとかなる、とその時感じるものがありました。

彼が来てからは、地図を買ってアニメーションのスタジオのある所にマークをつけ、四百ドルのボロ車で売り込みに歩きました。ほんと、家財道具すべて日本に置いてきて、紙皿と紙コップ、鍋、釜はガレージセール(個人が自宅で行う不要品セール)で買った中古品での出発でした。

夫　最初の仕事はロサンジェルスの日本語放送の広告だったな。すごく安いギャラで、助けてくれ、みたいな依頼でした。あちらもこちらも苦しかったんですね。でも、このままじゃ駄目、アメリカのスタジオにじかに食い込まなければ意味がないと思いました。しかし、ちょうどニクソン大統領選挙の年。アメリカには大統領選の年はアニメがスローダウンするというジンクスがあるんです。仕事見つけるのが大変でした。

妻　そんなときに、日本のサンリオがものすごい製作費をかけて『星のオルフェウス』という長編アニメをアメリカで製作するという話がもちあがったんです。

夫　最初はもぐりで製作前のイメージボード作りのスタッフに入りました。不法労働でね。その時、僕の仕事を見ていたあるアニメ製作会社の社長が「会社運営に必要な特殊技能」を保証してくれた。労働許可証をとることができたんです。その会社の仕事が『親子鼠の不思議な旅』でした。それ以後は名指しで『スターウォーズ』など数多くのコマーシャルの依頼が続き、それで、ハンナバーバラに誘われて七年勤めたんです。

持ち金三千ドルで始まった穂積一家のアメリカ生活。「一年半くらいは不安」だった穂積さん。しかし、奥さんは「ちっとも不安じゃない」と売り込みに歩く。そして三年後、ハリウッドに家を買った。

夫　ディズニーのテレビ部門に呼ばれたのは四五歳のときでした。呼んでくれたのは『親子鼠――』のときのスタジオマネージャー、マイケル・ウェブスター。ウォルト・ディズニーが亡くなったディズニー・プロがコロンビア映画から弱冠三十代だったマイケル・アイズナーを引き抜き、テレビ部門を作った直後でした。それでマイケル・ウェブスターが副社長に抜擢されたんですね。僕が彼と仕事をしたのは九年も前ですよ。彼は僕のことを覚えていてくれた。

　現在、ディズニー・プロのテレビ部門には三百人ほどのスタッフが働いてますが、スタートしたときは僕を含めてたった六人でした。僕が最初にてがけたのは熊の形をしたグミのお菓子をキャラクターにした『ガミー・ベア』。次はおもちゃ会社とタイアップした『ワズルス』。いずれも資金確保を先に考えた営業本位の路線で、期待したような興業成績をあげられなかった。

　それでディズニー本来の路線にもどすことにしたんです。まず、ディズニーの人気アニメ、ドナルド・ダックの家族をキャラクターにしたテレビ向きの物語を企画しました。ミッキー・マウスやドナルド・ダックのようなディズニー・プロのスターキャラクターはディズニーファミリーが版権をもっていて、使うことが難しい。それで主要なキャラクターを除いた家族の物語を作ったんですね。それが大ヒットした。

　僕自身も『ダックテイル』に賭けました。『ダックテイル』で僕はそれまでのディズニーの背景に特徴的だった同系色でまとめる手法でなく、多彩な色を駆使してなおかつ渋みのある僕らしさを打ち出した背景にガラッと変えてみたんです。それと、カラ刷毛を駆使したぼかしの技術——これは日本画の技法です。これがその後の僕の武器になりましたね。多くの日本人は紫やピンクが苦手でしょう？　でも僕は生来、そういう色に抵抗がなく、かえって好きだった。それが成功した秘訣といえばいえるでしょう。

——日本のアニメ事情とずいぶんちがいましたか？

作品内容でいえば、ディズニーはものすごく暴力に神経を使います。『ダックテイル』のビデオカバーを描いたとき、僕はストーリーにでてくるミサイルを頼まれたんです。すでに原画も完成したにもかかわらず描きなおしを要求され、普通のプロペラ機になおしました。日本のアニメでは暴力がないと迫力にかける、売れない、受けない、とみなします。暴力シーンに慣れている日本の子どもたちには、ディズニーのアニメは物足りないかもしれません。

苦労したのは、自分の感覚にしみ込んだ日本の風景をとりのぞくこと。とくに僕は福島の生まれですからね。古き日本の風景がからだにしみ込んでいる（笑い）。こちらに来てから、ずいぶんスケッチして歩きました。ディズニー作品にでてくる背景って、スタジオ近辺の山やユーカリの木、ロサンジェルスの家並みなんかが使われているんです。あんまりみぢかなところでスケッチされているんで、笑っちゃいました。

それと文字。日本だったら看板に日本語とかを入れるでしょ。でもディズニーでは、その国その国で文字を独自に入れるように空白にするんです。初めから世界マーケットをターゲットにしているということです。

製作現場も徹底して日本とはちがいます。まずスタッフの構成からしてちがいます。日本はディレクター中心、こちらはプロデューサー中心。プロデューサーもマネージメント中心の日本とちがって、実際に製作過程がプロ以上にわかっている人でなければ認められません。最も厳しい批評家であり、共同製作者なんです。また、三十分の番組の製作日数が構成を作る段階から考えるとこちらは最低でも十八週間、日本はその何分の一でしょうか。『マジックキングダム』という企画がありました。ディズニーランドを舞台にミッキー・マウスとドナルド・ダックのベイビーたちが冒険するという物語。僕はイメージをたてるべく仕事を始めてました。でも、アイズナー会長からストップがかかったんです。ディズニーの大切なキャラクターとディズニーランドをだす以上、もっともっと時間と金をかけて、残る作品にするべきだ、というのが理由でした。『ダックテイル』の勢いにのせて、間をおかずに放映すればヒットすることがわかっているのに、時間をかけろ、という。日本だったら、製作現場も追いつかないのに、営業サイドからの要請で無理に無理を重ねて二番煎じをスタートさせていたでしょう。

使うセル（アニメの原画）の枚数もディズニーはテレビ用で一万八千枚から二万枚。日本は三千五百枚から四千枚。それと、日本で考えられないのがカメラテストの綿密さ。徹底してテスト段階に時間をかけます。そして、もっともちがうのが唇の動き。アメリカは音入れを先にします。その音に合わせて唇の動きを作る。子どもたちへの教育的配慮もあって、言葉と絵が完全に合うように配慮されているんです。日本ではキャラクターの動きに合わせて声優さんがアフレコで入れていくでしょう。

あと、何よりもいいのはアフターファイブの付き合いがない、ってこと（笑い）。こちらは仕事本位でしょ。人間関係で仕事をもらう日本、人づきあいの苦手な僕には辛いですよね。

だけど、日本のアニメ界で鍛えられたことはとても有効でした。日本では徹夜続きの過酷な条件に耐えて、信じられないほどの少ない予算で頑張ってやってきましたからね（笑い）。日本的に量をこなすということでからだが覚えた基礎力ってあります。命かけて、肉体削って技術をマスターしたっていうのはいいことなのか、悲しいことなのか。日本で一ヵ月に描いていた量をアメリカ人の同僚に言うと、クレイジーだ、の一言ですよ。こちらのアーティストはもっとスローなんですよ。簡単に追い抜けました（笑い）。

穂積さんが背景美術を担当した『熊のプーさん』は二年連続で、アメリカのテレビ界でもっとも栄誉あるエミー賞に輝いた。

日本に残る仲間のことをよく思い出します。あれだけの技量があればどこの国でだって通用します。だけど、日本では若いうちに使い捨てにされてますよね。こちらに来て最初に素晴らしいな、自分もやれる、って自信と夢を与えてくれたのはハンナバーバラで六十歳を越えたアニメーターが現役で最先端の仕事をしていたってことです。僕なんかディズニー・プロにスカウトされたのは四十代半ばでしょう。ギャラだって、若い人より高かったはずです。日本なら若い人を雇うでしょう。若い人のほうがギャラが安く、ディレクターの言う通りに働くし、無理がききますからね。

ただし、ディレクターの言うなりになる人がプロと言えるでしょうか?　アメリカではプロだけが大切にされます。ディズニー・プロでつい最近、チーフの脚本家となった方は四十代後半での採用でした。彼なんかは、水道工事の現場で働きながら、何度も何度も自分の書いた脚本をディズニー・プロに持ち込んで、つい最近ようやく抜擢されたんですからね。持ち込んだときに、打ちのめすこともせず、もう一度持ち込むぞって気にさせて帰すプロデューサーの力量もすごい。日本だったら、持ち込んで脚本を読んでくれ、という繰り返しだけで潰れてしまう可能性が高いですよ。昔、『ピノキオ』をやったことのあるトップアーティストは八十ちかいお年寄りでした。彼は、スタッフ全員から尊敬されてました。プロの仕事に年齢がプラスになるってことが多いということです。人のキャリアを認め、求める社会っていうのはすばらしくエネルギーをかきたてられるものです。どんなに落ち込んでも「これからだ!」って勇気づけられる、それがアメリカかもしれません。
妻　あと、絶対に書いておいてほしいのは人間の信頼関係。これは日本でもアメリカでも共通でした。ここまで私たちがやってこれたのは、ほんとうに人間関係に恵まれていたからです。いつも誰かに助けられてきました。感謝してるんですよ。

プロフェッショナル・REIKO

喜びは苦しみのなかにこそあるのね

パリ／特殊メイク
クルック・麗子（59歳・在外23年）

私は醜悪であることも美のひとつだと思っているから、ただのファッションメイキャップでは物足りないのね。長崎生まれですからね。原爆と敗戦、悲惨を見すぎたのね。美しいものだけ食べてると食傷しちゃう（笑い）。醜悪さを含めた、お料理の全体を楽しみたかっただけよ。それが映画というフィクションの世界の特殊メイクを仕事に選んだ理由かもしれません。

フランスでの仕事は、まったくズブの素人から始めました。怖いもの知らずだったわ。何も知らないうちから「メタモルフォーズ」という個人研究所を作り、「REIKO」として仕事を始めてしまったんです。フランスでは長編六本以上をやった、というキャリアを証明する国立映画センター発行のプロフェッショナルカードがないと仕事ができません。

フランスのメイキャップアーティストたちにモグリだ、って突きあげられました。ヘルツォーク監督、クラウス・キンスキー主演『ノスフェラトゥ』を撮っていたとき、彼らから抗議の電報や手紙がたくさん来たんです。本来なら撮影中止だったでしょう。申し訳ないな、って思っていたら監督がパリ国立映画センターに手紙を送ってくれました。「あなたたちのシステムを受け入れましょう。ただし、二四時間以内に麗子の仕事を継続できる人、もしくはそれを超える人を送ってください。私は彼女に満足している」ってね。

人のジェラシーは怖いものですが、この騒動によって独自の世界を持っている私の才能が逆にアピールされてしまったんですね。それ以後は彼らのほうから教えてくれ、とか、手伝ってくれ、と声をかけてくるようになりました。ラッキーというか、能力なのか、ごり押しなのかわかりません（笑い）。

パリ郊外、古風なたたずまいのマンション。打ち合せや創作のアトリエとして世界の著名人が生身の姿をさらす戦場でもある。彼女の創りだす人工皮膚はその真実性の高さで特殊メイクの現場を揺るがした。広い居間には恐怖映画のスタジオに入り込んだような過去の作品群。なかできわだつのが、原爆を浴びて傷つき、うなだれる人の像。壁には映画人と撮った写真の数々。亡き作家森遥子さんとのスナップが一枚ある。「どんなに忙しくてもファックスで励まし続けてくれた友人」だった。

ここは変貌の部屋なの。イメージを現実のものとする過程は赤ちゃんを思っていただければいいの。怖いくらいに繊細で、非常に脆《もろ》い。それが本物に成熟していくためには、さまざまな人の協力が必要だっていうことです。送られてきたシナリオを読み、あらかじめ私自身のイメージを固めておく。役者や監督が来て打ち合せをする。それぞれが、それぞれのイメージを持ちよってね。ほとんどの場合、最初の打ち合せの席で三者のイメージは衝突します。心理的な葛藤、駆け引き……。私はまず、メタモルフォーゼ——変身とは何であるのか、という理念の説得からはじめる。役者さんは顔が商品、監督は作品の看板である人物像に強い思い入れとこだわりがあります。いかに映画のためとはいえ、自分のイメージだけで大切な役者の顔を強姦してはいけないということ。まずは彼らの気持ちをできるかぎり理解しなければ駄目。監督と役者と私との間に緊密な人間関係が成立するまで、言葉における理解の努力が大事です。役者と監督が納得し、心を開いたなと感じたら、ようやく実際のテストメイクに入ります。何度もテストを繰り返しながらある瞬間、パッと鏡の中に浮かびあがった姿形に「ああ、面白い」って三者が呟いたとき、その人物は生命を得て、飛ぶんですね。

誤解を恐れずに言えば、舞台を前にした役者が誰よりも頼りにするのは監督よりも私なんです。観客から見える表層は私が生み出しているんですからね。

——いちばん最初の仕事を覚えてますか?

もちろん。何の経験もない私がいきなり賞をいただいたんですから。先生も先輩もいない。プロダクションがあるわけでもない。自分で飛び込んでいただいた短編の仕事でした。マリオネットに光線が飛んできて、顔がガラス質に変貌する、というシーン、顔に光がキラキラ落ちてくるシーンには苦労しました。人間の肌はキャンバスとはちがいます。何でも使えるわけではない。パリ中を走り回って自分なりに考え、作りましたね。二回目の長編でも賞をいただきました。ギャラは安かったんですが、とにかくREIKOの存在を示したくてチャレンジしたんです。第二次世界大戦のレジスタンスの物語でフランク・カッサンティ監督、マリアンヌ・ムイシュキン主演。ルーマニア、ユーゴスラビアをはじめとする世界中のスタッフが一堂に会した『赤いポスター』という映画でした。映画の世界はいつも民族の坩堝《るつぼ》。当時の私は大工さん用の道具箱にメイキャップ道具を入れて持って歩いていました。そしたら、監督がそんな私の姿を妙に気にいって、虚実入り交じったシーンに赤い毛糸の帽子を被ってオレンジ色の道具箱を開いている私自身を使ってしまった。その作品はジャン・ビゴー賞をいただいて世界中に配給されました。まあ、公開されただけでもよかったってことかしら。私自身には一銭にもならなかったけれど、公開されなくて一銭にもならなかった仕事もあったんだから……（笑い）。

でも、カッサンティ監督は私にクラウス・キンスキーとの出会いを作ってくれました。キンスキーは私に映画とはなにか、を深く考えさせた役者でした。彼は怪物です。彼は最後まで映画を愛し、憎み、その相剋に苦しんでました。その苦しみをあからさまに人に見せ、ぶつける激しい人でした。四十年間、映画に情熱を傾けたプロだからこその複雑な感情だったのでしょう。彼は最後まで丸くおさまらなかった。

私も、彼の映画に対する複雑な感情がわかる年齢になりました。近頃、映画界にプライドがなさすぎます。商業的に成り立たないものは制作の機会すら与えられず、すべてお金という理由だけで決められカットされていくようになってしまった。それでいて、私たちの情熱だけは「芸術」という一言で無限に要求される矛盾。小さな例で言えば照明ね。ある現場で「この照明じゃ人物の陰影が出ないし、ハレーションを起こします」って抗議したことがあるの。そしたら「麗子、テレビでは明るくしなければ映らないんだ」。——映画としての完成度より、いずれテレビに転売することを想定した制作態度が要求されるのです。これは売春行為だ、って私は思います。極限の芸術表現を求めることを放棄して始まっているのです。そういう苛立ち、怒り、わかるでしょ？

でも、皆怒りません。だから私、キンスキーが好きなんです。キンスキーの怒りが幼児的だって言うなら、幼児でいたいわ。わがままだって言うならわがままと言われましょう。

もちろん、生の感情を誰彼かまわずぶつけてくるキンスキーと一緒に仕事をするのは神経も肉体もぐったりとするほど疲れます。それでも、何かが生まれる。私は徹底して彼と付き合いました。そして彼の意志が皆に伝わるための役割も果たしたつもりです。ときどき「私はあなたの奥さんでもないし、看護婦でもない。仕事をしているのよ。甘ったれないで!」と爆発をしながら、ね。疲れと怒りのはてに、考えられないような信頼関係が築きあげられていったのね。まったくその後、ダラダラと燃焼度の低い仕事をするのがいやになりました。

ヘアやメイキャップをやる人はスターの言いなりになって、付き人のような関係に陥りがちなの。私はいつもそうなることを警戒しました。自分をはっきりと打ち出すことで嫌われたことも多かったと思います。

アントワーヌ・ビッテース監督も私の演劇のコンセプトを愛してくださった。男の子が女王様に変身して暗闇から浮かび上がって踊るシーンは面白かったわ。こちらの人はどうしても凹凸の強い顔でしょう。私は自分の顔をちょっと変えて東洋人風のマスクを作ったんです。アシスタントがリハーサルの時に気づいて「ちょっと麗子に似てない?」って(笑い)。

三島由紀夫の『サド侯爵夫人』のパリ初演も私が担当しました。無骨なパリ男を女形に変えたフランスで初めての試み、と絶賛されました。『夜の訪問者』ではアラン・ドロン、バレエのヌレエフとも一緒にやって喜ばれましたね。一流の人に共通するのは、自分を大事にするっていうことね。しかも相手をも尊敬する。

『愛と哀しみのボレロ』の最終場面でジョルジュ・ドンのメイクをする麗子さんの姿が映しだされる。

現代の変身ってやっぱりハリウッドのコンピューターグラフィックスを駆使した特殊撮影映画でしょう。フランス映画は特殊メイクの世界でいえばジャン・コクトー『美女と野獣』どまりです。幸か不幸か、私もハリウッドに行く気は毛頭ありません。要するに、内面からにじみ出て変貌する、という特殊メイクに興味があるのであって、こけおどしや効果狙いのための変貌でありたくなかったんです。極限まで人間の真実に近い変貌こそが恐怖を誘うわけでしょう? そのために私は人工皮膚の研究をやったんですから……。

虚構と現実の間をさまよう時間こそが面白いわけです。何もしてないように見せる特殊メイクの技術もある。基本は常にオーソドックスでシンプル。でもね、メイキャップをせずにすむような精巧な人工皮膚を完成させた段階で、ああ、地味な仕事に落ち込んじゃったなあって後悔しましたよ（笑い）。モンスター派の特殊メイクやファッションメイクのように自分の腕を見せたがるほうがお金になったのに、ね（笑い）。

インタヴューが終わり、麗子さん行きつけのレストランに移動した。「日本にいるとフランス料理が懐かしく、フランスにいるとむしょうに和食が食べたくなる」

これまでは自分のアイデンティティなんてどうでもいいって思ってました。それがなんだか近頃は桜と日本食が恋しくってね。ここ数年、桜の季節はどんなことがあっても必ず日本に帰ってます。桜の妖しさ、色もなく匂いもない変貌の美しさ。あれに私、鳥肌がたつんですよ。私のからだの中の文化は日本だったんだな、って。衰弱かもしれませんね。

そして最後の質問。――これからの仕事の展開は？

一番辛い質問です。多くの場合、映画や舞台でメイキャップの仕事が登場するのはいつも仕上げの段階であり、企画の段階ではない。しかも責任は重い。しんどい、馬鹿馬鹿しい仕事を選んだのかな、って迷うことが多くなってきました。来世はこういう仕事しないだろうな、って落ちこむこともあります。

私はこの世界で血を流して生きてきました。ヨーロッパでは十分に暴れました。メイキャップアーティストとしてやれることはすべてやったなって思います。最近の私は現実には映画の現場から遠ざかりました。舞台、オペラ、彫刻、文字などの作品の世界をさまよってる。ずいぶん長い時間、悩んだままです。

……（沈黙）。

私は今、何かに挑戦しなおさなければいけないんです。今までの蓄積をただお金のために繰り返し、何も発見することもなく吐きだしていくというのは偽善でしょう。喜びというのは、未知の世界に向かって走る苦労のなかにこそある。今、新しい別の分野で新人になろうって考えています。たぶん、それは十歳のときの長崎を原点とした表現世界になるだろうな、って思います。

昭和一桁世代って、重いんですよ。

まことの華

言葉で埋まらない孤独

パリ／役者

笈田勝弘（61歳・在外26年）

「今、ニューヨークで日本女性がイエローキャブって言われてるんだって？　ある人間がその国に根づくのに一番てっとり早いのは肉体関係だものな」——早朝のパリのアパート。アフリカの敷物の上で笈田さんはそんな話題からきりだした。いっぺんに緊張が解けた。これも笈田流の演出にちがいない。

よく言われるんです。「笈田さんは欧州で頑張っている、立派だ」って。だけど僕は反対のことを考える。他の人はあんなに大変な日本でよく頑張っているな、って——。

僕は日本を逃げだした。日本人に限らず、自ら進んで外国で異邦人として暮らしている人はどこか社会的不適格症のようなところがある。もちろん、亡命者や難民のように、やむをえずその国にいられなくなった、という人は別としてね。僕なんか、家族と一緒の暮らしがいやだった。だから東京に出た。東京に十年いたら、またそこに社会ができた。それも息苦しくなって外国に出た。

三島由紀夫さんが映画『アラビアのロレンス』を観て「主人公ロレンスは英国の英雄的冒険家と言われているがほんとうはそうじゃない。社会生活不適格者だからロンドンから逃げたのだ」って言ってました。「そこで偶然に戦争が起きた。同じときに、そこの王子に精神的な恋をした。それで戦った。それなのに、帰国したら英雄といってもてはやされる。チヤホヤされればされるほどいたたまれなくなり、再びアラビアに行くしかなかった。そうすると、イギリス社会は彼を、真の英雄だからまたアラビアに冒険に出かけたのだ、と錯覚する。結局、ロレンスは祖国に帰り、交通事故で死んだけれど、あれは自殺だった」とも三島さんは分析してました。

僕には三島さんの分析がとってもよく理解できるんですね。僕はチャンスがあってパリに来ました。でもそれは皆が想像するような野心があったからではない。日本は役者にとって過酷な社会だったんです。同業者同士の嫉妬と非難のなかで生活苦と戦っていかなければならない。それが役者としての鍛練だ、とも言えるかもしれない。でも、外国の暮らしにはそういう面倒なことが一切ありません。僕はやはり社会人として弱かったんです。

幼い頃に芝居の世界を夢見た笈田さんは、演技を学ぼう、と文学座に入団。そこには、芥川比呂志、三島由紀夫、福田恆存らがいた。十年という歳月が過ぎ、笈田さんは自らの才能に絶望しかかった。そんな頃、演出家ピーター・ブルックが日本人の役者をさがしている、という話が持ち込まれた。

ピーター・ブルックという演出家は、その当時あまり日本では知られてなかった。彼が『テンペスト』をやるというので、仲介に立ったジャン・ルイ・バローが狂言の野村万作さんと能の観世寿夫さんに打診していたんです。しかし、彼らは定期公演がある。四十日も日本を離れられない。僕は狂言も稽古している、と白羽の矢があたった。だから、非常に日本的な役者としての要請を受けてこちらに来たわけです。

フランスに来る前、日本人とは何か、を考えました。しょせん、新劇なんて西欧芝居の真似をしたわけで、ヨーロッパの役者と芝居をするということは、自分の先生と芝居するようなものでしょう。彼らと対等に芝居をするには日本的でなければならない、と考えたわけだ。しかも、ピーター・ブルックも日本的なるものを要求しているわけですからね。最初は欧米社会には決して入らず「日本人」であろうと努めました。いくらいい役者でも、ヨーロッパ人は日本人にはなれない。僕は着物、袴で日本的なる風の精・エーリアルを演じました。

一年もたたないある日、皆で即興をやっているときにピーターに言われました。日本的なる装飾、技術を一切使うなってね。とまどいました。

まず最初に、自分の周辺にある着物や置物など「日本的なる物」のすべてを捨てました。物として最後まで捨てるかどうかを悩んだのはアルバムです。ずいぶん考えた。そして――、やっぱり捨てました。

では、日本人とは何か？　日本語を喋る人か？　僕はヨーロッパに来て二、三ヵ月目にカナダ国籍で日本語を喋らない日本人に出会いました。

でも……、それは日本人ではない。

僕のナショナリティは日本人だけれど、日本人的というのはどこにあるのだろうか？　何なのか？　いい家族環境に育った人はこう、貧乏人で育ったらこうなるっていうのと同じように、僕は日本で育ったからある程度日本的なる性格を持っている。日本的な感受性というのもある。日本的な動き方も身についている。しかし、日本的である、ということは韓国人でもアメリカ人でもできる。だから僕の仕事の上では日本人であるということはなんの意味もないというわけなんです。

結局、日本人であるというのは国籍の問題だけで、その中身は曖昧です。政治や経済の世界と異なり、僕たちの創造の世界では国籍なんて何も役にたちません。問題にされるのは人間、個人なわけです。

日本人が欧米の理論にも頼らずに、彼ら西欧人に負けない芝居をしていくためにはどうすればいいのか――。もし、ピーターからそう言われなかったら、今も日本を背負っていたと思います。

寄らば大樹の蔭というように、流派や集団をはなれて、個人として何かをやらなければいけない、ということは大変なことです。

ロイヤルシェイクスピア劇団で演出を学んだピーター

が、国際グループを作ったのは、国という枠を越えて、人間の本質を描きたかったからです。

ピーターは一つの芝居にいろいろな国籍の役者を配します。たとえば日本でも演じた『マハーバーラタ』も、今パリで演じている『L'homme qui』（日本題は『妻を帽子と間違えた男』）もアフリカの黒人、日本人、ドイツ人、ユダヤ人の役者たちで演じてます。そうすることである国の固有な話に封じ込めないで地球上の、人類の話にしようという試みなわけです。

この間、日本の勅使河原宏監督の『豪姫』という映画で秀吉を演じました。台本を読んだ瞬間に、時代劇調の台詞廻しがバーッと自然に耳に聞こえてくるわけです。日本人である僕はあまりにも日本語を知りすぎているからでしょう。役者というのは型でやってはいけないわけです。その人物がいかに喋るのか、ということを客観的に把え表現しなければいけないのに、つい肉体に染みついた通俗的な時代劇調になってしまう。それをのけるのが大変でした。自国語のほうがかえって演じるのがむずかしいってことなんですね。

たとえば山本薩夫監督の『利休』で、三船敏郎扮する利休が死を観念するときの仕方というのが、非常に日本的です。自分を破壊することで自分のお茶という芸術を残す——一見、それは非常に単純なことです。フランス人は絶対にそこでは死なないですね。やっぱり生きているからこそ芸術は存在する、と考えるでしょう。

日本の芸術はまた、動きを抑制し、できるだけ表現を削っていこうとします。日本人の僕にとって、単純性はやりいい。しかしこちらの文化を背負ったディテールの積み重ねによる心理描写はむずかしいと感じるわけです。

日本とアフリカの映画はほとんど似たりよったりの単純さがある。欧州では、あんなに単純な筋と演技では映画が成り立ちません。僕自身の中にも、こちらの複雑さというのがありません。芝居の世界も同じです。今の日本の芝居は感覚的、視覚的にはすぐれてます。でも、心を打たない。劇を見にいく人は心を打たれたくて芝居小屋に足を運ぶわけでしょう。綺麗な人を見たり、舞台装置の立派さに驚いたり、宙吊りでアッと驚く、というようなことも素敵ですけれど、究極的には芸術というのは心を打たれる、響くなにかが一番大切なんだ。それが、今の日本の芝居にはあまりない。見てくれのいいものが価値がある、と世間が思うからなんでしょうね。

それと僕が日本を離れた頃の日本における芸術観の中

心は清貧の思想でした。いい芸術家はお金に頓着しない、という根深い考え方。欧米では本人がやるかどうかは別として、折衝や渉外、営業の能力と芸術的な才能の両方を持っている人が有名になります。僕自身はマネージメント能力に努力をはらわなかったから、いつまでも立派にならなかったけどね（笑い）。興業界を牛耳れるような奥さんでももらって、皆に可愛がられるように努力して成功することを考えればよかった（笑い）。

だけど、日本人の男が欧米で女にもてようとすれば相当のハンディキャップがあります。日本の女性というのは、女の素敵なところをたくさん持っています。繊細さ、神秘的、やさしさ、小さくて可愛い――。でも日本の男性はまずは肉体で制限を受けます。たくましさ、頼りがい、胸毛、オチンチンが大きい――テープ回ってないだろうね（笑い）。白人社会にあって黄色っていうのはあまりモテマセン（笑い）。そりゃあ、こちらの人にもタデ食う虫も好き好きで、何とかやってこれたけれどもね。

次に言葉。演出家と役者のコミュニケーションはやはり言葉でしょう。言葉が喋れたとしても文化的なコミュニケーションはむずかしい。僕なんか言葉を話す量の少ない役しかやってないでしょう。一つの社会で生きていくには、人間関係を維持しなければいけない。そうなると日本人の僕はヨーロッパ生まれの人と同じようにはできません。ドイツ人がフランスで仕事をするのとは全然ちがいます。フランスにしてみれば日本は非常に遠く、いまだに中世って意識があるんじゃないですか。

あなたは海外に長く住んでいくための第一条件っていったい何だと思う？　普通の人は食事とか言葉って考えるでしょう？　ちがいます。それは我慢すればいい。一番重要なのは滞在許可証で、その次が労働許可証なんです。それがないと何もできません。日本にいると、自分が地面に立つためにどうして許可が必要なのか実感がわかないでしょう。でもね、日本人である僕が、誰にも文句言われないで土の上に立っていられるのは日本列島の上だけ。パリやサハラ砂漠、どこの国に行っても絶対に許可をもらわないと駄目。国粋主義になるつもりは全然ないけれど、やっぱり自分の国があるということはありがたいことなんだね。

たとえばパスポートに何て書いてある？　『日本国民である本旅券の所持人を通路故障なく旅行させ、且つ同人に必要な保護扶助を与えられるよう、関係の諸官に要請する』――これがなければ自分が日本人であろうが、日本的であろうが、とにかく、国の庇護がなければ地球の上で立っていられない。現実の人間はとにかくそういうものを必要としているってことなんです。

パリ、ピーター・ブルック劇場では夕刻七時から『妻を帽子と間違えた男』が上演されていた。六時半、劇場に行くと、笈田さんは入口で素顔のまま、しかも昼間会ったときの普段着で、待っていてくれた。

コーヒーを飲む。

――心の準備とか、衣装とか、化粧のための準備が必要でしょう? どうぞ楽屋に行ってください。

僕は仕事として役者を何十年もやってきているんだよ。毎日毎晩、ここに来て芝居を演じている。心の準備はどこでもできます。役者というのは人間の存在を見せることだからね。メイキャップもいりません。町で素敵な人に会ったらなんとなく気持ちがいいでしょう。結局、舞台でのお客と役者の関係も同じで、人が僕と会ってなんとなくよかったなあ、と感じてもらえること、それが役者の職業だって思っているんです。

劇場は満席だった。椅子とテレビだけの小道具。パジャマや白衣をはおるだけの衣装。劇中で脳障害の患者が幼いときの歌を思い浮かべる場面がある。そこに流れた歌は、日本の童歌『お馬の親子』だった。『ル・モンド』は笈田さんの写真を載せ、好評を伝えた。

そして、芝居は終わった。

日本人の僕が、フランスの民謡を思い浮かべたらおかしいでしょう。僕自身が、劇中、彼だったら何を思い浮かべるかと考えたら、やはり日本の童歌だった。

四十年も役者をやってきて、今はだいたい自分の限界というのがわかっています。しかし、それは現在生きている範囲での限界であって、他の範囲ではもっといろいろな可能性があるわけね。今夜の芝居で見てくださったように、人間の脳髄というものはわれわれが意識しているよりもっともっと素敵な能力をもっているんです。たとえばあなたが本を書くことにスランプを感じたとき、そんなことで悲観することはひとつもない。だっていままで本を書いているのはあなたの頭脳のほんの一部だけを使っただけのことでしょう。もっと大きな意味での頭脳はまだまだ使ってないわけだ。本書くのも素晴らしいし、儲かるのもいい。儲からなくて、人からくだらない作品って言われても、それはあなたの本質とは関係ない。別の頭脳を開発すれば別のすばらしい人生を送れると考えるのもいい。

人間ってね、可愛がられよう、成功しようってくだらないことに頭脳を使って、他の頭脳の使い方に気がついていない。人間には可能性がもっといっぱいある。ただ、それを知らずにいるだけの話。

年をとってね、一番怖いのは好奇心がなくなるってことです。十代のときって、ものすごく一日、一年が長いでしょう。ところが、今はパッと過ぎちゃう。それだけ意識が怠惰になってるってことです。たとえば、お父さんが急病になった、病院に運んだ、注射した、医者と話した――そういう一日はものすごく長いでしょう。その瞬間瞬間を集中して何かを感じとりながら生きているからです。マリファナを吸うと、五分が一時間に感じることがある。それだけ瞬間のディテールを立派に生きてるってことでしょう。何かを感じるために展覧会に行きたいな、だけど面倒くさい――これが老いです。

世阿弥の『花伝書』ってあるでしょ。若いときには何もしなくても華があるけれど、老いて肉体的魅力がなくなったときに技術を学んでほんとうの華が咲く――「まことの花」と書いてある。肉体的に若々しくある、というのは別に芸術でもなんでもないでしょう。

僕が五二歳のとき、目の悪い七二歳の女性から好いていただいたんです。「息子みたいなあなたを愛するなんて、そんな情熱があるとは思わなかった」って彼女は言ってました。僕は正直言ってとまどいました。しばらくして彼女が目の手術をして、よく目が見えるようになったら「ごめんなさい」って手紙がきた。目がよくなって、鏡をみて自分がこんな年寄りだって知ってしまった。それ以来、いっさい、愛なんてことを言わない。

目が悪かった彼女は二十歳年下の男性に愛されるかつてのままの肉体的な若さがあると思いこんでいた。だから年下の男性に愛される資格がある、とね。若いときは綺麗でチャーミングだったでしょう。でも磨いただろうか？　人間として鍛練を積んだだろうか？　歳をとっても人間としての魅力があれば、女性としても魅力的です。皺の数なんか問題じゃありません。自分の生まれながらの華をいつまでも絶対条件にしていたら人間は醜くなってしまうってことでしょう？

ずいぶん前、三島市にある竜沢寺の中川宗淵という禅宗の老師にフランスに来ていただきたい、とお願いに行きました。囲炉裏を切った茶室で、老師が茶をたててくださった。あぶくに電灯が反射していろいろな色に見える。中川老師は「今日はたくさん星がでた。その星を全部飲み干しなさい」って言います。次に「祭壇をご覧になりますか？」って。そしたら、木の彫り物でできた大きな仏さんが金の玉を持っているんです。あれは何か？と聞きました。「あれはあなたの心です」――。

僕は「三島は十二月なのに暖かいですね？」って聞いた。「あなたの心が暖かいから暖かいんです」って。

そして帰り道、懐中電灯をもって送ってくださった。参道で「今日はいいお星さんがでた。たまには星を見るといいですよ」って。サハラ砂漠で見た星なんかを思い出していたら「あなた、唱える拝みの言葉を知ってますか？」って。「般若心経くらいなら……」「般若心経ほど長くなくていいんです。南無大小乗って言えばいいんですよ。一緒にやりましょう」――一緒に唱えながら参道を歩きました。理由もなく涙がこぼれました。

彼は何か意味のあることを言ったわけではない。曖昧なことを言っていただけです。

でも、最後に僕は涙を流していた。

心を打たれたんです。ということは、彼は偉大なる役者だってことです。嘘ばかりを聞かされたにもかかわらず、お寺を出たとき僕の内側のなにかが変わっていた。そういう境地に達するには、年齢の問題じゃないでしょう。中身が立派かどうかが問題なんでしょう。

別れぎわ、「友だちのところに行く」とバーを出た。

外国で暮らす……孤独から救ってくれるのは恋人の存在でした。一人じゃとてもやってこれなかった。異国における孤独感って、日本にいるときの孤独感とはちがいます。悲しいことがあっても嬉しいことがあっても、その人を愛してなくても、皮膚を触れ合って、こうやって抱き合っているとね、救われる。言葉では埋まらない。「社会」がいやで日本から抜け出したくせに、とにかく、他人と一緒にいるということが必要なんです。とてもじゃないけれど、一人じゃ耐えられない。

3

冷戦構造の崩壊

KGBにはばまれた恋

18年間、どれだけ彼女の夢にうなされたことか……

キエフ／日本語教師
平湯 拓（53歳・在外25年）

日本の大学でロシア語を学んだ平湯さんは、さまざまな団体、会社からアルバイトで通訳を頼まれた。一九六六年、来日したモスクワ交響楽団もその一つだった。

彼女は二六歳のバイオリニストでした。ある事件に巻き込まれ、考え事をしていた彼女が熱湯の入った魔法瓶を落として足に火傷を負ってしまった。彼女の治療に付き合ったりしていたら、恋――というより彼女から頻繁に手紙が来るようになった。僕も通訳としてモスクワに行く機会が多かったですけれど、一番長く会っても三十分、全部合わせても数時間会ったかどうか……。

もちろん、僕たちは結婚を考えました。

ブレジネフ政権時代のソ連ではなかなか外国人との結婚が許されなかった。何人かの先輩たちも結婚をしようとしてできなかった。とくに彼女のような芸術家は世界中を回って、自分の国がおかしい、ということを知っているんです。多くの芸術家が外国に亡命したがったり、結婚という形で出国する傾向があった。しかし、クラシックの演奏家たちは旧ソビエト連邦の財産でしたからね。連鎖反応を恐れて、政府当局が邪魔します。手紙などは検閲され、呼びかけの表現が親しみをこめた「あなた」に変わったとたんに手紙がとりあげられ、いろいろな圧迫が加わる。党員でもない彼女が共産党中央委員会に呼び出される。正面きって結婚に反対することはないのですが、いやがらせを受ける。

僕の方も、KGBのスパイになれば結婚を許す、という誘いを何度も受けました。六七年、僕は仕事仲間と一緒にキエフのサーカスに行ったんです。旧ソ連には娯楽がありませんでしたからサーカスの切符はなかなか手に入らない。仲間のうちの二人は気分が悪いから、と部屋に残った。二枚の切符が余ったわけです。劇場の前に立っていたら、見知らぬ男が近寄ってきた。「券ないか?」って聞くから、二枚の切符をただであげました。東欧にかぎらず欧州では、余った切符を客同士が譲り合うというのは普通の行為ですからね。サーカスが終わって劇場からでていくと、その男が僕らを待っていた。理由も目的もわからないのに、愚痴を言いながら僕の跡をついてくるんです。「生活が貧しい。あなたの日用品を売ってくれ」って。しつこくホテルまでついてくる。

一般的に旧ソ連の外国人用ホテルではKGBとつながったおばさんが各フロアーで出入りをチェックしていました。ロシア人はそこから先に入れなかった。だけど、どういうわけかそのときは、彼も僕も、何もチェックされることもなく部屋に行けた。うかつにも、僕自身警戒心すらなくしてたんです。

僕のカバンには新しいシャツが三枚入ってました。彼はそのシャツを売ってくれ、と言う。売るなんていやでしょう? 面倒になって「勝手に持っていけ」と言いましたよ。彼は彼自身がシャツを持ってホテル内を歩けない、階下のトイレまで持ってきてくれ、と頼みます。しょうがない、言われたとおりにしました。——渡したとたんに私服警官と制服警官に取り囲まれ、闇取引の現行犯で逮捕されてしまった。気がついたらポケットに外国人が持つはずのないルーブル紙幣も入っていた。

犯罪者記録用の写真も撮られました。そして妙な場所に連行され「お前は日本のスパイか？」ってずいぶん脅された。故意に仕組んで弱みに陥れ、相手に罪をかぶせて尋問していく――ＫＧＢの常套手段なんですね。

モスクワにもどっても、ＫＧＢが近寄ってくる。連行され、威嚇されることもしばしばだった。ハバロフスクからナホトカに行く列車でもＫＧＢにしつこくつきまとわれました。要するにＫＧＢのスパイになれば結婚も、闇取引の罪も放免してやる、ということなんです。

旧ソ連では外国人の入国許可は最高でも一つの都市に十日間の滞在許可しか与えられません。しかし、外国人とロシア人との結婚は、申請をした都市で最低一ヵ月は滞在していなければならない。当局が一ヵ月以降のある日を式の日取りとして指定し、モスクワならば結婚宮殿と呼ばれていた決まった場所で式を行い、その場の人々に公に認められなければ無効となる制度をとっていた。つまり一般的に外国人のほとんどは、滞在期限が切れてロシア人との結婚は実質的に不可能だった。

僕は何度も何度も結婚申請にケチをつけられた先輩の例を見てました。書類の書き方がまちがっている、と受理を延ばしているうちに十日の滞在期限が過ぎて、またやりなおし、一年待ち、ということは日常茶飯でした。

だから僕はソ連大使館の知人に頼み、例外的に二十日の滞在許可をもらって、あらゆる問題を想定して絶対に拒否されない完璧な結婚申請書を作ってモスクワに行きました。そして六九年十二月二三日に結婚するように指定された。二十日間のビザはそれ以前に切れてしまいます。ソ連の国家機関であるソ日協会副会長だった片山潜の娘やすさんや、戦前に恋人と橇《そり》で亡命した役者の岡田嘉子さんの口ききでモスクワ放送局にもアナウンサー兼翻訳者として採用してもらいました。インツーリスト（旧ソ連の国営観光会社）に採用通知をつけてビザの更新を頼んだら「翌日、来なさい」――ところが翌日、指定の時間に行くと「残念ながら延長できない。あなたは即刻、出国しなさい」と言い渡されました。

一度日本に帰ると、続けてビザをとるのが難しい。旧ソ連の官庁は縦割でしたから、横の連絡がない。ヨーロッパの国々からなら日本の大使館と連絡をとることもなくビザを発行するかもしれない。いろいろな方に借金をしてひとまずウィーンに出国しました。彼女とはもう会えないかもしれない、という気持ちがよぎります。

手持ちの金はほんのわずか。一ヵ月間、シュテファン教会近くの一番安いペンションに泊まって、毎日ウィーン北駅まで行く。サンドウィッチとゆで卵一個、テトラパックのオレンジジュース、これが一日の食事でした。約一ヵ月で十キロ近く痩せてしまいました。毎日なすこともなく、読む本もなく寒さをこらえ、ただ腹をすかして部屋にこもってました。ウィーンの印象は、今も雪と駅への往復の道端に立って声をかける娼婦の虚ろな笑いしか残っていません。階下の家主の台所からプーンと漂ってくる料理の匂いが恨めしかったですね。

彼女との連絡には最大限の注意を払いました。手紙は彼女の側からしか出せません。彼女が手紙を書く。モスクワ在住の私の友人の日本人が彼女の演奏会に行く。休憩時間を利用して、彼がそれとなくロビーで彼女に近づき、彼女から手紙を受け取る。彼女からの手紙は外交文書に忍ばせてストックホルムに送り、住所を書き換えて、僕の友人がいるウィーンの日系商社宛に送ってもらう。

一ヵ月後、必ずモスクワからウィーンに戻る、という約束でようやくビザがおりました。旅行会社でビザを手にした瞬間、それまでのどんよりと重い雪空が突然、真っ青に晴れ上がったのを覚えています。まず、彼女に公衆電話から国際電話をかけました。夢中で何かを握りしめてたんでしょうね。電話ボックスから出たとき、手が血だらけでした。その足でソ連大使館に行きました。まったくソ連大使館ってのは、どこでも巨大な建物なんです。「ウィーンに戻るためのビザをもらったが、日本の父が危篤らしい。ナホトカ経由で日本に帰りたい。一月十日にナホトカから横浜行きの船が出る。その船がでるまでの二、三週間をソ連に滞在させてくれないだろうか?」って申し出たんです。若い領事でした。名前もチェックせず、サッサッとサインしてくれましたね。

指定された結婚の日の二日前にモスクワに着くことができました。真先に彼女と一緒に指輪を買いに走りましたよ。だけど、金の結婚指輪っていっても金管を数ミリの厚さに切っただけ、というようなぶっきらぼうでひどい代物だった。ヤスリで角をとるような細工もない。その指輪をした手で顔をこすると傷がつくような……。

結婚式の日はマイナス二五度。白い花束がみるまに茶色に変色してしまったのを覚えています。

先輩なんかでもそうなんですが、モスクワで働いている外国人が現地の女性と結婚しても、相手の家には泊まれません。先輩などは結婚式の晩、KGBが彼女の家にやってきて、二人を別々に連行した。外国人のビザは外国人用ホテルに泊まらなければいけないビザである、というのがKGB側の言い分です。僕らも同じでした。三日間、いろいろな役所をたらい回しにされ、ようやく僕の泊まっていたホテルにチェックインした。誰も知らないはずなのに、移った直後に黒塗りの車が外にとまっている。黒塗りの車——これはロシアを知る人ならKGBの尾行だ、と怯えます。怖かった。でも、僕の泊まっている階の見張りのおばさんがいい人で、荷物を部屋においたまま、彼女ともども別のところに移してくれた。

結婚したからといって、無制限にモスクワにいるわけにはいきません。一月十二日までの期限で出国しなければならない。モスクワで長期滞在許可証は東京でとるようにと言われ、ひとまずナホトカ経由で帰国しました。だけど、ていよく国外に追い出されたってことだったんです。帰国してすぐに申請を出したのに、数ヵ月も返事がこない。九ヵ月後にようやく出た答えは否、でした。ソ連の法律で許された結婚なのに、なぜ一緒に住めないのか？ KGBはしつこく追い回します。今度は日本のソ連大使館を通じて「ソ連への政治亡命を認めれば、入国させる」と言います。

当時、東側に政治亡命する人なんかいません。そういう人物が一人でもでたら政治的な宣伝になるっていうもくろみでしょう。あるいは、当時は日本共産党とソビエト共産党の関係が冷え込んでいたので、僕が両者の関係修復にプラスの役割を果たすなら入国を許す、ということも言われました。KGBについては彼女にも秘密にしていました。彼女が知っている、というだけで罪になってしまいますからね。僕も何度も亡命しようか、と悩みました。でも、彼女はソ連国籍にだけはしないでくれ、と頼みます。ソ連国籍になってしまったら、今度は二人ともちょっとやそっとでは外国に出られないし、日本にも帰れません。

そのうち、平湯さんは先輩の誘いで日系企業の社員となった。一年後、東京本社は彼のモスクワ派遣を決めた。しかし、ソ連当局はビザを出さない。結局、その会社が東ドイツで進めているプラントに勤務することとなる。ベルリンでは、働きながら大学院の博士号を取得した。

西ベルリンでは、こんどは東ドイツに出入りしているってことでCIAからも誘われました。ポーランドに旅行した翌日にはCIAの名刺を持った人が「ポーランドはいかがでしたか?」って聞きにくるんです。ポーランド国内の写真を見せろとか、日常生活の状態などをそれとなく聞きに来る。お礼に僕たちが野球好きだろうからベースボールセットを、と言うんです。彼らは徹底して、僕らが野球を好きというような趣味や嗜好などの細かいところまで調べていましたね。

まあ、こっちの動きがCIAに筒抜けだってことには驚きましたけど、KGBの方もハイテクのパンフレットや設計図をほしがる。とにかく、ベルリンはスパイの巣窟でした。

東京にいるときも警視庁の外事課が土産を持って情報を聞きにきたりしてたから——。結局、あちこちの国からスパイに誘われたってことです。よほど妙な奴だと思われてたんでしょう。「僕はこの通り、お喋りが大好きで人間が大好きだからスパイには合わない」って断りました。スパイの基本的条件を満たしてないんですから、向こうも困ったでしょう(笑い)。

一方の彼女は結婚してすぐ海外公演メンバーをはずされ、連絡も途絶えがちになっていった。

レター電報で自分の愛情は決して冷めない——という気持ちを伝えようとしても、住所を書いたら、六文字くらいしか余りません。切々とした気持ちなんか伝えられないですよ。

ベルリン公演に来たソ連の音楽家たちにも、僕が連絡さえしなければ、彼女にも海外公演の機会がふたたび与えられるかもしれない、と忠告されました。

共産圏の芸術家にとって海外の演奏会は特別の意味がありました。著名なオーケストラでバイオリンを弾いても、彼らの給与はバスの運転手のような一般労働者よりも低かった。真夜中までのリハーサル。ロシアの冬フェスティバルなど徹底して国家のために演奏する。公務員として人民の楽しみのために工場で演奏する、という義務もありました。中央アジアに演奏旅行に行くときはホテルもなく、砂漠の真ん中に止めた列車の中で寝るそうです。

チャイコフスキーコンクールのときなど、何度も何度も同じチャイコフスキーを弾かされるのをいやがっていました。海外公演でもモスクワ交響楽団と言えばチャイコフスキー——芸術家としては退屈だったでしょう。たしかに社会主義諸国では、西側諸国よりプロになるためのレッスンにお金がかかりません。でも人民芸術家、功労芸術家の称号をもらわないかぎり、音楽家の特権は海外に出れるという一点だけじゃなかったでしょうか。海外に出ると、海外の物価に合わせた日当がでます。にもかかわらず、彼らはレストランなどで食事しません。日当を節約するため、ホテルにもどると、近所で買った馬鈴薯なんかを電熱器で一斉に茹ではじめる。日本に来たときもヒューズがとんだりして、ホテルニューオータニが真っ暗になったこともありました。そうやって貯めた日当で日用品を買う。それを持ち帰って闇で稼ぐってことなんです。

彼女は僕との結婚が理由で外国に出られず、苦しくなるばかり。生活ができなくなっては元も子もありません。しかたなく、離婚に同意しました。

離婚手続き料の一七〇マルクをモスクワの市中銀行に送りました。結婚についてはあれだけ対応がのろかった当局が、離婚となると電光石火。

それでも、会いたかった。彼女も同じだったと思います。もちろん生身の人間ですから、会えない間もいろいろなことはありました。でも、忘れられなかった。十八年間、どれだけ彼女の夢にうなされたことか。必ず同じ夢。モスクワ市内に入ろうとすると、人混みにはばまれてどうしても彼女のところまでたどりつけない。

彼女と再会できたのはペレストロイカのおかげです。一九八八年、偶然東ベルリンの町で一枚のポスターを見ました。モスクワ交響楽団が東ベルリンに来るというポスター。十八年間、その瞬間を待っていたんです。

切符はすでに売り切れていました。あらゆるつてを使って切符を手に入れました。次に、彼女たちのホテルを探した。偶然っていうのでしょうね。私が勤めていた建設会社の建てたビルに入っている小さなホテルだった。

通常は彼ら芸術家の一行には必ず二人のKGBの監視がつく。亡命を避けるため、彼女たちの部屋割は団長と通訳にしか教えられていない。必死でさぐりました。そして階下から電話を入れたんです。翌日のリハーサルを終えたら、劇場の裏で会おうという約束をした。

二月の寒い日でした。十八年間、待ちに待った瞬間でした。彼女が楽屋口からでるとすぐに車にのせて、レストランに行きました。

彼女も四八歳、髪が真っ白になっていました。東ドイツの公演先のすべてを訪ねました。どこで、どういう話をしたのか、なにも思い出せません。

言葉にださなくても、もう一度やりなおせたら、ってお互いに思ったんでしょう。微熱のように、若い頃の気持ちは続いていましたから。

ペレストロイカのおかげでビザも簡単におりました。半信半疑のまま、彼女にも連絡せずモスクワに向かったんです。ホテルに荷物を置いて、彼女の家から離れたところでタクシーをとめました。誰かに見張られていてはまずいですからね。何年も手紙を書いていなかったのに、住所も道順もすべて覚えてましたね。

僕は毛皮のコートと帽子をかぶって扉をノックした。しばらくして扉が開き、彼女、髪を洗っていたらしい。僕の顔を見て、あとじさりし、とびあがってしまった。

十八年目のモスクワは何も変わっていなかった。変わったとすれば公衆電話とテトラパックの牛乳が街角に増えたってことぐらい。

でも、僕らの心は変わってしまっていた。友人たちの忠告を無視して再婚をしたものの、三ヵ月で別れました。一緒に暮らした三ヵ月は無惨でした。彼女の十八年間の苦労の跡を実感するばかりの三ヵ月でした。

不思議にも、以後、彼女の夢を一度もみてはいません。

プラハの春

「モスクワサーカス再び来る。動物たちに餌をやるな」

プラハ／貿易会社支店長
小野田勲（56歳・在外35年）

一九五九年、小野田さんは日本を出国した。彼は産声をあげたばかりの共産主義青年同盟ブントの一員でもあった。六〇年安保闘争前年、彼らブントのメンバーには世界構造の変動への予感がたしかなものと思えた。東欧諸国との連携をとっていかなければならない——若き日本の革命家たちはそう信じた。戦前のアヴァンギャルド芸術運動に深い関心を抱きつつ、小野田さんは、留学生となってプラハを目指した。しかし——。

六〇年、反安保闘争終焉とともにブントは崩壊した。

来たとたん、何と美しい国かと思った。中世の町並み、川辺の清々しさ。草花におおわれた丘と暗い森。春という季節のせいだったかもしれないけれど、日本の友人たちにすまないな、と思いました。その時はまだ、美しいチェコスロバキアの風景にひそむ苦悩と流血が見えていなかった。帝国主義は駄目、スターリン主義も駄目、このニセ社会主義国家はどうすれば倒せるか、などと途方もないことを夢想しながらも、この美しい国とは簡単に切れそうもない、と予感しましたね。それでもまさか、この国に沈没してしまうとは思わなかった。

マリアンバードという温泉町の語学研修所の校長先生が迎えに来てくれました。トランクを担いで先生と列車に乗り込み、僕は軽い気持ちで作家チャペックとカフカについて尋ねたんです。校長先生は、僕の問いを微妙にそらし「冬支度はしてきたか？　辞書類は何を持ってきたか？」といった話をするばかり。青二才のような質問だったのかもしれない、と僕は思い込んだんです。

数日して、校長先生が散歩に誘ってくれたんですね。リスが駆ける公園の白いベンチに座り、おもむろに校長先生は語りだした。

「あの汽車に尾行がついていたのを知ってたか？　この国で無事勉学を終えたいなら、人前でチャペックやカフカの名を口にしてはいけない。もし話したいなら、この町にも安心して話せる人がいる。いずれ紹介しよう」

先生は、日本を含め、各国の大使館の人たちとの個人的付き合いはしないように、とも忠告するんです。相手にどんな迷惑がかかることになるかもしれないから、というのがその理由でした。夕暮れの空を見上げ、何やら暗い気持ちに沈みました。じゃ、僕の隣で腕組みして一緒に空を見ている先生は、ほんとうに安心して話せる人なのかどうか？　疑心暗鬼に陥ってしまうでしょう。でも、僕は信じる方に賭けようと思った。

その日から僕は日記を書くのを止めました。先生が言うように、いつ、どういうきっかけで他人を窮地に追いやることにもなりかねないから。

授業が始まりました。受持ちは校長先生の美しい奥さん。クラスにはその後も一生の付き合いをすることになるアイスランドの哲学者と言語学者、お人形さんみたいなフィンランドの女子学生たち。先生夫妻の五歳と三歳の子どもたち。窓辺に、朝飯の残飯で手なずけたりすのスザナ――これが僕の最初のチェコの世界でした。

僕はまず、校長先生に触れていくことでチェコに近づいていったわけです。先生は古典語が専門で、プラハの大学で教えていた頃、同僚からナチ占領下の高校生時代にドイツ人家庭に下宿していた事実をつきつけられ、親ナチ派として訴えられたといいます。その時、大学は追い出されるけれども、せめて田舎むけの語学研修所の校長さんにはなれる、という法廷闘争をやってくれた弁護士が奥さんでした。つまり、五〇年代に行われた共産党による大学の再編成の犠牲者だったんですね。

先生が紹介してくれたのが寮のボイラーマンです。彼はヘーゲルをかなり深く読み込んでいて、夜の公園や森で授業をしてくれました。不思議なことに、後に恋人と森を散歩することもあったけれど、あの時のボイラーマンとの密会ほどこころ震える経験はなかった。

同じ頃、何の間違いかチェコのシュルレアリストの詩集が出版されました。金が足りないから買えない。毎日、授業の帰り道に本屋で手にとって眺めていた。四日目くらいかなあ。本屋の主人が「どうぞ」って貧相な紙に包んでくれました。恥ずかしいやら、戸惑うやら。「金は来月まで待ってください」って言いました。そしたら「代金はもういただいております」って。それをきっかけに親しくなった本屋の主人から、代金を払ってくれたのは校長先生だ、と教えてもらったのはずっと後になってからでした。

「あの本屋は信頼していい。出版統制の実態を隅々まで知っている。君の知りたいチャペックのテキストの改竄《かいざん》問題もあの人に聞けばわかる」

先生の導きで夜の森の密会の世界は徐々に広がっていきました。だけどこれは同時に二重の世界を生きることにもなる。表向きの日本の曖昧な微笑をたたえた一見勉強家の学生生活と夜の密会。この二重生活は大部分のチェコ人たちが、八九年のいわゆるビロード革命にいたるまでずっと続けてきた日常そのものだったんです。

第二次世界大戦時代のナチス占領下では、表向きのドイツ語、内輪のチェコ語といったおおまかな言語による分離があったんでしょうが、チェコ共産党支配下では裏も表もチェコ語ですからね。こういう世界では知識人たる所以は学識の豊かさではなく、この二重の世界をどう生きないか、そのためにどういう選択をするのか、というあたりに求めることとなる。二重性を生きない、拒否するためにはいろいろな方法がある。ひらったく言うなら、仕事、趣味、学問に熱中する。外国に亡命する。金もうけに夢中になる。共産党の支配構造の一環となって他人になりきる。恋人を次々に変えてみる。地下に潜って闘う。あるいは正面から抵抗して投獄されるか、消される。どれもきついわけです。どれをやっても悲惨です。

結局僕は、先生やその友人たちと同じように、この二重性を制度として空気のように受け入れていくことしかできなかった。いや、二つの世界を生きる、なんて表現は不正確ですね。ひとつの歪んだ世界を生きるだけのことなんだから……。僕には、もう一つの屈折があった。僕は見てたんです。外国人として、檻の外から中にいる傷ついた虎さんたちをたくさん見てきた。しかも、ときには自分も檻の中にいるような幻影の中で……。

ただ、確信めいたこともある。チェコの知識人に対する確実な信頼感、そしてやさしくて深いチェコの文化。

この国には地味だけれど、何ものにも屈しない人々がいる。彼らを通じて、僕は文化に触れた――ところがこの辺になるとまた怪しい（笑い）。なぜって、僕の言う文化には音楽や哲学もあるけど、ビールやハム、ボヘミアの風景、カレル橋にそよぐ風まではいっている。

チェコのビール、呑みました？　素晴らしいでしょ？　あんな旨いものを除いたら、文化なんて骨抜きになってしまう。それと、光も文化なんです。マリアンバードは晩年のゲーテが恋をしたことで有名な町です。あそこでは小川をのぼる鱒《ます》の輝きすらちがうんだから。ネコヤナギに風があたって光る、そのフワッとした光り方が数キロ離れたドイツのそれとは全然ちがう。ちょっと乱暴だけれど、まぎれもなく、光も風も文化なんです。

なんだか曖昧模糊としていてごめんなさい。そういう文化と共産党が持ち込んだ言論統制、出版統制、集会結社の禁止、秘密警察による監視体制、民兵団と称する武装集団、ありとあらゆる抑圧装置がじつは一体なんですね……。こうなると議会も裁判所も弁護士も村役場でさえ弾圧機構としてしか機能しなくなってしまう。そういう現実の中で人は何ができるか？　信ずること、愛すること。それは文化の伝統があって初めてできることだけれど、これはまたきわめて濃縮度の高い文化の種みたいなものでしょう。不自由が文化を生むわけじゃない、生むのは自由への希求なんですね。

マリアンバードですら、こんなに話が長くなってしまう。これがその後三四年も住む結果となってしまったプラハとなったら、もうとまらない。戦前のフランスとチェコのシュルレアリストたちがプラハのホテル・パリスで会合を重ねた、という記述と写真がある。そこで僕はホテルパリスを訪ねる。玄関もキャフェも、当時の写真そのまま。心が躍ります。どうでもいいようなことだけれど、プラハはこういう街なんです。カフカが生まれた家、リルケが散歩した路地、チャペックの家……。モーツァルトが『ドン・ジョバンニ』を描きあげた家に行けば、初演のときに指揮しながら弾いたピアノがあり、午後五時には七百円ばかりのお金でなにがしかの室内合奏曲を聴ける。その初演のホールもいまだに現役のオペラ劇場なわけで。風景も文化でしょう？

奨学金をもらうと、僕は友人たちとさっそくビールを呑みに行く。そこは一四九九年に市民に販売を始めた元修道院の地ビール屋。仕込み室は一三八〇年代のもの。時にはしくじったビールがでてきても幸せだった。

黒光りする樫のテーブルを囲み、周囲の盗聴に気を使いながら社会主義リアリズムをこきおろす気分というのは、文字通りチェコ文化そのものを胃に流しこんでいるという実感がありました。

ただ、そこでヒソヒソと語られる情報の大半が、僕と同じ学生寮の自室の壁にマチスの複製画を飾り、党の細胞会議で吊るし上げられて帰国していったベトナム人のこと、突然プラハで逮捕されたキューバ人の映画専攻の学生がハバナで処刑され、サルトルが抗議文を発表したこと——いずれも酒の肴にはきつすぎた。処刑されたキューバ人の学生は、マリアンバードの僕の部屋に「クロサワの話を聞かせてくれ」とよく来ていた奴だった。僕たちは情けない顔して、鼻すすりながら黒ビールを呑んでいました。

大学で出会った素晴らしい先生方のうちの一人は、六〇年代半ばからゆるみはじめた思想統制の流れにのって、それまで沈黙してきた作家たちを一人ずつ引っ張ってきて紹介してくれました。当時は新進劇作家だった現大統領のハヴェルさんもそのうちの一人でした。ある時、先生は一人の小説家の家に連れていってくれました。驚いた。家じゅう、机の下から本棚から、すべて原稿で埋まっている。すべて未発表作品だといいます。おそらく二十年分でしょう。小説というのは、誰かが読んだ瞬間に小説になるのであって、それまでは紙に字が書いてあるだけのことじゃないか、と僕は思う。だけど、その紙の山が発するすさまじいエネルギーが、部屋じゅうにこもっていて、これはただごとではすまない。この社会はもう長くない、どういう形でかはわからないけれど破裂するんだ、という胸騒ぎがしたんですよ。この人は後に亡命して、海外でチェコを代表する作家になりました。

六〇年代、僕は学生と教師の兼業をやってました。大学のアジア・アフリカ学科の片隅に日本語科があったんです。僕の仕事は三つに分かれていて、まず学生たちの会話や作文指導、次が教員たちの研究上の文献解読や翻訳上の難しさなどへの援助、三つ目は卒論をまとめる五年生たちへの指導。わずか数人しかいないのに、学生たちのテーマはやたら多岐にわたっている。「能楽の音楽的側面について」「戦後日本の美術」「マスジ・イブセ論」「日本社会における核家族化の諸問題」――こうなると誰か日本人がいなければ対応できません。しかし、彼らの努力は大変なものでした。しかも当時は、無事論文を通すには、論文のあちこちにマルクスやらエンゲルスやらの引用をちりばめておかなければならなかった。もっとも読む側は、そういう所を飛ばして読む（笑い）。

学生たちは夜中にマルクス・エンゲルス選集をひっくりかえして、何か天才的な文章はないものか、と探すこととなる。これは掟なんです。僕はそういうのに九年も付き合った。それも大真面目に……。指導のため、と称して「日本のシュルレアリスム絵画の歴史」についてのノートは学生たちの論文の数倍になっていった。

ある日、妙なことに気がつきました。提出された作文に、ある学生たちだけが名前だけでなく日付も書いてくる。日付のある作文の方がずっと全体的な評価が高い。

日付を書くのはユダヤ系の学生たちなんですね。

僕はだんだんと学生たちの生い立ちや両親たちの運命などに興味を抱くようになっていった。いわば学生一人一人が僕の研究対象になったんです。僕はそこで初めて賢く美しい学生たちとその家族が生きてきた社会主義がどんなに悲惨であったかに、あらためて直面することになったんです。悲惨はトータルでした。

授業では時として発禁本の最たるものだった『次は何か』を構文研究と称して、共産党幹部が読んだら発狂しそうな部分を選んで黒板一杯に書いて翻訳したり。マルクス『ドイツ・イデオロギー』もずいぶん使いました。あの本には抑圧者を震えあがらせる力があるんです。当時のチェコの学生たちは、マルクス主義というものについてもっとも退屈な教材としてしか知らなかった。マルクスのマの字も聞きたがらない。それを半ば悪ふざけなんだけれど、半ば本気で、部分的にせよ読んだのだから、たいしたものかもしれない。そうこうしているうちに、学生たちの日本語はますます上達した。

初めて受け持った学生が卒業を迎える六七、八年頃、世の中が騒然としてきたんです。ベトナム戦争も契機の一つだったかもしれない。何より二十年間蓄積されてきたチェコ社会の暗いエネルギーが急激に濃縮され、発火寸前に至ったってことです。共産党はすったもんだの末、党支配と体制維持のためにドプチェクを中心とする党内改革派に主導権を渡し、「人間の顔をした社会主義」という不思議なスローガンを掲げる人々にすべてのエネルギーを集約させていこうとします。暗いエネルギーの根源は社会主義体制そのものにあったにもかかわらず、それを解放していく方向として「人間の顔をした社会主義」というのはどこか変ですよね。しかし、スターリン主義の特質の一つは、必要に応じてどんな顔にもマスクをつけられる、というところにあった。

学童から老人まで巻き込む国民運動が賑やかに、そして同時に熱狂的にまことに不気味に進行していました。市民たちは熱狂的にドプチェク支持を打ち出した。こういった爆発的な運動にとって、小さな理屈の違いは問題じゃありません。それよりも、ここが突破口だという共通の予感があれば十分なんです。

ドプチェク体制は矛盾だらけの指導部ではあったけれど、多岐にわたってやつぎばやに要求を突きつけてくる市民運動を背景に、検閲の廃止、多数政党制の導入など社会主義の枠が守れる最大限まで民主化を押し進める決意も力も持っていたと思います。善良なる市民たちは、新しい指導部が広げてくれた政治活動の可能性の枠を、最大限どう生かすのか、という努力を傾けていったわけです。この可能性は果して明日なくなるのか、一週間はもつのか、誰もわかりません。僕の指導教官も、当時、知識人たちの拠点となった文学新聞の編集を引受け、同時にドプチェク政権の文化担当顧問官に就任したり——ともかく各人が最大限の努力をした。

その頃、日本のある反戦組織からベトナムからの脱走米兵たちを北欧まで送り届ける方法を探している、という相談があった。従来使っていたソ連潜水艦の利用が駄目になったのだという。僕には関係ない組織でしたが、当時の僕にとっては亡命、逃亡、脱走も大きなテーマになっていたんです。あれこれ考え、ドプチェクの共産党にあたったら、たちどころに日本に寄港するチェコの貨物船を使ってくれと言われた。これが以前の共産党だったら、何に利用されたかわかりません。この計画は結局、ドプチェク政権が崩壊して実現しなかった。

大学も非常にフレクシブルになってました。学生たちの希望で西側の人を呼べるようになり、発禁だったサルトルなども講演に来て「体制に保護された文化は文化ではない」などと熱弁をふるってくれたんです。押さえられていた文芸作品もいっせいに出版されました。この時期を「プラハの春」と呼んでるんです。

この年は例年より一ヵ月ほど早く春が訪れました。四月頃からボヘミアじゅうが花盛りだった。五月末の花であるライラックを三月末、娘が生まれたときに産院に届けたのを覚えています。そして道行く人々の笑顔、明るさ。それまでに見たこともない表情でした。わずか数ヵ月の政治の変化が二十年間、顔につけつづけた社会主義のマスクをはがしてしまったんです。

労働者の集会でも、知識人の集会でも、最後には「ソ連は軍事介入をするだろうか?」「この政権が行き着くところにはどんな道がひらけるのか?」という答えのない議論が果てしなく続いてました。

しかし、これは同時に空恐ろしい春でもあったんです。不気味なのは、この国はソ連基地に囲まれ、軍隊、民兵団、膨大な警察組織があり、同時に田舎の農家などには猟銃の一丁や二丁は壁にかかっている。長い国民皆兵制度で成人男性は皆、かなりの大がかりな兵器まで扱える。一歩間違ったら、何でも起こりうる、ということなんです。薄気味悪い話で悪いんだけど、武力関係の力学的計算みたいなものが、実際の運動の過程では非常に大切で、これに対する鋭利なセンスや責任感が指導者や市民の側に欠ける場合、なにが起こるのか?

一九六八年八月、旧ソ連軍を中心とするワルシャワ機構軍が一夜にしてプラハを占領した。

あの夜、僕はロンドンにいました。前々からの英国人への約束を守るための旅でした。チェコを離れるような状況ではなかったんだけれど、ソ連からチェコに対し、国境地帯で会議を開催しようという提案がでており、その会議で最終的決裂をおこすまでは侵略はない、と軽率な判断をしてたんですね。あの提案は、六十万人の軍隊を一夜のうちに動かす準備時間を稼ぐ口実だったんです。

翌朝、安宿のイタリア人にたたき起こされた。「プラハが大変だ、台所にテレビを見にこい」ってね。

ピンと来ました。騙された、ってね。外に出たら、号外に群がる人で騒々しかった。しっかりした情報をもらおうとある日本の新聞社の支局に駆け込みました。支局長も、現地の情報をつかもうと、プラハにいるはずの僕を探してたって言うんですね。埒《らち》があかない。さっそく航空会社に急いだんですが、プラハ空港が爆撃で閉鎖されている、という。爆撃が誤報だと知ったのはずいぶん後でした。国境通過ポイントはすべて占領軍に押さえられている。ただしフランクフルトから列車が一本出るかもしれない——フランクフルトに移動しました。

必要もないのに、真っ赤な三輪車を一つ買いました。ロンドンで買った新聞と号外をすべて使ってその三輪車を包み込んだ。プラハの友人たちに、闘いの様子は全世界に伝わっている、ということをできるだけ早く見せたい一心の苦肉の策だったんです。

プラハの春で、西側に出国しやすくなって最初の夏休みでした。かなりのチェコの学生たちが西側に残留するのではないか、と気がかりでした。ただ、ケンブリッジもオックスフォードも、帰国できなくなった学生に奨学金を出すと新聞に発表していたし、他の大学もいずれそれにならうだろう、と多少安心してました。

僕の乗った満員列車が国境に到着したとき、駅や税関の職員たちがホームに整列、敬礼で迎えてくれました。皆が出国する時に帰ってくる人間に対する彼らなりの気持ちだったんでしょう。ソ連軍も駅を固めていましたが、列車そのものには手を触れませんでした。しかし、何時間たっても、国境を出発しない。おかしいと思って他の車両を覗くと、国境の係員たちがパスポート検査などそっちのけで、学生を一人ずつ捕まえ「西側に戻れ」と説得しているんです。「今国境を越えてチェコに入ったら一生出られない。お前の学校はソ連兵たちのウンチでいっぱいなのだ」——と。

プラハは思いのほか整然としてました。でも街中を戦車の群れがウロウロしてて、重装備のアジア系のソ連兵が群がり、ビラの壁新聞でいっぱいの路地を、白ペンキの空き缶を持った子どもがかけずりまわっている、というのはたしかに異様でした。

整然——という言葉を使ったのは、非常事態にもかかわらず、市民一人一人が、指揮系統もないはずなのに迅速に正確にやるべきことを、驚くほど緻密に実行していたってことです。市民たちはまず、外来の侵入者がもっとも困ることを考えだした。道路標識、道路の名前、番号、看板など場所、方位を示すすべてのものを外すか白ペンキで塗り潰した。白ペンキは大切な道具だった。スローガンを書いたり、隙があれば戦車の目つぶしにもなる。そして食料、水、燃料を遮断すること。放送、印刷設備の隠匿。大統領の指示があるまでは絶対に武器に触れないこと……こういった、例を上げれば一冊の本になってしまうようなことをわずか一、二日でなしとげてしまった。ほんとうに素晴らしい国民だと思いました。

しかし、六十万人の軍隊に市民が素手で、軍事的に勝つということはありえませんよね。しかもアメリカはベトナム戦争を抱えている。米ソともに内政問題として処理しよう、と冷戦構造に手を触れまいという方向で動いた。チェコ人が直面した相手は、実は六十万人のワルシャワ軍や党内保守派だけでなく、冷戦構造をさまざまな理由から支えていた世界の国々だったわけです。

しかし、文化的勝利というものもある。

いや、これは少々恰好よすぎる言い方かな。あまり文化的でないようなのもときにありました。たとえばね、ある呑み屋の親父は、暑いプラハの夏に飲み水さえなくて喘いでいるロシアのパトロール兵に「ドプチェク万歳、って三唱すればビールを呑ませてやる」と。呑み終わると皆で拍手してやったって。

これとはレベルが違うけれど、まあそれとスレスレでうちの学生たちも抗議ストのとき「モスクワサーカス再び来る、動物たちに餌をやるな」という横断幕を掲げたんです。「もう少し真面目にやったら？」って僕が言うと、「どうせ奴らは字が読めない」って（笑い）。そしたら字を読める司令官が一人いた、という冗談が流行ってね、その司令官が学部に来てこう言ったって。

「同志学生諸君！ われわれも一生に一度はモスクワサーカスを見てみたい。動物には決して餌をやらぬゆえ、場所を教示願いたし。また戦車用駐車場はありや？」

実にいろいろなジョークが生まれました。ジョークというには面白いけど悲しい、曳かれ者の小唄風でね。でも、文化としてのジョークは大切です。カフカみたいにジョークだけで小説を組み立てちゃった人もいたんだから……。時として六八年自体がでっかいジョークに見えてくるんですよ。根底にとてつもなく悲しいものが流れているからでしょうか。

社会全体が占領軍に制圧されて十一月を迎え、学生たちはまたストライキをやったんです。戦車隊に囲まれたストでした。僕はせめてプラハ最大の労組との共闘が成立しないならやるべきでない、と言いました。しかし、やる方はそんなこと関係ない。これが組織的動きとしては、おそらく最後だったかもしれません。

僕も心配だから毛布持って学部に泊り込みました。深夜の会議も増えます。学生の亡命をめぐる家族会議や親族会議。友人や学生たちのひそかなお別れパーティ――辛かったです。国境が全面封鎖される前に、出国させるべき人は出しておかなければならない。しかし子どもは国内に止まってがんばりたい、と主張する。母親は「なんとか出国するように説得してください」と頼みこむ。一度出てしまったら、母子はもう生きているうちは会えないかもしれないのに……。

芸術家、学者、技術者、医者、学生たち――たくさんの人々がチェコ社会から消えていってしまいました。日本語科からも。

そして予想通り反ソ派狩りが始まった。

いやらしかったのは、党指導部の保守派の政治家以外、ほとんど親ソ派はいないはずだったのに、極めて少数だけれども「実は私は親ソ派だった」と名乗りをあげる人間がいたってことです。そういう人が、数ヵ月前の友人たちを蹴落とし、売りまくる。党指導部、学校、企業、役所が皆、そういうにわか親ソ派で固められていく。そのうち「自己批判すれば仲間に入れてやる」と言いだす。つまり、自己批判しない者には職場が与えられなかった。そして僕の学校も解体状態になってしまった。

チェコ文化は、またも地下に潜ってしまった。

言うのも恥ずかしいことだけれど、あの混乱の時期、僕は全財産の二千ドルと日本のパスポートをいつもポケットに入れてたんです。いつ何があっても妻と子と三人だけはどこかに逃亡できるように、って。それ持ってあちこちの集会を駆けめぐってたんだけど、チェコの友人たちにはそのことだけは話せませんでした。逃げ場のある人とない人では対話は本質的に成立しないんですよ。

あるひそかな別れの席で僕は言ったことがある。

「三年たったら、また学部で会おう」

そしたら、そばにいた哲学専攻の学生が言った。

「三年じゃない。二十年。今度の敗北は二十年だ。日本人にはそこがわからないんだ」

暗い目で、ね。しかも、彼自身は逃亡しなかった。二ヵ月後、大学の前の停留所で電車を待っていた彼が、突然ソ連製のジープで轢かれ、殺されてしまった。

その後、彼の親友だった心理学専攻の詩人と酒を呑んで弔いをやった。そこでわかったことはね、運動がすでに地下に潜入したってことなのです。

嫌な話ばかりでごめんなさい。

その頃、もう一人死んだんです。チェコ語科にいたロシア人の学生でした。彼の父親はソ連国営通信のプラハ支社で働いていて、六八年の秋、南ボヘミアでの取材の際、ヘリコプターが墜落して亡くなったんです。ソ連軍はこれをチェコ側からの発砲によるものとして発表し、チェコ攻撃の材料にした。

息子の彼は詳細な現場検証をやった。ヘリに弾痕などなく、その日の濃霧のため、森の大木に機体がひっかかったという単純な事故だという実証をやった。それで、ソ連軍部に逮捕され、消されてしまった。大学には窓から飛び下り自殺した、という説明があった。

年が明け、哲学部の学生バラフ君が白昼、プラハのバーツラフ広場で抗議の焼身自殺。続いてもう一人が同じ方法で自殺。追悼集会はたしかに全国的規模に広がっていったものの、情勢を動かすには至らなかった。

無力感――耐えがたいものでした。

ある夜、訪問者がありました。ドアをあけたら、秋に駅で涙の別れをして無事ドイツで勉学にいそしんでいるはずの学生が立っていたんです。仲間の焼身自殺の記事を読み、そのまま汽車に乗って帰ってきたという。

彼女は僕が受け持った中でも最優秀な学生の一人だったけど、僕はこころのなかでよくぞ帰ってきた、僕の気持ちがわかるのは君だけだ、一緒にがんばるんだ、などと思っていながら、口をついて出たのは――。

「いや、すぐにドイツにもどるんだ、ここにはもう、君にできることはない。明日十一時二十分のフランクフルト行きで帰るんだ」

――いつかの国境の車掌さんと同じになってしまったんですね。彼女は結局、チェコに残留しました。その後のビロード革命までの二十年間を、彼女がどんな闘争をやってきたのか僕にはわかりません。しかし、彼女なりの闘争を貫いたはずです。そうでなければ、人生ってなんだか侘《わび》しいものになってしまいますからね。

さっきの二十年にわたる敗北の話ですが、古代スラブ語をやってた日本人言語学者に話したら、彼はたちどころに言いましたね。

「君、それは蟬だよ。二十年に一度、地上に出てきて啼く蟬だよ」

プラハの春は終わった。小野田さんは、それまでの日本人女性との幸福な家庭を離れ、受持ちの女子学生の一人と再婚する。彼女の父親は共産党政権に対するクーデターを計画したとされ、終身刑で獄中にあったという。そのために彼女は、幼いときからさまざまな苦しみを耐えてきていた。

「国家がしてあげられなかったすべてを、僕が代わってやってあげよう——そう思ってしまったんですね」

そして彼は学問と教職から身をひき、日本とチェコスロバキア間の貿易を中心にやっているある日本の商社の駐在員となった。

そして、二十年後の一九八九年、たしかに蝉は羽化した。ビロード革命である。

今、小野田さんは「プラハの春」当時チェコで流行した「社会主義とは何か？ それは資本主義から資本主義に至る苦難の道である」——というジョークの意味を、日々、ビールを呑みつつ噛みしめている。

「連帯」の地響き

こんなに早く崩壊に立ち会うとは思わなかった

ワルシャワ／文筆業
松本照男（52歳・在外28年）

日本の大学を修了した松本さんは、ワルシャワ大学大学院に留学、社会主義社会のマスコミ学を学んだ。卒業後は日本のメディアに原稿を送るフリーの特派員となり、ポーランド人の科学者と結婚、定住を決めた。

僕は観念的な若者だった。社会主義にバラ色の夢を描いていた。しかし、僕がこの国に来た一九八九年以前の旧ソ連、東欧諸国は警察国家だった。とくに資本主義社会から東欧のジャーナリズムを勉強しにやってきた僕は、当局にはアメリカ帝国主義の手先、スパイと疑われたんでしょう。自分たちが常にそういう手段でスパイを送りこんでるから疑うんだろうね（笑い）。

ワルシャワに到着して、しばらくしたある日、下宿先に「奨学金のことで話があります。×時に大学まで来てください」って電話がかかりました。下宿から大学まで二十分。道路を歩いていたら、パッと人が出てきて後ろ手にしめあげられ、理由もなく車に押しこまれて、警察の地下室に連行されたんです。「なぜ日本人のあなたがポーランドにいたいのか?」っていうのが尋問内容だった。ポーランド文部省の許可やビザをもらっている、というような弁解は当局には通じません。当時は、警察と公安がもっとも強い勢力だったってことです。あのときは五、六時間も絞られたかな。その後、何度も何度も同じような目にあいました。長期間滞在している外国人は皆やられていると思う。僕は政治に関心のあるジャーナリストだからとくに厳しかったかもしれない。

妻の親類縁者には共産党の党員もいたし、非党員もいた。彼らとの付き合いで一般庶民の裏と表が見えるわけです。僕の狭い人間関係のなかでも、カソリック教会付属の宗教青年グループで活発に活動したというだけで、何度も留置所に四八時間の留置をされた人がいたし、ストで逮捕された労働者の支援をしたばっかりに大学教師の職を追われ、仕方なく農業やペンキ屋をしていた知人もいます。

しかし、市民たちが常に権力に対して怒り狂っていたわけでもない。多くの普通の人々にとってはマイホームを持つこと、そして乗用車を手に入れることが最大の夢だったと思う。社会的出世の手段として「党」員となっていく人もいれば、西側諸国に出稼ぎに出て小金を稼いでくる人も多かったわけです。だからといって、政治的な不満を持った市民が西側ばかりを夢みていたともかぎりません。僕の親しい友人で大学の助手まで勤めた優秀な女性がいます。英語力もある彼女はイギリスでベビー・シッターをしながら二ヵ月過ごし、帰国してきたときには十キロも痩せてしまってました。

彼女が言うには「英語の勉強といっても子どもと話すのがせいぜい。映画や演劇に行く時間もお金もなく、文化生活はゼロ。バイト先の労働者家庭は知的水準が低く、内容のある会話など一度もなかったわ。おまけにバイト料金は雀の涙。本を数冊、衣類を数着買ったらそれでパーよ」――ポーランドで安い料金で簡単に見れる演劇や音楽会に通いつめていた彼女には西側社会は大変苛酷な社会に映ったらしい。

一九七〇年代後半の一時期、英国に留学していた僕の弟がワルシャワに来ました。ポーランドはカソリックの国。クリスマスは最大のお祭りです。だからクリスマス前には店にオレンジが並ぶ。ふだんは絶対に食べれない食べ物だから群衆が行列を作っている。輸入量も限られているから、長い時間待っても自分の順番が来る前に売り切れ、なんてことは日常茶飯でした。あのときも弟と二人で並び、あと数人で順番がくるっていうのに売り切れ。それが何度も続いた。「兄貴、こんな国でよく生活してられるね」なんて弟に呆れられてしまいました。

僕自身「いや、長い行列の末に買ったオレンジやバナナのありがたみは倍増だ」などと強がりながら、生活を維持していくためだけの時間の浪費にほとほと疲れていたように思います。オレンジやバナナならまだ我慢もできます。しかしパン、肉、砂糖、小麦粉、チーズといった主食まで行列に耐え、おまけに売り切れ、品不足、飢餓感という日が続くと、もうちがった次元の話になるんです。

あの苦しさは暮らしてみないとわかってもらえない。理想ではこらえられない、慢性的な生活苦、空腹があった。

社会主義への夢は木っ端微塵《みじん》に壊れてしまっていた。社会主義への夢が大きかった分、それならとことんこの国の行く末を見てやろうと思った。ジャーナリストとしての僕はどうしても裏側を見たくなった。政治の裏と言えば、「連帯」の運動だった。一九八〇年夏のバルト海沿岸労働者のストライキに興味をもたないとしたら、きっとその人は政治音痴か山中の隠遁者でしょうね。あのとき、何かが起きている、とすくなくとも僕は感じた。

連帯が誕生した頃、ある小噺が全国を風靡《ふうび》しました。「ポーランドは、ロシア、チェコスロバキア、そしてドイツという兄弟国の熱い友情に囲まれて、そのありがたさに息が詰まり、北のバルト海付近でちょっと息抜きのために立ち上がったのさ」――と。

でもね、連帯の運動は「ちょっと息抜き」なんてものではなかった。

社会主義国でストライキなんて、ありえなかったことです。スト委員会の発行する検閲抜きの討議資料を入手し、今何が起きているのかを知ろう、と必死でした。

冷静にふりかえってみれば、一九八〇年の連帯の誕生は突然のできごとではなかった。七〇年代後半には知識人を中心とした反体制グループがストで逮捕され、当局にいじめぬかれた市民たちを支援するために組織が結成され、公然と活動したこともありました。その中心メンバーが連帯労組の核となっていきました。一方、彼らのように表だった行動をとらずとも、人々のなかに不平や不満、権力者に対する怒りなど、抵抗の下地は十分固まっていたのです。

連帯労組には千二百万人のポーランドの現業労働者のうちの一千万人が加盟したわけです。

連帯労組のワルシャワ支部が発足したとき、僕はさっそく取材にいきました。せまい記者会見場に群衆があふれ、身動きできないほどでした。後に連帯系国会議員として、ポーランドで初めての文民国防大臣になったオニシュキエヴィッチ氏がスポークスマンとして熱っぽい声明を読み上げ、そのあとで一問一答の時間があった。

従来では絶対に検閲なしには聞けないような話が次々にでてくる。——この会場にいったいどれくらいの情報屋がいるかなあ、という不安がチラッと僕の心をよぎりましたね。

それだけ国民の圧倒的な支持を受けて始まった連帯の運動も、一度は旧ソ連側の圧力で戒厳令がしかれ、軍事力で潰されかけた。しかし、国民一人一人の心のなかまでは介入できなかったってことでしょう。

僕は連帯の拠点グダンスクにも通い詰めました。当局が会ってほしくない人物に会い、行ってほしくない場所に行く——あえてそうしていたようなむきがありました。現在の大統領で当時の連帯議長ワレサは政府やソ連にとってもっとも警戒を要する反政府活動分子だったわけです。彼とは四、五回会いました。アポイントなんかあってなきがごとしです。連帯本部に電話をしても日々の動きが激しく、いっこうに予定がたちません。とにかく行ってみるとインタヴューできるんです。当時はワレサも権威主義的なところがなく、西側メディアには精一杯の便宜をはかって応対してましたからね。ワレサは率直な人でした。日本的な長々とした感謝の挨拶なんかいらない。「本題は何？」とズバッときりこんでくる。とにかく機関銃のように質問をぶつけ、答えに反応してさらに突っ込んでいきました。

そういった連帯に関する記事を日本で発表している、という僕もまた当時のポーランド当局にとっては反政府分子です。グダンスクに行く途中で連行されたり、会見した後で尋問されたりという毎日でした。アメリカ大使館なんかは、そういう事件が起きるたびに国家として抗議するけれど、日本大使館は僕のようなフリーランスに対して何もしません。勝手な行動、という扱いでした。

日本のテレビ局や新聞社がワレサに注目し始めたのは、ずいぶんと連帯が世界の注目を浴びてからで、彼らは盗聴されてはいても捕まるようなことは少なかった。僕はこういった国を取材する以上、その政府に捕まるのは当然だって思っていたし、慣れてもいたからね。

政治的な理由で当局から拘束されるたびに、妻とはいざというときの覚悟を話し合いました。僕自身は捕まっても、いずれの釈放を疑ったことはなかった。僕は日本の情報機関から派遣されてきてるわけではない。当局が僕の背後関係を徹底して調べれば、疑うようなことは何もないってわかるはずです。ハレンチ罪とかテロでも起こさないかぎり、事故を装って殺されるというようなことはあるまい。外国人だからせいぜいが国外追放。その場合には、しばらく家族別れ別れになることもある――女房にはそういったことを結婚直後から了解してもらってきました。女房が八年ほど子どもを作らなかったのは、そういった事態を考えていたってこともかなって思うこともあります。

でも、僕はポーランドの政治に関心を抱いて来たわけですから、やめることはできなかった。

一九八九年九月。連帯グループの国会議員や幹部が国会内で会合を開きました。国会だというのに自由に出入りできるという不用心な会合でした。大多数はワレサの首相就任を求めて演説をした。しかし、肝心のワレサはグダンスクに引きこもったまま。僕は農民党本部や民主党本部を走りまわってました。何時間たっても結論の出ない会合に飽き飽きしてたからだろうか、傍聴しているジャーナリストは十数名しかいませんでしたね。

深夜になり、知人のポーランド記者が「ワレサが来る」と興奮して教えてくれたんです。三十分後、ほんとうに、さっそうとワレサが演壇に登場しました。会場は一斉に、割れんばかりの拍手で埋まりました。

ワレサは「連帯は岐路に立っている。われわれが今、政権を担当する意味は何なのか?」と演説をぶちあげ、首相に就任する意志はない、と表明したんですね。そして非共産党員のマゾビエツキ氏を推薦した。共産圏で初めての非共産党員の首班誕生の瞬間でした。あの熱気は……、今、思い出しても胸が熱くなります。

「東欧の歴史の目撃者になろう」などとだいそれた夢を抱いてこのポーランドに住みついたわけですが、正直に告白するなら、こんなに早く独裁体制の崩壊に立ち会うとは思いもつかなかった。権力の森の中に入り込んでしまっていた僕には一本一本の木は見えてはいても、森の全体が見えなくなっていたのでしょう。権力の横暴を日常的に味あわされ、見聞きしているうちに、社会主義の権力機構は強靭であり、あっさりとは身を退《ひ》くはずがない、という思い込みが僕の側にできあがっていたからかもしれません。

一九四五年にナチに抵抗して起きたワルシャワ市民の抵抗運動について、松本さんはこだわっている。

連帯の動きを追いながら、ポーランド人の民族性というところに行き着いたんですね。こういった抵抗心はこの国では歴史的なものだということ。一八世紀から百年以上にもわたる独立喪失の時代、戦後の旧ソ連体制の押しつけのなかを生き抜いた時代。こういった歴史がポーランド人に不屈の独立魂を培ったわけですが、一方で屈折した感情と性格を与えました。しかし、影がある人間というのは、別の角度から見れば魅力ある存在です。ショパンやキュリー夫人など国外で名をあげた人々を含め、いかに多くのポーランド人が国を偲《しの》びながら国外で活躍したかを思うと、涙がこみあげてきます。

多くの日本の平和運動家がこの国を訪れ、「ヒロシマ・ナガサキ・アウシュビッツ」と語ります。同じ大量虐殺の被害者だから一緒に平和を目指しましょう、っていうことなんでしょう。ところがね、ポーランド人は表向きは「一緒に平和を訴えよう！　悲劇を繰り返すな」と言ってはいても、個人レベルでは「日本は自ら戦争を始めた国。ナチスドイツと連盟を結んだ国だ。われわれは戦争をしかけられたんだ。アメリカの核によって非戦闘員が大量に傷ついたヒロシマは自業自得、戦争をとめられなかった悲劇でもある」――自分の国への反省もなく、ヒロシマ・ナガサキ・アウシュビッツと並べられるととまどう、というのが彼らの本音です。

第二次世界大戦末期のワルシャワ蜂起では、たくさんの市民が血を流しながら戦いました。彼らはあれほどのナチズムの恐怖のもとでも一斉蜂起を起こしたんです。連帯の闘いも同じでしょう。あれほどの警察国家、旧ソ連の恐怖のもとで地下水脈のように抵抗運動を続けたんですから。戦争に抵抗しなかった日本とはちがうって、彼らは考えるでしょう。

ヨーロッパの歴史というのは、民族抗争の歴史です。

しかも一つの民族が、いくつもの国に分断されて生きのびている。そういう歴史を生きてきたポーランド人、いやヨーロッパ人と、侵略されたのは沖縄だけ、という日本人は簡単には理解しきれないものがある。平和、という概念そのものが根本的にちがいます。日本人の多くは白旗で救われる、と思っている。ポーランド人はギブアップしたら民族の終末、と考えます。ポーランド人にガンジーの非暴力主義など決して理解できません。戦うことで平和は守るもの――こういう考え方を日本人であるあなたは理解できますか？

そして一九八九年、連帯政権が樹立した。

「自由」や「民主主義」が表立って人々の口にのぼるようになり、改めて考えなおしてみると、やはり市民たちの最大の関心は生活水準の向上だったたってことです。検閲もなくなった、民主的な選挙も実施されるようになった――だが生活は一向に楽にならないじゃないか、と市民たちは再びストライキを実施するわけです。旧体制が崩壊すれば、西側諸国が大挙してドルを運んできてくれる、という幻を信じていた市民が多かったでしょうね。

しかし、結果は自助努力なしには、早急に生活向上はなしえないという現実。リストラで失業者は一〇パーセントをこえ、年金生活者はカツカツ、ギリギリの暮らしを強いられている。大きな壁になったのは市民自身のメンタリティでした。長い間、国におんぶにだっこして倒産することがないという幻の経済体制のなかで「急がず、横並び」という社会主義時代のある意味の恩恵に慣れきってしまっていた。市場経済の冷酷な競争社会原理を学ぶ日々が当分は続くでしょう。

変わったのはロシア観です。旧社会主義体制時代には、生活苦や不自由さをすべて「ソ連のせい」にしてこれました。とにかくポーランド人はドイツ人に対してはアウシュビッツなどの戦争体験からくる憎悪感、ロシア人に対しては「文化的には俺たちのほうが上だ」という優越意識からくる嫌悪感を抱いていた。ところが旧ソ連が崩壊し、ロシア人たちが大挙してポーランドに出稼ぎにくるようになった現在は「ロシア人が可哀相だ。俺たちもかつてはドイツに出稼ぎに行った」などロシアは憎悪の対象ではなく、憐憫の情さえ覚える国となった。

そして二年後、あれだけ結束していた連帯が路線論争で分裂してしまいました。権力を握るってことは、全体より自我やグループ単位の利益を先行してしまうってことなんでしょうね。「連帯のエトスをもう一度！」と、幹部連中は必死になって再編成と大同団結をはかったんですが、覆水盆《ふくすい》に返らず――一九九四年には政権まで失うはめになりました。

連帯の運動はたしかに東欧崩壊という人間性の回復に大きな役割を果たしました。しかし、先兵というのは屍もまた累々と連なるものなんです。傷痕も深い。最近の物質優先、弱肉強食の社会風潮を見ていると、ふと、昔のほうが潤いがあったなあ、と嘆息してしまってる。社会が安定したら、僕が大好きだった陽気で客好き、それでいてちょっぴり皮肉屋のポーランド人とまた、ヴォトカを呑みかわしたいって思ってます。

歴史の瞬間

チェコ人の血に呑みこまれた、って気がしました

プラハ／指揮者
武藤英明（45歳・在外18年）

師匠斎藤秀雄が亡くなり、途方にくれた武藤さんは新たな師を求めていた。多くの国々の音楽家の演奏を聞き、チェコに音楽家を育てる何かがありそうだ、と予感する。

「チェコ人の人生は音楽にある」――この言葉は作曲家スメタナの言葉です。ハプスブルグ王朝の時代から、チェコ人の心を結集する大きな力に音楽があったんですね。この国には「ビールと音楽の値段をあげる政府は倒れる」という有名な諺があります。チェコはビールの個人あたりの消費量が、統一ドイツに次いで世界二位なんです。ピルゼンビールが有名ですが、実においしい。音楽とビールはチェコの人々にとって空気のようなものなん

でしょう。空気に税金かけるなんて言ったら、その政府は倒れるでしょう？

ハプスブルグ王朝に支配されていた時代、チェコではチェコ語の使用が禁止されていました。圧迫のもとで民族意識にめざめたプラハ市民が、チェコに題材をとったスメタナのオペラ『売られた花嫁』を上演したいと思った。上演に際して、いいオペラハウスを建てよう、と市民たちは募金を始めたんです。オペラハウスを市民の募金で建設するなんていうのは世界にも例のないことだって聞いてます。しかし、オペラハウスはオープン直後に火事にあってしまった。市民たちはめげずにふたたび募金をしたんですね。

ね、音楽に対する熱の入れ方がちがうでしょう？

八九年のベルリンの壁崩壊後、東欧の社会主義体制が崩壊していきましたね。チェコでも六八年に旧ソ連軍を中心にしたワルシャワ防衛軍の侵攻で抑えつけられた市民の抵抗運動「プラハの春」事件以降、親ソ連政府に勧められる亡命を拒絶し続け、抵抗を続けてきた作家ハヴェル氏（現大統領）が中心になって民主化運動が広がっていった。俗にいう「ビロード革命」です。チェコの多くのオーケストラもストライキをやったんです。ストライキというと、通常はサボタージュでしょう。この国ではちがいます。

あの時僕は、ピルゼン放送交響楽団で振ることになってました。社会主義政権下の楽団員は公務員だったでしょう。彼らは当時の政権とハヴェル氏ら民主化グループの狭間《はざま》で、演奏会をどうしたらいいのか悩んでいました。

結局、話し合いの末、演奏会はやらない、だけど演奏はやる。入場料は無料の集会にしよう、ということになったんですね。そのために、演奏会のプログラムを変えたんです。ドヴォルザークの『新世界』と、当時はまだ二つの国に分かれてはいなかったチェコスロバキアの国歌だけを演奏する、ということになりました。

当日入口で、市民たちは入場料の代わりに、民主化グループの人々の活動を支援する自発的なカンパをしてました。入場料の五、六倍もの資金が集まりましたね。

演奏会が静かに、おごそかに始まりました。聴衆も楽団員もチェコ人です。そして音楽のモチーフはもちろんチェコ。指揮をする私だけが日本人でした。一二〇パーセントの人で会場は埋まってます。『新世界』の四楽章頃から、異様な熱気が盛り上がってくる。そして、なにか長く尾をひくように、有名なあの最後の和音が終わった。

一瞬、劇場が静まり返りました。

そして次の瞬間、ワーッと拍手がわきあがった。チェコ人の血に呑みこまれた、って気がしましたね。

終わった後、八十歳くらいのお婆さんが楽屋に来て「ハプスブルグが終わったらヒトラーがやって来た。ヒトラーが終わったらスターリンが来た。スターリンがようやく死んだって思ったら、フルシチョフとブレジネフに延々と苦しめられた。長い、厳しい冬だった。だけど、ようやく孫の世代にはいい時代が来る。記念すべき夜でした、ありがとう」って言ってくれたんです。

しばしの幕間の後、チェコスロバキアの国歌を振りました。その夜、僕はスメタナの言葉「チェコ人の人生は音楽にある」ってことを実感しました。音楽をやっててよかったなあ、つくづくそう思いました。日本人がチェコで国歌を指揮したのは、たぶんあれが初めてだったでしょう。

チェコには何かがある、そう予感してこの国に来ました。その何かが、あのときわかったような気がしましたね。

自由の代償

昔はいい農場だった土地が、今では草ぼうぼうですよ

ブダペスト／雛鑑別
広江昭久（45歳・在外24年）

一にも二にも忍耐。一日座って、単純なことを繰り返します。雛鑑別はアジアの人でなければ駄目でしょうね。僕らにはちっとも単純じゃないんですけれど、ヨーロッパ人にはつまらん仕事に見えるんでしょう。

雛を傷めないように鑑別するには熟練を必要とします。最初の六ヵ月、雄の雛の尻ばかり見つづけるんですね。雄の尻の形態を記憶に焼き付ける。半年後に雌を見る。雄とちがう形態が雌、という判定方法なんです。

雛鑑別の方法は一九三三年、東京大学の増井清教授によって発明された。雛の段階で雄と雌を鑑別することによって食肉用、採卵用とに分けて育てることが可能となっ

た。広江さんは、鳥取畜産高校時代にこの仕事について知る。当時、雛鑑別は日本人の特殊技能とされ、世界各国から技術者を求められていた。

高等鑑別師の資格をとって海外派遣の試験を受けました。試験で二番だったんですよ。成績のいい順番から仕事量の多い国に振り分けられて派遣されます。今でこそ経済が乱れてしまいましたが、ハンガリーは長年にわたってヨーロッパでもっとも雛鑑別の仕事が多い国だったんです。旧ソビエト連邦、東欧諸国やアラブ諸国に鶏肉や卵を大量に輸出してましたからね。多いときには、日本人の雛鑑別師が十人を越したこともあるくらいでした。

ベルギーに日本人の雛鑑別師の総代理店があるんです。その代理店を始めたのも日本人です。第二次世界大戦前にベルギーで雛鑑別をやっていて、戦争中には捕虜収容所に入ってた人だと聞いています。今は息子さんが仕事を継いで、ヨーロッパ全域に約七十人ほどの日本人がいるみたいですよ。

ほんとうなら数年交代で国を移動したり、帰国しなければならないんですけれど、一九七七年にハンガリー人と結婚して、結局この国に定住することになりました。長男として両親の面倒みなければいけないのに、外国人と結婚するなんて考えてもいなかったですよ。でもね、ハンガリー人ってマジャール人っていいます。アジア人なんです。白人とはどこかちがう、あたたかいんですよ。

今は一日一万羽くらいの鑑別がせいぜいですけれど、結婚した年は一年で三二〇万羽も鑑別しましたよ。子どもが生まれたときなんか一日に三万五千羽っていう記録を作った。人生、最高のときだった。僕、二四年間ここで仕事してますけど、東欧が崩壊して三年目の去年から今年にかけて鑑別する雛の数がもっとも少なかったです。一年間で一三〇万から一四〇万羽くらいしかなかったですね。

――東欧崩壊の影響は？

ハンガリーって社会主義経済って思われがちでしたけど、七〇年代以降は世界銀行やＩＭＦからの借入金で、東欧圏では群を抜く発展を遂げていたんです。ほんと、僕がこの国に来た頃からハンガリーの暮らしは毎年毎年うなぎのぼりによくなっていったんですよ。お金さえあったら何だって手に入った。だからもっとうまく資本主義へ転換するって思われてたんです。もともとがソ連嫌いの国民でしょう。ＩＭＦや世界銀行から借金をすればするほどソ連への圧力になるって、政治的側面もあったようです。

借金の清算もできないのに、贅沢な暮らしだけは覚えてしまってた。借金したのか、させられてたのか、今になって返済を迫られて困るばかり。現在の借金地獄を考えるとこれがよかったのかどうか……。資本主義になってはじめて当時の政府の事情がよくわかったんですけれどね。

借金のおかげで、政府は今もＩＭＦと世界銀行の言うなりですよ。彼らの言う通り会社を潰していってる。利子もすさまじいし、結局、切羽詰まって資本主義国にさせられたんですよ。お金を貸してくれるところがなくなったら、やっていけないですものね。

妻　すべて値上がりしたわ。私たちは今、給料の四四パーセントも税金を払っているのに社会保障もなくなってしまった。

広江さんは自宅の広い庭に無数の野草や野の花を植えている。妻との結婚記念日、子供の誕生……「草木の一つ一つにそれを摘んだときの家族の思い出が重なっている」。彼はまた仲間と一緒に湖を持っている。環境、資源を保護するために会員制をとっている釣り場である。しばしば、その池で釣った鯉で鯉こくを煮込む。インタヴューの日は「村の障害競争に出走する馬の足ならし」と近所の厩舎にでかけ、広大な林野を十数キロほど歩いた。馬の名は故郷にちなんでトットリ号。

ここいらの畑をみてください。手入れされてないでしょう。かつて、この国は非常に農業がうまくいってたんです。一千万人の国民の自給率を一〇〇としたら、一五〇パーセントの生産を確保できていましたね。それが東欧崩壊後、基盤となっていた農業がむずかしくなった。国が革命前の所有者に農地を返還してますから、農民を雇っておけなくなった。集団農場、国営農場の農業労働者が失業している。僕の職場でも、毎日クビにされていく人ばっかりです。一九九三年末には百万人の失業者がでるだろう、って言われてます。機械を買うお金もありません。だから昔はとってもいい農場だった土地が今は草ぼうぼうですよ。国としては援助もせずに、自営でやってほしいといってます。

東欧崩壊後、旧ソ連への農産物輸出をやめてECへの輸出にきりかえようとしたんですね。でも、ECの枠内には入り込む余地がなかった。養鶏もほんとうにむずかしくなっている。政変前には人件費が安く抑えられてたし、飼料や設備投資も国家援助でまかなっていたでしょ。安いから西側も買ってくれてたんです。でも、今はトウモロコシなどの鶏の飼料がものすごく高い値段になってしまった。卵も西側並みの値になってしまった。そうなると西側諸国は買ってはくれません。だから、旧ソ連、おもにウクライナ共和国との関係をもどしはじめてます。でもまあ、むこうにもお金がないから物々交換らしいですけどね。

ハンガリーの会社も外国に身売りを始めてます。今政治をやっているのは素人ばっかりです。共産主義の人たちは皆排除されましたからね。優秀な人たちは皆、ソ連で勉強させていたのに、彼らを登用できない。専門家がでてくるまで時間がかかるでしょう。ある程度、国の力がつくまでは、しかたがないですよ。

僕も三年前から庭に工場と売店を建てて燻製卵の生産販売とインスタントラーメンの販売をはじめました。ホテルを中心に一日三千個の鶉《うずら》の卵を売ってます。昔はこの国は料理に鶉の卵なんか使わなかったです。いまでも外国人観光客の多い西側の資本の入ったホテルしか使っていません。

観光に力を入れて、ホテルとカジノが増えました。あ、それと犯罪。ハンガリーは東欧のマフィアの中継地点って悪口言われてます。国が荒れちゃいました。

しかし、一番変わったのは希望でしょう。昔に比べれば将来に希望が持てるってことが全然ちがうんですよ。

広江さんの長男は、大相撲の中村部屋にいる。さらに広江さんは鳥取の両親に送金を続けている。ハンガリー人の奥さんには、子どもを日本にとられたうえに、不況にあえぐハンガリーから豊かな日本の両親に送金する行為が理解できない。

「長男なのに親を残して来てしまった。子どもを一人、日本から借りてるような気がして、送金も日本の両親への僕の税金」だ、と広江さんは説明している。

広大な草原で夕陽を背にトットリ号に草を食ませながら、広江さんはつぶやいた。「馬を飼うなんて、こんな道楽も、これからは許されないでしょうな……」

壁の崩壊

二級市民が誕生したってことです

ベルリン／会社経営
福本榮雄（37歳・在外9年）

私のイニシャルはＪ・Ｏです。Japanischer Ossi「日本から来た東ドイツ人」――だからつい、東ドイツ市民の肩をもったり、旧体制時代の暮らしのよかったところを意識的に吹聴したりしてしまう。そうすると「社会主義者かい？」と皮肉をこめて、揶揄されます。一方で僕はぬきさしがたく資本主義国家、超経済大国日本から来た外国人です。

その思いがＪ・Ｏにこめてあるんです。

とっても気にいってるんです。このイニシャル。

福本さんは思うところあって大学を中退し、フリーランスの翻訳者として働いていた。ある日、新聞の求人欄の「求・独翻訳」という文字に眼をとめる。折から、仕事を拡大したいと望んでいたので早速応募した。そして二週間後、福本さんは東ベルリンでの暮らしを始めていた。二八歳の時だった。

東京の生活が骨の髄までしみついてましたから、東ベルリンの街は薄暗く、広告もない、人影もまばら――たまらなく寂しい街だと思いました。スーパーにおいてある品物の品数の少なさ、土がついたままの野菜、リンゴも拳よりも小さい、貧相なんですよ。缶詰なんかもとても人間の食べる代物には見えない――それで最初はパンしか買えませんでした。それが、何度も何度も検問所を往復していくうちに、東ベルリンに入るとホッと安らいでいる自分を発見したんです。西のネオンだらけの喧騒がうとましく、東ベルリンの巨大なアパート群にひそやかに灯る小さな電灯の明かりが、とても温かいものに見えます。大きさもまちまち、傷だらけの食べ物には自然の風味が残っている、と愛着をもちはじめていました。トマトも一見、どす黒い色をしてますけれど、幼い頃に畑で食べたあのトマトの味を思い出させてくれます。

人と付き合う、という点ではたしかに微妙な配慮が必要でした。東独人にとっては西側の外国人と付き合うと、周囲から羨望の眼差しでみられたり、秘密警察に密告されたりする可能性が強くなりますからね。でも、気にしない人はまったく開放的。たとえばある寒い日のことでした。一人の男性が私の車を止め、「寒さでバッテリーがあがってしまった。エンジンをかけたいのだが、牽引してくれないか？」と頼むんです。断る理由もないですよね。そして数日後、玄関のベルが鳴ったので出てみるとその男性が立っている。「お礼に食事に招待したい」と。楽しい宴でした。

一九八九年十一月九日夕刻の記者会見で、シャボウスキー政治局員は「東ドイツ市民はすべての東西ドイツ国境検問所で出国ビザを取得できる」と発表した。これが、東西ドイツを隔てていたベルリンの壁崩壊の瞬間だった。

八九年の春から夏にかけて、ハンガリーが国境を開けて大量の東ドイツ市民がオーストリア経由で西ドイツに出国していくようになったとき、私の友人たちもいろいろなことを語り合ってました。

「自分は今の生活を捨ててまで西に出ようとは思わない。しかし、建国記念日にゴルバチョフが来るときには、何かが起こってほしい。いや何かが起こるはずだ」

「警察署がある男にチェコへの出国ビザを出さなかった。そいつは壁や机を叩いて当たり散らした。なのに警察官たちは何の手出しもしなかった。こんなこと、考えられるかい？」

東ベルリンのパンコウ地区にある教会で開かれた市民集会に参加したときのことです。入口にはたくさんの秘密警察がたむろしてました。異様な緊張がみなぎっている。牧師さんが「合法的な集会だから、過激な行動を慎むように」と挨拶して、集会が始まったんです。そして民主化グループの代表が発言を始めました。

「民主化グループは政治的な集団ではなく、国民の内面的な不安を取り除き、自由に議論する手助けをする集団だ。だからわれわれは非暴力である。新しい社会主義の建設、それこそがわれわれの目標である」

それを聞いた市民たちは、自分も何かしなければ、と感じはじめ、確実に何かが動きはじめていったのです。

だけど、民主化グループの人たちは貧しかった。コピーマシンがないから、アピールを作成しても複製する手だてをもっていない。一枚一枚タイプで打って、それで枚数を増やしていくしかない。私も会社に内緒でコピーをして手伝いました。

だけど、時を経ずに私は民主化運動がインテリ層の意思に反して、ある種の中間階層に利用されはじめているな、と直観したのです。ある日、友人の一人が闇両替の相談を私にもちかけてきました。西ドイツマルクと東ドイツマルクは十対一まで格差が開いてました。百西ドイツマルクは千東ドイツマルクということです。一般的な就業者の一ヵ月の給料が千東ドイツマルクの時代ですよ。それでも西ドイツマルクのほうがいいらしい。マルク交換率の激しい変動を利用してもうけよう、と彼はたくらんだんですね。私は食ってかかりましたよ。両替のできる立場を利用するな、とね。今思えば、青臭い自分に少々、恥ずかしさを覚えますが……。

今の動きは危ない、と友人たちに説いて回りましたね。東ドイツが西ドイツの意のままにされていく、東ドイツの基盤を大切にしろ、と僕は考えたからです。でも空しい説得でした。「いまに見てろ、西ドイツマルクさえ手に入れればなんとでもなるんだ」と言いだす友人もいた。気持ちはわかりますがね。

シャボウスキー政治局員による歴史的な出国許可の会見があった翌日だったかな。友人から電話が入った。彼女はフリードリッヒ通り駅に面した高層ビルの職場から電話をかけてきたのです。ちょっと興奮気味でした。

「国境検問所に三百メートルもの群衆が並んでいるわ」

東の市民は群れをなして西を訪れましたよ。西ドイツ政府が歓迎金として東独市民に一人百マルクずつ支給しましたから、郵便局や銀行は大混雑。西ドイツ市民も歓迎一色でした。公共交通は無料、店では清涼飲料水やコーヒーが無料で配られた。西ベルリンをめざした私の友人たちの西側社会を見た第一印象は「なんだ、こんなもんだったのか!」という言葉に尽きます。東の市民たちは西のテレビも傍受できたわけで、予想はついていたようです。西側の市民たちの笑顔も数日でこわばっていきました。歓迎も長くは続かなかった。彼らもまた「こんなはずではなかった」――そう思ったんでしょう。壁が壊れるのは素晴らしいことだ。東ベルリンから市民が入ってくるのは嬉しい……しかし、こんなに多くの人間が一度に訪れては街が汚れる、交通渋滞もひどい、それに彼らはお金を落としてくれるわけでもない。私たちは与えるだけなのか？　西側市民のこの直観はその後の統一ドイツでの東独市民の立場を決定していくんです。

残念なことに私の直観は当たってしまった。ホーネッカー政権が倒れた後、モロドウ首相の下で大臣を勤めた民主化グループの代表の一人、現ベルリン市議会議員のセバスチャン・フルークバイルさんは「まるで植民地にいるみたいになってしまった」と語っていました。

決定的に統一を早めた理由はいくつもあります。先程も言った東ドイツ市民たちの西ドイツマルクへの憧れ、そして一九九〇年三月に行われた東ドイツ最後の人民議会選挙の結果でした。

フルークバイルさんは言いました。「教会が僕らの民主化運動に場所を提供してくれていた。だから、キリスト教民主同盟という名前が市民には同じ抵抗の組織と映った。彼ら大政党は物量作戦を展開した。市民は東と西の通貨交換レートを一対一とする、というコール首相の甘い言葉に酔ってしまった。そして四十年間、社会主義国家の政治家に不信感を募らせていた市民は西側の政治家なら信用できる、とこれもまた幻をみてしまった」

東ドイツ市民はお金に走って判断力を失った、と言われたものです。西ドイツ市民に愚かさを笑われる結果を生んでしまった。「働きもしないで、お金ばかりせがむ」――これが現在の西ドイツ市民の東ドイツ市民への率直な気持ちでしょう。

もしも統一がもう少しゆっくりとなされていたら？

――歴史に「もしも？」なんてまったく意味がないとはわかっているんですが、モロドウ政権と交渉しながら民主化市民グループが新しい憲法草案を練っていたってこと知ってますか？

〔草案の前文〕

一、個人の尊厳と自由を守る

一、すべての市民は平等の権利を有する

一、男女平等の保証

一、自然環境を保護する

面白いでしょう？　――男女平等や自然環境保護が憲法に謳われている。東ドイツで抵抗を続けた知識人たちが作成した憲法の下で、新しい社会主義国家が残っていたらどうなっていたでしょうか？

結局、お金のある方が貧しい人々の心や生きてきた歴史まで暴力的に蹂躙してしまった。旧東ドイツ市民は壁の向こう側で四十年間を生きた、ただそれだけの理由で二級市民のレッテルを貼られてしまったわけです。

福本さんは壁崩壊後、日本企業を辞め、東ベルリンに資材調達のキャリアを生かし、事務所を開いた。

統一を見届けよう、そのために自分のベースを確保しよう、それが事務所を開いた動機です。無謀な試みではありました。経営はたしかに苦しい。

しかし、私は自分の生き方の基本はプー太郎だって思っています。プー太郎であるからこそ見える世界を大切にしたい、そう思っていますね。

「この国に来て何年目ですか?」というあなたの質問。むずかしい質問ですね……(笑い)。事実は九年なのに、公的な書類では東ドイツ時代の六年半は登録されません。公式には三年目ということになっています。ビザもとりなおしました。一年戦いましたが、法律の悪戯です。私は幻の国にいた、というわけでしょうか。

岐路の文化

国家にかわるスポンサーがいません

モスクワ/書籍貿易
二神淑子(55歳・在外5年)

一九六八年から四年間、二神さんは青年組織の国際交流事業で家族法を学ぶべく留学、旧ソ連第三の都、現ウクライナ共和国首都のキエフで過ごした。

留学中に旧ソ連社会の矛盾には気がついていました。過去、数十年にわたって社会主義について矛盾のない理想郷であるかのごとく日本に報告してきた人たちの罪はかなり重いって気がしてました。

それでも旧ソ連で学び続けていたのは、担当教授が教条的な方でなかったからです。「エンゲルスが言うから正しい」といった単純な考え方を嫌う方でした。彼自身はマルクス主義、社会主義に対する信念を今もなお持っていらっしゃると思います。理想としてね。だけどこの国はどうしてそれがうまくできないのか？　というもどかしさと疑いの姿勢を常に抱いておられた方でした。

帰国してソ連の書籍を専門に商う会社に就職した。日本に紹介する本を求めて、旧ソ連への出張の日々が十八年。そして旧ソ連解体。以後、新しい商いの方向を開拓、模索すべく今度はモスクワに駐在している。

ペレストロイカで何が変わったかって？　本の世界が変わりました。旧ソ連の国策で、ペレストロイカ以前には宣伝的な新聞雑誌が大変安く手に入りました。本も比較的安かった。しかも非常にマイナーな本もきちんと出版されていました。この国は多民族国家ですから、小さな民族の言語辞典も出版されていました。言語は支配、統治に重要な学問だった、という側面もあったでしょうが、ともかくも国家の資金がそこに注ぎ込まれていました。学者も安心してマイナーな学問の研究に没頭できたわけです。うがった見方をするなら、旧ソ連のインテリたちは政治に触れることをやるとひっかかるので目立たないマイナーな世界で抵抗を試みていたとも言えます。

活字になるものはすべて党による検閲がありましたから。そこからはみ出した学者の研究は、これからようやく日の目を見ることになるのでしょう。分野によってはレベルの高い研究でした。その遺産は大きいですよ。

旧ソ連科学アカデミーは各共和国、そして連邦にまたがっていた組織です。ものすごい数の学者を抱え、その出版社は彼らの研究を出版し続けてました。小さな共和国の研究図書も出版されていましたね。それがソ連崩壊後、一気に消えてしまった。仮に研究論文が完成したとしても、なにしろ紙が高くなった。印刷費用も上がった。かろうじて出版されたとしても紙や印刷技術、製本技術が悪くなっている。アカデミックな本にいたってはタイプ印刷して綴じただけのパンフレットまがいのものが精一杯というのが現実です。

もっと悲劇的なのは、研究者もアルバイトに忙しく、研究自体がストップしてしまっているということ。ちょっと外国語ができる学者は外資系企業に身売りしたり、若い人たちは外国に出てしまいました。

今思えば、自由になったから今までよりいい作品が書けるかっていうとそうとも言えないみたいですね。八九年くらいが旧ソ連の文学界のもっとも面白い時期でした。

ブレジネフ時代に発禁本だった『アルバート街の子どもたち』『ドクトル・ジバゴ』それにスターリン体制を描いてノーベル賞を受け、アメリカに亡命したソルジェニーツィンの一連の作品までが続々と出版されて、まったくエネルギーに満ちあふれていたんです。それが一段落した今、ただ反体制、反社会主義というだけでは何の意味も持ちえなくなった。

かつて社会主義の国々ではアネクドート、一口噺が盛んでした。隠喩と風刺に富んだ口承の小噺。非常に鋭い批評のこもった笑い話ですけれども、これも大量印刷されておおっぴらに読まれるようになったら、本来の役割を失いました。

今、ロシアの本屋にはエロ、グロ、ナンセンスのたぐい、そしてアガサ・クリスティとかの欧米の推理小説、印税を払わなくてもいい昔の出版物の再版などが並んでいます。目立つのは社会主義時代に発禁とされていた宗教的な書物や帝政ロシア時代の思想家の著作、ロマノフ王朝物語などです。そしてかつての体制から亡命した作家、思想家たちの著作。自分たちのタブーとされていた時間、世界を必死にとりもどそうっていう感じです。

日本の税関も崩壊以前はソ連からの出版物輸入についてはノーチェックでした。チェックの必要がなかった。今はポルノ規制でひっかかりかねません。

ほんとうに変わりましたねえ。

いずれにしてもマイナーな分野であっても大作が誕生する、ということは国家に代わるスポンサーを見つけないかぎり現在では見果てぬ夢となってしまいました。

私にとっても、昔に比べてやはりとても大変になってきました。ほしい本がなかなか手にはいりません。出版されたとしてもマフィアがどこかに持っていってしまいます（笑い）。それと雨後の竹の子のように出版社が生まれたでしょう。実に多種多様な出版物が出るようになって、玉石混淆の中から玉だけ拾うのも大変な眼力を必要とするわけで。

これまでソ連関係の書物だけを扱ってきたうちもこれからどういった転換ができるのか、さぐってロシアを走り回ってます。私がここに駐在しているのも大変な覚悟です。作家同盟のアパートを間借りして、一切無駄なお金を使わないで、未来を作りだそうっていうんですから——。

乱世

考えようによっては、チャンスです

モスクワ／焼肉料理店経営
花田修一（46歳・在外3年）

花田さんは旧ソ連を専門に扱う中規模の貿易商社に勤めていた。ソ連解体後、売掛金の回収がむずかしくなり、深刻な不況の波をかぶる。そして辞表を出した。

会社をやめたはいいけど……日本では第二の人生を見いだせなかったです。二十年以上もロシアとだけ生きてきた私です。理屈抜きでロシアとは離れられなかった。混乱期――これは考えようによってはチャンスです。大変だけど、現在を抜け出せるチャンスかもしれない。ちょうど九〇年にロシアが海外の会社との合弁システムをとりはじめてました。ちょうどいい、食べ物屋をやろう、って転職を決意したんです。

モスクワで開業できるまで二年ちょっと、退職金と貯金を食い潰しました。東京で給料なしっていうのは辛いですよ。家族も悩んだと思います。子どもも教育年齢にさしかかっていましたから。上の息子は十六歳、二番目は十四歳、三人目は八歳。

まず日本で私自身の会社を設立し、ロシアの大蔵省から合弁設立認可を受けるまでに七ヵ月もかかりました。収入のないところでやるわけですから、せめて交渉に来るあいだの航空運賃くらいは浮かそうって、ロシア専門の旅行会社の手伝いをしながらモスクワに通いました。ただ、救いだったのは、うちの女房もモスクワ駐在してたときからロシアが好きだったってことです。

韓国料理にしたのにはいくつかの理由があります。当時モスクワには三軒の日本料理屋さんがありました。現在は五軒です。一軒はロシア企業の経営、あとは外資だけの営業です。モスクワに滞在している日本人の数からいっても、それだけで十分です。この混乱期では、そうは旅行者も来ません。新鮮な魚を大陸の真ん中にあるモスクワに運ぶのにコストがかかる。しかも、日本食は外国人にとって限界がありすぎる。

焼肉屋に決めた最大の理由は、当時韓国とソ連の国交

が始まりそうだったってことでしょう。エリツィンが日本をすっぽかして韓国を訪問する前のことです。韓国の会社の人たちと接触していると、六〇年代前半に、日本の大手商社がダミー会社を作ってモスクワにのりこんできたときの動きとそっくりでした。韓国人ビジネスマンが増える、と睨《にら》んだんです。商社時代、私は何度も韓国に出張していました。韓国人というのは食べ物にものすごく保守的です。当時、モスクワには北朝鮮の料理屋がありました。でも私が知っている韓国の味とはちがう。まるで料理になっていない。肉の味がしない。韓国人がモスクワに進出してきたらまず食生活に困るだろう。しかも肉料理は日本人にも欧米人にも受ける。それで韓国料理がベスト、という判断をしたんです。

今のところお客さんは日本人四、韓国人四、ヨーロッパ人二の割合ですね。ロシア人はどう逆立ちしても無理でしょう。彼らの給料では払えません。それでも値段の設定はずいぶん悩みました。社用族が中心とはみていましたが、日露貿易が落ち込んで、しかもバブル崩壊。日本企業の接待費の額がどんどん削られてます。コストを下げるため、日本製の食材はやめて肉や調味料はすべて韓国から輸入してます。

それにしても、ここまでこぎつけるには苦労の連続でした。話しだしたらきりがありません。合弁の許可がおりたら、店の工事です。七月末のオープンをめざして一月末から工事に入りました。日本だったら完成まで十分過ぎるぐらい余裕のある時間でしょう。五月十七日に、工事の経過を見にきて驚きました。まったく何もできていない（笑い）。予定などあってなきがごとし。施工会社はペレストロイカ以降に独立事業を始めた民間企業です。しかし、会社とは名前だけ（笑い）。毎朝、私は現場に通いました。契約では、朝八時から夜七時までが労働時間ということになっていた。皆、時間通り来てはいます。だけど着替えに三十分、煙草を一服、すでに一杯やっているのもいる。毎日、飴と笞《むち》の使い分けでした。

とくに手間どったのはガスの許可。この国には九階以上のアパートでガスを使ってはいけない法律があります。電気コンロでなければいけない。店はアパートの建物の真下にあります。まして、客の前でガスコンロを囲んで肉を焼く？　とんでもない。モスクワガス当局にはまず、焼肉という料理が想像できない。「研究所でコンロのテストをする。一台持ってこい」って言います。研究所が何を調べたのか、ものものしい厚いレポートを作ってましたね。すべて費用はこちらもちでしたけれどもね（笑い）。衛生管理基準も非常に厳しかった。野菜と肉は別々の部屋で処理しなければいけない、とか。この国の場合、野菜も泥だらけのまま運搬されてきますから現実的な規則なんでしょうけれどもね。

同時に進めたのが野菜の栽培。うちの野菜はほとんど独立農場となったモスクワ近郊のコルホーズ農場に栽培を委託しています。韓国から持ってきた種をこの地域に住んでいる朝鮮民族の方々に栽培してもらいました。冬の長い国ですから、ビニールハウスを利用しなければなりません。メニューにある料理をいつでも決して絶やさない、というのを原則にしてましたからね。ただ、土がちがうんでしょうか、白菜が別の味のものになってしまうんです。結局、キムチは韓国から運んできています。

大問題はスタッフです。スタッフは朝鮮民族の人たちがいいと人づてにお願いしたら、アッという間に五十人も集まり、面接して二十人を雇いました。訓練テキストは私自身がロシア語で作りました。七十年間の社会主義体制の結果、ロシア人には、いやなら買わなくていい、食べなくていい、という姿勢が身についてしまっている。彼らにはサービスというものが全く理解できない。

まずはサービスとは何のためにやるのか、ということを身をもって教えましたね。自尊心が人一倍強いこの国の人たちです。サービスは手段なのだ、ということから始めざるをえませんでした。

誰だって初めて会った人に心からお礼を言う気持ちにはなれません。でも、まずは頭だけは下げよう、それが営業の手段なのだ、って教えたんです。そしてサービスの結果、チップをいただく。サービスの良さで店の評判がよくなり、お客がどんどんと来るようにならなければ駄目です。店が繁盛したら自分の懐にもどってくる――愛社精神とまでは言わないけれども、そういったサービスのシステムを理解させせないと駄目でしょう。

彼らは「こちらがまちがってもいないのに、どうしてすみませんと言うのか？」って質問をしてきます。まちがってる、まちがってない、という問題じゃない、ウェイトレスとはそういう立場なんだということを毎日毎日、同じことをしつこいほど繰り返しましたね。

納得できない人はお辞めになってけっこうです――そうとしか言えません。そういうことが何度もありました。今でも新入社員には初日に「私はあなたがたが育ったシステムとは別のシステムの人間だ。私の言うことにはおかしいと感じることが多いかもしれない。でも、私の指示に従わない方は辞めていただきます」と言うことにしています。「私の店には労働組合などありもしない」っていうこともね（笑い）。

困るのは病気休暇です。この国では診断書は絶対です。本人の病気はもちろんのこと、子どもが病気になれば母親に休む権利があたえられている。彼らは企業に迷惑がかかろうがかかるまいが、おかまいなしに休む。

「休んでもけっこうです。ただし、あなたが休んでいる間のことは自分で他の人に話をつけて交代してください。給料については交代相手との話し合いでカバーしあってください」――そうしなければ経営が成り立ちません。

職場集団のミーティングも強制的にやらせています。若い女の子同士だから陰口が多いんですね。とくにチップについての不満が多い。「あの人はチップを一人占めしたいから手伝わせない。不公平だ」とかね。もともとロシアでは、チップはすべて平等に分配する方式をとってました。この種の公平観が七十年積み重なって経済を駄目にしてきた元凶でしょう。その結果、自分の利益を隠すようになる。利益がないと察知するとサービスに手を抜くし、やる気もなくなっていく。

日本で考えられなかったのが通関要員を雇ったことです。この国の通関作業は、まかせていたらいつ出てくるかわかりません。賄賂が横行してますから、それを優先したり、コネのある有力な人の荷物から先にだす。それを待っていたら肉など腐ってしまいます。専門の通関業者に頼めばほんとうに楽です。でも、何千ドルって手数料をとられます。それで、特別に教育された若い屈強なロシア人三人を通関担当に雇いました。税関の職員も月給で雇った。彼らの給料はほんとうに安いですし、この国で公務員のアルバイトは普通なんです。法律はあって、なきがごとしの乱世ですからね（笑い）。

オープンする二ヵ月くらい前にマフィアが来ました。日本で言えば暴力団。「守ってあげるからリベートをよこせ」って脅します。うちはすでにガードマンを雇ってました。でもね、もう三回もガードマンの会社を変えました。マフィアが彼らに脅しをかけるんですね。三回目の会社のガードマンはすべて非番の警官のアルバイトです（笑い）。この国でもっとも大事にされていた子どもたちだってマフィアの手先になって働くご時世ですからね。若者も無力感に耐えきれず、皆マフィアの配下になって闇商売や露天商となって荒稼ぎしようとする者が増えてます。

犯罪が横行してるから、安全への配慮も大変ですよ。鍵の数だけでもものすごい。私のアパートにはいるのにまず、暗唱コードナンバーがある。二番目のドアは鍵、エレベーターを降りると同じフロアに三世帯入ってるので廊下の入口に鍵が一つ、鉄格子の扉が二重扉になっているのでそこに南京錠、そして自分の部屋の鉄枠のドアには三ヵ所の鍵——全部で七つもの鍵をあけなければ自分の部屋にたどりつけない（笑い）。

まあ、実際問題、どこまでが正義でどこまでが倫理なのかわからなくなっているんです。昔は管理されていたから歯止めがありました。でも、人間社会には管理以前の、やってはいけない普遍的ななにかがあるはずでしょう？　それが、この国においてはすべて消えてしまった。一触即発で戦争にすらなりかねません。

このインタヴューから半年後、モスクワで銃撃戦が勃発した。

ほんとうに、どうなっていくのか……。だから世界は必死で旧ソ連邦の国々に援助するんでしょう。難民をださないでほしい、できれば自力更生してほしい、って。でも、エリツィン自身が言っているでしょう。「これは援助という名を借りたアメリカの経済政策だ」って。日本の援助も、結局は日本の大企業が潤う結果になるってことをロシア人は見抜いてます。すでに自暴自棄になっているんです。放射能の海中投棄にも、核などの処理についても「金がないからだ」と公言しているでしょう。国家としての責任、というレベル以前のところで今、彼らは必死にあがいているんです。

それなのに桁ちがいの高級官僚の特権、腐敗は昔も今も変わっていません。私が合弁企業をやるにあたって、とある産院に注射針が不足してると聞いて一万三〇〇〇ドル分の注射針の寄付を申し出たんです。通関用の書類を作るために産院を訪れたら、その産院は援助されることにまるで慣れてしまっているんですね。産院の院長は「今まで書類を作ろうなんて言ってきた人はいなかった。担当者が面倒だって、書類を作る人もいないしそんな暇ない」——信じられない反応でしょう？　そういう院長の体質のおかげで現場の医師や患者が困っているんです。使い捨てのはずの注射針を三回も四回も煮沸するだけで使っている。院長は患者が自分の血縁関係者だったら、そういうことをしないと思いますよ。

過去の特権を忘れられない人たちがいまだにはびこって権力闘争だけに明け暮れている——一般庶民はますます政治家に飽き飽きしてしまっている。絶望と諦めと……。そのなかでとにかく誰もが自分だけは生き残ろうとあがいている。

年寄りはいいんです。彼女たちには何らかの自己規制が働いている。でも若者には規制するべき価値基準が消えてしまった。ウェイトレスの女の子が客の残飯をかき集め、立ったままで貪《むさぼ》り食っている光景なんて見ると、愕然としますよ。厨房のおばさんたちは「やめさせてくれ」って嘆いてます。私が注意しても、彼女たちの「おなかが空いてるから」という明快すぎる答には二の句も継げません。モスクワに開店したマクドナルドではそれを徹底してやらせない。「一切、店の残飯に手をつけるな」っていうことを私もめげずに繰り返し言い続けなければならないんでしょう。残飯に手をつけるな——そんなことまで教えるのか、と悲しくなりますけれどもね。

今のロシアではどんなにやさしい気持ちでかかわっても、そのやさしさが伝わることは滅多にありません。貧すれば鈍するってことなんでしょうね。昔は貧しいお婆さんがいたらすぐに手をさしのべるって国だったんです。

この国に来た五月十七日の日記には、ロシア語のもっともひどい苛立ち、蔑《さげす》みの言葉が書きなぐってありました。コンチクショウ！　バカヤロウ！　それよりもっと汚い言葉です。そういう歯がゆい思いの連続です。

でもね、不思議ともともとの生活に戻ることだけは考えたことありません。前に進むしかない。二十年以上にわたって、僕自身がつないできたロシアとの関係——これが自分の血になっているんでしょう。理屈じゃないですね。せめてこの三百平米の店で、私なりの考え方を受けとめてロシアの人々が生きていってくれれば、それは大変なことだって思いながら、毎日過ごしてます。

ノスタルジー

機械好きの僕には東独はこたえられない国でした

シヴェート／機械技術者
岡部義勝（44歳・在外20年）

僕は百年遅れて生まれてきたのかもしれない。僕の愛する機械は、スティーブ・ロコモーティブやジェームス・ワットの時代の機械なんです。エンジンを創りだそうというあの時代は、人間の手と頭脳のすべてが機械の細部に表現され、創りだした人間の個性が機械の部品になって見えていた。自ら機械を生み出し、動かしていく喜びがあった時代です。だけど現代は電子工学の時代です。あれは技術ではあっても、僕の考える技術とは言えません。技術屋が楽しくない時代でしょう。基本はすでにできあがってしまったんですから。あとはモデルチェンジしかないでしょう。時代になっていきます。

一九七三年、日本のある会社が東ドイツにアンモニア工場を建てた。岡部さんはその会社の下請け会社の新入社員の一人として、東ドイツに赴任した。

僕はね、社会主義の国に来たのでなく、自分の時間を持てる国に来たんだ。最初にカナダの田舎やアラスカに住んでいたら、そこに住んだかもしれない。

最初に僕がここに来たのは四月の終わりだった。ドイツの一番美しい季節です。緑が美しく、空に星がいっぱい見えてね。休みの日なんかは、北の町に行ったりドレスデンや西ベルリンに行って夜明かししましたよ。九月には、この国に住みたいなあって思いはじめてました。日本になくなっているものがこの国にはあったんです。ドイツ人のガールフレンドがいたからかもしれない。でもそれだけじゃなかった。一年の出張期間が終わって帰国したら、国内出張ばっかりでした。日本の暮らしってケジメがないような気がしたんです。休暇もろくにとれない。自分の時間が全然とれなかった。

それで大使館に永住許可申請をだしました。

僕はほんとうに機械が好きでした。機械好きの人間にとって、東ドイツはこたえられない素敵な国でした。バイクを改造したり、自分のアイデアで機械を創りだせる。いや創りださなければ生活していけない。必要な物を創りだす喜びがあったんです。

当時、僕はポンプ修理部門のエンジニアでした。日本から買ったポンプがあっても、外貨がないからスペアパーツが買えない。東ドイツ産のスペアパーツだって、国内でオーダーすると、二年以上かからないと手に入りません。製品のほとんどは、外貨獲得のために輸出されていってしまう。だからいざというときに備えて、どこのプラントでも倉庫に保存しているんです。

部品のないときにはだいたいは旋盤などで機械加工して、限りなく似た部品を創りだします。できても、いざ本体につないでみると材料の選び方が悪いと、二、三時間ですり減ってしまう。いろいろと材料を変えて、何度も何度もやりなおす。今もいくつかのプラントには僕の作った部品が回っていますよ。「あ、回ってる。まだ大丈夫だな」って機械に対して愛着がわくんです。

自分じゃなければやれない仕事、というのがあるんです。自分と機械の間に特別な関係が生まれる。日本にも、僕以上に機械を創れる人はたくさんいます。でも、日本では、機械好きが考えるのはポンプをどのように修理して動かすかではなく、他の新しいポンプを買うってことでしょう。自分の手が加わってない機械には愛着がわきませんものね。

不便さっていうのは、皆が思うよりはるかに面白いことなんです。それを克服していくのが、たまらなく楽しい。物がない社会では、人間関係の輪が広がっていきますよ。社会主義的相互援助という言葉がありました。他のプラントに行って「あんたのところにこういうものはない？」「助けてくれよ」って自然に言えました。今、資本主義の国になっても、東独にはまだそういうところが残っています。

でも、資本主義の社会って、自分が歯車の一つにすぎないでしょう。壁の崩壊以後、現在は西のレベルに合わせるために、工場や国営企業の整理、民営化が進んでいます。民営化の前に、まずは人減らしです。失業者だらけですよ。工場も縮小されてね。もともと工場そのものが古かったから、捨てて、新しい工場に建て替えたほうが効率がいいってことなんでしょう。僕にとっては、工夫があって、自分じゃなければできない仕事がたくさんある工場だったけれど、資本主義の社会では使い物にならないものになってしまうんですね。

東独時代から住んでいる僕の村は、もともと農業が主体でした。でも、東の農産物は売れません。土を耕して栽培する自然農法で造る野菜は西の基準では駄目なんだそうです。ビニールハウス栽培のほうが清潔で形も色も一定だって……。

古い、という理由だけでなにもかもなくなっていく。

――（沈黙）。

工夫して創りだす楽しさがなくなっていきます。時間の節約のために、機械が壊れたら新しい機械を買えばいいっていうわけです。――そう、時間です。昔は、仕事から帰ると庭先から近所の人たちがビール二、三本抱えて現れてました。近所の連中が集まって、毎日のようにゆったりとお酒飲みながら話をしていた。世間話をね。そういう時間がまったくなくなりました。皆、仕事が忙しい、不安だ、暇でも不安なんだって愚痴りはじめた。

僕は日本の企業に勤めたくはなかった。忙しくなるばっかりでしょう。ドイツの企業は、もっと個人の時間と仕事の時間がくっきりと分かれているんです。たしかに、日本式の職場は、コストも下がっていくし、便利だし、いい企画にもなっていくんだけど、いつも忙しい忙しいと焦らされている感じなんですよね。職場でも、誰かが「急げ！」と命じるわけじゃない。でも、なんとなくしめつけられてくる。言葉にならない圧力、みたいなものかなあ。一時はノイローゼになりかかりました。夜は眠れないし、スケジュールはいつも一杯――こういう暮らしがしたくなくて僕は東独に来たのに……。

統一後は、家族と一緒にいても、いつも仕事のことを考えている。東独では社会保障が確立してたから、命と暮らしについては心配しなくてもよかった。貯金の必要がなかった。昔がよかったっていうのではないの。今のほうが自由なんだけれど、何かがうまくいかない。皆のこころに不満が鬱積していると思います。

この間、古い車を買いました。東独製の軍用オープンカーです。機械がむきだしの車でね、自分でじっくり改造して面白い乗り物にしようって思った。でもね、その時間がない。東ドイツも日本的になっていくってことかもしれません。五五歳で定年退職するまで、やっぱり自分の時間はないんだろうなあ。

国際機関

ユネスコへの出向

日本では海外での経験をうまく生かせません

バンコク／元ユネスコ出向文部省職員
上別府隆男（33歳・在外3年7ヵ月）

文部省職員だった上別府さんは二八歳のとき、自ら志願してバンコクにあるユネスコのアジア・太平洋地域事務所に出向した。文部省内の海外勤務希望者の多くが先進国を希望する風潮が強かったが、彼にとってアジアは教育開発を志す者として魅力的な現場だった。

ユネスコでは『アジア・太平洋開発のための教育革新プログラム』事務局のアソシエイト・エキスパートとして働きました。このプログラムは仰々しい名前がついてますけど、アジア・太平洋諸国の、とくに開発途上国がかかえるさまざまな教育問題の解決策を各国が共に知恵を絞って考えていくため、一九七〇年代初めに始まった協力ネットワークです。参加している国は北はロシアから南はオーストラリア、東はキリパスから西はトルコまで——じつに三三ヵ国。私の仕事内容はこのプロジェクト事務局にいるフィリピン人、ネパール人、スリランカ人、タイ人、パキスタン人の五人の専門職員の補佐と、日本がユネスコに特別出している教育信託基金プロジェクトの企画立案、実施、評価——アジア・太平洋での教育経験の交換を促進させるとともに日本の経済発展の礎となった教育分野の経験を同地域の国々と共有しようというプログラムです。前者ではもっぱらアシスタントですが、後者では日本からの資金ということで、上司の監督は受けてはいたものの自分の責任において自由に進行させることができました。これはゾクゾクするほど面白く刺激的な経験でした。アジア諸国の大都市から山奥まで歩き回ることができ視野が数百倍にも広がった気がします。このような素晴らしい機会を与えてもらった文部省に感謝しなければなりません。

それにしても、このプロジェクトを担当して痛感したのは、日本にふんだんにあるはずの教育上の経験やノウハウを諸外国に伝えることのむずかしさです。言葉の問題、コミュニケーション能力の乏しさ、一度外国に出るなどして組織の外に完全に出たら復帰ができない組織システム、抽象的な議論より具体的実践を尊ぶ風土、縦割り行政、専門家あるいはスペシャリストの待遇の低さ、途上国に対する根深い偏見……理由をあげたらキリがありません。いや、これらの理由が複雑に入り組んでがんじがらめになってしまっていると言ったほうが正確でしょう。しかも、たとえ専門家の方々がいろいろな関門をくぐりぬけ、途上国を訪れることができたとしても日本の経験を一方的に紹介するという形が多い。日本の経験を諸外国の文化やシステムに合うように置き換えたり、また共通と思われる部分を抽出して伝える、というような場面がない。そうなると途上国の側は、困ってしまうわけです。たしかに途上国の消化吸収能力にも問題はあるかもしれません。でも、日本人の大きな問題とも言えるんじゃないでしょうか。

日本のODA（政府開発援助）は今や世界一の規模を誇っていますが、先進国のなかでは後発国です。これまで、主として道路やダムなどのインフラストラクチャーの整備が中心であったし、教育面でも学校建築などのハード面に重点が置かれてきました。しかし、現実的に日本の経済成長を支えた教育がいかにして行われたのか、ということは途上国にとってもっとも知りたいノウハウなんですね。欧米諸国は、不幸なこととはいえ植民地支配の長い歴史を通じて途上国とつながる何らかのノウハウを持っている。しかし、日本はどうしてもつながりえない。

ひとつには日本のシステムの堅牢さがあげられるんじゃないでしょうか。たしかに、日本のシステムの堅牢さは欧米諸国からの情報、文化を吸収する場合にはうまく機能したものの、日本から発信していこうとする反対の立場に置き換えてみると、厚い壁となってしまう。たとえば言葉です。日本人は日本人以外の人々と日本語以外の言葉を使って話さなくても一生を終えられるわけです。西洋を吸収してきた過程では、自分たちに必要なことのみをうまく消化吸収すればよかった。相手についてほんとうに理解したかどうか、は二の次。しかもこの場合、自らのアイデンティティまでは壊さなくてすむ。これは、これから国力をつけたい、と願う国々にとってはすこぶる魅力的な吸収法です。だけど発信者としては、相手に通じる回路とはなりえません。

これは私にとって絶望的なことでした。どうして、日本の豊かな経験を伝えられないのか――。こうなると、多くの国が日本に求めるのは豊富な資金とハード面の援助ということになる。結果として、アメリカをはじめとする援助する側は日本の資金とハード技術と自国のソフトを組み合わせる、という考え方に向かっていく。とすると、日本は金と技術を提供しながら欧米のソフトを広めていく役割を担わされるということです。日本の精神は伝えていくことはできない、ということです。

ユネスコなどの政府間機関の職員は、表向きの中立的な振る舞いとは裏腹に、本音の部分では母国との密接な関係を維持することに躍起となっているわけです。母国の利益を得る一方で、自分自身への見返り、つまり昇進をいかにして得るのか――ギブアンドテイクの図式は時として唖然とするほど赤裸々です。とくに途上国出身の職員は、母国にたくさんの援助プロジェクトを持って帰れば政府に貸しを作れる。これは政治家と選挙区との関係に似ていますね。こういった実態に触れて倫理的な葛藤がありました。

もうひとつ、私を苦しい思いにさせたのは私自身の出向者という立場です。ユネスコ職員でありながら文部省の役人でもある。私の場合日本が資金提供者なのでプロジェクトを日本にひっぱっていく必要はない代わりに、ユネスコ内部の情報をいち早く非公式に東京に伝える役目が与えられた。情報が早くわかればそれだけ、文部省が政策決定において国際的に有利な立場に立つことができるわけですからね。そして日本とユネスコの情報交換や非公式の打診、折衝を間に立ってやらなければならない。こういった調整の仕事はうまくいっているときには何の問題もなく、大きな国際的影響力のある組織をわずかながらでも動かしていると考えるだけで興奮してしまう。しかし、ひとつこじれると自分で自分をコントロールできる範囲をこえていってしまうんですね。二重身分の悪い面が作用して、ユネスコも大事、文部省も大事、どちらか一方の肩をもてばもう一方から非難を浴びるという構図にはまってしまう。

苦い思い出があるんです。日本とユネスコで共同して会議を開催しようと契約書を準備していたときのことでした。文部省と相談しながら契約書を作っていたら、ユネスコでは仕上がってないはずの契約書が文部省で決裁が下りてしまったんです。文部省からは一度決裁したら変更は不可能と言われ、ユネスコからはその契約書は無効だ、と言われてしまった。あのときは夜も眠れないほど悩みました。ネパール人の上司は我関せず、の姿勢を貫くし……。結局、ユネスコに出向している同じ文部省の幹部にとりなしてもらったわけです。

ユネスコと文部省の間に立つということは、英語と日本語の狭間であると同時にユネスコが基礎としている西洋と日本の文化的な狭間に立たされるということでもあります。西洋式に言うなら個人が責任のベースです。相手が年長者であろうと上司であろうと、自分の意見はきちんと主張すべきだという考え方は、集団で責任を負おうとする日本とは相いれません。集団の和を重んじるあまり、日本の場合は大量の微妙なコミュニケーションが必要となるわけです。また、仕事の評価にしても、西洋ではいい所を褒めるけれども、日本では何も問題を起こさないことが美徳とされる。そういった基本的なちがいは仕事のすべてに影響してきます。能力本位なのか性格を云々されるのか。意思決定過程を明確にするのか、根回しに重点を置くのか——どちらがいいとか悪いとかの問題じゃないんです。ただ、その狭間に立っていると精神分裂を起こしそうになる。

最初はほんとうに混乱しましたよ。日本の謙譲の美徳がユネスコ内で不思議な視線を浴びたり……(笑い)。

今度はユネスコ流に適応しすぎて東京の文部省との意

思の疎通がうまくいかなくなってしまう。最終的には、私は二重の身分を逆に利用することで自分が分裂しないように、仕事がうまくいくように考えましたね。責任が自分にふりかかってこないように細心の注意を払いながら、根回しをユネスコ内でも実践し双方の意見の隔たりを最小限に縮める、ということなどです。

しかし、この調整作業の毎日は、やはりエネルギーの消耗がはげしかった。異文化の谷間で自分の適応能力を鍛えるにはいい機会ではありましたけどね。

そして一九九二年、上別府さんは人事異動で東京の文部省にもどった。

東京に帰って文部省に出勤した最初の日、私には回りの懐かしい同僚が異邦人に見えたんです。まず驚いたのが眩暈《めまい》のするような速い身のこなし。まわりくどい間接的で微妙なコミュニケーション。上司からの指令を盲目的に受けるへりくだった態度。無駄口は慎み、個人的な会話の許されない張り詰めた雰囲気。病気で苦しみながらも出勤する犠牲の精神……挙げていったらこれもキリがない。逆に、私は彼らにとって異邦人に見えたことでしょう。

お菓子を食べながら、赤ん坊を連れて来た同僚とおしゃべりするバンコクの女性職員たちの笑顔に囲まれた職場の雰囲気——気がつかないうちに、私もバンコクに染まって文部省の文化から離れてしまっていたんですね。

逆カルチャーショックがなおって、職場で元通り機能できるようになったのは数ヵ月後でした。

でも……、海外の体験はあまり生かされなかった。私がたくさん学んだ新しいアプローチ、知識、スキルのなかでも、伝統的なやり方を変えるような部分は極力排除され、翻訳などのさしたる影響を与えないスキルのみが多いに歓迎されるのみでした。

最初は、何のための海外勤務だったのか、海外経験を組織の発展に役立てるためじゃなかったのか？　と苛立ちました。しかし、これこそが日本だったんです。日本が自らのアイデンティティを崩すことなく、海外から知識、技術、文化を消化吸収してきたパターンだったのだ——そう悟ったわけなんですね。

上別府さんは、ユネスコで痛感した自分の力不足を補い、現場で経験したさまざまな問題をまとめたいとフルブライト奨学金を得て、アメリカの大学院に留学を決意する。長い交渉を続けたものの、長期休暇の許可は下りず、文部省を辞めての日本からの再出発だった。

専攻テーマは「持続可能な開発」。途上国における人間開発というテーマで研究しています。授業を通じて、アメリカの国際開発におけるさまざまな経験や知識を学んでいます。凄味のある国ですね。さまざまな緊張をはらみながらも多様な個人を尊重している。アメリカはやはり世界の英知を引き寄せる力があると同時に、世界中のあらゆる問題も集まっている。たとえば、途上国の大きな問題である非識字の問題がアメリカの大都市でも大きな問題です。

アメリカに来て、今あらためて日本のことを思います。成熟した社会である日本では、非識字の問題はほとんど解決済みで、非識字あるいは文盲という言葉の存在すら知らない人がいますよね。国の内側にアメリカほどの大きな問題を残していません。だからこそ、逆に世界中がぶつかっている難しい問題、たとえば非識字や貧困といった問題を自分の問題として捉えることができなくなっているとも言えるのではないでしょうか。せっかく経済や教育が成功したんです。他の国が思わず真似したくなるようなメッセージにして、日本の経験をさまざまなルートを通じて発信すべきときがきたのではないか、そんなこと考えてます。

紛争の解決

国際法はどこの国の法律でもない

ハーグ／国際司法裁判所裁判官
小田　滋（68歳・在外19年）

国際司法裁判所の裁判官は十五人。一人の裁判官は九年の任期を勤める。インタヴューは二期目、最後の年の三月に行った。小田さんは副裁判長の要職にあった。

国際司法裁判所の選挙は国連で行われるのですが、選挙で信任票を得るためには二つの要素が必要です。ひとつは国の力、もうひとつは自分で言うのも妙ですが、候補者個人の法律家としての実績、あるいはその国際的評価でしょう。日本の国際法学界には優れた人材がたくさんいます。しかし、選挙となると国際的知名度も必要となる。私の場合、学生時代の留学体験やたくさんの国際会議に出席する機会に恵まれていて、一九五〇年代から七〇年代にかけて六十回以上の海外出張をこなしてきたわけです。現在では珍しくもないことですが、戦後と考えられていた当時では大変異例でした。外務省もある程度それ向きに養成しようという考えがあったのでしょうね。さまざまな国際法実務の機会も与えられ、いくつかの外国政府の諮問にも答えてきました。そういった経歴もあって、国連あるいは諸外国で私の名前が通っていたことは事実で、七五年の選挙で日本政府は私を候補者にたてたのだと思います。

それでも選挙運動は厳しかった。最初の選挙のときは、日本人として最初に判事を勤めた田中耕太郎先生が退官されてからしばらく時間が経過していましたし、日本としてもぜひひとりたいポストだった。私は世界各国を回り、政府首脳に会って支持要請をしました。当時の宮沢喜一外務大臣もニューヨークの国連総会に来られて「政府開発援助のODAについてはどなたもご存じでしょう、今度の投票にはODAと書いてください」と途上国の外相たちに直接働きかけてくださった思い出があります。

ハーグの裁判所に赴任した一九七六年頃は係属されている事件が一件もないという有様でした。国際司法裁判所では紛争当事国の同意がなければ、どのような紛争も処置しえない。日本に関係した北方領土や竹島問題にも手をだせないわけです。

私が就任する前の七〇年代半ばのことですが、フランスが南太平洋で核実験をしようとしたとき、オーストラリア、ニュージーランドが訴えました。しかし、フランスは裁判所に出てきません。またその頃、アイスランドの漁業水域についてイギリス、ドイツが訴えたのですが、アイスランドはボイコットしたわけです。

仮に判決が出たとしても、強制力もありません。実際には、国際司法裁判所の歴史で判決はほとんど守られてきましたが、十年前のテヘランで起きたアメリカ大使館事件の判決をイランは守りませんでした。そのときにイランを激しく非難した当のアメリカが、その数年後にニカラグアに訴えられたコントラの事件では、判決を忠実には守りませんでした。

国際政治の前で、裁判所は時に無力感を味あわされます。中東戦争、湾岸戦争、そしてまたユーゴスラヴィアをめぐる現在の紛争でも無力感にうちひしがれることの多い日々です。たしかに裁判は国際紛争の万能薬ではあり得ないことは事実ですね。

裁判の基準になる国際法が先進国の法論理にもとずいている、との批判がある。

テヘランの人質事件のとき、イランは裁判所が西欧の法律で裁いている、イスラムの法律基準がわかっていない、と主張しました。またアフリカ諸国も、現在の国際法はいわゆる西欧先進国の植民地支配の論理だ、と批判することがしばしばあります。たしかにそういう側面も否定できないかもしれません。国際法はどこの国の法律でもありませんが、西欧の近代法を基礎にした流れであることだけは事実ですから。

しかし、この裁判所でアジア、アフリカあるいは社会主義国の判事が西欧の判事と際立って異なった態度をとった、ということはありません。裁判官の出身によってその傾向を判断するということはできないのではないでしょうか？　私などはこれまで裁判所の意見、判決に異説を唱えることが多かった方ですが、それは私が日本人、あるいはアジア出身だからではない。つまり先進国だから多数派、途上国だからマイノリティという色分けよりも、法についての裁判官個人の問題と見るほうが妥当でしょう。

ニカラグアへのアメリカ侵攻の裁判においても小田さんは少数派の立場に立った。

この事件ではニカラグアが勝訴したわけですが、私自身はたしかにニカラグアに不利、アメリカに有利な論旨を展開しました。しかし、アメリカ贔屓《びいき》という政治的立場から裁判にかかわったことはこれまでに一度もありません。私なりに国際法の論理に忠実であろうとし、また裁判における訴訟手続きの重要性を意識したからと言えます。あの裁判の直後、傍聴に来ていた『赤旗』の特派員が、判決や私の反対意見を読みもしないで私を「中曾根（元首相）の走狗と化した」と書いたことがありました。非常に不快でしたね。むしろ、こういう人たちが裁判を政治の道具としているのではないでしょうか？

ニカラグアは勝訴したにもかかわらず、その後、政権がサンディニスタからアメリカと友好的なチャモロ政権にかわって、その経済援助を期待するために、判決に引き続く賠償請求を取り下げてしまった経緯があります。

冷戦構造の崩壊をきっかけにして、国際機関はアメリカ主導の機関となりつつある、という批判がある。

国際司法裁判所に関してはアメリカの出先機関と言われたことは一度もありませんし、ニカラグア事件でもアメリカ敗訴に終わってますし、PLOのニューヨーク事務所の閉鎖をめぐる事件――これは判決ではなく、勧告的意見というかたちでしたが――でも裁判所はまったくアメリカと正反対の意見を示しました。

近年はむしろ、リビアやニカラグアの裁判をきっかけにして、アフリカや中南米諸国が国際司法裁判所を利用するようになっていますね。私が赴任してきた七〇年代半ばとは大違い、忙しい毎日です。

オフィスの一畳ほどの机二つが並ぶテーブルには資料が山積みになっている。

口頭弁論は一つの裁判に平均して二十回前後も行われます。三、四週間連日、午前中の三時間ほど行われる。その速記録が夕方には各裁判官に配られる。それをその日のうちに読まないと翌日の口頭弁論につながっていかない。言葉は英語かフランス語です。外国語に不慣れな私は口頭弁論が始まると、他の一切の生活を犠牲にして、裁判に没頭せざるをえません。

口頭弁論が終わって判決文を書き終わるまでに四、五ヵ月はかかります。ここでは十五人全員の判事が一つの案件審議に参加する。全員がそれぞれの意見を五、六十頁の調書に書きます。それを持ち寄って十五人が議論し、審議を尽くすわけです。民族も国も異なる十五人が、それぞれ思想的・文化的な背景、法に対する認識に立って意見を言うと、およそ考えうる論議は出尽くします。出てくる判決はきわめて高い質のものになってくるわけです。

国際機関で日本人が働くということ。

言葉の問題は大きいと思います。これまで国連事務局でも日本人が配置されるのは、どちらかというと人口、統計、麻薬といった部局で、政治、法務の部局は少なかったのではないでしょうか。資料を渡されて、その場で読み、書き、意見にまとめて議論の場で主張するのは並大抵のことではできません。もっとも、今の若い世代は外国語で考え、語れる人たちが育っている。心強いことですね。

ただ、あえて付け加えるなら、国際司法裁判所はもちろんですが、法曹の世界は一般の官僚、公務員の世界とはもう一つちがう点がある。なによりも、本人が国際的に通用する法律家でなければなりません。言葉、行政能力だけではありません。その意味で、日本の法学教育は見直されなければならないと思います。国家レベルでも、また会社・個人の渉外関係の処理でも、国際社会が一層緊密化している現在、それに対応する法律の素養がますます必要になっているわけです。

率直に言って、私にはそれだけの十分な素養もなく、この国際法曹の修羅場のなかに投げ込まれ、精一杯背伸びして生きてきました。若い世代のなかから優秀な国際法曹が育ってくれることを期待してます。

一九九三年、小田さんは三度目の選挙で、総会一七八ヵ国のうち一六三ヵ国の信任、安保理事会では十五ヵ国すべての信任を得て、十五人中トップ当選を果たした。

エコノミスト

議論を組み立てる——これは一つの芸術です

ワシントン／世界銀行リスク管理、金融政策局局長
西水美恵子（46歳・在外23年）

日本だって世界銀行にずいぶんお金を借りてたんですよ。戦後復興のため一九六四年頃まで借りてました。返済が終わったのはつい二、三年前だったのよ（笑い）。

最初の海外生活は東京都の高校生親善使節としてのニューヨーク訪問だった。女性が活躍しているのを目のあたりにした西水さんは翌年、ロータリークラブの交換留学生としてフィラデルフィアの高校に編入。成績は抜群。担当教師はアメリカの大学への進学を勧めた。そしてガルチュア女子大学入学。経済学と数学を学び、さらに一九七〇年、ジョンズ・ホプキンス大学の大学院に受かった。

IBMのトーマス・ワトソン財団が、アメリカの大学を卒業した学生に自分の好きな国で一年間、自分の好きなプロジェクトをやらせるという奨学金を出していました。それに受かって、日本に帰ったんです。

あの頃はまだ日本に帰らなければいけない、って思っていました。帰国して父の世話で、ある会社に勤めながら『経済学からみた日本の大気汚染の研究』という論文をまとめていたんです。

でも小さなことが気になるんです。人に紹介されるときにも「女性にもかかわらずお出来になる」「女性なのに経済学をやっている」とか。お見合いの話もありました。たった一年でも、日本の社会にいると自分が元の日本人の心にもどっていくのがわかるんです。身体が日本に化学反応していってしまう。アメリカの魂をつけたもう一人の自分が「いやな女になっているわね」って批判します。深い葛藤がありました。そんなとき、合格したままになっていたジョンズ・ホプキンス大学から入学の意志があるかどうかの問い合わせが来ました。息苦しさから抜け出したくて、行きますって電報を打ちました。

両親には荷物をとりに行くとしか言えません。飛行機

に乗るまでは、私自身も半信半疑でした。でもバンクーバー郊外にあるスキー場に寄って、頂上に立った途端に霧が晴れました。壮大なるカナディアンロッキーや太平洋を見つめていたら、自分が人間として小さく見えたんですね。ほんとうにやりたいことをやらないと、きっと後悔する。それで決めました。山のてっぺんでね。

私にも意地がありますから、四年かかるところを三年で学位をとりました。両親が最終的に許してくれたのは学位をとったときだったと思います。

その後、五年間はプリンストン大学、ウッドローウィルソンスクールの助教授として教鞭をとる。その間、ジョンズ・ホプキンス大学の上級生と結婚。イギリス人のご主人はワシントンのＩＭＦに勤務、二人は通勤結婚を続けた。ある時、世界銀行主催のセミナーでホリス・チェネリー世界銀行副総裁が西水さんの論文に目をとめる。

私は一生を学者で過ごすつもりだったし、開発途上国に関心がなかったんです。世銀入りにはあまり気が進まないって答えました。副総裁は好きなことをしていい、とにかく一、二年腰かけてみないか、と誘ってくださった。

一九八〇年十月一日が初出勤の日。副総裁は一つだけ条件をだしました。どこか一つか二つ、発展途上国のミッションに加わって見てきなさい、って。それでユーゴスラビアとエジプトのミッションに加わったんです。

行って——やみつき！（大笑い）もう、麻薬！

エジプトではスラムで貧しい人たちの暮らしを見た。小さな工場では片手しかない子どもが働いていた。経済政策がよくないと、こんなに貧しい暮らしに苦しまなければいけないって胸がつまったわね。ユーゴスラビアの場合には、共産主義の壁。国民が豊かになるために政治の壁をどう乗り越えていくのか考えました。

若いエコノミストが、開発途上国の若い大臣を相手に経済政策について親身になってアドバイスをしていく。国造りのロマンみたいなものにひかれました。

第一、世界銀行が介入することですからプロジェクトの規模が大きい。首切られないかぎり世界銀行から離れられない、骨を埋めようって思いました。

これまでリサーチに三年。その後、政策局に移って、受け持ったのはハンガリーと中国。エコノミストとして構造調整、経済政策を変えていくお手伝いをしながら、融資を決定する仕事でした。

ハンガリーでは、一九六八年から経済政策を市場経済に変えていこうという試みが行われてました。でも、最初に私が受け持ったプロジェクトは非常に社会主義的なものだった。五ミリの厚さの鉄板生産技術に一ミリの鉄板ができるテクノロジーを導入する、とかね。

私、彼らのプロジェクトを見て「こんなことやってても しょうがないわよ」ってはっきりと言いました。社会主義のもとで市場経済を発展させようとしても、競争市場が成りたたない。一ミリの鉄板で一時的にはよくはなるだろうけれど、長い目で見れば国民の生活水準をたてなおす結果にはならない――そう批判したんです。その時はそれで終わったんですが、興味を持ったんでしょう。その次に、その人からリクエストが来た。ラッキーだったのは、彼が指導力のある優秀な方だったってこと。

社会主義国では国民所得は税金の対象になっていなかったでしょう。国営企業の黒字を国家財政にあてていたわけです。ということは、国営企業が赤字をだしても政府が補塡してくれるわけです。当時、ハンガリーには企業の破産法もなかったんです。企業に破産というのがなければ競争市場になりません――そういった枠組がきちんとできていなかった。結局、あまり儲かる企業になってもつまらない、ってことになる。給料は保証されているし、労働意欲も下がる、悪循環でしょ。黒字企業がなくなっていくわけです。その体質を根本的に変えていかないとマクロ政策にも影響がでてくる。

所得税と付加価値税の導入のお手伝いもしましたね。

もちろん、こうした枠組の完成は社会主義、共産主義の政治的イデオロギーとぶつかるようになる。党の保守派からは反対されました。面白かったですよ。世界銀行として専門家を紹介し、送りこむことによって、ハンガリー国内で経済政策をよりよくしようとする彼らを国内の政治的な反対から守ってあげられるわけでしょう。政治的に微妙な話をするときには、車でピクニックとかに出かけ、丘の上でランチを食べながら話したりしました。

中国の場合、中国政府から将来の貿易政策をどのように変えていくべきか、そのための調査とアドバイスをくれ、という要望が世界銀行にあったんです。調査団の一員として一ヵ月半ほど滞在しましたね。

中国は一つの国としてはとらえられない、と実感しました。民族、言葉、暮らし方まで多様な人々がいる。そして市場経済への移行がうまくいっている国だってこと。

中国は農業関係の改革を最初にやったんです。ベースをきちんとなし遂げてから市場経済への移行をはかった。最終的には、社会主義という政治的な枠組みに行き当たるかもしれません。しかし、現在のところ長続きする改革をやっているって印象でした。

一九八七年から営業としてパキスタン、トルコ、アフガニスタンを担当した後、現在のリスク管理、金融政策局局長の地位についた。

開発途上国にもリーダーの腐敗というのがつきものです。ある国では世界銀行が融資をしている銀行を政治的目的に使ったんですね。それで大蔵大臣に直談判。貸付をしている相手国が国民のためにならないことをやっている場合にははっきりと指摘します。一国の大蔵大臣に向かって「あなたのやっていることはお孫さん、曾孫さんに対する泥棒でしょう」って言いました。

一つの国の仕事しているとその国の国民の素顔が頭にこびりついて離れないの。いつも現場に行くと、週末は予定を入れずにその国の裏町を歩くことにしている。路地裏、スラム――。タクシーの運転手さんと一緒に食事したり、彼らの家を訪ねたり。農村で農民と話をしたり……。外人が珍しいから、彼らが話しかけてくるのね。

嬉しいのは世界銀行で働いている、って言うと彼らの視線がキラキラ輝くってこと。パキスタンでも村のおばあさんが私の手をひいて世界銀行が造った井戸を見せてくれた。井戸ができてから村の衛生状態がよくなったって。子どもたちが死ななくなったって。涙流して訴えてくるの（涙）。

――私、涙もろいのよ。

だからね、心でカンカンに怒りながら、頭で冷静に言葉を組み立てて議論をする。議論を組み立てていくというのは、一つの芸術です。国民に対する愛情を心に秘めながら、理性の言葉で論じながらハートでからめていく。私、英語で話しだすと人格がガラッと変わるらしい。世界銀行のある副総裁は、複雑な問題で喧嘩するときは私にやらせろって言うわ。まるくおさめながら攻撃する能力があるって（笑い）。日本語だと、そうはいかない。

一年前、現在の仕事に変わりました。言ってみれば世界銀行のお巡りさん役。世界銀行は債券を発行してお金を借り、それを低金利で開発途上国に融資することで運営しているわけです。世界中のいろいろな国々がオーナーであり、アメリカ、日本、ヨーロッパ諸国がバックアップしています。けれど、言ってみれば世界銀行が非常にいい営業管理をしているから安い金利でお金が借りれるわけです。だからこそ健全じゃなければいけない。ただ、世界銀行の場合、債券市場以外は外でチェックする機関がないでしょう。

銀行っていうのは実際に物を造っているところじゃないでしょう。悪いことしてても長いこと隠せる。だから私のようなお巡りさんが中にいなければいけない。

世界銀行のプロジェクトが環境に悪い影響を及ぼしたり、借りなくてもいいお金を借りさせて、莫大な債務を開発途上国に押しつけて先進国の経済戦略に組み込む役割を果たしている、といった批判が根深い。

これまで世界銀行がいくつかの間違いを犯してきたことは認めます。開発途上国からの批判、疑問も理解できます。でも、批判があることこそいいことなんです。十兆円にものぼる巨大な資産の動きに批判がなくなったら、独占企業になってしまいます。そういった批判を受けないと成長しませんからね。

ただ、世界銀行だからいつも完璧、ということはありえません。人間がやっていることですから。一番の目的は、工場や道路を建設することでなく、経済的に行き詰まっている国々がプロジェクトをたてていくお手伝いなわけです。プロジェクトの経済的効果より、その過程で国民が育て上げた人材、考え方の体験こそが重要なのではないでしょうか。

しかし、南北格差は広がっていくばかり。

エコノミストとして私が考えているのは、アメリカと日本とECの農業政策がよくなっていけば世界に与える利益は大きいと思います。とくに日本は米の開放問題とかを解決していけば、発展途上国に与える利益はものすごいと思います。発展途上国が生産する農産物を先進諸国が買い上げていく。同時に日本の消費者に与える利益もものすごい。安い米、農産物を食べることができるんですからね。だけど、日本はなかなか開放しない。

正しい経済政策でも、その国のデモクラシーを建前に拒否されることがある。まずは南の発展途上国への援助をすると同時に、北の国々が自分の国の政策を徹底して見直していくということをやってほしいです。

地球が一つの国なら解決は早いでしょう。でもいろいろな国益が絡みますからね。環境問題だって、アマゾンの熱帯雨林の破壊やロシアの核による自然破壊には怒りを覚えますけれど、アメリカ大陸だってヨーロッパだって日本だって、かつては森だったわけです。それを破壊しながら、私たちは経済発展をとげてきたわけです。そこのところを、きちんと自覚してバランスのとれた南の問題を論じることが北の側に要求されているんです。それは世界銀行一つでは太刀打ちできないことなんです。

ごめんなさい。時間がないわ。

また、必ず食事でもしましょうね。世界銀行を理解していただくためのインタヴューならいつでも！

戦場の裏側

国連制裁

この戦争で儲かるのは、武器商人だけじゃないかな

ベオグラード／商社自宅待機
Y・S（42歳・在外8年）

専門学校卒業後、コンピューター会社に勤めていたSさんは、一九八〇年から一年半、ユーゴを訪れた。ベオグラード銀行のメンテナンス技術担当の駐在員としてである。滞在中、大学教員であるユーゴ人の現夫人と出会い、帰国後も文通を重ねるうちに結婚を決意し、四年の準備期間をへて会社を辞め、ユーゴスラビアに向かった。

辞めるってときになると、日本の会社は組合も経営も冷たいものです。十六年も働いて百万円に欠ける退職金でした。ユーゴに荷物を送るのが精一杯。切符を買うのもギリギリでした。でも、ユーゴは物価が安い。貯金をドルで持ってきましたから、質素な暮らしなら何とか数

年はもつだろう、と予測しました。一年半は給料のない暮らし。学校に通ってユーゴスラビアの言葉を学びました。義父と話すにはユーゴ語がわかってないと駄目だって思ったんです。言葉が通じないとギクシャクしますからね。

ベオグラード銀行に設置されている日本製機械のマニュアルを翻訳するっていうのが、ユーゴにおける僕の最初の仕事でした。そして息子が生まれたときに日本の商社から声がかかったんです。ラッキーでしたよ。

日本の商社が扱っているのは主として農薬でした。

僕が来た八〇年頃からインフレが激しくなって商社活動もだんだんと難しくなっていったんです。それでも、日本人でこの国に駐在してた人たちは、ほとんど皆、出張で別の国に行ったり、一時帰国したりしてこの国にもどって来るとホッとするって言ってたくらいおだやかな国でした。人情が濃くってねえ。

八四年に一度もちなおしたけれど、やっぱり不況からは脱しえなかった。それで内戦です。まず豊かなスロベニアが独立した。戦争が現実に起きるまで、現在のような状態は予想もできなかったことでした。八九年にルーマニアのチャウシェスクが倒れたとき、これらの放送データを日本にテレックスで打っていたら、うちのユーゴ人スタッフが「ユーゴはああいう事態はとっくに卒業している。東欧とはちがう独自路線を歩んでいたし、ソ連とは無関係の国だ」って話していたくらいです。

うちの奴はクロアチア出身のセルビア人なんです。ユーゴスラビアの今度の戦争はそこから始まりました。クロアチアの彼女の生まれた村は、今まで地域警察が管理してたんです。そこに本庁から派遣された人が乗り込んで、村のクロアチア人とセルビア人を分け、クロアチア人だけの警察組織を組織した。夜、うちの奴の遠縁にあたるおじいちゃん、おばあちゃんがクロアチア人の警察組織に襲撃されました。旧ユーゴ連邦軍が出動したっていうのは、その直後だったんです。ずいぶん長い間、クロアチアはセルビアからの分離独立を望んでました。しかし、セルビアにとっては、分離する必然性も利益もないことだった。それだからでしょうか、大セルビア主義、セルビア人によるクロアチア人のシステマティックなレイプ、民族浄化というようなセルビア人悪人説のニュースばかりが流れる。

うちの奴の実家があるノビサドという町の出身者で、旦那がクロアチア人、奥さんがセルビア人っていうカップルがいました。彼らはクロアチアで暮らしていたんです。今度の戦争が始まって、奥さんと子どもが故郷のノビサドに帰ってきた。僕は安全のためなのかなって思ってたら、旦那さんがクロアチア人の仲間から村八分にされたってことでした。夫の親も兄弟もクロアチア人ですから、彼女は離婚するしかなかったんでしょう。

彼女の息子は僕の息子と同年齢ですよ。可愛い盛りですよ。家族を守るのが父親の役目かと思っていたら、クロアチア民族としての踏み絵を踏まされたんでしょうね。まさかまさかって言っているうちに戦争がひどくなってきてしまった。

そのうちにセルビア共和国はモンテネグロ共和国と新ユーゴスラビアをつくりました。そして、ボスニア・ヘルツェゴビナへの戦争の拡大。新ユーゴスラビアに対する国連制裁の断行。日本の商社活動も停止です。うちのベオグラード事務所も閉鎖せざるをえなかった。

今、夜中にここの放送局がアメリカのCNNやイギリスのSKYニュースを抜粋して流しているんです。あれを見ていると、どうして反セルビアの報道しか流れないのかなって思いますよ。日本の本社も、だいたいがSKYニュースやCNNを見て判断しますからね。こっちが現場からいろいろな情勢分析の原稿を送っても、本社側は「アメリカからのニュースとちがう。お前ら、何やってるんだ?」って疑います。どちらが採用されるかっていうと、現地にいる人が直接見た報告よりも、アメリカやイギリス、ドイツの放送局の情報を信じるんです。日本に戻った所長も、手紙で書いてきました。「弱肉強食だ」ってね。セルビアだけが悪い、モスレム人は犠牲者って報道です。一方だけが悪人の戦争ってあるでしょうか?

結局、制裁が長引き、事務所は閉鎖しました。経費節減が至上命令です。国連の制裁で航空路も絶たれましたしね。すべての貿易が禁止されたんですから。

僕も自宅待機の扱いになりました。現地のユーゴ人社員は七人いましたけれど、一名を残してすべて解雇になりました。退職金を払っての解雇です。会社側は彼らにとてもいい配慮をしてくれました。はっきりとは知りませんが一人一万ドル前後を支払ってくれたんじゃないですか? しかもUSドルで。それだけあれば、新ユーゴでの物価なら何とかしのげますよ。どこの商社も同じだったと思います。非常に温情に溢れた解雇でした。海外に出たのが一名、職を外国で見つけたのが一名――二人ともアメリカの大学を卒業した奴らです。うちの会社でもネットワークをたどって彼らの職場を探してくれたみたいですよ。優秀で、何年も勤めてくれた人たちだったから、なんとしてもひきとめる方法を考えたんですけれどもね。

女性三人のうち二人は失職中です。もう一人は個人営業を始めたみたいです。あと一人は運転手になったみたいですね。

僕の給料も半分に減らされました。本来ならもっと低い給料に下げられて当然なんですけれど、ウィーンの所長が本社にかけあってくれたんでしょう。外貨でもらってますから、生活には困りません。

うちの奴は大学教員ですけど、制裁以後、どんどん給料が下がってます。現在では最低賃金以下ですよ。インフレもひどく、ドルに換算すると一ヵ月七〇ドルくらい。十年前は三〇〇ドルくらいはもらってました。経済がストップしてしまったんですから――。首切りもすさまじい勢いで進んでます。年金生活者は毎日、物価があがってるから苦しくなってると思います。義父にお金を援助したくてもユーゴ人はプライドが高いですからなかなかお金を受け取ってくれません。自分で菜園とかをやってしのいでいるんじゃないですか。

昔は、社会保険で医者代も無料だったんですけれど、今は皆有料です。薬や石油が不足してるんです。国営の薬局にはほとんど薬はありません。薬はほとんどスロベニアで作ってましたからね。どういうルートなのか、個人経営の薬局にはスロベニアの薬が積んでありますけれどね。闇値で買えばなんでもあるみたいですね。

経済的には、セルビアもスロベニアもクロアチアもすべて闇でつながっているんでしょう。スロベニアの経済界の人たちも言ってました。「分裂したらわれわれは市場を失う」ってね。分裂は八方損だって、政治家と軍人以外には皆わかっていたことなんです。

この制裁、戦争は長引きそうですね。誰か戦争をやらせたい人たちがいるんだろうって、セルビア人は思っています。冷戦構造の終結で余ってしまった使い道のない武器を使わなければ、経済がストップしてしまって困る人たちがね。この戦争で儲かるのは、一部の外国の武器商人だけなんじゃないでしょうか？

僕たちの家族の将来については見当もつきません。幸い、家は自分のものになってますからいいですけれど、貯金で食べていくしかないでしょう。

テレビの戦争

戦争は茶の間で見るものではない。しかし見てほしい

カイロ／報道特派員
柳澤秀夫（40歳・在外5年）

一九九〇年夏、カンボジア取材を終えて立ち寄ったベトナムのホーチミン市で、湾岸危機の取材班に入るように東京（本局の国際部）から指示されました。当時の僕はバンコクから東京に異動した直後で、しばらくはじっくりと、少し距離を置いてカンボジア問題を見つめられる、自分にとってこだわりの深かったカンボジアの番組を制作しよう、と企画を考えていた矢先でした。

柳澤さんは、フセイン大統領が率いるイラク側を中心に担当することになった。

戦争が始まってしばらくして、泊まっていたバグダッドのホテルの壁に貼ってあるディスコの写真を見ていたんです。そしたら突然、傍に情報省の人が来て「古きよき時代……」って呟くんです。「いやあ、もうすぐまたこういう時代がもどってくるよ」って、思わず慰めてしまいました。彼は「ありがとう、インシャアラー」って言ってました。日頃から、僕らプレスに対して締めつけをやってきたすごい男なんだけど――。

情報省の連中を含め、僕の接した街のイラク人たちは開戦前から戦争の恐怖に怯えてました。ほんとうに戦争は始まってしまうのだろうか？　戦争が始まったらいったいどんなことになるのか？　彼らはアメリカの巡航ミサイル「トマホーク」の威力についても何も知らなかった。僕のほうがむしろ知っていたくらいでしたね。

一月十五日、国連が決めたクウェートからのイラク撤退期限の二日前、僕はバグダッドに残るべきかどうか、と悩んでました。東京は「お前が撤退期限の日にバグダッドからリポートを送っても使わないからな。とにかく一刻も早くイラクを出ろ」って言います。

でもね、一月十五日午前八時の期限切れの時刻に東京へ電話を入れたら「すぐにライブリポートしろ」って答えましたから、東京としては現場からのリポートがほし

いはずなんです。

　ではなぜ東京は脱出を指示したのか？　一つは僕らの安全のため、もう一つは外務省の避難勧告を受けた日本の各報道機関の申し合せがあったからです。それでも、僕はギリギリ二日間を粘りました。ふっとベトナム戦争のサイゴン陥落のとき、かつて新聞社の特派員だった作家の故近藤紘一さんが東京と出国する、しないでやりとりするくだりを記した文章を思い出しました。やはり、僕自身もジャーナリストとして戦時下のバグダッドの人々に何が起こるのか、それをこの目でたしかめなければ、と思ったんです。戦争の現場を目に焼き付けることでしか、戦争の愚をとめることはできない、そのために僕の仕事があるんですからね。

　しかし、やはり脱出してしまった。最初は陸路、車での脱出を考えていたんです。テレビの場合にはカメラなど重い機材を運ばなければなりませんから。でも、期限が迫るにつれて車の値段は上がっていく。車だけで一万数千ドル、運転手は別料金、とふっかけられました。しかも、土壇場になったらドルを受け付けてくれない。イラクの通貨ディナールでなければ駄目だと言うんです。イラク人がドルを持っていると、それだけで捕まってしまう、と言うわけです。ところが戦争はまぢかに迫っている。すでに銀行は閉まって、ディナールに交換できません。結局、車の交渉は決裂してしまった。

　僕は、万が一のために一月十七日バグダッド発、ヨルダンのアンマン行きの飛行機も予約してありました。一緒にいたヨルダン人のカメラマンも自分で予約したはずだと思っていました。そしたら、彼は陸路で脱出できると考えて、予約をしていなかった。彼は真っ青になって、一刻も早く脱出したいって駄々をこね出しました。イラク航空に電話をかけると臨時便が出るかもしれない、と言います。とるものもとりあえず空港に行くと、まだ定期便も臨時便も出発していません。まずはイラク在住日本人を乗せた定期便を見送りました。ああ、これでおわりかな、残されたかなって諦めかけていたら、六時すぎに臨時便が出たんです。

　イラクを出国して六時間後に爆撃が始まりました。どうして僕はイラクという現場に残らなかったのか？　痛烈に後悔し、自分を責めましたね。報道を志す人間にとって現場は命でしょう。出国した理由はいくつもありました。一つには、カンボジアでゲリラ戦を取材してきた教訓が一瞬、僕の脳裏をかすめたんです。映像を伴う戦場取材はカメラマンとの呼吸がぴったりと合ってなければ必ず失敗してしまう、ということ。もう一つは技術上の問題です。通信ラインの確保が非常に難しかった。電話しかない。しかし、電話事情は混乱をきわめていた。一月十七日以前に衛星電話を確保できてたら残ってたかもしれません。しかし、われわれは国境検問を警戒して開戦前に衛星電話をバグダッドに持ちこめなかった。爆撃が始まってみたら、CNNやBBCはどのような手だてを使ったのか、衛星電話を持ちこんでいたことがわかりました。仮にわれわれが現場にいたとしても東京にリポートを伝送する手だてはなかったってことです。

これは言い訳にすぎません。正直なところ、僕自身もいまだになぜ脱出してしまったのか、気持ちの整理がついていません。現場に残れば、リアルタイムではなくても、ミサイルによる爆撃とはいったい何であったのかを自分の目と心に焼き付けておくことができたわけですから。戦争開始直前にバグダッドを離れた僕は、やはり報道者として敗北したのかもしれない。この悔しさは一生つきまとうでしょう。

それにしても、爆撃する側の多国籍軍の表情や真夜中に落ちるトマホークミサイルの弾道、炸裂したときの光や炎の輝き、指令官の記者会見における言葉はリアルに伝わっても、爆撃された側である戦時下のイラクの人々が見えない戦争だった。多くの日本人が、人間が死なない正義の戦争、という印象をもったのではないだろうか？

脱出の車を探して町を歩き回っていたあの夕方、バグダッドの人々が車に荷物を積んであてどなく避難していました。あの異様な喧騒と人々の不安な形相——。たしかにイラクの人々の暮らしは壊されたのです。

多国籍軍の空爆が一段落した後、ヨルダンのアンマンから再びイラクに入り、爆撃を受けたという現場に行きました。イラク政府の情報省が連れて行ってくれる現場です。現場周辺には「徹底して闘う！」と叫ぶ群衆がいました。イラクの情報省が検閲できるように僕の東京とのやりとり、報告は、すべて英語で行うように義務づけられていました。トランジスタラジオでBBCやVOA放送（「アメリカの声」放送）を聞いてはいましたけれど、イラク側による妨害電波が入ってVOA放送はなかなか聞き取れません。おおっぴらに聞くと情報省の連中に注意されます。湾岸戦争全体を把握するために必要な情報は限られていました。やむをえず、イラクにいる自分の身の周辺で起きていることを伝えるのが僕の使命となったわけです。

現場に行っても、その被爆の現場が多国籍軍の爆撃によるものなのか、いわゆるイラク軍による宣伝用のやらせなのかの判断は、僕にはできません。モザイクのように周辺から集めた事実をつなぎあわせて解読していくしかない。正直言って、限られた数の現場取材でした。でも、多国籍軍が爆撃のターゲットにしたものが何であったのかはたしかに理解できました。

二月十四日、爆撃された核シェルター跡地に行ったとき、たまたま爆撃で家族を亡くした青年が立っていました。僕らがカメラを回していたら、カメラのフレームの中にふっと彼が入ってしまったんです。彼は僕らにむかってものすごい剣幕で叫びはじめた。「このシェルターには俺のお袋と妹が埋まってる。彼女たちはアメリカには銃を向けたこともない。なぜなんだ！」――三分くらい叫びっぱなし。少なくとも、あれだけはイラク政府の仕組んだやらせではない。アメリカ側の公式発表では「核シェルターにイラク要人が隠れていたから攻撃した」というものでした。――そうだろうか？　あの青年はとても要人の家族には見えない。僕はありのまま、率直にリポートしました。

シェルターからのリポートを東京に送った後、イラク情報省の人が「じつはCNNも映像を送ったのに、ホワイトハウスから発表をストップされた」って言ってました。真偽はわかりません。アメリカのCNNの湾岸戦争報道に、ある種のバイアスがかかっているのでは、という疑問だけは感じました。いずれにしても結局、日本や欧米の報道が現場からのリポートよりも、アメリカのペンタゴンがサウジアラビアのダーランで行った多国籍軍の記者会見にひきずられてしまったことは事実だと僕は思います。送信した情報と映像の量が圧倒的にペンタゴンルートによるものが多く、イラク人が実際に死んでいるという映像が非常に少なかったわけですから。

――イラク政府情報省に伝送を拒否されたことはあったんですか？

ありました。爆撃された橋を映していくとモスクがあった。そのモスクには兵士たちがいる。だから撮影は困るというのが一回。コメントでは「マイクロウェーブの中継ステーションが攻撃されました」——とリポートしたとき、情報省の検閲担当者が「ギャッ」と叫び声をあげたんです。しかし、すでに遅し。リポートは東京に送ってしまった後でした。マイクロウェーブの中継ができるかどうかは彼らの軍事機密でしょう？　周囲には誰もいなかったので、お互い忘れることにしよう、ということで検閲担当者と折り合いをつけました（笑い）。

英語でバグダッドからのリポートを続けていた影響でしょう。日本では、イラクからのリポートはすべて検閲され、情報操作されている、という憶測の議論があったそうです。僕自身がイラク情報省と一緒に仕事して感じたのは、彼らは検閲に慣れていなかったってことです。人材にしても、全体状況からしても、ペンタゴンのようにシステマティックにはできない。たしかに東京に映像を伝送するときにはチェックはされました。しかし、それも担当者と個人的な人間関係で、かなり目をつぶってくれることもありました。

いずれにしても、今回の湾岸戦争の報道でイラク側はものすごい損をしたと思います。まず、僕が現場からのリポートをしているあいだじゅう、日本では「検閲されており、英語で報告しております」という文字が画面に流れていたわけです。イラクはそれほど厳しく検閲する国なんだ、という印象が視聴者に強く残ってしまった。

一九九三年一月十七日に、湾岸戦争後二年を経たバグダッドを訪れたら、何発目かのトマホークが撃ち込まれた。そのときは彼らも慣れて、何の取材規制も制限もしませんでした。

湾岸戦争当時は、その威力や性格についてほとんど情報をもっていなかった多国籍軍側の最新兵器についても学んだでしょう。世界広しといえども、トマホークを実際に使われた国はイラクだけですから。九三年のバグダッドのホテル攻撃についても、アメリカ側は「トマホークではない。イラクが自分で撃った対空砲火ではないか。湾岸戦争のときのトマホークの破片を使って情報を捏造したのではないか」と主張しました。だけど、現場の破片はあきらかに新しいものでした。イラクは湾岸戦争後、トマホークを撃ち落とせる技術を研究したんですね。そして、たしかにトマホークは落ちてしまった。

戦争報道のもう一つの問題は、死体の取扱いです。日本の報道では死体を映像で写すということは禁忌となっています。でも、核シェルターが爆撃された現場から僕は死体の映像をどんどん伝送しました。僕らは足を踏まれた人間の痛みをできるかぎりわかりたい、と努力しなければいけないんです。カメラを向けながら、マイクを突きつけながら、痛いだろうなあ、と思い続けていかなければいけない。死体を見せないかぎり日本の人に頭上をトマホークミサイルが飛び、傍でミサイルが爆発するという恐怖は伝わらない、と思ったんです。ミサイルが落ちる、ということはいったいどういうことなのか？人が死に、その死によって家族が崩壊する、ってこと。ズタズタになったかつての人間の残骸が転がっている──僕はできるかぎりのディテールを写すようにカメラマンに指示しました。しかし、東京では流れなかった。茶の間には残酷すぎる、という判断です。──これは戦争を伝える倫理観として正しいのでしょうか？

湾岸戦争は戦場なき正義の戦争、死体なき戦争、と日本の人は思っているかもしれない。日本に報じられたのはペンタゴン発表の空爆ばかりでしたから。だけど、イラク国内には大量の戦場と死があったんです。

たしかに、戦争はお茶の間の炬燵に座ってテレビで見るものではない。しかし、見てほしい。でも、テレビでは痛みもわからない。臭いもわからない。人が死ぬことの無惨さもわかってもらえない。

カメラの背後にある膨大な人々の日常と死をもっともっと伝えたかったと思います。言葉では語りつくせない現実を、すくなくとも百万語の言葉よりもカメラは伝えられたはずだと思うんです。

戦場で、日本から遠く離れた支局のデスクで、柳澤さんは暇ができると、パーソナルコンピューターにインプットされた星空と星の軌道を眺めて一人の時を過ごす。

この稼業をやっていると、人間のおぞましさ、死体ばかりと付き合わなければなりません。しかも、アジアとちがって中東はとくに厳しい現場です。人間のおぞましさをさんざん目にしたあとで、フッと星の世界に逃げ込む。地球はこんなに広い宇宙のなかにいるのになあって、考え込んでしまいますよ。僕はそういう世界にいるべきだったのかもしれないなあって、ね。

ＰＫＯ・ＰＫＦ

こぜりあいを防げたことが何度かありました

ニューヨーク／国連職員
持田　繁（42歳・在外16年）

持田さんは一九八〇年、外務省キャリア組から国連に出向し、そのまま国連職員となった。国連政治畑を歩いて十三年、本部の宇宙平和利用部に四年、安全保障理事会の調査部門に一年、そして事務総長が行う防止外交のための政治分析部門でアジアと中東を五年間担当、その後ブトロス・ブトロス・ガリ事務総長就任に伴う機構改革でアフリカ担当へと移動した。

ごめんなさい。ほんの少ししか時間がない。先週までアフリカを回ってきて、今はエチオピア人の秘書が休んだり、機構変えがあったり忙しくって。

正直なところ、私の場合、地域の専門家というよりも国際紛争解決の専門家になるのが理想だと考えます。紛争の処理についての骨格はどこの国、地域でも似ています。紛争当該国の政府関係者、いろいろな国際機構と安全保障理事会、総会、事務総長とがいろいろな制約のなかでどう絡んで動けば紛争解決できるのか、ということを考えつつ、間接的にですが、事務総長の補佐をするのが私の仕事なわけです。だから中東やアフリカの紛争の現状についての本を書く、というような問題のとらえかた、情報収集はしません。最近では、通信やコンピューターの恩恵を受けつつ仕事をするようになってはいますが、やはりニューヨークの本部で情報収集するだけでは十分ではない。現場で土地勘を得る重要性を痛感しています。

紛争解決といっても、最近は、国際紛争のみならず国内問題にも国連が関与するケースが多くなっています。

ある紛争に国連が介入・関与していく際、やはり当事者の同意に基づいてこれを行うのが基本です。やっぱり、当事者のどちらかが介入を反対しているときには、十分に紛争解決に貢献できませんからね。この点、ボスニア・ヘルツェゴビナやソマリアのケースは例外でした。それと最近は、国連が積極的に民主主義的政治体制の構築に手を貸す傾向が出てきています。選挙監視のオブザーバー役をやったり、ときには民主的選挙の実施に援助するのがその一例です。カンボジアや南アフリカの選挙は記憶に新しい。

ただし、国連がオブザーバーを派遣するとき、人種、宗教、国籍などのメンバー構成に十分な配慮をします。

PKO派遣論議をきっかけにして、日本でずいぶんと国連の存在が話題になった。

日本のPKO派遣論議を外側から見ていて、日本の一部の論者の中に根強い軍人・軍隊性悪論があり、その存在が議論を歪めていると思いました。カンボジア及びモザンビークへのPKO派遣、そしてソマリアへの人道的介入の体験により、日本でもようやく長引く紛争で荒廃した国土再建のため、あるいは飢餓に瀕した人々の救済のために軍隊の保護が必要なことがある、ということが議論されるようになったのではないでしょうか。また、もう少し時間をさかのぼれば、イラクから侵略されたクウェートの場合のように侵略を巻き返すためには、軍事力が必要なことは明白ではないでしょうか。つまり、良いことをするにも軍事力が必要である、という認識が少しは理解されてきているように思われます。

そこで必要とされる軍事力を、ではいったい誰が提供するのか、という問題がでてきます。日本ではこの点についてあまりに身勝手な議論が多い、との印象を持ちました。権利については主張するけれど、義務について絶対に考えない。義務の話になると、自分は都合が悪い、駄目です、わかってください——この一点で通そうとするんです。客観的にみると恥ずかしい「大国」ですよね。

厳しい言い方をすれば、日本の一部の論者は非常に虫のいい議論をするものだ、と思いました。もし仮に国際紛争で日本が侵略された場合、国連が助けてくれるという期待と確信をもっている反面、それでは「大国」としてとは言わないまでも、主要な国連加盟国として、日本は侵略された他の加盟国の援助に自らいく用意はまったくないというわけです。

これは戦後の日本が温室の中で育った花のような存在だったこととおおいに関係があることと思います。そしてその温室が日米安保条約だったと言っていいと思います。その温室のおかげで、日本の一部の論者は現実の防衛問題に直面させられることもなく、本質的には対外的性格の強い防衛問題を、法律論つまり国内問題に置きかえて議論していればすんできた。しかも自らが防衛問題について目をそむけている事実についてすら、明確に気がついてもいない。防衛の話を持ち出すと選挙に落ちるとはいえ、こういった事態はある意味では贅沢なことです。防衛問題について現実的な意見を持たずに政治家になれる数少ない国が戦後の日本だったとも言えるでしょう。

憲法九条、平和憲法を積極的に評価したうえで、派兵せず、独自の貢献を、という議論もある。

たしかに憲法九条は理想です。そして、日本の憲法は他国に誇れる憲法だと思います。でも、国際社会の動きによっては、一国の憲法の条文がどうであれ、他国の行動に全く影響力を持てない状況が発生する場合があることも十分認識しておく必要があるでしょう。たとえば湾岸戦争のとき、クウェートに憲法九条があったとしても、それを理由にイラクは侵略を見合わせただろうか？

厳格な憲法九条の解釈と心中することを理想とする人ももちろんいるでしょう。しかし、責任ある政府というのは、国民の大多数の安寧を守る義務がある。一国の防衛問題という、一歩間違えば国民の生活が全面的に破壊されてしまうような主要問題についてギャンブルを打つことはできません。責任ある国家としては現実的な手当てをせざるをえないのです。そこで憲法の理想的側面のみを強調し、自ら自覚しているか否かはともかく、客観的にみると政府に対して防衛面のギャンブラーとなれ、と主張する人々からは、ＰＫＯはかなり批判されることになった。しかし、考えてみれば、そういう人々も、日米安保条約が日本の防衛問題を解決してくれていたという事実を認めなければなりません。自ら回答を用意しなければならない実際の防衛問題が起きなかったから、それで済んできたというわけでしょう。結局、安保条約あっての憲法九条です。ほとんどの国はそういう贅沢が許されません。こういう特殊環境の中で行われた日本のＰＫＯ論議には、国連で働く人たちには理解しにくいものが相当ありました。行為自体は是とし、他国がやってくれるのは称賛するが、日本人自身がこれを行うのはいや、という姿勢ではやはりいけないのだと考えます。

アメリカによる国連の支配、アメリカが国連を利用して覇権をおしすすめている、という疑いは根深い。

最近そういう声をよく耳にします。これに対するガリ事務総長を含め国連関係者の基本的な答は、平和維持について誰が決定しているのかを考えてほしい、ということです。安全保障理事会の多数派は非同盟諸国です。十五ヵ国のうち五ヵ国が常任理事国になっていますが、あれは拒否権を発動できるだけです。湾岸戦争の対イラク軍事作戦の許可とか、ボスニア・ヘルツェゴビナ及びソマリアへの国連軍派遣のような案件を通そうとするときに拒否権は無力です。つまり多数派である非同盟諸国の支持がなければ安全保障理事会の決議は通りません。したがって、アメリカの言うなりになっているというには、かなり無理があります。いずれにしても、最近の主要な安全保障理事会決議は全会一致で採決されることが多く、アメリカによる国連支配というより、自主的にアメリカに同調する国が多くなったということだと思います。

そしてその背景にはやはり、いざとなるとアメリカの貢献が非常に大きい、という否定しがたい事実があるのです。湾岸戦争のときも強力な軍隊を組織しなければ、実際にイラク軍をクウェートから排除するのは不可能でした。その後のソマリアにしても、ボスニア・ヘルツェゴビナにしても、アメリカが決断し、人道的な介入をしようとしたときのみ、他国がこれについていくというのが現実であり、最近のパターンなわけです。

ちなみに最近、第三世界の紛争あるいは人道的危機の際に武力を使用して介入してくれる国が少ないことが問題になっています。つまり、このような介入では必ず自国兵士の中に死傷者をだしますから、どの国も自国の国益のからまない場所に危険を冒してまで軍隊などだしたくないわけです。しかし、紛争による人造飢饉によって一日に数千人の餓死者が出る場合など、やはり世界の目はアメリカに向きます。そしてアメリカの大統領はそういう人々を見殺しにするのか、などとものすごい圧力をかけられることになる。そしてしかたなく、ソマリアへの派兵などを決断する――こういう例が増えてます。

良くも悪くも、強大な武力を背景にしてアメリカが国際社会に貢献しているっていうことは事実なんです。

これを見て、日本の「進歩的なメディア」はあれこれ批判します。しかし、そのような人々は、国際社会から見た場合、何ら自ら具体的、現実的対処の実績もなく、かなり無責任な批判を行っている、と映りがちであることを認識してほしいと思います。

国連で仕事していて嬉しいこと、いやなこと——

最近の例で言いますと、南アフリカでマンデラ政権が誕生する前、ANCがストライキをやっている現場にでくわしたことがありました。どうしても警察とANCの間にイザコザが起きてしまう。そこに国連ということで私が一言、何が問題なのか？　と問いかけるだけでこぜりあいが防げたことが何度かありました。これは小さな例ですが、中立的第三者の存在価値を実感しました。基本的に同様のことが国連による紛争解決の努力にたずさわっていると実感でき、そういうところにやりがいを感じてます。

　また一方、国連にいて歯がゆいのは、紛争が起きる、とわかっていても事前に介入することができないってことです。ユーゴスラビアでも、二年も前から紛争なり内戦の兆しはありました。でも現実に戦場となってようやく、でしょう。ソマリアでも同じです。ずいぶん前から餓死のニュースは流れ続けていた。でも、国連が本腰を入れて実際に介入したのはずいぶんたってからです。人が死んで、当事者同士では解決が難しくなった紛争にのみ介入することとなる。この点は今後の課題です。

　国連というのは日本の職場とは相当異なる組織です。その特徴は、人事課が非常に弱く、職員全体をカバーしたキャリア・デヴェロップメントのシステムがない。常に自分をアピールしていかなければ自分の能力を発揮できるポジションにつけません。僕なんか自分を売り込むことは恥ずかしい、と感じる年代ですから、あれだけはしんどいですね。

戦の火種

アウシュビッツからなにも学んでなかったのだ……

ベオグラード

山崎洋／翻訳家（53歳・在外31年）

山崎佳代子／詩人（38歳・在外15年）

六つの共和国で構成されていた旧ユーゴスラビアは東欧崩壊の流れを受けて一九九一年六月、スロベニア、クロアチア両共和国が独立。ボスニア・ヘルツェゴビナ共和国では一九九二年四月以来、カソリックを信仰するクロアチア人、イスラム教を信仰するモスレム人、東方教会を信仰するセルビア人が三つ巴となって凄惨な内戦が続いている。戦闘で亡くなった人の数ははかりしれず、難民として国外に出た人々は二百万人とも言われている。山崎洋さんは、日本の大学で経済学を学び、その後、父の故郷ユーゴで当時の労働者の自主管理を基礎とした社会主義経済学を学んだ。ベオグラード大学日本学科助手を勤める妻の佳代子さんは、ユーゴスラビア文学を研究する詩人である。分裂する以前のユーゴスラビアで出会い、結婚した二人には三人の息子たちがいる。

洋　この国はいつもいろいろな国々、民族の踏み台になってきた。決してここの民族——セルビア人やクロアチア人、スロベニア人、モスレム人だけで何かをやることはない。必ず、背後にトルコやドイツなどのさまざまな大国の思惑があり、それに操られてしまう。

　それは今度の戦争でも同じです。ドイツやアメリカが口出ししなければ、こんなふうに悲惨なことにはならなかった。今度は国連までもが、なぜか新ユーゴスラビア、セルビア人を敵視している。国連軍について現場報道を続ける欧米の報道もセルビアを一方的に悪と決めつけていく。悪と決めつけられた側が、そう決めつける側の提案する和平案を簡単にのめるわけはないでしょう。いったい彼らは紛争を解決したい、とほんとうに思っているのだろうか？

一九九二年五月三十日、国連安保理事会はセルビア人勢力を背後で後押しをしているとして、山崎さん一家の住むセルビア共和国を中心とする新ユーゴスラビアに対し、国連憲章第七章に基づき、制裁決議を採択した。十五ヵ国中、反対はゼロ、ジンバブエと中国が棄権した。

〔制裁措置の決議内容〕
・貿易の全面禁止（医療品、食料品を除く）
・海外のユーゴ資産の凍結、基金、財源の提供禁止
・飛行機の相互乗り入れ、修理の禁止
・外交関係の縮小、スポーツ交流の禁止、科学技術、文化交流の禁止

洋　国連による経済制裁以来、新ユーゴスラビアでは連日の解雇が相次いでるんです。解雇ではなく、一時帰休（レイオフ）ですが、もともとの失業率は一八パーセントと言われてましたけど、今回失業した人々は百万人とも二百万人とも言われています。

ベオグラード政府が直接に兵士を送りだしたのはクロアチア内戦のときだったけれども、あれはユーゴスラビア連邦軍として内戦の平定に出兵したわけでしょう。それがクロアチアの独立後、ボスニアの内戦に広がってボスニア国内のセルビア人の兄貴ということで、国連は新ユーゴスラビアに制裁措置を加えたわけです。その結果、貿易がストップしてしまった。言ってみれば戦争と制裁の二重の構造で基幹レベルが麻痺して表経済が動かなくなってしまった。すべてが闇の世界で動きはじめていくようになったんです。

エネルギー施設などは一度運行を停止したら、錆ついたりする。メインテナンスもできない。何か毒性の強い物質が流出するようになっても、何もできないんです。近い将来、環境問題としても大きなトラブルになりかねない。それに加えて、戦闘の激化したボスニアから七十万人の難民が入ってきている。そういう人たちは、国連経済制裁下の新ユーゴスラビアに逃れてきたばっかりにここから先の受入れ先もなく、ただ漫然と毎日をしのいでいるだけなんです。

さらに、外国にコネがある優秀な人は皆、出国して外国に働き口を求めてしまう。若い研究者などは、外国からの専門雑誌も届かないっていうのが現実ですからね。日本に留学が決まっていた女子学生も、日本政府から文化交流を停止する、という通達があって決定がくつがえされてしまった。彼女の人生は一回しかないんですよ。かつてはワールドカップの常連だったサッカーだって、

サラエボで開いたこともある冬季オリンピックだって、この国の若者は出場できない。

国連の姿勢に合わせて、世界の報道が反セルビア一色にこりかたまっている。たとえばエスニック・クレンジング――民族浄化政策とか、システマティックなセルビア人によるモスレム人女性へのレイプといった報道はほとんどが国連の発表をもとにして流れている。

セルビアへの一点集中の攻撃が世界的規模で行われているとしか言いようがない。今、ベオグラードの人々は世界最大、一千万人のゲットーができてしまったって言ってます。戦争政策に罰を与える、政治家を罰するというのではなく、国民を罰するという発想なんです。一民族に対する地球全体主義の発想ではないでしょうか。

テレビ報道をみていると、ボスニアのある村で百体くらいのセルビア人の死体が発見された。銃で殺されたのは二体だけ。あとはすべて鈍器状の何かで殺されている。処刑場には五寸釘が打ち込まれていた。そうやって殺されているところをみれば、逆に言えばセルビア側の憎しみもひどくなっていってるでしょう。

モスレム地域に残った私の知っているセルビア人は、モスレム軍に強制動員され、腰に縄をつけられて手榴弾を持たされ、忠誠を示すためにセルビア人の陣地に投げてこい、と命じられたそうです。あちらがわには、彼の家族がいるかもしれないっていうのに……。

今回の新ユーゴスラビアにおける国連制裁の最大の成果は、中産階級の没落ですよ。労働や知識をもとに糧を得ていた人々が没落していく。そして闇の世界であやしげな資本を基にしている人たちが、手に入るはずのない外貨を動かして富を蓄積していく。そこにもってきて、あまりにも世界のマスコミからセルビア人がサタン化されて報道されたために、セルビア人が孤立感を深め、民族主義が強化されてゆく。学校教育も民族的色彩が濃くなっていく。そういう意味で将来が心配です。

結局、冷戦構造崩壊後の今、安保理事会で拒否権を行使できるのはアメリカ合衆国だけになってしまってますからね。中国もせいぜいが棄権という形で消極的に意志を示す程度でしょう。冷戦後の世界はアメリカ一国では支配できない。そのことがアメリカ合衆国の国連におけるイニシアチブの強化につながっているんでしょうね。ヤセノバッツ収容所でナチスに支配されたクロアチアの政権がユダヤ人やセルビア人、ジプシーを大量に殺戮した歴史からまだ五十年もたっていません。ヤセノバッツ収容所で殺された人は五十万人とも七十万人とも言われてます。これは戦後にクロアチア政府自身がカウントした数字です。でもドイツに言わせれば六万人ということになる。あたかも、何もそれほどの人数が殺されたわけでもない、というような印象でしょう？　ドイツでは今、アウシュビッツは実はでっちあげだった、という論陣をはるネオナチも登場している。たとえ百歩譲って、六万人だったとしても、それだけの人が殺されれば十分でしょう。

　徹底してナチスを追及し続けてきたオーストリア在住のユダヤ人ビゼンダールが言ってます。「アウシュビッツでユダヤ人が何人死んだか、という論争がある。ドイツ人はユダヤ人はそれほど死んではいないと発言しはじめた。だが、百万人と二十万人の間にどういうちがいがあるのか。何のちがいもない」とね。

　ある人の出生がたまたまある民族だった、ある人種だったというだけで殺されるという事態――これは政治的な信念で戦って死んだ、殺されたというのとは根本的にちがうことではないでしょうか。今、旧ユーゴスラビアで起こっていることはそういうことなんです。これが旧ユーゴスラビアだけで終わるとはとうてい考えられない。そういう意味でも、旧ユーゴスラビアの戦争は世界中の人々に関係の深い問題なのだ、と僕は思いますよ。

　アウシュビッツから何も学んでなかったんだ。学ばない能力においては、人類にまさるものはないかもしれないですね。つい五十年前にやったことを、再び繰り返そうっていうんですから……。

佳代子　日本であれば、およそ特殊な経験をした人でなければ歴史がからだに刻み込まれている、と感じている人は少ないのかもしれません。刻み込まれた、と感じる人も滅多にいません。刻みこまれた人が、一生、それを己の印として感じ続けるなどということも少ないのではないでしょうか。

　ユーゴスラビアはそういう意味で、日本とは対極にある国かもしれません。ユーゴスラビアの人々は、歴史の転換期にはいつも、こんどはどの大国が来て自分たちを殺すのか？　国の名前さえ誰かに変えられてしまうのではないか？　と心底怯《おび》えます。悲劇が起きれば、人間にも文化にもさまざまな傷が残されてゆく。その傷は社会にとどまらず、家族一人一人にも刻みこまれた。名前が奪われ、自分のルーツすら奪われてしまう。歴史を通じて、そういう体験がユーゴスラビアの人々にはある。そのことを理解しなければ戦争を理解することはできない、と思います。私が大好きなユーゴスラビアの作家ダニロ・キシュは「すべては繰り返される、限りなく、類いなく」と書いています。つまり、歴史は繰り返される。だけど、そこに生きている人間の人生はたった一回だけだ――と。

そうした視点から東欧崩壊後に起こったこの戦争を見ていると、たとえ、日本からずっと離れた国であっても、ひとつの人間の生き方の原点が見えてくるのです。

私の教えている日本学科の学生にも、激戦の地となってしまったボスニア・ヘルツェゴビナの首都サラエボでお母さんを失ったり、弟が殺された人々がいます。しかし、たとえどんな複雑な背景をもっている戦争も、それが人間の悲劇である以上、どこの国にも通じる接点みたいなものがある。私が見つめなければならないこと、記しておかなければいけないこと、伝えなければいけないことはそうした接点のありかです。そしてそれが私の詩の出発点でもあるわけです。

八〇年代は、世界中で様々な悲劇が準備された時代だったのかもしれない。このユーゴ内戦も、平和だと思っていたあいだに、戦の火種は少しずつ準備されていたのだと思いますね。火種とは言葉、思想です。武器以前に、まず言葉の負の働きがあった。そして、それがマスメディアや選挙などを介して大衆を動かしてしまう……。この十年をふりかえると、こうした危険な状況は、今の日本を含めて西欧にもあると思います。

この内戦の背景は複雑で、一方を裁いて終わるようなものではありません。近代文明の矛盾がじつによく見える恐ろしい精神の地獄なのです。光や影を消してしまうジャーナリズムの言葉ではとても描ききれない。

現代は詩の言葉にできることが非常に限られてきていますが、私は言葉が本来持っていたはずのしなやかさをとりもどしたいと思うのです。

「死の商人」

戦場に近づけば近づくほど本質が見えなくなる

デュッセルドルフ／銃器写真家
神保照史（44歳・在外20年）

写真はやっぱり現場。記事は現場でなくても書ける。そういう意味で銃の現場と言えばドイツでした。近代銃の源流と言われている一四世紀頃のタンネンブクセ銃が発見されたのもドイツでしょう。

日本向けの雑誌のために銃の写真を撮っていて一番感じるのは、日本では実銃が持てないから、日本人には銃に思い入れがあるということ。その夢を満足させ、納得させるための写真を作らないと駄目なんです。

たとえばある銃を写すとき横に、勲章とかのちょっとしたアクセサリーを置いておく。銃についての逸話をよく知る人は、そこに意味されている物語に合点がゆくわけだ。写真を見る人がさまざまに想像をめぐらせていける写真——それが夢のある写真です。

欧米の銃の本には夢なんか必要ありません。即物的です。典型的なカタログです。何の目的に合っているか、いくらなのか、どこで売られているのか、といった情報を解読できる写真。実銃を持つ国と持たない国では銃に対する考え方がまるでちがいます。ただし、最近は僕たちの影響でアメリカの写真もずいぶん変わってきた。

神保さんは十五歳の頃、独学で写真を学んだ。二十代でヨーロッパを放浪。現在の相棒でもある銃や兵器専門のフリーライターと知り合い、銃に関心を抱くようになる。そして東京在住の相棒氏とともに月刊『GUN』誌のヨーロッパ支局員となった。

冷戦構造の崩壊の後、今世紀の二大銃器設計者である二人の人物に会ったんですよ。銃世界を二分した旧ソ連製のAK47銃の設計者ミヒャエル・カラシニコフとベトナム戦争のときに誕生したアメリカ製M16銃の設計者ジーン・ストーナー。

僕の知り合いにスミソニアン博物館の兵器部門のディレクターがいる。ソ連が崩壊した後、カラシニコフの資料映像を作ろう、と彼は旧ソ連を訪ねた。そのときカラシニコフに出会い、二つの銃の設計者がワシントンで出会うという企画をたてた。二人とも七十歳前後の老人で今も元気にしている。約二週間、射撃場で両氏と合宿したり、リクリエーションしたり……。そこに僕が呼ばれた。カラシニコフの初の外国訪問記録写真係ってわけさ。

M16とAK47は共にベトナム戦争を戦ったライフル銃だけど、異なる性質のもとに設計されている。たとえばベトナム民族解放戦線の兵士が竹で編んだ防具をつけてジャングルを逃げると、M16で後ろから撃っても遠くなると弾がはじきかえされてしまうことがあった。つまり、近代銃に共通する発想なんだけれど、いかに持ち運びの労力を軽くするか、という点でM16は小さな口径にならざるをえない。威力が落ちてしまった。ベトナム戦争のとき、米兵が「俺たちもAK47がほしい」って嘆いたという笑い話も残っている（笑い）。

AK銃、カラシニコフは安く、誰もが量産しやすい構造、しかも性能がいい。旧ソ連、東欧社会主義圏というのは、工業技術レベルがどんなに低い国でも量産できるような軍用銃でなければならない、そのために超単純化され弾が飛びさえすればよい、という設計だった。これが旧ソ連の兵器に対する基本的な考え方だった。カラシニコフはその思想を完全に満足させる銃だった。ただし、工業技術レベルの高い東欧諸国は独自に設計変更を加えた。だから、カラシニコフだけで写真集が一冊編集できるほどのバリエーションが生まれている。

スミソニアン博物館では二人の出会いをメディアに流さない、と決めた。アメリカではおかしな連中が町中で鉄砲を乱射する事件が相次いでいて、新しい法規制を行おうとしていた。その規制対象のナンバー・ワンが中国製のAK銃なんだ。その絡みもあって、カラシニコフの訪米が政治的にどう利用されるかわからない。

二人は好対照だった。カラシニコフは共産党最高会議のメンバーで、鉄砲を見るとまず何であれ、抱きしめる。とにかく鉄砲の話をして、鉄砲を触ってればそれでいい、って印象だった。ネクラな鉄砲オタクだね。彼はカザフスタンの農民の出身。発明の才能は幼いときから発揮していたけれど、銃器設計のための特別教育を一切受けていない、普通の戦車兵だった。銃器の生産工場に引き抜かれて、それで才能が花開いたんだ。AK47はカラシニコフ二十代の作品だ。今もウラル地方のイシャフスクという一大銃器生産工場のある町で設計を続けている。世界中の戦場に登場したＡＫ47を発明した報奨は勲章だけだった。

ストーナーは逆に非常にシャイな人間で、自家用飛行機を持つほどの贅沢な暮らしをしてる。銃設計のビジネスマンとしては、一丁売れるごとになにがしかのロイヤリティが設計者に支払われますから——。

二人はＡＫ47とＭ16を前に、設計したときの苦心談を語っていたよ。二人を一枚の写真に収めたのは海兵隊基地を表敬訪問したとき以外、僕だけだったと思う。その後、カラシニコフは人寄せパンダと化して、大きな兵器ショーのたびに世界各地に呼ばれるようになってしまったけれどもね。そのとき、僕が撮った写真は、私家版の写真集に編集してカラシニコフにあげました。

カラシニコフは世界の戦場でたしかに一番多く使われました。一方、アメリカ軍以外にＭ16を正式に採用している国は少ない。ドイツのGとか、ベルギーのFALが普及してる。ドイツには「物を買うときには重いものを買え」という諺がある。もちろんここに兵器産業は入らないけれど、プラスチック銃はアメリカで売れるけどドイツでは一切売れない。チェコも鉄砲に関しては歴史が深いのにココム規制があって以前は表に出てこなかった。一時はアメリカと貿易をしていたユーゴにチェコ製の銃器工場を建設し、ユーゴから冷戦の間隙《かんげき》をぬって輸出していたこともあった。東欧崩壊後の現在は世界市場に出回っている。チェコは人件費が安いし、今も旋盤を使った手作りの金属製品銃を生産している。人件費が高い大量生産の西側先進諸国では決してできない代物です。めちゃくちゃ稼いだと思うね。でもトータルとして一番稼いだのはやっぱりロシア。

——冷戦構造が終わって、銃の世界も変化しましたか？

すさまじいですよ。ロシア、ルーマニア、ポーランド、チェコ、スロバキア、ブルガリアなんかは銃と兵器以外に売るものがないわけ。で、西側社会にはコレクターがいる。冷戦崩壊後、カラシニコフのバリエーションがワーッと市場に出回った。あとは中国の製品。その量たるや、僕らの想像をはるかにこえてた。ドドドドーッって感じだった（笑い）。ソ連崩壊後のアブダビ兵器ショーで、ロシア共和国は旧ソビエトのミサイルから戦車、ＡＫ47まで即売した。バーゲンセールって感じだった。でも、そこにはまだ市場理念が確立されてない。そこで以前にもまして武器商人が暗躍する場所が生まれたってことだ。市場に出回った銃や兵器は、あるものはユーゴの戦場に行き、今まで購買力のなかった中東、アジアの小さな国やゲリラ集団がそういった安い兵器に群らがっていく。

値段と言えば、最近日本の陸上自衛隊が採用した新小銃は世界でも一番高い銃なんだ。AK47は一丁約一万円、M16は約三万円、新小銃は約十八万円——日本の自衛隊しか、あんなに高い兵器は買わないだろうな。まあ、東欧崩壊後、AK銃の小売価格は十倍から二十倍にはあがっているけれどもね。

近頃の銃の特徴は、三発バースト・コントロールがついている。戦争のプロフェッショナルがいなくなったってことかな。戦場心理として、敵と遭遇すると相手を見定めることなく乱射してしまう。そういう撃ち方をすると数秒で弾がなくなってしまう。それで、引き金をひいても三発しか弾の出ない装置をつけた。

日本は銃の基本的な目的、考え方からずれているんだ。自衛隊が使っている日本製の銃には「ア・タ・レ」と書いてある。当たれ、っていうんじゃない。アは安全にロックされている。タは単射、レは連射。冗談がうまいよね。百発百中、的の真ん中に弾が当たらなければならない、って発想があるんだろうね。違った見方をすれば、兵士全員が狙撃手みたいなもの。太平洋戦争でアメリカ兵が日本兵を怖がったのも、帝国陸軍に支配的だったこの考え方によるよね。安全な銃なんて考え方が銃を夢として考えるところにつながっているんだ。

ただし、日本製の兵器の性能については実戦体験がないから記録がない。性能というのは、人間の心理が加わって、初めてその実戦能力が計れるわけだからね。

——あれ？　戦後の日本に兵器産業はないんじゃない？

そんなこと信じてたの？　表向きもやっているし、裏だってやってます。日本の大手重工業メーカーは戦闘機も戦車も生産しています。トラック、ショベルカー、ブルドーザーをカーキ色に塗りかえたら軍事用の準兵器でしょう。去年、名古屋の小銃メーカーを取材したけれど、そこは機織り機の豊田佐吉を生んだところですよ。その機織り機工場の片隅で鉄砲を作ってました。

こうしてみると、日本の自衛隊は、パレード部隊と考えたほうがいい。実際に国を守れるかどうか疑問だ。実戦部隊というのは、全然ちがいます。たとえばヨーロッパで一番狂信的なのはスイス。スイスは平和の国、武装永世中立国だと皆思っている。僕らからみるともっとも実戦的な軍事大国でもある。あの国は歴史的に国防意識がものすごく強い。すべての男子に兵役義務があり、生涯兵役を勤める。十八歳になると銃を渡され、五五歳まで自分で保管する。最初に基礎訓練を受け、その後も毎年一回は必ず兵役につく。万が一のとき、スイスでは五時間あれば防衛態勢が完備するって言われている。今でも、国土のあちこちには橋梁や谷間の道路封鎖を目的とした防衛のための地雷が埋められている。これは、旧ユーゴなんかでも同じだったと思う。

あと、すべての国民が逃れられるように核シェルターも人口の二百何十パーセント完備している。ダントツに核シェルターが多いのはスウェーデンとスイス。平和、福祉、自然の美しさといったイメージの国がもっとも高い軍事費を使っている。

兵器を見ていると、民主主義と自由、そして福祉というのは高い防衛費によって守られ、かつ、まかなわれている、ってつくづく思う。ヨーロッパは抗争の歴史だったってことだ。戦後も戦争は終わってはいなかった。第二次世界大戦後のほうが兵器が出動する戦場の数は多かったかもしれない。だって、東ベルリンを占拠していたのはソ連軍、西ベルリンはアメリカ軍、フランス軍、イギリス軍の占領地でしょう。アメリカ軍の駐留していた昔の沖縄と同じで、ドイツ人は住んではいても、治世権を全然もってなかった。だから、壁の崩壊直前までドイツのルフトハンザ航空はベルリンに降りられなかったでしょう。あそこは軍用路線地域だった。数年前までは、壁をはさんでワルシャワ機構軍とNATO軍に封じられていたわけです。

湾岸戦争で、アメリカはこれまで実戦で試せなかったことを面白いほどやりつくしたと思います。戦場というのはどうしても人間という予測できないファクターが入ってくるでしょう。兵器は常にそのファクターに左右されてしまうものです。核兵器もそうだけれど、エレクトロニクスや機械というものは、人間のファクターを考えずに性能だけを求めていった兵器でしょう。だから実戦で使いたくなる。試してみたくなる。

湾岸戦争で使われたコンピューター兵器を制御していたコンピューター・チップスのほとんどは日本製品だった。アメリカは自分で作るより、日本から買ったほうが安いからね。もちろんアジア製品のほうがもっと安い。日本の行く末も厳しいと思うけれどもね。

湾岸戦争で使われたM1エイブラム戦車は、実戦用としてどうなのかいろいろと危惧されていたわけ。あの戦車はディーゼルではなく、飛行機のようにガスタービンエンジンを装備している。で、試してみて、砂漠でけっこう使えるってことがわかった。

それから、多国籍軍の使ったトマホークミサイルや弾薬も、ベトナム戦争以後、大きな戦争もなく、使用期限が迫っていた。缶詰と同じさ。有効使用期限が切れるとまずいから、在庫一掃のためにも湾岸戦争は非常に有効だった。国連の正義の看板のもとで、しかも日本の金で、味方の死傷者は最小限で在庫一掃をなしえたんだから、無駄は一つもなかった。再び、新しい兵器の開発と生産が要求されるだろうから、アメリカ経済は再浮上する。

旧ユーゴの戦争も兵器の墓場という見方が可能だと思う。兵器から見ていくと、ボスニア・ヘルツェゴビナの戦争は理解しやすいんだ。あそこは兵器商人がうようよしているキプロス島に近い。かつて、旧ユーゴスラビアはすべてを自給する姿勢をとろうとしてたから、ほとんどの兵器を生産していた。新ユーゴスラビアのセルビア共和国の首都ベオグラード周辺で兵器は作られていた。だからクロアチアは兵器を手に入れられなかった。しかも、農民の多いセルビア人は、都市住民のイスラム人たちよりも国土の所有率は高いけれど、兵隊になる率も高かった。旧ユーゴスラビア全土に広がっていた基地にはセルビア人兵士がたくさんいた。そして、スイスと同じように常に臨戦態勢をとっていたために、国内には兵器庫が無数にあった。そういった軍事情報をつかんでいたのはセルビア人兵士たちだった。結局、セルビア人のほうが兵器を容易に手に入れられたってことでしょう。一方、クロアチア人の持っている兵器のほとんどはシンガポール製とかゴチャゴチャだった。兵器というのは、システムがきちんと揃っているほうが作戦行動をとりやすいわけで、戦争の初期にクロアチアの敗色が濃かったのもしかたがないことだったわけです。その後、クロアチアはキプロスの兵器商人を通じて大量に武器を買ったと思う。死の商人からね。

死の商人ってほんとうに汚いよね。彼らは両方に兵器を売る。僕の知り合いにも死の商人がいますよ。彼はまだ二十代。父親はハンガリー人、母親は旧ユーゴスラビア人、移民としてベルギーにやってきた奴だ。血縁、地縁があるし、言葉ができるから、東欧の兵器の仕入れに強い。ああいうのがボスニア・ヘルツェゴビナなんかに銃を売っているんでしょう。金を持っているから、飯なんか僕なんかには食べきれないほどの量と贅沢。彼は口癖のように「お前、人生一回きりだぞ」って言うのね。太く短くって生き方を常に求めていくんでしょうね。

兵器によって好況が生まれ、その兵器を使う戦争によって不況が準備されていく。ある人が言ってました。八〇年代まではイデオロギーの対立、九〇年代以降は宗教と民族の対立だ、って。旧ユーゴ、アゼルバイジャン、クルディスタン……。

逆に言うと、冷戦だったから平和だった。色分けが簡単で、力の均衡が保たれていた——平和っていうのはそういうものなんだよ(笑い)。

これだけ兵器に近づいていながら、神保さんは一度も兵器の現場である戦場に行ったことがない。

行く必要ないでしょう。現場に近づけば近づくほどものは見えなくなる。そういう発想は、実際に人間を撃ってみなければわからない、ということにつながる。人間が撃たれて、どうなるのか、を見たくなる。それは狂気でしかないでしょう。人間のすることではない。

フランスに外人部隊というのがある。昔はパリの北駅に外人部隊の受付所があった。外人部隊では過去は一切問わない。チャドに駐留しているのは、ほとんどが外人部隊だって言う。そこにかなりの数の日本人の若者が現在も入隊している。多くの他の国々からの入隊者は、何らかの理由で祖国を追われて、外人部隊で契約期間を果たせばフランス国籍をとれるという目的で入隊する。日本人の若者は生存のための理由ではなく「人とちがったことをしたい」という冒険志向が多い。ボスニアのボランティア軍にも、数人の日本人がいる。たとえばアフガニスタンやカンボジアの戦争が始まる。各国ともサッと医療団を派遣するでしょ。もちろん治療が目的だけど、日本人の多くは人道援助だと信じてます。しかし、アフガニスタンやカンボジアの難民キャンプでヨーロッパ諸国の医療チームは旧ソ連の小口径ライフルによる人体への破壊力をチェックしながら本国に報告を送っていた。

核の破壊力を旧ソ連が人体実験していた、という報告があった。非人道的、と西側諸国は一斉に批難した。しかしアメリカもやっていた。つまり、あれは人間の本能込んでいくみたいな怖さを感じますよ。

だってことだ。日本なんかでは兵器の性能を試すために馬を撃ったり、死刑囚を撃った記録がある。

今、日本人のフィリピンやカリフォルニアへの射撃体験ツアーがある。野原で豚を撃つ。こうなると、必ずいつかは人間を撃ちたくなっていく。エスカレートする。僕は、そうなりたくない。まっとうな人間でいたい。銃の構造、歴史、その背景には興味を持つけれど、人を撃つ現場に興味はないし、自分で撃った体験はない。

他の国は実際に鉄砲持って戦争しているのに、日本では、サバイバルゲームのために僕たちの雑誌『GUN』が十万部もでているなんて、不思議な国だって思うよ。

——兵器ばかり見てると、人間不信に陥らない？

不信感？　基本的に僕は性善説さ（笑い）。銃の世界ってやっぱりコンプレックスの世界だと思うね。遠くのものを近づかないで撃ってやっつける——コンプレックス以外の何物でもないでしょう。やっぱり刀を持って、返り血を浴びながら殺さないとね（苦笑）。

でも……正直言って、やっぱり落ち込むな。駆けだしたくなるときがありますよ。人間の心のあなぐらに入り

4

12億の民

天安門事件

悔しいだろうけど、今は目をつむって眠るしかない

北京／元報道特派員
大﨑雄二（36歳・在外4年）

カメラを回しながら思わず泣いてしまったってことありますか？

放送局に就職して初任地の金沢時代、金沢に住む生みの親が、中国人の養父母のところに残してきた娘に会いに行く旅に同行取材したときのことでした。

明日は両親が帰国するという晩に、個人的な通訳を頼まれたんです。金沢の実母は「うちにはお前たちの家族を養える財力はない」って突き放します。娘はひとしきり泣く。そして訴えるんです。「親としての責任はどうするんだ！」ってね。

母親って強いなって思いました。

「あんたはね、私があんときに連れて帰ったら関門海峡

を渡る前にコレラかチフスで死んどった。虫の息やったのに中国人に救ってもろうたんや。私はあんときにあんたを売ったんや。あんたを売ったお金で私らは生き延びた。お前の命は中国に救われた命や。子どもを捨てるなんて夜叉《やしゃ》でもせん。私はお前を捨てた非情な親や。今、お前は一人だけ日本に帰って、中国人との間に生まれた子どもを捨てようとしとる。お前は私みたいな母親になっちゃいかん」

そしたら、ワンワン泣いてた娘がフッと我にかえった。一瞬、会話がとぎれ、そして呟くように聞いたんです。

「一つだけ聞きたいことがある。私はいったい何時に生まれたの？」

私には何気ない質問に思えました。

「星のきれいな晩やった。蔵の中であんたは生まれたんや」――美しい笑顔で母親が答えます。産んだ母親だけしか知らない事実を娘は確かめたかったんでしょう。

翌日、七十歳を過ぎた実の両親は娘と別れなくてはなりません。駅頭で「ジャーナリスト」の僕は、その涙をカメラに収めなければいけない。なにしろ「クライマックス」ですからね。ピントを合わせ、三人の表情をアップにする。にぎりあった手、顔、声……。感情の移入なんか決してしてはいけないんです。編集のときに役立つ周囲の映像も撮影しなければいけない。でも、そのとき、カメラを回す冷静さとは別に、僕の目から「汗」が流れてたんです。暑くもないのにね。

列車が動きだし、ようやく母親が泣きやんだ。僕の仕事も終わった。――でも、目の汗がとまらない。のめりこむのはよくないなと思いつつ、こういう仕事をしているからこそ、こうして名もない人の消え去ってしまう大事な歴史の記録ができた。そんな自負を覚えました。生きがいというようなものを感じたのはそのときでした。

大﨑さんは米軍基地のある福岡県の町で育った。日本人女性と同棲するアメリカ兵の間借り人が何人もいた。中国人や在日朝鮮人の幼な友だちも近所にたくさんいた。自然に別の国の言葉があることを知る。中学二年でKBS（韓国放送公社）の国際ラジオ放送で朝鮮語を学び始め、中学三年のときに中国語を始めた。アジアへの関心は冷めず、東京外国語大学中国語学科に進む。

大学に入学した当時は、共産主義にシンパシーを持ってました。『毛沢東語録』は今も暗唱できますよ。

最初に中国を訪れたのは一九八〇年。大学のクラスメートと北京、洛陽、西安など古都の周遊ツアーに行ったんです。そのときの中国のイメージが、幼いときから憧れていた「清貧のユートピア」に合致したんです。「アバタエクボ」現象ですね。北京に留学していた一年上の先輩が「この国ってひどい。すべてがお役所仕事……」と批判するのに反駁してました。中国をわかろうとしてないんじゃないか、ってね。

大学四年の夏、中国の国費留学生として天津の南開大学文学部に行きました。僕は先輩とはちがう、ほんとうの留学生になろうと思いました。中国人労働者の賃金が七〇元の時代に一四〇元の奨学金をもらって、留学生用のいい宿舎に入れてもらったんですが、それでは飽き足らずに、中国人の学生寮にこっそり入れてもらいました。青い木綿の人民服を着て、ほうろうびきの茶碗一つぶらさげて、中国人学生と同じものを食べる——そういう暮らしを始めたんです。最初は、ご飯に野菜スープを混ぜたような彼らの食事を飲み下せませんでした。中国人学生は、大量の澱粉でエネルギーをとってるんです。彼らと同じ食事を続けてたら、とうとう栄養失調になってしまいました。扁桃腺を腫らして、学校の医務所に行ったら、「うちは外国人留学生には薬なんかだせない。何かあると怖いから注射もできない」って。

それで外国人の診療もできる病院に入院させられたんです。私が入院した「甲」病棟は、党や行政機関の上のクラスの人しか入れません。パジャマ付き、控えの間、お風呂までついている。糖尿病や心臓病などの人しかいなかったんです。

毎晩、寝ようかなと思うころ、窓の外で羊が啼くんですよ。ある日、窓を開けて見たら、看護婦さんが「また人が死んだ」って言います。甲病棟の他に、普通の党員の乙病棟、庶民のための丙病棟があったんですね。羊の啼き声は、丙病棟にも入れず、待っている間に死んでいく名もなく貧しい人たちの家族の泣き声だったんです。「甲」という文字の書いてあるパジャマを着ていた僕は幹部の息子とでも見えたでしょう。丙病棟を通ったときの彼らの刺すような視線は今も忘れられません。

「水戸黄門ごっこ」っていうのもやりました。外国人用のホテルに入ろうとすると「お前、どこに行く!」って門番に怒鳴られます。「飯を食いに行く」「買い物に行く」と答えると、即座に「帰れ!」って追い返される。外見はまったく中国人でしたから。そこでおもむろに外国人居留証を見せると、「失礼しました、お入りくださ い」って、ガラリと態度が変わる。

そこで「新中国になっても、植民地時代と変わらぬ『犬と中国人は立ち入るべからず』の場所があるのか？どうして自分の国の人間を見下すのか？」って厭味たっぷりに抗議して「反省」を求めるわけです。

中国の小説も読みまくりました。喧嘩のシーンがでてくると罵倒語を暗記する。中国語ってそういう言葉が豊富なんです。

同じ頃、山東省で飢饉が起きた。天津に乞食があふれました。交番に行って「どうしてあの親子を救えない？」って抗議します。「追い払ったって貨車につかまってまた来てしまうんだ。故郷に帰れば食うものもあるのに、あいつら趣味で乞食やってるのさ。かまうな」と追い返されます。そうなると「社会主義はこうあるべき」とか毛沢東語録を暗唱してみせるんです。天津のありとあらゆるところに怒鳴りこみました。それで、当時は「喧嘩屋大﨑《ターチー》」って呼ばれてましたね。

一年半の留学――ヘトヘトでした。相手にとっては「正義」をふりかざす迷惑な外国人だったと思います。

もちろん楽しいこともありましたよ。北朝鮮の学生と一緒にキムチを漬けたり、カンボジアのポル・ポト派の留学生にスケートを教えたり……。

中国留学から帰国して、大﨑さんはある銀行に就職が内定した。まったく別の生活をしてみたかったという。そして夏休み、中国語通訳で貯めたお金でソウルの延世大学のサマースクールに入学。当時、社会主義中国や北朝鮮は正義の国、韓国は全体主義・軍国主義の国、とする風潮が日本の一部のマスメディアにはあった。

韓国ではほんとうに温かいもてなしを受けました。なんで日本のマスコミは、こんなにやさしい韓国を悪い国って書いて、あんなに裏表のある中国を良い国と書くのだろうか。だまされたなあ、って（笑い）。

デタラメ国際情報を報道して善良な市民（？）をだますマスコミに天誅を下すぞ、と帰国してNHKと朝日新聞を受けました。NHKが先に内定の連絡をくれたんで、NHKに入社しました。僕は「正義」のためにマスコミに入ったんです（笑い）。なんでもやってやろう、ドブ板の上をはいずり回ってやろう、「無国籍人」であろう、そういう目だけギラギラしているあんちゃんを買ってくれたのがNHKだったんです。三年目、「お前、身辺整理しろ」って、金沢からいきなり北京に赴任したのが、八六年十月でした。

北京に着くなり、大ベテランの支局長が「お前、とにかく半年間は死ぬほど働け」って言います。東京のデスクは夜中まで自宅に電話をかけてきて「あの原稿が足りない」「この原稿を直せ」って命令する。北京の坊主は生意気だ、ハナたれ小僧、何やってる、と東京のデスクがいじめるわけです。こっちもドジこいちゃったです。寝過ごして遅刻したり、支局長には怒られっぱなし。「いつまでも中国語に学生言葉が抜けない」「お前なんか怒ったって何にもならない、馬鹿野郎！」ってね。でも愛情あふれる叱り方でした、あれでずいぶん鍛えられました。

叱られただけでなく、支局長からは「盗聴、検閲というなかで民草《たみくさ》がどうやって生きているか、中国における社会をつぶさに描けば全体が描ける」ってアドバイスを受けましたね。

休む間もないほど原稿を送りました。衛星放送が始まったり、上海で列車事故が起きたり——死ぬか、と思いました。支局は人手不足の「中小企業」、何でもやらなければならない。朝は六時半からラジオのニュースをチェック、昼は取材、真夜中に朝用のニュース原稿を仕上げるって毎日。半年たって、ようやく東京のデスクからも認めてもらえるようになりました。

まあ面白かったですけれど、からだはボロボロでした。八八年にちょっとした休暇をとって、インドネシアのバリ島に遊びに行ったんです。「人が微笑む国」に行きたかった。ボーッとしたかったんです。

ビーチには物売りの子どもがいて、その子がほんとうに英語がうまいんです。それで思わず、「学校は？」って残酷な質問をしてしまった。「アイ……ノー・スクール」（僕は学校なんか行ってない）

——その子から買った貝殻を見つめながら、あの子たちを学校に行かせてやれない政治ってなんだろうなって考え込みましたね。

大﨑さんには「子ども」がいる。

フォスター・ペアレント——実の親に代わって国境を越えて学費を援助する親となったのである。彼の子どもはインドネシア人だ。

バリから北京にもどる途中。シンガポールに寄ったんです。フッと新聞の求人欄を読んでいました。ああ、シンガポールならこの程度で暮らせる——いつの間にかそんなことを考えてる自分に驚きました。そのときNHKをやめる決心をしたんです。ただ、お世話になった支局長に迷惑のかかる辞め方だけはすまい、東京に帰ったら辞めよう、と思っていました。

中国の民主化運動が起きたのは、その後、一九八九年四月でした。僕は旧ソ連のゴルバチョフが中国を訪問するというので、特集の取材のために中ソ国境に行ってたんです。行きの汽車のなかで胡耀邦が亡くなったというニュースを聞きました。これは大変なことになるとは思いましたが、まさかほんとうにデモが起きる、とは思ってもみなかった。「北京が大騒ぎになっている」と呼び戻されました。

そうは言っても飛行機は満席、寝台もとれない。三等車に乗って、一晩かけて北京に帰りました。

そしたら、天安門広場で大騒ぎでしょう。何が起きているのか、わからない。学生たちが何を主張しているのかもわからない。それから寝ず、食わず。夜明かしです。新聞紙にくるまって眠りました。

話しこんでいくうちに、学生の言う「民主」は、「人が人として扱われること」なんだ、と気づいたんです。党幹部の特権を排して、自分たちの知りたい情報を手に入れられる社会——日本では当たり前のことを彼らは体をはって主張しているんです。でも、彼らの言葉は観念的でした。学生たちも百家争鳴的な状態だったと思います。なかには変な主張もありました。「ゴルバチョフが来たら、外蒙古を返してもらえ」「日本が山東省を買い取るぞ」「外国資本に中国は侵略されている、中国万歳」というように——。なかには「北京に来れば、ただで泊まれて食事もできる」と、「文化大革命」時代みたいに地方から出てきている学生もいました。北京の学生は帰宅して、地方からの学生しか天安門に残っていない、といった状態もありました。

やっぱりこの子たちは未熟なんだ、と思ったのは、彼らのなかに「俺たちは国家の主人公になるべきエリートであり、俺たちが仕事しやすい社会を作る」みたいな発想を感じたときです。彼らは「俺たちは、普通の労働者の言ってることなんかわからない」というようなことも平気で言うんです。

でも、だんだんと、変わってきた。NHK特集番組の取材で北京大学に潜っていたとき、彼らは仲間のように迎えてくれました。実を言うと、以前に大型番組の取材で来たチームが大量にポケットカイロを置いていったんです。それを支局長に内緒で百個くらい持ち出して、かれらに差し入れしたり……。そのくらいの親近感があったんです。しかし、悲しいかな。横町のおじさんには「超エリート」である北京大学の学生の言葉は理解できない。取材を終わってからも、学生たちとずいぶん話しこみました。

そのうち、天安門広場でハンストを始めた、と聞いて取材に行きました。

戒厳令が出てからの北京は以前と全然ちがった雰囲気でした。「野菜も肉もないそうだね?」ってマイクを向けると、ふだんは無愛想なねえちゃんが「嘘だよ。こんなにいっぱいあるじゃないか」ってマイクを奪いとらんばかりに答える。周囲の群衆も「そうだ、そうだ。共産党の言うことはみな嘘だ!」って。「外国の放送局はほんとうのことを伝えてくれ。俺にも言わせろ」って、誰も彼も喋りだす。こちらが質問もできないほどでした。そのとき、この人たちの話し言葉をそのまま理解できる自分のしあわせを初めて感じました。それまでは、日本人には理解できないだろうってカゲで話す彼らののしり言葉が聞こえてしまって、中国語が理解できることが悲しいことばかりだったんです。

六月二日の晩から翌日の明け方、戦車が天安門広場に入るちょうど二四時間前のことでした。あれはシナリオができていたんです。当局はまず、なにも知らない丸腰の、頬が赤いような四川省あたりの兵隊を広場に入れたんです。「天安門広場で映画会があるから行こう」って誘われてきた兵隊です。そしたら、学生たちに小突かれ、おじさん、おばさんたちには「帰れ!」って怒鳴られる。ほうほうのていで逃げ帰らざるをえなかった。

おばさんが、兵士に「あんたいったいいくつなの?うちの息子と同い年じゃないか。自分の母親に銃口を向けるようなことする気かい?」って説教する。マイク向けて、黙って見てるしかなかったです。涙がポロポロ出るほどの感動でした。

そしたら翌日の午後、軍隊が「反革命暴乱」を理由に出動した。そして催涙弾、発砲、暴力。夜になって戦車が広場に入ったわけです。丸腰の兵隊たちが学生たちに追い返され、当局は忍耐に忍耐を重ねたけれどもこれはもう反革命行為だ、というシナリオです。じつに見事ですよ。あれよあれよという間に、天安門広場に戦車が入ってきて、アッと思ったときには私とカメラマンの二人が広場の真ん中に取り残されていた。

素手で戦車を止めた兄ちゃんはタダモノではないですよ。私たちは、彼らが装甲車に火をつける現場をカメラで追っていた。「あいつら公安だ、殴ってしまえ」って叫ぶ声が聞こえた。こっちに殴りかかってきたんです。とっさに外国人記者証をだして、ありったけの中国語でまくしたてました。そしたらまわりの人たちが「こいつら、日本人だ。俺たちの主張を伝えてもらおうじゃないか」って。それからの取材は彼らにかばわれながらやったんです。ケガ人が運ばれてきたとき、おじさんが「撮れ」って言います。「早く病院に運べ」って僕が叫ぶと「撮ってくれ」って言うんです。——でも、すでに死んでしまっていた。

戦車が入ったとき、『インターナショナル』が聞こえてきました。学生たちが歌っていたんです。どの顔見ても、泣いている。死ぬかもしれない、と覚悟していたんでしょう。その顔にライトを照らしながら、カメラマンに見えないように顔をそむけて、私もワンワン泣いてしまいました。そして、それ以外に歌う歌がないってことが彼らの限界だな、と思いました。

そのうちに銃声がどんどんと近づいてくる。あちこちから「あそこで人が死んだ」「助けてくれ」というおじさんやおばさんの声が聞こえる。「子どもが殺された」「戦車をとめたおばあさんを兵隊が殴った」という話が次から次に聞こえてくる。

それまで中国人が「ごめんなさい」「こんにちは」なんて言うのを聞いたこともなかったのに、ガラリと変わりましたね。〈連帯感〉が生まれていました。私たちが外国の放送局とわかると「ちゃんと伝えてくれ」「中国のテレビは嘘ばっかりだ」「おいらの人力車に乗って行け、いい映像を撮ってくれ」と申し出てくれた。

怖い、とは思いませんでした。銃を水平撃ちしている兵士の姿を目撃したときには怖かったですけれど、悔しいっていうのがほんとうですね。繁華街の王府井まで逃げたら「ゼネストだ！」という声が聞こえた。学生や市民たちが口々に「李鵬の奴め！」——英語で言う「ファック・ユー」を叫んでいました。気がついたときは、私自身がそこいらへんにあった棒切れをつかんでいたんです。カメラマンの「バカ！」っていう声で、捨てましたけど……。まわりで、どんどんと人が倒れていきました。

当局は死者の数は二百人余りって発表しました。僕は三百から五百人だったと思います。とても学生たちが主張するような千人には及ばない。——でも、一人でも百人でも同じことです。人間が軍に、自分の国の政府に殺されたんです。

力なんだ、力。

怒りがこみあげてきました。戦場っていうのはお互いに鉄砲を撃ち合うところでしょう。でもあの日の天安門前は戦場とは言えない。無防備な人々が力でおしつぶされ、処理されていく惨殺場でしかなかった。

大﨑さんは三十分ごとに携帯電話で東京にレポートを送った。支局長は北京飯店で全体状況を把握していた。機銃掃射の攻撃をよけて植え込みに隠れていると、支局長は「そこは危険だ、ビデオを持って支局に戻れ」と命じた。

帰ろうとしたら、またおじさんたちが「お前ら守ってやる」って。市内に突入した戦車をとめようとした北京のおじさん、おばさんを僕はそのとき初めて「市民」——と呼びたかった。

午前五時、ようやく支局にたどり着きました。支局長から「これから辛い取材が始まる。とにかくシャワーでも浴びてこい」って言われて、支局と同じ敷地にあるアパートに向かって歩いていたら、近くの交差点でものすごい銃撃戦があったんです。そこで戦車の行く手をはばんでいた人たちがバラバラッと外国人専用アパートに逃げてきた。ふだんは無断で中国人が入ってはいけない敷地なんですけれど、交差点では一人が殺されてたし、戦車に轢かれて脳味噌が潰れている死体も見えた。「撮れ！」って皆に言われたんだけれど、とても……撮れやしません。

彼らをかくまいました。前の晩から飲まず食わずだって言うから、冷蔵庫にあったパンと水をだしました。気がつくと皆、真っ黒な顔してます。顔だけでも洗っていけってお湯を沸かし、お茶を飲ませました。そして支局の車の後ろに隠して途中まで送りだしたんです。

電話番号を聞かれました。教えたら、翌日から「誰だかわかるだろう？」ってコッソリと情報を教える電話がかかってきました。

でも……。翌朝には、北京は死人のような町になってしまった。何もなかったよ——という白黒の世界にもどっていったんです。あの晩、取材中の僕はマイクを持って、変に醒めてました。

自分では「人が殺されました」って冷静に報じてるつもりでした。フィリピン革命のとき、「見たことしか喋らない」という報道の鉄則がNHK部内でも確認されていました。「こういう情報があります。この情報について私は確認しておりません」という報告の方法です。見たことと見てないことをきちんと分ける報告の徹底です。

でも、日本でニュースの総集編を見たときには恥ずかしくて家中をかけずりまわりましたよ。冷静そうでいて、正気じゃなかった。絶叫していました。

事件後、六月十三日、日本のテレビ局だけが世界に先駆けて三十分だけ天安門広場に入れたんです。私たちは銃弾の跡を探して這いまわりました。何もなかった、とする戒厳令司令部発表とまったくちがう映像を撮影しようとしたんです。たしかに天安門広場で人が殺されたと映像で証明してみせようとしたんです。戒厳令司令部の兵士が「はい、これで引き揚げ」って命じたときは、なぜかムラムラとして「こいつらが殺したんだ!」ってつかみかかりたいほどの怒りがこみあげてきましたね。

でもね、僕の気づかぬところでずいぶん人を傷つけてしまっているんじゃないか、って思うことがあります。当局に没収されたノートには、人々の名前を書いてはいなかったけれど、私が発言したこと、撮影した映像で、もしかしたら……? そう思うと怖くなります。

あ、一つだけドジをこいている。出国するときに税関でネチネチと調べられて、没収された資料のなかにカセットテープがあったんです。そこに北京大学の学生の名前が書いてある。今も、そのことを考えると胸が詰まります。僕の人生はやりなおしがきくけれど、彼の人生はやりなおしがききません。

命かけて戦ったおじさんやおばさんたちにはとても顔向けできません。大八車のおじさんはすくなくとも人を助けることができた。でも、私は人の命さえ救うこともできなかった。僕のやったことはいったい何だったのか? しょせん、野次馬じゃなかったのか?

——もうすこし人間らしく生きたい。たとえば記者時代は映画の前売り券を買うことさえできなかったんです。その日に何が起きてしまうか予測がつかないから……。そういう人生が果して幸せなのかどうか。

最後の最後までNHKを辞めることは誰にも言いませんでした。九〇年三月十五日——北京時代の支局長に真先に言いました。支局長は呆気にとられて、五分くらい何も言いませんでした。

でもね、事件のあとに天安門広場にある人民英雄記念碑のうしろでこっそりと黙禱して、広場で殺された学生たちに約束をしてきたんです。

「悔しいだろうけど、今はやっぱり目をつむって眠ることしかない。皆の記憶がもどったら、そのときには必ずもどって来る。そのときには一緒に追悼会をやろう」

――（沈黙）。

事件から一年目の六月四日。眠れないだろうと思ってアムネスティの事務所に行き、夜を明かしました。

遺言――北京五十年

大衆は間違わないよ

北京／技術者
山本市朗（享年84歳）

北京の冬は乾燥がひどいから、お茶を飲みなさい。

女房はね、八五年に食道癌で死にました。田中角栄が建てた中日友好病院に百日くらい入院して、私も一日も休まず通ったけど、とうとう駄目だった。たまたま手術に立ち会ってくれた日本の医者が感心してた。すばらしい手術だったってね。でも手遅れだった。いい部屋に入院させてもらったよ。共産党高級幹部のリハビリ部屋でね、女房もそんなにいい待遇受けたらいけないって最後まで心配してた。

看護婦は命令でアイスクリームを買ってくることには慣れていても、介護が追いつかない。だから毎日通って介護した。「模範亭主だ」って、看護婦にほめられたよ。

女房が「ヨーグルト食べたい」って言うから買っていったら黴《かび》がはえてたけどね（笑い）。

　女房ってのはすごい奴だった。タフだった。

「葬式なんて遺族の見栄だ。どうせ皆死ぬんだし、あんたもすぐに入るんだから少し大きめの骨壺を買って墓地に置いてくれればいい」

――だからそこのタンスの上に遺影と骨を一緒に飾ってあるよ。掃除しないから埃だらけだろ（笑い）。

　女房が死んでね、共産党の組織が言ったよ。

「一人ってわけにはいかない」

――それで組織がそこにいる婆さんと若いのと二人世話係につけてくれた。だけど、若いのは客を見て待遇を変える癖があるみたいだし、二人で張り合うとむずかしいからね。婆さん一人でやってもらうことにした。住まいは招待所のなかにある二部屋の狭い家だからな。招待所ってのは、別々の地方で働く男女が出会えるように粋な計らいをした建物さ。

　足かけ七年――田舎の婆さんだけど、一日も休まなかった。婆さんも真空管工場で働いていた工人、日本で言えば職人だ。組織に「奥さんが生きているときと同じレベルに保つのがお前の政治責任だ」と厳命されて、雨の降る日も、真冬の寒い日も通いつめてくれた。亭主も地方の鋳物工場で働いている。苦労人なんだ。彼らの家にはスチームがないから、亭主の父親もここに避寒に来るよ。


　一九三五年（昭和十年）、東北大学工学部金属組織学科を卒業した山本さんは三菱工業（現三菱重工）に入社。佐渡金山、群馬鉱山をへて、当時の国策にのって山東省の金山を採掘し、日本に送っていた北支那開発に出向した。子どもたちを千葉の実家に預け、夫婦二人の赴任だった。


　中国側から言わせれば北支那開発ってのは徹底的な経済侵略の会社、日本側にすれば占領地開発の会社でしたよ。山東省にあった有名な金山の開発権を日本政府が青島の金持ちからとりあげてしまった。しかし、北支那開発は実際の採掘技術を持っていない。それで三菱工業に技術者の派遣を求めてきたの。佐渡にいたときの上司が呼んでくれて、やってきた。

　あの頃の北支那は六百万人の中国人の上に二十万人の日本人が浮いているような感じだった。二十万人の日本人は女郎、芸者、バー、畳屋、大工、神主、坊主――日本にあるものはすべて、日本から連れてきてた。

出発までの数日間、門司港で飯を炊きながら船を待って、ようやく船に乗ったと思ったら、アメリカの潜水艦にボンボンと攻撃され、ひどい目にあいながら大陸に渡ってきたんだ。朝鮮半島を縦断して、大連までたどりつき、大連から春雨の産地ロンコウまで再び船。ロンコウには鉱山のトラックが迎えに来てました。鉱山までは六五キロくらいかなあ。鉱山は完全に戦闘地域に入ってましたね。夜は完全に八路軍（毛沢東率いる共産軍）の世界だった。日本も点と点だけは確保できていたけれど、それをつなぐ線までは確保できなかった。

日本からの物資は全部ロンコウから揚げたけれど八路軍に襲撃されてしまう。鉱山から採掘される金の品位はとってもよかったから、一ヵ月に十日くらい掘れば十分に採算が合う。日本人職員三十人と中国人千七、八百人が十七、八キロほどの純金を掘り、その他の鉱物は日本の直島精錬所に送っていた。私の役目は、金が十五キロになると北京の中華日本大使館出張所に納品すること。そして大使館で物資を調達する。大使館は統制値段で金を買い、金相場を読んで放出する。そうすると五倍か六倍の儲けがでる。それが北支那の特務機関の機密費用になっていたんだ。

あるとき、北京大使館出張所の大学の先輩に北京の北支那開発をやってくれ、と頼まれた。しかたないから鉱山は次席にまかせて、北京に出てきたんだ。

すでに戦争末期でしょう。金がとれたって日本に送れない。そんな頃、華北の英国人経営の炭鉱が日本軍の管理下に入った。英国人は追っ払ったけれど、溶鉱炉を建設しなければならない。高級中国人は皆、英語しか通じない。日本軍の大佐が行っているけれどどうにもならないっていうんで終戦の前年の十二月に華北に行きました。昭和二十年七月十五日、火入れの式典の資金と客の招待を頼もう、と北京の事務所に行った。そしたら所長がもう華北に帰るな、って言うんだ。周囲のユダヤ人が聞いている海外放送によれば、日本が完全に参ったらしいって言うんだね。華北に帰ると出てこれなくなるし、日本が降参したら、十ヵ所ほどの北支那開発経営の鉱山や炭鉱などを中国に返還しなければならない。それもあって、残留を求められたんだ。

一ヵ月後、日本はほんとうに参ったね。

まず国民党が北京に入ってきた。入ってきた奴らが周辺の鉱山の接収をしてまわった。私が鉱山技術に詳しいなら、混乱の日本に帰るより北京に残れ、って国民党の経済部の特派員に言われた。その日から、接収される側から鉱山をいただく側の役人になっちゃったわけだ。

けれど、国民党も八路軍に周囲を囲まれ、週単位で陥落が近づいていた。

ある朝、事務所に行ったら国民党の中国人が誰もいない。下っぱに聞いたら「北京陥落まぢかで、大慌てで南京に逃げた」って。俺はさんざん国民党のために働いたのに、俺をいれて三人の日本人が残された――なんて冷たい奴らだ、ってあきれたよ。こうなったらかまうことない。町の梱包屋に事務所のすべてを叩き売って解散した。それで町の技術コンサルタントみたいなことを始めたのさ。

八路軍っていうのは銀行なんかには風当たりが強く、工場や工人が好きなんだ。街の銀行屋がめざとくもこぞって工場を始めた。だから技術コンサルタントは儲かったよ。借金の抵当になっている銀行屋の工場がどれだけの価値があるのか、と値ぶみを頼まれ、人力車で回って歩いてたよ。八路軍の弾をよけながら、道路脇の溝に落っこちたりして、ね。そんなこんなしているうちに北京が八路軍によって平和開城された。

一九四九年、八路軍は軍楽隊を先頭に国民党からぶんどった戦車の色を塗りかえ、赤い星をつけて、北京に入ってきたよ。数週間後、野坂参三と一緒に八路軍の政治委員をやっていた岡村って日本人が訪ねてきた。綿入れの帽子をかぶって、綿靴履いて、拳銃さげて、ね。北京の八路軍には日本人が三百人くらいいたようだ。戦争で捕虜になって、再教育されて頭が八路向きになった奴らが解放とともに北京に入ってきてた。私が付き合ったのはそのなかの十人くらいだったなあ。岡村は旅順工科大学を共産主義者だってことで放校されて以来、地下にもぐってたんだね。他に偉そうなのを二人連れてきて、言った。

「あんたの活躍は聞いている。北京を開城したらすぐに重工業を復活したい。手伝ってくれ」

女房は気の強い女でね。「三菱から給料もらって、北支那開発、国民党、そして八路で給料もらうなんて面白い、やんなさいよ」ってね（笑い）。

それから八路――中華人民共和国にのめりこんじゃったんだ。

日本統治時代や国民党時代にはろくな仕事がなかった

のに、解放になってからは大変だった。まずは日本のやってた工場は敵産、国民党のは偽産と称して八路軍が接収した。接収しても、操業しないと労働者が食うに困ってしまう。工人――勤労大衆をまがりなりにも食わせなければいけない。北京の復興が私にまかされたわけだ。工場って言っても、着物、機械、靴……何から何まであるだろ。私がまかされた工場は全部で四三。まずは破壊された工場の復興、次に合併して工場らしきものを建設していく。ここじゃ土方から電気屋、化学屋、機械屋……何から何までやらないと駄目。

最初は人力車で東奔西走したけど、間に合わない。ちょうどスパイ容疑でイタリア人が捕まった。奴の乗ってたフィアットをもらって、北京中を飛んで走ってた。多少、さまになったのは一年半くらい後だったかな。

中国人って、コセコセしてないんだ。のんびりしている。諦めも非常にいいんだね。国民党時代に銀行やっていた経営者が、国民党がいなくなると奥さんと二人で路地裏で酒を売ってた。「まあ、時世ですからね」とかなんとか言いながらね。あんまり自分の身にふりかかった不幸を苦にしないのね。その後、中国が共産党政権で統一されて、多少とも普通の能力のある人に力を発揮してもらわなければならなくなったとき、その彼が政治委員に誘われ、上院議員になった。今もときどき街で出会うよ。綿入れを着て、綿靴履いてトコトコ歩いてるよ。「どうだい、路地裏の酒屋より上院議員のほうが面白いかい？」

「いやあ、ただ賛成反対の手をあげるだけの話でね」

ものごとにこだわらないんだね。

苦労？　相手が完成品だって思えば焦ったり、苛立ったりするけど、これから仕上げていくんだって思えば何ともなかったね。とにかく基準を自分自身において、少しずつやっていく。何年かたてば他にも広がって、しだいにきちんとしたものができあがっていくんだ。今は北京市大型自動車製造工場を受け持ってる。死ぬまでこき使うつもりらしいなあ。残酷物語だよ（笑い）。

マルクス主義について学んだのは文化大革命のとき。最初の頃は、紅衛兵と一緒になって私も町をドカドカと歩いたよ。あれも適当なもんだったなあ。十八歳くらいの女の子なんか、北京に四回も来てるって言ってた。家を出るとき、十銭もらってきても一銭も使わないで帰宅できる――列車も無料、宿泊先も無料、食料は皆が食わせるからね。無料で首都見物さ。僕は工場で変な紅衛兵に捕まえられて、変な場所に入れられたよ。五年半、そこに入れられていた。女房はちょうど日本に帰っていた。俺が出るまで、約七年間日本にいたんだ。

ずいぶん待遇がよかったよ。朝は起こしにくる。風呂に入るか、運動をする。帰ると机に新聞がのっている。世情に疎くなるから、って言うんだね。日本の新聞も置いてあった。昼寝したり、ブラブラしてると夕飯の時間さ。テレビなんか見て、就寝。合間に職員が日本語を習いに来てた。

政治局員が一人ついて「退屈でしょうから読書でもしてください」って言う。本のリスト見たって、どれも面白くない。山田風太郎なんか一冊もない（笑い）。五年半も閉じこめられていたから、全部読んだね。最後に読む本がなくなったから『資本論』を読んだ。政治委員が「私も一巻しか読んでないし、消化しきれてない。しかし、質問はどんどんしてください。わからないところは僕が上に聞いてきますから」って。文化大革命の五年半に、僕はマルクスの著作を全部読んだ。

五年半たって家に帰ったよ。そしたら五年分の給料が家のテーブルにきちんと重ねて置いてあった。誰かが欠かさず届けてくれてたんだ。三日後、大家が五年分の家賃を払ってくれ、って言ってきた。家賃はタダみたいに安いからいいけれど、軟禁されてた間の食費を請求されたときは怒ったね。絶対に払わない、仮に払うとしても一度では払いきれない、と手紙をだした。そしたら、飯代はいらないってことになった。

文化大革命ってのは、結局ジャリみたいな中学生と下級工人の勝手な要求に巻き込まれて、上の奴がウロウロした、って感じだったね。毛沢東がモウロクして江青に踊らされたってことでしょう。最近『中国近代史』が出版された。その第三巻に毛沢東と江青の喧嘩場面が登場する。結局江青がやりこめられているんですけれど、他の巻は誰も買わないのに三巻だけはどこの本屋でも売れてしまっている（笑い）。

国中が仕事も何もおっぽりだして、ただワーワーと騒いだ。くだらない政治議論ばっかりだった。文化大革命で中国の技術革新は十年遅れた。遅れただけでなく、歴史的な遺品の損害もひどい。全部壊しちゃったね。

文化大革命のたった一つの教訓は、ああいうことをしたら駄目、ということ。百害あって一利なし——骨身にしみたのはそのことだった。

中国の近代化が遅れた原因は、文化大革命にもあったけれど、他にも基本的な問題があったと思う。東欧がガタガタになって、ソ連まで泡食って押しつぶされた——社会主義国の工業に問題があった、これは事実なんだ。だから今こそ突き止めなければならない。

共産主義そのものに欠陥があった——こういう大きな仮定のもとに大勢で討論すべきなんだ。ほんとうに駄目、という結論がでたらやめてしまえばいい。共産主義の最大の目的は大衆の生活を向上させることだ。

指導者の問題もあっただろう。政治の問題もある。とにかくどこに間違いがあったのか徹底的に討論してある程度の結論をださなければいけない時がきてる。

最近、中国は独立の道を歩む、社会主義を堅持する、と発表があったけれど、僕はこれでいいと思う。その国が生きのびれるかどうかってのは国民の心構えにかかっている。たしかに民主は世界的な風潮だ。とても一国の政治力だけでどうの、って問題じゃない。

中国はタフな国だ。日本人だったらとっくに音をあげているような環境にあっても、悠々と暮らしている。天安門事件で海外からの援助や資本が一斉に撤退した。しかし、中国は、最後には自力更生の道を歩きだすよ。そうしなければいけない理屈、耐えなければいけない理屈を十二億人の国民に話せば、やっぱりここの国民は協力すると思う。

たしかにこの国にはどうしようもないコチコチ頭の連中がまだまだたくさんいる。僕に言わせれば、コチコチ頭の奴ってのは、経験がない、ものごとを知らないだけなんだ。共産主義国家になって半世紀にもなっていない。大臣になっている奴だって、昨日まで綿入れ着て、芋畑のなかを日本製の三八鉄砲かついで毛沢東の後ろから「解放!」って叫んで走ってたんだからね。

あの連中だって内心は辛いんですよ。

徳川末期の百姓に「さあ、ボーダーレス社会を生きなさい」って言っても通じないでしょう。中国では毛沢東が死んだことも知らない村がまだまだあるってこと、信じられないでしょう? どこに行っても朝日新聞やNHKのある日本の観念を離れられない連中が、この国をその尺度で図ったらおおまちがい。ま、日本人は離れて見ているつもりになって、自分の価値観の内側からブツブツ言うからもっと始末に負えないんだけれどもね。

「普及から抵抗へ、抵抗から普及へ」——これがこの国なんだ。駄目なことはたくさんある。誰もがそれを心底実感しているよ。だけどそれは徐々に淘汰されていくしかない。今の体制と、コチコチ頭の奴との摩擦を最小限にしながら、なるべくスムーズに変革をはかっていくしかないよ。

もちろん、進んでいる奴、外国を経験したインテリなんかには耐えられないかもしれない。そういう連中は放っておけばいい。はね上がる奴はどこにもいるんだ。

一般大衆、群衆は間違わないよ。北京の工場をずっとやってきて、そう実感する。個人としては馬鹿な奴もいっぱいいる。でも、大衆という総体でだしていく判断はかなり正しいものだ。貧しくても、自分の労働で食っている――これが大衆の基本。大変な力ですよ。

その大衆より一歩先を見るってことが肝心さ。二歩先では駄目。大衆に向かっていくときには、自分の側の持ち札を全部ばらして、人民が理解できるようにていねいに説明を繰り返さなければ何にもならない。

私自身はね、共産主義はそんなに悪い体制じゃないって思う。問題は人間の側にあった。自分の私腹を肥やす輩もいたかもしれない。だけど、何度も言うように中国で一番大きな問題は、経験がなかったってことだ。外の世界を知らなすぎた。だから自分が昔の十倍よくなったら立派だって錯覚して、騒ぐ。外国は百倍にも豊かになっていることを知らないからだ。

それでも、たしかに中国は豊かになってきている。二十年くらい前、工人の家には何もなかった。飯食う茶碗が一つか二つ。ご飯のときはそれに米の飯を盛って、汁も野菜もすべて一緒くたにまぜて食べる。あとはヤカンと石炭ストーブ。水瓶。一家の着物をすべて入れてある大きな楠《くすのき》の箱。冬は綿入れを着込み、暑くなると一枚一枚脱いでいく。最後は下着一枚あれば十分。これが二十年前の工人の標準だった。

最近は変わったよ。夫婦が二人働いていれば三百元にはなる。彼らにとっては余裕のある暮らしさ。標準的な北京の工人の家の間取りは、上級クラスで十五平米と十一平米の二間に台所、一般クラスだと十一平米に九平米の二間に台所。北京市民が一番苦しい時代には、一人あたりの部屋が二から四平米だった。今は六から八平米。農村はまだまだ、北京よりも生活レベルが数段低い。

調度も豊かになった。北京市民の家には必ずソファ、テーブル、腰掛け、洋服ダンス、ダブルベッドがしつらえてある。書類入れ、食器棚、ラジオカセットは一〇〇パーセント持ってるね。テレビや冷蔵庫は八〇パーセントくらいは普及している。洗濯機は五〇パーセントくらいかなあ。北京の排水があまり具合よくないからね。

ある田舎町で私が聞いた話。

若い女性が恋人と結婚しようとしたら、彼は別の省の出身者だった。彼女の両親は共産党員である。両親は、別々の省の出身者は二人の年齢を合わせて六十歳にならないと戸籍を移せないから結婚できない、と法律を楯に反対した。共産主義は自由がない、と嘆いていた。

——ほんとうでしょうか？

ちょっと婆さんに聞いてみる。（隣でテレビを見ている老女に中国語で尋ねる）——婆さんが言うには、地区の調停委員会に訴えれば両親が罰せられるって。最低年齢は憲法で決められているけれど、婚姻はあくまで本人の意志さ。この国で民族がちがうから結婚できない、なんて言ったら大変だ。民族蔑視ってことで、親が罰せられる。まだまだ未成熟な共産主義者がたくさんいるのが現実なんだ。一般論として、この国では正しいことは必ず通る。工場なんかの小さい単産でもそう。もちろん半ちくな奴はいやな顔するけれど、ほんとうに正しい意見は大衆の支持を得られる、必ず通ってきたね。

十二億人が動く、これだけ大きな国では急いだら必ず失敗する。これだけ貧しく、基礎のない国なんだからね。この国を十年や二十年の単位で読んだら必ず間違う。焦らずゆっくり進む——この国の土壌にもっとも適した方法はそれしかない。

俺ね、天安門事件のとき広場に行って、最初に抗議の断食をした三十人の若者たちの話を聞いたよ。彼らは中国の現在を憂えて、本気で考え、燃えていた。でも戦術が全然なっていなかった。アメリカに逃げた奴らは腰砕けじゃないか。他の奴が苦労しているのに、香港から差し入れもらったり、ハイヤーに乗って昼飯食べに行って優雅なことやってたよ。頑張ったのは田舎の出身者ばかりだったね。北京出身の若者はほんとうに粘りがない。革ジャン買いたい——そればっかり。中国から外国に出たがっている奴は皆、浮いた奴さ。日本に行けば、車一台持てる——そんな半ちくな奴らだ。

天安門事件のときは毎日、日本の報道も見てましたよ。日本って国は表面は自由そうだけれど、まだまだ心の底にアカは不倶戴天の敵だ、という観念が根強いって思ったね。新聞屋やテレビ屋はあれで食っているんだからしょうがないけれど、馬鹿騒ぎ。北京中がすべて天安門になったような錯覚を全世界に与えてしまった。俺の家はこんなに天安門広場に近いのに、音も聞こえなかったんだからね。

解放後十年くらいの間、ナイーブな共産主義の時代があった。あのときの思想にたちかえらなければならないと僕は思う。主義主張を詰め込んだって駄目。自分の国の現実のレベルをきちんと見据えて、どの程度、どうやって進むべきなのかを一歩一歩大衆に伝えながら進む。


天安門事件の収拾については世界各国の批判を浴びたが、中国は再び開放政策を進みはじめた。日系企業も中国市場を求め、大挙して進出した。


日本企業の合弁がうまくいってない、って話をよく聞くよ。皆、共産主義体制の責任にしてる。だけど、俺からみれば理由はものすごく深くて重い。

まず日本から来た連中は中国を全然知らない。それと、日本ではこれが正しい、って観念が日本人から絶対に抜けない。技術とか資本ということ以上に、中国に来るにあたって中国の事情をつかみきった人が必要なんだ。

相手は中国なんだ。この国では偉い奴ほどよく働く。中国の要人に会ってごらん。背広なんか着て、ふんぞりかえっているのはあまり偉くない。人民服着てね、布靴履いて魔法瓶持ってお茶を入れるような人が一番偉い。

罪悪観、商業観も日本とは徹底して違うんだ。外国企業には最初から打算がある。中国人は打算があっても、正直には言わない。十円の価値の物を交渉だけで二十円で売ったら、中国では商売人として失格の烙印を押される。十円の品物を見せて、百円で買うっていう人に売ってもそれはいい。きちんと物を見せたわけだから——。

そういう彼らに日本人が慣れるまでに、二十年やそこらはかかるのよ。


山本さんは日本政府からの叙勲と北京市からの名誉市民の申し入れを即座に断ったという。


免状なんて、小学校からいくつももらっているから珍しくない。名誉市民になったってしょうがないもの。

叙勲のための式典に出席しろっていわれても、日本に行くのも億劫《おっくう》だし、かさばったのを持って、何度もお辞儀したりするのも面倒だし、ね。僕はパスポートも持ってない。もちろん日本国籍だけれどね。あんなものなくたっていいのさ。

渡航費がないからだろうか？　って大使館と日本航空が心配してすべて手配するって言ってくれた。金なら、いくらだってあるんだ。こちらの国の給料はすごく安かったけれど、千葉に土地を残したままだし、戦前の株券がそっくり残ってて莫大なものになってるからね。そんじょそこらの日本人じゃかなわないって思うよ。

大使館に手紙をだしたよ。「七八歳。身体が弱ってしまって晴れがましい席で倒れたりするかもしれません」って。連中もそれ以上は何も言えなかった（笑い）。免状とメダルを送ってくれたんだけれど、この婆さんに見せたら「このメダルを売れば五百元になる。売ってしまいましょう」――工人なんだねえ（笑い）。

この婆さんには家を買って贈ろうって思っている。七年間、一日たりともひもじい思い、寂しい思いをさせなかったお礼の気持ちだね。

もう自分の物なんか何もほしくない。食うことと住まいは中国政府が保証してくれているから、ね。

工場で工人と付き合ってきた。コトコトコトコト工人たちとやっているうちに――この間、数えたら五十年たってしまっていた。

驚いたね。

インタヴューから二年。山本さんは癌を患った。中国共産党は山本さんを手厚い介護つきの病院に入院させ、治療を続けてきた。奥さんが亡くなって以来、暮らしの面倒を見てきた老女は、連日、病院に通い続けたという。

そして一九九四年八月。日本敗戦四九年目の夏に山本さんは息をひきとった。

この語りは文字通り、遺された言葉となった。

「開発途上国」

貧困との闘い

現実と理想のギャップには常に悩みます

ニューデリー／ユニセフ・デリー事務所所長
渡辺英美（47歳・在外30年）

渡辺さんは父の仕事の都合で小学校四年のときに渡英。中学、高校時代は日本で学んだ。大学は再び英国。そしてユニセフに入り、スリランカ、ビルマと現場を歴任の後、ニューヨーク本部で募金やプログラム評価、アジア課の課長を経て現在のインド所長という重要ポストについた。

結局、人生の半分を海外で過ごすことになりました。私が子どもだった一九五五年までは、日本もユニセフの援助を受けてたんです。母に聞くと、その頃から私は世界中の子どものために働く、と話してたらしいです。八九年、インド赴任を言い渡されたときには非常に抵抗しましたね。アジア課課長時代のときから、インドでの仕事はほんとうに大変だって実感してましたから。言葉も人種も宗教も雑多、しかもカーストが根深く、州ごとの格差はすさまじい。貧困も人口も自然環境も並大抵のものではないですから。

問題が複雑すぎて、どこから手をつけていいのか途方に暮れるのが目に見えてましたからね。スリランカくらいの規模の国であれば、私たちが力を合わせれば識字率や乳児死亡率が目に見えて変わっていく、という希望もあるでしょう。ユニセフ内部の序列で言えば、インドはどこよりも広いオフィスとプログラムを抱えている重要ポジションです。もっとも大きな予算を費やしている国でもあります。しかし、ユニセフにとっては莫大な負担でもインドという大国にとっては小さなプロジェクトになってしまう。ユニセフは世界銀行なんかに比べると小さな組織ですから。——不安でした。試行錯誤するしかないな、と覚悟して赴任したんです。

ユニセフは一二〇ヵ国の開発途上国において、その国の政府を通じ、子どもと母親のためのいろいろなプロジェクトを行っている。インドのユニセフには四百人のスタッフが働いている。

開発途上国の乳幼児の死因で一番多いのは下痢です。下痢を予防するために、汚い溜水や湖沼の水を飲まないように井戸を掘るなどの飲料水を供給するプロジェクトを進めています。次に大きなプロジェクトは初等教育及び女性のための識字教育——子どもの状況っていうのはどうしても母親に左右されるので、女性の健康、経済状態の向上が大きな問題なんです。それと子どもの栄養の向上が緊急の課題になってます。

インドに特有の問題は人口問題、それから初等教育の普及でしょう。この国の人口の増加を計算してみましょうか？　ユニセフの調査では、インドでは一分間に二九六人生まれています。一年間にして二六〇〇万人です。これに対して死んでいる人は千人に対して九一人。インドの憲法も建前では義務教育をうたっている。でも、半分の子どもたちが初等教育すら受けてない。とくに女の子は三分の二くらいが初等教育を終えてません。

ユニセフは開発機関ですからその政府やコミュニティを通して開発のための活動をやらなければいけない。開発というのは、基本的に自分たちの力で飢えをなくす方法を自ら身につけていくための援助です。その点、カルカッタの街に行って、飢えている人にお金をあげたり食事を配るチャリティとはちがいます。まあ、それをやったらユニセフのお金はすぐに底をついてしまいますけれどもね。

赴任してまず予防接種の普及をてがけました。問題になるのがワクチンの保存と運送です。ワクチンというのは生きてますでしょう。インドにはいまだに電気もない地域が多いですから、電気冷蔵庫は使えません。

インドは州によって生活レベルが非常にちがいます。すべての面で、北が高く南が貧しい。乳児死亡率が高いのはオリッサ州で千人中、一三〇人。低いのはケララ州で二十人くらい。国際的な比較で言えばモザンビークとアルゼンチンとの差が国内にある。

予防接種の普及でもう一つの難しい問題は、衛生教育です。ある地域では注射器が貴重品であるために同じ注射器に一度にたくさんワクチンを入れて、何人もの子どもに連続して打ってしまう習慣がありました。先進諸国のように一人一人に針を換えません。予防接種の普及活動に入る前に、まずはヘルスワーカーに注射器の使い方やワクチンの保存についての教育を徹底しなければならない。

それと一番の難関が母親の側の問題。多くの母親が予防接種がなぜ必要なのかを理解できない。注射をすると多くの子どもが一時的に熱をだしたり、吐き気をもよおしたり、赤く腫れたり反応がでるでしょう。知識があれば、それは普通のこと、と理解できますけれど、驚いて逆に反発を強めてしまう。だから、事前に母親を集め、長い時間をかけて納得できるように説明することから始める。こういったコミュニケーション活動は井戸掘り、学校建設といった他のすべてのプログラムについてやってます。役人、ワーカーが納得するまでに中央レベル、州レベル、郡レベル……と五層か六層にわたって何度も繰り返していかなければ徹底しません。

私が担当するのは主に中央レベル、州レベルでの最初の段階の説得です。この国では州が教育と医療を担当しています。まず州の首相や政治家、官僚たちを説得してまわらなければならない。なぜ予防接種や初等教育が必要なのかってことをね。

今、ビハール州政府とユニセフと中央政府が協力して、ビハール州の初等教育を始めているんです。

ビハールはインドでももっとも封建的で、後進的な州といわれています。ビハール州の貧困は根の深いカーストに関係があります。インドの教育や医療問題が、どうして徹底しないのか？　これはやはり地位の高い人たちが、カーストの低い人たちの健康と教育の必要を本気では感じてないってことでしょう。理念としては平等を語ります。が、その彼らも十歳くらいの子どもたちを毎日下働きに使っている。ビハール州はそういった傾向がもっとも強く、女性の地位がどこよりも低い。

この間ビハール州を回ったとき、子どもを学校に通わせているという親に「あなたは子どもの担任の名前を知ってますか？」って尋ねました。誰も知らない。校長先生に聞くと「月一回は家庭訪問をしています」って型通りの答えがかえってくる。両者は正反対のことを言います。考えてみれば無理もない。子どもたちはその家族のなかで初めて教育を受けたわけで、親たちは学校を知らない。学校に何を期待すればいいのか、親としてどういう役割を果たしたらいいのか、わからない。

もちろん、良心的な先生もいます。しかし、なかには農作業の片手間にアルバイトで教えている人も多い。代理人が教えているケースもあった。

多くの場合、一人の先生は三つくらいのクラスをかけもちしている。一教室に六歳から十歳くらいの子どもがまちまちの教材で勉強している。しかも机も黒板も紙もない。青空教室が一般的です。屋根があっても穴ぼこだらけ。雨期になると授業どころでない。一年に一ドルくらいの教科書すら買えない家族がいっぱいいます。あるいは紙と印刷機能の不十分、資金の不足で教科書の生産が間に合わない。こういう条件のなかで情熱を失わずに教師を続けるのも大変だと思います。

いちばん典型的なのは、先生が本を読む。子どもたちが繰り返し暗唱する。こういった授業では、子どもも飽きてしまいます。親も、効果がないと退学させてしまう。言葉や知識というのは使ってないと駄目でしょう。そういう途中退学の子どもたちはほとんどが字の読めない暮らしを続けていくことになる。

退学する率は女の子のほうが圧倒的に多い。毎日の子守や家事、農業を手伝うためです。親は子どもを財産だって考え、子どもの方も五、六歳で働きに出るでしょう。もちろん、インドの農村には雑誌も本もありませんからね。

初等教育のプログラムを開始するにあたって、まずは学校側の姿勢を変えていかなければならない。先生の質、学校の設備の向上。そしてコミュニティにも働きかけて、学校とコミュニティ相互が協力して教育に責任をもっていくようにもっていかなければならない。

政府の人たちの対応がまた面白い。「なんでビハールをやるんだ？　いちばん大変なところじゃないか？」って。でも、大変だからこそやり甲斐がある。一年目は三九郡のうち三郡から始めて、一年ごとに増やしていく。これは長期的なプロジェクトになると思ってます。次の世代にならないと答えが出ないプロジェクトでしょうね。

学校の建物そのものを改善する、という援助もありますす。その場合も、まずコミュニティの意志が固まったときに限る。お金とか物を簡単にあげると、賄賂につながったり、長期的には自信がつかない。結局、コミュニティが参加していなければコミュニティの学校にならないと思うんです。彼ら自身が企画して、やろうという意志を固め、そのうえで援助をしていく。

インドの教育のもう一つの特徴は、大学進学率が他のアジア諸国より高いってこと。エリート教育が進んでいる。大学生に教育予算の大半が使われ、初等教育にまわらない。大学生一人分の金で六、七十人の子どもたちが小学校に通えます。しかも大学を卒業してもインド国内に職場が少ない。コンピューター、医者などはどんどん中近東、欧米に流出していってしまいます。せっかく投資して育てた頭脳が国内に還元されず、他国の利益になってしまう。

インドにおける政治の問題もある。インドでは子どもの健康、教育というテーマは直接投票行動に結びつかないんです。選挙のとき、政治家はもっともっと票につながる農業問題や短期的な効果を狙った公約をかかげますからね。現在のように政権交代がめまぐるしいと、さらに短期的に票に結びつくことばかりに政治家の関心が向いてしまう。結局、予算が子どもや母子衛生にまでまわらないっていうのが実情なんです。

そういった政治家を説き伏せていくのが私の仕事でもあるわけです。

この仕事をしている以上、現実と理想を押し進めようとするギャップには常に悩みます。しかしどっぷりと現実につかって諦めて、理想をまったく失ってしまったら仕事になりません。逆に理想だけで突き進んでも、発展途上国ではまったく相手にされない。理想はしっかりと頭のなかに、あるいは心に秘めて、現実のなかでできることを徐々にやっていかなければ……。

単身赴任、独身である。

——落ち込むってこと、ないんですか?

あまり先のことまで考えないようにしてるから(笑い)。それにしても、ユニセフのような機関は女性に向いている職場ですよ。女性としてのハンディキャップはないし、女性であるがゆえの優位性もある。現在、ユニセフのプロフェッショナルの女性は三〇パーセントをこえています。ユニセフの仕事は、教育と経済成長といったマクロ的な視点と、現場などで非常に細かい日常に気がつくミクロ的な繊細さが要求されます。その点、伝統的な育ち方をした女性のほうが両面を持っている。

男性はマクロ的なことは好きですがミクロを面倒くさがります。それと、理想を失わず現実に立ち向かっていく、というのは女性に向いている。理想を失わないっていうことは、何かを心で感じ続けているってことですからね。

いつも言っているんですが、国際機関で仕事するには、相手の気持ちに対しては非常に敏感に、ただし自分に関することについては何を言われても鈍感に——という姿勢が望まれます。交渉やスタッフとの折衝では、ときにかなりきついことも言われますからね。何を言われても個人的なことを言われている、と感じないように努めてます。クヨクヨしてたらこちらが駄目になってしまいますから。

そういう心境にたどりついたのは、アジア課に行く前でしたね。

ああ、そう言えばあの時は少し悩みました(笑い)。当時の私のボスはアメリカ人でしたが、彼と多少うまくいかなかった。

将来のことを考えたい、とバリ島に旅に出たんです。バリ島の文化って、若い男の人が花をつけて飾ったり、儀式も楽しい。ある村人は孔雀を飼っていた。ショックでしたね。孔雀なんてまったく綺麗なだけで、食料にもならない。換金することだってできない。彼らは貧しさにもかかわらず自分たちの現在の暮らしを美しくしていくためには孔雀まで輸入する。

ハッとしました。それまでの私は先の計画ばかりたてて考えこんでいた。現在のためというより、将来のために生きていた。あれ以後、あまり将来の心配をしなくなりました。

ハンセン病

治療以前の毎日です

ダッカ／医師
石田 裕（41歳・在外8年）

石田さんは敬虔なクリスチャンである。大学病院の医師になってすぐ長島にある癩療養所を希望、三年ほど勤めた。そして開発途上国に必要な熱帯医学の基礎を学ぼう、とイギリスに留学。続いてインドで研修を終えてバングラディシュの医療チームに加わった。

僕のプロジェクトは五年前にカソリック教会が始めていたんです。三年前、プロジェクトを始めた医者が死んでしまい、一生懸命に医者を探していた。たまたま私がそのニュースを聞いて、来たんです。貧しい地域でね、ハンセン病については一切手つかずのところでした。

結核とハンセン病は治療が難しいんですよね。長期間、定期的に薬を飲まなければいけない。ハンセン病は後遺症も問題なんです。合併症が起きると痕《あと》が残る。やっかいな病気なので、ほとんどの人が罹患すると社会生活からはずされて物乞いのような生活に落ちていっちゃう。そういう人たちの治療にはお金が必要ですけど、まともにお金を払える階層の人たちじゃありません。

これまでに治療を受けた患者さんは五百人くらい。治療が終わった人と亡くなった人が三百人。今のところ全登録患者数は八四〇人かな。医師は私一人だけです。看護婦はイタリア人が二人。患者さんを発見したり、お手伝いをしてくれるのは全部ベンガル人です。健康教育をするのはベンガル人。だいたい七、八人のチームでやってます。

入院患者さんが来るでしょ。まず風呂に入れる。着ている服を全部脱がして病院のユニフォームに着替えさせる。そうしないとベッドが泥だらけになっちゃうから。貧しさと病で、水浴びや洗濯もろくにできなかったんでしょうね。僕たちの毎日はほとんどが治療以前のところからやっていかなければできません。

妻 彼の理想を知って結婚したんですけれど、やはり現実は厳しかった。とくに小学生の娘の教育が心配なんです。バングラディシュの片田舎ですから日本人の子どもは一人だけ。学校の勉強は私が教えていますけど、友だちはほとんどベンガル語ですよね。夫の理想と家族の現実の間に立って、揺れ動く毎日なんです。

しょうがないよ……。

僕たちがいなくなったら、あそこでの医療は何もなくなってしまうんだ。この国の政府も建前としてはハンセン病治療をやることになってるけど、実質的には資金がないから何もできていないんですよね。それと、上流階級の出身である医者たちはどうしたって現場に行きたがらない。開発途上国では医者がいたとしても、お金儲けに走っちゃうんですよ。どこの国でも医者はたくさん養成してるんですよ。医学部を卒業してすぐ金になる地域で金持ち相手のクリニックを始めちゃうとか、海外に出ていって送金するんでしょうね。外貨稼ぎにもなる。

大学出て、すぐにクリニックを開業したりするんですね。研修期間がない。だから、医療事故もすごく多い。患者さんが間違った治療を受けて死んでも、闇に葬られるケースがかなりあるみたいです。今も、ほとんどの住民は近代医療の恩恵に預かっていません。伝統的な民間療法を受けている。いろんな薬草を使った療法にお金を浪費したり、いろんなお医者さんを転々として良くならなかったとか。そういう話をよく聞きます。

今年からはクルナという町の大きなスラムの医療もやりたいと思っているんです。基本的には都市のスラムに手をつけないと大事なところが抜けてしまいます。ハンセン病患者は村を追われて、都市の群衆のなかにまぎれこんでいきますからね。そこから感染が広がることも大きな問題ですし、彼ら自身が治療の機会に見放されてしまっているんです。

妻も娘も辛いと思います。日本語で話すのは家族三人の間でだけになってしまってますからね。

大変なことはわかっていますが、ここが自分の仕事場と思っているから——。

やめるわけにはいきません。

ボランティア

誰か一人が変われば体制は変わります

ダッカ／民間援助団体ディレクター
下沢　嶽（36歳・在外6年）

二十歳のときのインド旅行が下沢さんの人生を決めた。

それは想像を絶する世界でした。はらわたをむき出しに見せられたような、人間の限界までドロドロと絡みつくような貧しさ。行く先々で頭のいい奴にだまされるわけです。気がついてみたら僕は彼らの餌食になってましたよ。一時は周囲のすべてが泥棒じゃないか、って疑うほど人間と社会への不信に陥りましたよ。下痢はひどくなる、精神的には落ち込む――いいことなんか一つもなかったのに、しばらくたってみると日本にはない、強烈な人間のエネルギーを感じたんですね。一ヵ月の旅の終わりには、日本の社会はなぜこんなに便利で豊かなんだろうか？　インドの貧しさ、不便さのほうが自然なんじゃないかって思うようになっていたんです。

そして大学卒業。福祉の方向に進みたい、と就職を断念して、ボランティア活動を学ぶためにイギリスに渡る。そのとき、受入れ先を紹介してくれたのが現在、彼が勤める非政府援助団体（NGO）シャプラニールの創始者の一人だった。

一年間のボランティア活動体験という約束で僕を受け入れてくれたのはアレック・ディクソンというイギリス人でした。ボランティアの世界では大変有名な人です。日本でもイギリスでも、ボランティアは経験があり、技術があり、プロフェッショナリズムでなければ駄目――と考えられていました。しかし、アレックの哲学は、誰だってボランティアはできる、いいじゃないか、という考え方です。ボランティアは決してきどった一部の特権階級の活動ではなく、普通の人々が助け合いの意志を表現する一つの手段でしかない――というもの。

それで、成人男性の障害者の施設で八ヵ月間くらい入浴、トイレ、食事、日常生活の介助をやりました。技術的には駄目でも、元気はつらつ、楽しそうであればいいって皆に励まされました。排泄の世話のときの臭いには慣れました。でも、やはり現実の看病っていうのは僕の性格には合わなかった。僕は、障害者が僕の活動を受けとめることで日に日に変わっていってくれるもの、僕が訪ねていくことを喜んでくれる、って勝手に思いこんでいたんです。

障害者といっても、現実はアル中、ホモ……。そういった人々を訪ねれば訪ねるほど僕の夢は崩れていくばかりでした。下の世話したって感謝一つされない。ボランティアにやってもらえば施設のほうも安上がり――っていうのが露骨に見えてくる。こんなこと続けたって、単純肉体労働をおぼえて帰るだけじゃないか、もっと何かあるはずだ、って焦りばかりがつのりました。契約期限を待たずに八ヵ月で辞めてしまったんです。

それでも、せっかくイギリスに来たんだから英語だけは学んで帰ろうって、四ヵ月頑張った後、自転車を買ってヨーロッパやアフリカをフラフラと旅しました。一年後、お金が底をついたし、祖父の容態が悪いっていう連絡をきっかけにして帰国したんです。

疲れもあったんでしょう、フラフラ放浪したって世界の風景が見えてただけ。小さくてもやりがいのある仕事につきたい、具体的な目標のある生活がしたいと考えました。まず非常勤で日本奉仕協会に入りました。そこで仕事をしていくうちにボランティアとは何かという理念を学び、ボランティアを企画する側の仕事が僕には向いている、と自覚できたんですね。それで東京都世田谷区にある半官半民の小さなボランティア団体に就職しました。ここで僕はさまざまな人々に出会い、学びました。ようやく、アレック・ディクソンさんの言うことがわかってきた。ボランティアっていうのは、社会的弱者に具体的にかかわることでほのぼのとした人間関係を生みだしながら、社会変革をしていくってことだってこと。

四年半が経過。下沢さんの脳裏からはインドの風景が消えない。自ら企画した講演会に、バングラディシュで活動しているシャプラニールの人を呼んだ。

ボランティアとは言っても、行政指導型だと運営費の心配もしなくていいし、安泰なんですよ。結果として区の側ばかりみて調整作業をしてしまう。でもね、長くやってくると在日朝鮮人、障害者、そして原発反対グループの人たちのように南北問題の根幹にかかわる人たちを行政側がどことなく敬遠しがちだってことがわかってくる。本当なら、そういう人々こそ、みぢかなところから日本と地球を考える大きな問題意識をかかえているはずでしょ？　ああ、この手の運動ってファッションでしかないのかな、と苛立ちが鬱積するんです。それで行政を離れ、シャプラニールに加わりました。

シャプラニールは僕にとってもっとも理想に近い団体でした。まず、資金が活動を理解する会員の募金によって賄われているってこと。僕らの給料も募金によるわけですから、市民をまきこんでいかなければいけない。賛同を得るには、市民からの厳しい監視も受けなければならない。——もちろん、給料は下がりました。ボーナスもありません。当時は社会保険もありませんでした。

一九八八年、下沢さんは活動を通じて知り合った妻と娘の三人でダッカ事務所のディレクターに着任した。

バングラディシュの人口の六割は農民です。その七割は土地なし農民。われわれの仕事の第一の目的は、原則として農民たちにショミティという組合を作らせ、貯金を奨励し、話し合いを通じて自立していくための活動の開発援助です。

バングラディシュの組合運動は五八年、アフタル・カーンという学者が実験的に始めたのが源流です。六〇年代は、組合活動が完全に失敗したと聞いてます。その反省のうえで、ある民間援助団体が小さな規模で貧しい農民だけが入れる組合を始めました。徹底して村人のなかに入っていって、信頼関係をつくりだしたんですね。それから約三十年、今ではそういった組合が農民たちの常識になって、そこらじゅう組合だらけ（笑い）。

僕らのグループが最初に村に入っていった七〇年当時は「組合作って、何の得になる？」っていうのが一般的な村人の反応でした。「貯金ができるし、話し合いを続けていくなかから結束力が高まり、貧困から抜け出す力を得られる」——と説明します。次が「どうやって貯金するのか？」という質問。今でも現金がなくて困っているのに貯金の余裕なんかないっていうのが彼らの実感でした。男性なら煙草一本、女性なら嚙み煙草や一握りのお米を持ち寄って市場で売り、それを貯めていく。村人の同意を得るまでが大変なんです。プロジェクトのワーカーと村人との信頼がなければ同意を得られません。

以後、組合活動はさまざまな活動領域を広げてきました。手押しポンプの井戸を設置して、飲み水の確保をしたこともあります。ODAなどがやる巨大な灌漑事業やダム建設のような巨大な援助ではなく、みぢかな暮らしに密接にかかわる援助です。ダムの管理はむずかしいけれど手押しポンプなら、自分たちで設置できるし、メインテナンス（整備）も彼ら自身でやれます。しかも安い。

また、トイレなどの衛生施設の建設や小さな商売を始めるためのローンもやってます。農民たちは農業だけでは生活していけません。地主の稲の世話、土運びのような小遣い稼ぎをしながらなんとかしのいでいる。バナナを市場で売る、といった小さな商売をする人もいる。

僕らがやっているのはマッチング・ローン・システムです。五千タカーの商売をするなら、シャプラニールが半分のりましょう。あとの半分は自己資金です。そのかわり貸したお金は利子つきで返してください――というシステム。小さな銀行業です。たとえばローンで羊を買う。一頭からだんだんと増やし、彼らのビジネスの力をつけて、一本立ちしてもらう。

次に人気があるプロジェクトは、皆で土地を借りて耕し、農作物を皆で分配するんですね。同じような運営方法で養蜂をやっている人もいますよ。

識字プログラムも組合運動の一つです。字を覚えても読む機会がなければすぐに忘れてしまうので、村に図書館も造っていく。あと、一年に一回、論文大会もやってます。賞品は山羊や牛です。

これまでバングラディシュの貧しい土地なし農民は自分の将来について考えることを諦めてたんですね。考えても土地は地主のもの、何百年も変わらなかった……。それが将来の生活のために、考え、行動するようになってきたんです。

ディレクターの仕事内容は、東京本部との連絡、事務所の運営、会報の原稿書き、ダッカを訪れる日本人への対応、プロジェクトの調査――つまり、すべてである。

やっぱり、一番辛いのは人事です。

初期の頃は村人でもともと組合員だった人や、組合のリーダーを雇っていたんです。今ダッカのオフィスに十人、村には四十人のワーカーがいます。近頃、われわれの仕事にプロフェッショナリズムを要求されるようになって、外部から高学歴の人を雇うようになったんですね。

理由の一つに、村から人を雇うとどうしても親族や同級生を優遇しがちになる。また、ダッカ・スタッフのたてた企画について「村のナンバーワンは俺だ。俺が駄目って言ったら駄目なんだ」といった縄張り根性がでてくること。ところが村出身の人間は矢沢永吉タイプ、外から雇った高学歴組はスマートなインテリタイプ——合うはずはありません。まあ、具体的な仕事の成果で評価をしていけば、つまらない意地の張り合い、競争心がなくなっていくんじゃないかって思っているんですけれどもね。

よくあるのが女性問題や酒、横領事件。僕にしてみれば、そういう事件も経験の一つ、と考えたいんですが、イスラム社会では女性問題はタブーなんです。

僕自身のストレスのなかでももっとも重いのが、バングラディシュ人の外国人に対する甘え。どうせ外国人のお金だ、という甘えやたかりを当然と考える資質の増幅——その裏返しなのかどうか、バングラディシュ人は外国人に対するコンプレックスが強いんです。バングラディシュの人々は現在にいたるまで外国人に侵略され、抑圧される側にのみ追いやられてきた。現在の援助も彼らにとっては一つの外国人への複雑な感情を植えつけてしまっている。外国人と言えば、彼らは強いお金持ち、という印象をすぐにもってしまうんですね。その結果、援助の悪い影響が農村にも根深くはびこってきつつある。

七七年、シャプラニールが村人に襲撃されたことがあった。二人の日本人青年の泊まっていた村の事務所に、真夜中に強盗が入り、二人はドアをぶち破った五、六人の男たちに滅多打ちにされ、重傷を負った。

よく調べてみると村長のシャプラニール追い出し作戦だったらしいんですね。

当時、シャプラニールは子どもの教育プロジェクトと女性の職工組合活動をやっていました。貧しい未亡人や夫に捨てられた女性たちを集め、ジュート製品を造って販売するという組合です。これが当たったんですね。それまで彼女たちは、イスラムの因襲のなかで安い労働力でしかなかったんです。それが組合に集まり、結束力を強めていくうちにめざましい勢いで自立しはじめた。彼女たちが新しいサリーを買ったなんていう噂がまたたくまに村じゅうに広がりました。自立心旺盛になった彼女たちは地主にも挨拶をしなくなる。しかも日本人は、地主に賄賂も渡さず、直接に未亡人たちと連携して組合活動を進めている。結局、日本人がいるから村が駄目になる、という大義を掲げて有力者らが村の男たちを煽動したってわけです。われわれが日本人の論理で進めたがゆえに村に急激な波立ちが起きてしまった、援助する側として無神経だったんですね。

その後は、多少時間がかかっても村出身のワーカーにまかせるようにしました。

殴られた一人は、裏切られたって思いにさいなまれたと思います。精神的な後遺症に苦しんだらしい。帰国してからシャプラニールには一歩も近づかないって聞いてます。もう一人は、立ち直るまで十年もかかった。

彼と一緒に、つい最近、十年後の村を歩きました。信じられないほど村が和やかになっているって驚いてました。昔はミーティングすらできなかった村人が自分たちの力で論理的に会議を進めている。

援助のもたらす弊害も根深い。伝統的な思想は悪、近代的思想が善、という発想が果してどうなのか？

たしかに援助がいい意味でも悪い意味でも近代化の速度を早めていることは事実です。でも、バングラディシュという国、国民たちは近代化を望んでいるんです。強制されていやなものは誰も選びとるはずはないでしょう？　同じ地球に生まれて、豊かさは国境を越えて平等に、というのは自然の流れでしょう。彼らが選びとるならわれわれも一緒に歩いていってもいいんじゃないでしょうか？

しかし、地球の飢餓と貧困は広がり続けている。

一つの体制を変えていくのに全員が同時に変わる必要はありません。核になる人たちが生まれてくれればいい。社会システム全体が変わらないかぎり意味がない。お金を援助したら、問題がますます深刻になって、断罪の日を引き延ばすだけ、という人もたしかにいます。しかし、自分はゴージャスな生活をして現場に行くこともなく、理屈で考える専門家にかぎってそういう批判をするっていうのも事実です。

あえて言えば両方とも正しく、両方とも間違いじゃないでしょうか？　求められているのは全体を冷静にとらえるプロフェッショナリズムと今日一日を具体的に、一つでもよくしていこう、というアマチュアリズムの情熱の両方を実行していくことでしょう。

援助の仕事で滞在していると、たしかに嫌になることもあります。日本滞在のビザ欲しさで近寄ってくるベンガル人とか、見返りを求めて友だちになりたいって言ってくる人とか――。バングラディシュ人九五人中、半分は日本人に憧れている。でも、ほんとに日本には決していないような驚くほど強く誠実で尊敬できる人にも出会います。僕らの付き合い方で決まることなんです。

バングラディシュ人を侮ってはいけない――これが僕のバングラディシュでつかんだ基本かもしれません。

忘れた頃に貸していたローンがヒョコッと返ってきた、というような喜び。そんなことがあると、僕はバングラディシュをほんとうに好きだったたって感じるんですね。不思議に些細《ささい》ないい思い出ばかり浮かんでくるようになる人間のつながり――わかりますか？

超リサイクル都市カルカッタ

ゴミに始まり、ゴミに終わる

カルカッタ／ゴミ研究家
三宅博之（37歳）

ゴミのなかにどんどん入っていきます。棒かなんかでゴミをかきわけて見てますよ。ゴミとの闘いです。ゴミは社会集団と都市問題――簡単に言えば人間と環境のバランスがはっきりと見える世界ですから。

それはいろいろありました。公園を歩いていて、牛の糞を踏んだ、同時に天からカラスの糞が落ちてくる。サンダル履いていたから、上からも下からも糞攻撃。ほんと、あのときは泣きたくなりましたよ。


大学でベンガル語とヒンディ語を学んだ三宅さんがカルカッタに留学したのは一九八五年から八七年。埃まみれの街、物乞いたち、ガード下で当然のように暮らすホームレスや難民の群れ、スラムの腐臭……。カルカッタの都市問題をゴミから考えてみよう、と三宅さんのゴミとの格闘が始まった。

誰もがカルカッタは汚い、という印象を持っているでしょう？　でも、現実は逆なんです。たとえば五年前までは、行政による収集方法も生ゴミや生活のゴミは五メートル四方のコンクリート枠に囲まれたバットという一時保管所にまとめ、収集してました。カルカッタ全域に約四百くらいのバットがあり、夕方に出されたゴミは早朝までバットに保管され、トラックで収集される。しかし、どういうわけか収集されていくときにはかなり減ってしまっている。バットに山積みされている間にかなりの量の再生ゴミがどこかに持ち去られるんですね。

だから、ゴミの最終処理場であるゴミ捨て場に行っても、灰と生ゴミの滓《かす》くらいしか残ってません。バットに山積みされていたり、町に散乱していたはずの紙屑、空き缶、ビニール、瓶、ポリパックなんかあまり見あたらない。

フィリピンのスモーキーマウンテンは有名です。スモーキーマウンテンには拾った空き缶やビニール袋を売って家族の生計の足しにしている子どもたちがたくさんいますよね。だけど、カルカッタのゴミ捨て場にはゴミ拾いをする人の姿があまり見えない。ゴミ捨て場に行く前段階で、ありとあらゆる再生できるものを、職業としてのスウィーパー（清掃人）が集め終えてしまっているってことなんです。カルカッタ市内のあちこちに、彼らの集めた再生可能なゴミを現金に交換できる場所があります。

カナダのヨーク大学の研究者がカルカッタの街を「もっともリサイクルされている街」と評していました。ほんとうに、こんなものまで再生するの？　と驚くようなものまで使いきる。すべてはスウィーパーが切実な生活費を稼ぎだすためです。江東区にある東京のゴミの集積場夢の島なんか、カルカッタのスウィーパーに見せたら文字通り宝の山に映るかもしれない（笑い）。

スウィーパーはほとんどスラムの住民です。彼らのカーストはアンタッチャブル、不可触民です。

普通、スラムに入り込んでくる人々は、だいたいが農民でしょう。まず一人が都会をめざす。不可触民にとって農村は、都会よりもっと未来がありませんからね。都会なら、群衆にまぎれることもできます。なんとかスラムに入り込めば、リキシャ引きやスウィーパーとして多少の現金収入を得て生きていける。その人を頼って親戚があとを追う——インドのスラムは、政府に認められている例が多いんです。住民はレンタル料を払って居住権を得ている。だから、スラムには協同利用の水道などもきちんとひいてあります。親戚がいない人はガード下の筵《むしろ》のしきりの中で暮らしたり、路上で寝起きするということになる。

実は、不可触民と一括されているはずのスウィーパーのなかにもクラス分けがあるんです。上のサブ・カーストのスウィーパーの家には下のサブ・カーストのスウィーパーは入ることができない。差別の重層化ですよ。

しかも、どのカーストに属しているのか名前を聞いただけでわかるようになっている。あるスウィーパーに、僕が氏名を書いてくれと頼んだら、彼は名前だけを書きました。カーストを曖昧にしたいんでしょう。そのときはかなり長い時間話し込んで、最後に手紙を書きたいから住所を教えてくれ、って言ったんです。散々しぶったあげくに、ようやく氏名と住所を書いてくれました。

スウィーパー以外のカーストの人には、スウィーパーカースト中にさらにサブ・カーストによるクラス分けがなされているなんてことはあまり知られていません。

いや、知っていたとしても知らぬふりをするでしょう。この国のアッパークラスの人々も、表向きにはカースト制度を否定しなければって思っていますから。万が一、スウィーパーカーストを認めてしまうと、自分が差別していることがわかってしまうから。にもかかわらず、アッパークラスの人もミドルクラスの人も、自分では絶対に掃除をしません。外国人なんかが傍にいたら、ひょっとして礼儀として自分で落としたゴミくらいは拾うかもしれないけれど、自分の家では絶対にやらないでしょう。ほとんどの人が現実として、パートタイマーであってもスウィーパーを雇っています。

法律面においても、インドは表向きは平等なんです。露骨に差別されるようなことはない。たしかにローカーストからアッパークラスにのしあがった人もいます。不可触民には大学にも別枠で入学できるシステムがある。ただし、スウィーパーからのしあがった人はほとんどいません。不可触民は全人口の一四パーセントもいるんですけれど、その内部の力関係にスウィーパーカーストの人は勝てないんでしょう。やはり伝統的に、皮革産業に従事しているカーストの人たちが多数派を占めて力をもっているために、その人たちに多くの恩恵がもたらされるようになっているみたいです。

インドに来てはゴミばっかり探して歩くから、インド人に「なぜ、ゴミやスウィーパーばかりに関心を持つのか？　もっとインド的な宗教、美術のような精神世界に興味をもったらいいのに」って言われます。彼らにとってこの問題は触れてほしくない部分なんでしょう。

あるリキシャ引きの男を主人公にスラムの生活を克明に描いたラピエールの小説『歓喜の町カルカッタ』も行政の力によって、一時は映画化が阻止されましたからね。表向きの平等を装っていこうとすることが、さらに現代のカーストをより陰湿なものにしているんです。

この国に「カルカッタを清潔にしよう！」というスローガンを掲げる市民団体があります。彼らに、なぜカルカッタが汚いのかって質問したら最初に返ってきたのが行政の怠慢という答えでした。

たしかに、ここの行政の人は政治好きではあっても、人々の方を見ていない。しかも、仕事もあまりしません。十一時頃出所して、四時には帰宅してしまいます。その理由の一つに交通事情のひどさがある。朝のラッシュアワーなんかひどいですからねえ。車も群衆も山羊も牛も一緒くたに一本の狭い道路を勝手な方向に向かって移動している。それぞれが並の数じゃありません。渋滞というより、混乱です。屋根の上まで人の乗ってるバスが百メートル走るのに十五分以上もかかる。歩いていると排気ガスで顔が真っ黒になります。

インドは変わらない、といってもカルカッタのゴミは時代とともにずいぶんと変わりました。まず、ナイロン袋がすごく増えた。ジュース缶、ミネラルウォーターのプラスティックボトル、紙パックなどのゴミがこの数年で急激に増えてきました。再生能力もまた、増えてるから、普通は目にはつかないけれどね（笑い）。

現在は収集システムが変わって、コンテナ方式になっています。公務員のスウィーパーの給料は九〇〇ルピー、四五〇〇円。僕のいる中級ホテルのスウィーパーは住み込みで六〇〇ルピーです。もっとも多いスウィーパーは、パートタイムであちこち回っている人たちでしょう。一ヵ月、一軒につき一〇〇ルピーもらえればいいほうじゃないかな。一日、どう考えたって四、五軒しか回れないから生活レベルはおして知るべし、です。

カルカッタの一番大きな問題は何といっても人口集中でしょう。公式にはカルカッタ市の人口は一三〇〇万。

この他、スラム、路上生活者、その他記録に載っていない人は数えようがない。ビハール州、ユピ州、オリッサ州、バングラディシュといった地域からの人口流入がすさまじい。彼らには郷土意識もなく、生存競争に必死ですから、街を清潔にする、といった市民意識など持ち合わせていません。カルカッタとそれに隣接しているハウラを合わせると、スラムだけで二千から三千もあるって言うんですから、資金も追いつかず、公務員たちもなにやっても追いつきませんよね。諦めてお茶でも飲んでるしかないでしょう。怠慢とばかりも言えません。

その後、三宅さんはバングラディシュでもゴミ処理問題とスウィーパーの社会に取り組み、すでにゴミとの格闘歴は十年を迎えようとしている。

河の国

昨日までの田んぼが今日は河になっている

ダッカ／ODAを担当した大使館書記官
馬場仁志（35歳・在外3年）

閑静な高級住宅地の一角にある日本大使館。馬場さんは小さな部屋でワープロを前に、座っていた。

困るんですよ。しょっちゅう停電するものでワープロの傷みが激しくてねえ……（笑い）。

ほうぼうの田舎で洪水の実態を見ました。洪水という言葉は日本では大災害のイメージがありますが、バングラディシュでは、何千年も付き合ってきた自然現象の一つにすぎない。農民にしてみれば毎年肥沃な土を運んでくれる貴重な水、漁民にとっては、池に稚魚や魚卵を流し込んでくれる重要な水なんです。

河はしかも、手漕ぎボートでの交通手段として大切な役目を果たしてきた。そういう伝統のなかで、彼らも生命を守るためにいろいろな知恵をつちかってきた。家を建てる場所には農地よりも高く土盛りをする、とかね。

飛行機から見下ろすと、大小入り組んだ河、川。そこに浮き上がる赤土。大地というより巨大な三角州というほうが適切な表現かもしれない。西のインドからガンジス河、北のヒマラヤ山脈からブラマプトラ河、東からメグナ河——この三本の大河が交わるところにバングラディシュはある。

インドではガンジス河は聖なる河、宗教上の大事な水です。だから、ガンジス河沿いには、聖地など古くから栄えた町がいくつもあるのに、ブラマプトラ河沿いには歴史的な聖地などほとんどありません。この河が長大な河だという認識をされていなかったんです。一八〇〇年代初め、インド測量局によってブラマプトラ河はヒマラヤ山脈の北から南に流れ込む一本の河だってことが発見され、ようやく大河だとわかったんですね。

水の量や長さから言うと、ガンジス河よりもブラマプトラ河のほうが大きいんです。ブラマプトラ河は河口にたどり着くまでに莫大な土や砂を削り取って運ぶ。ですから今年の地図に河の位置を示しても、翌年は流れも陸地も大幅にその形態が変わっている。昨日まで田んぼだったところが、今日は河になっている。畑を失った農民は、新しくできる三角州や岸辺を探して新たに苗を植える。農地を見つけられなかった農民は首都ダッカに流れ込む。こういう構造を理解しないと、この国の洪水を理解することは不可能なんです。

一九八七、八八年、バングラディシュを大きな洪水が襲った。十万人以上の人命が水底に埋もれた。国連は、国際的なプロジェクトを組織。馬場さんは、北海道開発庁で数々の河川開発事業を手がけてきた経歴を買われ、そのメンバーとして外務省から出向を命じられた。

きっかけはアルシュサミットでした。先進国を中心にバングラディシュの洪水対策を行おうという話し合いがついたわけです。世界中から専門家が集まり、五ヵ年のアクションプランをたてました。

フランスは政治的な効果を狙って大堤防建設計画をうちだしてきました。しかし、アメリカ合衆国はこの国の洪水が堤防を造って解決できるような問題とはちがうという理由もあって「何もしないほうがいい」という立場を主張しました。日本は両国の中間的な立場で、都市部分を堤防で守り、農村地域はこの国の河の占めてきた役割の伝統を守りつつ長い目で見守るという態度を表明し、結果としては日本案に近い感じでまとまりました。

レポートを作成するにあたって、各国からいろいろな領域の専門家が集まって、一つの河を総合的にみたわけです。洪水対策も従来の手法ではなく地域的な計画の作成、サイクロンからの都市の防御、洪水の予報、避難対策、それが農業面や社会経済、環境に及ぼす影響、産業への波及効果、そしてそのための地形図の整備、組織造りなどを総合的に検討していったわけです。

今、その報告にもとづいて二六の調査、プロジェクトが行われています。ハード面だけでなく歴史、環境、風俗といった側面までも考慮しながら数ヵ国が集い、議論を進め、各国がUNDPといった国際機関と共同でチームを組みつつやっていく。日本の政府開発援助(ODA)もこのうちの六件に深く関係しています。ダッカ周辺に堤防を建設し、都市に溜まった水を排水する、というプロジェクトもこのうちの一つです。

日本のODA絡みのプロジェクトとして、たとえば洪水予警報プロジェクトについて言うと、この国ではUNDPが十年以上も昔から援助をしていくつかの観測所はすでに動いていた。これから進めなければいけないのは、各地の観測所のデータをどうやってダッカに集中させるか、そしてダッカで、いかに早く、正確にそのデータを解析していくのか、ということ。今、五、六ヵ所の観測所のデータを無線でダッカに送るシステムを造りだしているんです。そして同時に運用を担当するバングラディシュ人の育成――これはUNDPが引き続きやっています。

予報プロジェクトを考えるうえで、日本と大きくちがうのはデータを受け取る民衆の教育レベルへの配慮です。日本の台風情報のような気圧、サイクロン中心地の確認、風力、時速などのデータ情報を聞いても、現在のこの国の教育レベルではほとんどの人が理解できません。全人口の三割しか字が読めないわけですからね。

「サイクロンが来た、逃げろ」と予報をだしても、多くの人がなかなか逃げないというのも問題です。家を離れると、所有権を放棄したということで誰かにとられてしまう、という伝統的な恐怖心があるからです。現在そこにいる人に所有権がある、というこの国の慣習法があるからですね。結局、共同組織、隣組まで計画しなければいけなくなる。結果がでるまでに百年はかかるでしょう。ただ、こうやって計画しても、バングラディシュ政府がいかにその後の管理・メインテナンスをうまくやってくれるか、という問題が残ります。仮に計画どおりいったとしても、土地利用規制をやっていけるかどうか。無秩序な開発を進めてしまうのではないか。これまでに何度も何度も法律の整備、規制の強化を忠告してきたんですけれど、期待どおりにはいきません。

バングラディシュの洪水が年々ひどくなっている。

——水没する前兆？　ネパールでの森林伐採がその原因だ、温暖化現象が原因だ、という警告もありますが？

しかし、それを証明する科学的根拠はほとんどありません。八七年、八八年と続いて大規模洪水が起こったということも、科学的にはおかしなことではありません。ヒマラヤの森林伐採も、たしかに問題ではありますが、バングラディシュの洪水と直接結びつくものであるかどうか……？

ブラマプトラ河の規模から言うと、これまでバングラディシュに流れ込んでいた砂の量は毎年三十億トンと報告されてます。その莫大な数字から測っても、ネパールの森林破壊によって地盤が崩れ、直接バングラディシュに流れてきたものとはにわかに信じがたい。マスメディアのセンセーショナルな煽り、とまでは言いませんが、こういう問題は慎重に、科学的に考えたいですよね。

バングラディシュ政府は、ときには被害者の立場を前面に押し出して援助獲得を図るという外交手法をとることもあります。それに環境団体が、科学的根拠のない議論をもちこむ。現実の問題として人命にかかわる洪水の被害を冷静に考えていかないと根本的な解決になるとは思えないのですが……。

島流し？

ベッドで雑音混じりの日本語短波放送を聞くひととき

とある国／建設コンサルタント　I・Y

Yさんは、ODAの企画、施工管理を請け負うコンサルタント会社の技術者、現場監督である。

極端に貧しすぎます。現場でも女性がぼろぎれみたいなサリーを着て、頭に土をかついでいるわけですよ。ゴミ捨て場でゴミあさりしている子どもなんか見ると、焼け跡の日本はこんなだったのかな、と思うほどでした。ほら、あそこの路地で煉瓦を細かく砕いている人たちがいるでしょ。子どもや女性たちが一日中、炎天下でああやって煉瓦を砕いているんだ。

この国ではね、建設用の砂利がないんですよ。河はあっても、岩や石のない河だから砂利がない。それで土で固めた煉瓦をまた砕いて砂利代わりに使っている。煉瓦砕きの仕事で彼女たちがもらっているお金が一日二十円ばかり。初めて見たときには鳥肌がたったですよ。貧しさと、同情と、嫌悪感と……。俺はここでやっていけるのかなってもうゾッとしましたよ。

ところが数日たったら平気になっちゃうんですよ。人間ってのはすぐに慣れて、鈍感になっちゃうんですね。アッという間に三ヵ月が過ぎました。それから少し冷静になって、苦しみはじめた。大きな刑務所に入ったたって感じかなあ。酒があったから刑務所とも言えないなあ。

コンサルタント会社はまず、相手国の調査をし、その国にはどういうプロジェクトが喜ばれ、日本の援助金が活用されていくか、といった計画書を作成する。援助が決定したら具体的な設計に入る。そして相手国と契約を交わし、建設業者の入札、工事の開始。

海外での仕事に慣れていたはずの私にもこの国はほんとうにストレスの強い国ですよ。

「こういうものを日本側が造ってあげますよ。だからこの機械や資材を使いなさい。そのためにあなたがた政府は土地の手配をしなさい」「機械を据えつけるのは日本の役目だけれど、それを使えるように電気をひいてくるのはお宅ら政府の仕事ですよ」――という契約になっているはずだった。

ところが土地の手配ができない。まず、政府にやる気があるのかどうか。日本人のようにスケジュールに合わせて働くということがないんです。総合的な計画をたてるという習慣がないからなんでしょうね。

民間から土地を買いあげてくれない。具体的には、この国はイスラム教ですから土地や財産を全員平等に分けるわけです。だから、代がかわるごとに土地の持ち主が細かく分散していってしまう。一人分の持ち分が非常に小さくなる。こういった大工事のために必要な土地を確保するには、たくさんの持ち主と交渉を重ねなければ駄目だってことなんです。それでなかなか土地の確保が進まなかったんですね。

まあ、何か国家的なプロジェクトをやる場合には土地の問題はつきものですけれどもね。発展していくには、何かが犠牲にならないといけない。でもねえ、この国は無償でいいプロジェクトをやってもらうわけでしょう。すこしは感謝というか、自助努力したっていいんじゃないでしょうか。

スラム地域の水利工事なんかは、あんまり動かないから、業者に頼んで自腹を切って立ち退いてもらいましたよ。本来なら彼らは政府の土地に不法に暮らしているわけで、そのまま追い出したっていいんだけれど、しがみついて離れませんからね。それでこの国の業者からのアドバイスでちょっとお金を持たせて追いやった。一軒につき千円、ほんのすこしのお金をだせばいいのに、そのお金がこの国にはないんですね。引っ越しって言ってもスラムの小屋ですから簡単ですよ。お父ちゃんがギューッと持ち上げたら屋根が持ち上がって、そのまま屋根持って移動していくくらいですからね。

結局、電気もひいてこない。立派な排水処理施設は完成したけれど、せっかくの機械が動かせない。とうとう業を煮やして日本大使館や直接の発注主であるＪＩＣＡ(国際協力事業団)に実情を訴えました。皆さん、理解してこの国の政府に督促の手紙を書いてくださったりしましたけれど、そんなことじゃ動きません。

雨期のアジアはご存じのとおりものすごく水位があがって、地面がぶよぶよの状態になってしまいます。土木工事はまったく動きがとれません。雨期は半年も続きます。二年契約とは言っても、一年は工事できない。工事できるわずかな日数にタイミングを合わせて、日本から資材を運びこまなければいけない。再開時にはぐっと低いレベルにひきもどされてしまっている。一歩進んで二歩後退ですね。

しかも、この国は貧しいから外国の性能の高い機械を持っていない。援助プロジェクトは失業対策事業の側面もある。機械でなくなるべく人力で、という国の方針があります。だから時間の節約もできません。

当然、納期に影響がでます。もう綱渡り——。ただし、人間の力に頼ることでたしかなこともあるんです。機械は故障したり錆びたりしますけれど人間はそういうことがない。誰かが休んでも、すぐに補充がききます。人間だけはいくらでもいますからね。きわどいやりかたで間に合わせるわけです。

その辺です、ストレスがわいてくるのは。

もちろん、ここは日本じゃありません。私たち外国人がどうこう言える立場じゃありません。決着をつけるのは地元の人じゃなければいけない。でも、そこまでいくのが大変なんです。

苛立つのはしょっちゅうです。一日一回は雷を落としてますよ。今日だって、事務所の女の子が三日続けて遅刻してきたから理由を聞いたんです。リキシャ（自転車に座席をつけた乗り物）がパンクしたって言うんです。一昨日は夜中に泥棒が入ったたって理由でした。この国の人は必ず理由をつけて、自分の責任じゃないって言い張るんですわ。ひと言謝ってくれればすむのになあ。

夜眠れないこともしばしばですよ。十分な機械設備を使って工事してるわけじゃないですからね。危険と背中合わせでしょう。彼らはヘルメットなんかかぶってません。こちらの下請けに現場管理をまかせているんですけれど、彼らに日本式の安全感覚を云々したって始まりませんからね。すぐにお金の問題になってしまう。ヘルメット与えても、すぐになくなってしまうんですよ。闇に流すんでしょう。大きい声では言えませんが、事故で怪我したって労災なんて保障はしてないみたいです。薬をチョコッて塗ってお小遣い渡してそれでおしまい。彼らも仕事なくなるのがいやだから、怪我も隠しますよ。

開発途上国の援助について回る賄賂の影。

よく言えば植民地政策が浸透してた、悪く言えば植民地根性まるだしっていうのかなあ。生活の隅々まで賄賂。われわれの側からしたら小遣い程度の金額ですよ。渡すのがいやってことじゃない。どう言えばいいのかなあ。それが有効に働かないんです。薬にならない。しかも、それが微妙に政治に絡んでいく。かなわんなあって感じです。

ご存じのとおり、イスラム社会では豊かな者が貧しい者に恵むのは当然です。人を救うのはアッラーの神に奉仕の心を捧げるってことです。救いを受けた者にとってはもらって当然のものなんですね。同情して何か物をあげても、せいぜい手をだして「神のお恵みを」って口のなかでモジョモジョ言う程度です。

僕なんか人間ができてないでしょう。しかもイスラム教徒じゃない。国家間のプロジェクトにかかわっている一員なのに、この国に対する無償の奉仕に徹しきれません。どうしても、どこかで傲慢になってしまう。何か、してやってる、っていうような気持ちですね。いつも反省ばかりしてますよ。これではいけないんだ、ってね。

やっぱりこれだけやってあげているのに、どうして感謝もしてくれないんだ、って腹立たしさは消せないんですよ。使用人がちょこちょこと物を盗んでいったりするのを知ったりすると、ほんとう、いやになります。施しだから、なんて泰然とはしてられません。

Yさんにとって ODA の仕事は初めての経験だった。

ODA についてずいぶん日本の週刊誌や新聞に叩かれているでしょう? 皆わかっているんだろうか? ODA っていうのは日本が金持ちで貧しい国に援助するっていうだけじゃないんですよ。日本がお金持ちでいるためにはODAが必要なんです。アジアやアフリカ、中南米全体に国力がつけば購買力がつくでしょう。日本製品が売れる。その循環です。開発途上国の側の一部の権力者がODAの援助金を握ることが腐敗のもとになるのであって、ODAはできるだけ国際社会に浸透させていかなあかん。陰ながらそういう架け橋になるのも私らの仕事なんですね。どんどんこの国にお金を落としていくことを考えていくのも仕事なんです。

だけど理想はいくらでも言えます。一切娯楽のない国で暮らしてごらんなさい。映画館があったって、いつも混んでいるし、不潔で入っていけませんよ。私のような国家プロジェクト要員は特別に無税で外国製品を買えます。禁酒国なのにビールとか洋酒も買えるんです。でも、一人で酒飲んでも面白くないですからね。

私はこの国が好きだ、っていう外国人に会ったことないです。それだけ貧しく、厳しい生活なんでしょうね。この国のインテリ自身もはっきりと言います。とにかく外国に早く出たい、ってね。

久々に日本の女性と日本語で話をしました。ときどき食料の買い出しに行っても男ばっかりでしょう。町にも男ばっかり。家に帰っても、工事仲間の男ばかりですものね。神経苛立ってきますよ。

毎日の楽しみ？　ほんとちっぽけな話ですけれど、ラジオ抱えてベッドにひっくりかえりながら日本語の短波放送を聞くときかなあ。ガーガーと雑音混じりの日本語聞くのが楽しみって言えば楽しみですよ。

傷ついた誇り

出稼ぎで若者がお金に血眼になってしまった

ダッカ／主婦

モハマッド・和子（52歳・在外30年）

和子さんは新潟市出身。一九五九年、パキスタン時代のバングラディシュから技術研修に来ていたモハマッドさんと出会った。


彼の話すことが理知的だったんですね。非常に分析的に物事を考える。非は非、是は是。言ってみれば男らしい、っていうのかしら。まあ、若さゆえってこともあるかもしれません（笑い）。

もちろん、両親は絶対反対。当時は国際結婚なんてみっともない、って風潮でしたからね。彼の方も、日本に派遣されるとき、外国人女性と結婚しない、という誓約書を提出していた。でも、人間って反対されればされるほど、制約が多ければそれだけ燃えてしまうものでしょう。本人が帰国してから文通が続いて、そのうちに結婚しようってことになったんです。

三十年近く前、ダッカと東京はそれほど暮らしのレベルに差がない感じでした。ただ、貧富の差が激しいとは思いましたね。到着して二日後に回教徒の洗礼を受け、結婚しました。

イスラムの世界では、徹底して女性は男性に隷属する関係でしょう。やはり、慣れるまでは時間がかかりました。うちの主人は結婚した直後から筋無力症を患いました。それは、別にどうということもなかったんです。貧しさもどうということもない。一番驚いたのは、豊かな人が貧しい人にお布施をする習慣が徹底しているってこと。表向きの付き合いは皆、ほんとうに温かくて人情に溢れてるんです。それは、金銭の流れとはまったく別ですから。主人にも六、七人の弟妹がいます。主人も苦学して給料も少ない。なのに、低い方に水が流れるようにお金も流れていってしまうんですね。ちょっと愚痴をこぼせば、主人に「ここは日本じゃない！」ってバチッと言われます。パキスタンに来た以上、パキスタンの習慣に従うのが当然だって。そうしているうちに知らず知らず慣れてしまって、自分がベンガル人そのものになってしまいましたけれど……（笑い）。

よく口論しましたよ。誇り高い人ですし、理不尽なことが許せない。私が妊娠しているときに、会社を辞めてきて、預金もなく三度の食事も食べれないほど逼迫《ひっぱく》したこともありましたからね。ほんと、離婚しようって思ったこともしばしば。でもね、基本的にはお互いが尊敬してましたから、破綻はしませんでした。

一九四七年、パキスタンは英国植民地のインドから独立、東と西パキスタンに分かれた。七二年、東パキスタンが独立してバングラディシュとなる。

私がみてもかつての東と西の格差はひどかったです。同じ国なのに、金の値段が西は安く、東は極端に高い。東パキスタンはしかも、税金をたくさん収める。にもかかわらず恩恵が少ない。東の民衆に不満がくすぶっていたんですね。そんな時、国会議員選挙が行われ、東側を本拠地にしているアワミリーグという党派が多数派となったわけです。しかし、西の政府はそれを反故にしてしまった。アワミリーグの党首は「非常に遺憾だ。われわれは妥協はしない」と言って独立宣言をしてしまった。

一九七一年三月二三日、党首らの政治家たちが一斉に検挙されてしまった。大学の寮にもパキスタン軍が突入し、仮眠中の学生たちに発砲し、血の海と化した。かろうじて逃げた学生たちは皆、インドに避難していきました。翌日、会社から帰宅した主人が「どうも町の様子がおかしい、避難したほうがいい」って言います。この地域はインドから来て西パキスタンを支持する人々の多い区域なんですね。独立を支持する東側の人々との間で小競り合いが起きるかもしれない。当面の荷物をまとめ、大事な書類だけを持って家を出ようとしたら、八十人ほどの警官隊に引き止められたんです。「私たちが守るから大丈夫だ」ってね。ところがその二日後、やはり市街戦の砲弾が飛んできました。

まず向かい側にあるコミュニティセンターに避難しました。そしたら、警備の警官隊も避難しはじめた。主人は体が不自由だから走れません。私たちも一緒に連れていってくれ、と頼んでも市民は乗せられない、って断られました。主人が「私たちが避難しようとしたらあなたたちがひきとめたんじゃないか!」って主張して、八歳と五歳の息子たちも一緒に強引に乗せてもらいました。

結局、独立の日まで十ヵ月間、この家にもどれませんでした。しかも、一切合切を盗まれてしまった。

独立後、東パキスタンにあった現在の日系の会社の出張所が支社に昇格しました。職員が必要になったんですね。回教徒の国で女性が働くなんて考えもしなかったです。でも、主人は誇り高いバングラディシュ人特有の気質で会社と衝突ばかり。私が現在の会社に就職して三年目くらいから主人は家で内職をするようになってましたね。ほんとうに幸運というかお恵みというか。主人が動けなくなった頃から私が働けるようになったわけです。


独立後、バングラディシュは数々の自然災害と飢餓に苦しむ世界最貧国の一つになった。世界の援助がバングラディシュに届くようになった。


この国は独立して二十年、ずっと外国からの援助をもらいっぱなしなんですよ。正直言ってその援助をどれだけ有効に使ってきたかっていうと、それもまた難しい。

私は「武士は食わねど高楊枝」って諺が好きなんですよ。何十年、バングラディシュに住んでいても「三つ子の魂百まで」ってね。三度のご飯を二度に減らしても、人からお金をもらうのは嫌でしょう。バングラディシュが先進諸国、とくに日本から援助を受けたというニュースを見るたびに耳まで赤くなるんです。何とも言えず恥ずかしい。自分の国が自分でやっていくことができないなんて、ね。

　そのうえ矛盾は深まるばかり。こんなに援助をうけているのに、貧富の差はひどくなっていく。バングラディシュのお金持ちって、ほんとうにものすごいんですよ。盲腸の治療を受けるのにイギリスまで行く、なんてのがザラです。子どもの成績がよかった、ではバンコクに遊びに行きましょう、って感じですから。反面、貧しい人々は手で押せばすぐに壊れるような小屋に住んでいる。将来への望みもない。

　若者たちが日本やアメリカに出稼ぎに行くのが流行しています。私も知り合いのベンガル人に日本人として受入れの保証人になってくれ、と頼まれました。日本で勉強したい、ってその子は言いました。でもね、私には彼が不法就労したいってことがはっきりとわかってしまった。断りました。私が子どもを日本に留学させているのに、自分だけよければいいのか、って批難されました。「私は不正をしません。あなたも不正をしないように子どもに教えるべきでしょ。どうして自分だけ豊かになろうとするんですか？」って言い返しましたけれどね。
断るのも辛いってことがわかってもらえませんでした。

　皆、貧しいのに経済、お金に翻弄されてしまっているんですね。たしかに、一年働けば御殿が建つ、数年は楽に暮らせる、事業を始められる、としたらしょうがない現実かもしれません。でも、悲しいことに、日本への出稼ぎブームが起きてからというもの、ほんとうにお金お金って血眼になっている若者たちが増えてきてしまいました。日本に行って、かろうじて職にありつけたとしても、指を失った、半身不随になったという大怪我をして帰ってくる若者もいます。彼らが労働災害保障をいくら

「開発途上国」

首都ダッカには数えきれないほどの路上生活者がいる。線路脇には彼らの住居が数万も密集している。食べ物は市場の屑野菜。筵《むしろ》の屋根に床は地面のまま、広さは一畳あるだろうか。すでに数世代をそこで暮らす家族ばかり。彼らにとって線路の上は物干し場であり、市場であり、憩いの場である。列車の汽笛が鳴ると、群衆は一斉に左右に散らばる。

受けとった、って噂で町じゅうが沸き上がってしまうなんて、異常でしょう？　日本で言えば命の値段として安いと感じる金額が、バングラディシュの農村の人にとってみれば一生見ることもない高額な金額だったりするんです。怪我を悲しむより、彼が持って帰ってきたお金に、皆が群がっていく。

うちの息子も日本で苦労しているみたいです。バングラディシュ人と言うと、日本人は皆が蔑視する、って手紙がきます。外出するときは、不法労働者と間違われないように身なりにも気をつけて緊張してなければいけないって。早く帰国したいって言ってきてます。

私自身は、肩身の狭い思いをしてまで日本に帰りたいとは思いません。どこだって住めば都です。死んだ後に子どもに迷惑をかけるのはいやだから、主人と二人で入れるお墓も造ってしまいました。

20世紀の見た夢

志の中間報告

ニカラグアに一流のプロを育てていきたいのね

レオン／鍼灸師
八巻美知子（44歳・在外10年）

ニカラグア第二の都市レオンは小さな町だった。スペイン植民地時代の名残りの濃い、静かな路地。火山爆発の直後で町は黒い火山灰に覆われている。トタン屋根のクリニックにはあふれるほどの人の群れ。カーテンで仕切られたベッドに横たわる患者の横で、八巻さんはニカラグアの女性たちに治療の指示をしている。

きっかけ？　朝日新聞の社会面の記事よ。タイトルは今も覚えてるわ。「髭のアトムは鍼灸師」。――井上アトムという鍼灸師がキューバの砂糖黍刈り隊に参加し、その後ニカラグアに渡り、鍼灸を通じて貧しさから立ち直ろうとしているサンディニスタ革命に貢献している、日本の有志の協力を求めたい、って記事でした。技術を通じて貧しい人たちの役にたつなんて面白そうだなって亭主と話し合ったの。ちょうど開業しようって考えていましたから。私たちの他にも二組の鍼灸師が名乗りをあげたけれど、すべて自腹の渡航が条件だったでしょ。私たちには生後数ヵ月の息子がいたし、資金も調達できなかったから、彼らより一年遅れて行くことにしたんです。資金は私の家を売って八百万円を準備しました。それと鍼灸の先輩や仲間に呼びかけ、日本側の援護体制を組織して日本でなければ調達できない器材の送りだしとかを引き受けていただきました。

貧しい人たちのために自分にも何かできる、って張り切っていたのは事実ね。でも、現地に着いて驚きました。鍼灸のイロハも知られてない地域です。普通なら拒絶されるのが当然でしょう。人々の信頼を得るのがとても楽でした。一般の貧しい人々にとっては、治ればどんな医療だっていいんです。保健所の一角を借りて開業したら、またたくまに患者さんが集まった。口コミでね。

でも、公に認められなければ活動にも限界があるでしょう。サンディニスタ政権の厚生省の局長はフランス留学組。循環器の専門家で、薬草とか漢方とかをまったく信用しないって人だったんです。最初はまったく相手にされませんでした。たまたま幸運なことに彼は私の友人のご主人で、あるとき腰を痛めて動けなくなった（笑い）。抵抗の少ない治療から順々にやったほうがいいと思って指圧から始めました。次は皮内鍼という小さな鍼を皮膚の表面に刺して絆創膏でとめておく治療。これは痛みをとるのに、とても優れた効果がある。三日も歩けなかった彼が、歩けるようになりました。次に腰を痛めたときには信用もついていたんでしょう。最初から鍼を勧めました。そしたらピタッと治った。それで二年目にはニカラグアの厚生省が公的な医療として鍼灸を認めるようになったのね。

東洋医学って、一生勉強したって辿りつけないほど奥が深いと思います。だけど、間口も広い。いくつかのツボを知っていれば、とりあえず治ってしまう。もちろん名人とそうでない素人では全然効果がちがいますけれど、体験した人には理屈なく信頼されます。治療家としては仮に公に認められなかったとしても、やり甲斐はありました。最初は無料で貯金を食いつぶしながら保健所の片隅でやってました。ニカラグアの人たちって素朴なのね。治ったりすると感激して抱きついたり、生まれたばかりの卵一個とか、庭のアボガド一個とか、バタバタ生きている鶏を逆さ吊りにして持ってきてくれたり。一番高価だったのは生きたままの七面鳥（笑い）。

でも、やっぱり一般の人にきちんと普及させていきたいじゃない？　私たちがいなくなった後でも彼らが自分で治療できるように技術を伝えていかなければ意味がないでしょう？　それで厚生省の認可を必要としたわけ。

教育そのものは井上アトムさんがすでに医科大学の医学生を相手にやっていました。彼は優秀なる指導者を育てたい、という意見で高度の理論的な講義からやっていました。私の方は一般の貧しい人の医療として鍼灸を広めたかった。この方針の違いによって結局、私たちは井上さんと別れ、独自に活動することになりました。

サンディニスタ革命前のニカラグアは無医村状態だった。国の中枢を握る少数のお金のある人々は、病気になると飛行機でマイアミに飛び、最高の治療を受ける。一般国民は伝統的な治療を受けられればいいほうだった。サンディニスタ革命後、大学病院が一般に開放された。しかし、ほとんどの医師たちは上流階級とともにマイアミに亡命。サンディニスタ政権は留学生をキューバに送り、医師の養成を始めた。重病人は飛行機でハバナに運ばれた。一般医療も派遣されたキューバ人の医師によって行われていた。

私たちの活動の中心地レオンもニカラグア第二の都市で大学都市なんですけれど、大学病院が一つあるだけ。サンディニスタ時代、そこは無料で医療活動していたんですけれど、いつも満員。簡単な検査をうけるのに三ヵ月待つっていうのが普通でした。

井上さんと別れた私たちは保健所から砂糖工場に移り、治療活動と教育活動をすることになったんです。

教え方は理論よりも実践。即効性第一。頭痛、腰痛、膝の痛み、関節の痛みとか、クリニックで多い症状などを二十ほど選んで、それに対応するツボを教えていく。経験を積んだ後、彼ら自身が今の治療では限界があると感じたときに初めて理論を教えていくんです。どのように応用すればもっと複雑な病気を治療できるのか、予防できるのかってことです。

皆、喜ぶのね。教えるとすぐに家族や友だち相手に実行する。いい結果がでるからもっと深くやりたい、って関心が強まる。クリニックでも、少し覚えたところで簡単に痛みのとれる症状の患者さんを担当してもらうんです。

七年間でようやく二七人の鍼灸師が育ちました。今は巡回クリニックを含めて全国八ヵ所に拠点がある。首都のマナグアでは働く人たちのために五年で修了できる土、日だけの大学の講座も受けもつようになりました。一クラスだけだけど三十人くらいが受講してます。来年は百人くらいが予定されてます。鍼灸っていうのは手とり足とりの世界でしょう。百人に教えきれるかどうか、どうしようかって悲鳴あげてるの。

私立大学だから一ヵ月の授業料は一六ドル。レオンのクリニックに勤めている二人のニカラグア人にも授業料と交通費を援助して通学してもらっているの。だけど、普通の学生には援助なんかありません。五年半の通学期間、彼らの経済力がもつだろうか、って心配です。

長いアメリカとの戦争で経済は逼迫。サンディニスタ政権はチャモロ新米政権に変わった。公式発表では失業率は六〇パーセントを越えた。

レオンで育った三人のニカラグア人の鍼灸師に独立するように勧めているんです。彼らが掃除や洗濯をするおばさんを雇うっていうとき、月五〇ドル払うか六五ドル払うかでもめてましたね。シーツを何枚も手で揉み洗いするってたいへんな重労働なんです。朝七時にでて、診療前に家じゅうの掃除、昼間にもう一度掃除。合間にシーツとかタオルの洗濯。飲まず食わず働きつめて、一ヵ月五〇ドルですよ。私なら洗濯だけで五〇ドルは払うでしょう。彼らにまかせるとほんとうに過酷に人を使う。まあ、自主的に決めたことだから黙ってましたけれどもね。まあ、この国では食べつなぎなら五〇ドルでなんとかやりくりできるんでしょう。もちろん豆と米だけです。

極端なのは専門職についている人は月五〇〇ドル以上ももらっているってこと。サンディニスタ時代は、すくなくともこういう格差はなかったんですね。

たしかに、サンディニスタ時代にはジャムつきパンなんか食べれません。バターも自分たちで作りました。でも、今はスーパーに行けばジャムもバターも、なんでもあります。なくたって何ともなかったピーナッツバターでも、並んでいればほしくなる。昔はケチャップなんかもたまに店に入ると、瓶持って買いに行きました。今は瓶詰めがあるから瓶を保存する必要もない。もちろん値段も高くなりましたけれどもね。

日本並みの暮らしをしようとしたら莫大なお金がかかりますよ。だからかしら、ホームレスと犯罪が増えたのねえ。買えるかどうかは別として、店に物が並んでいるのが豊かさだっていう人もいるでしょう。だけどサンディニスタの時代には最低限の食べ物ではあったけれど、人を殺してまで食べたいって思うことはなかったわ。今はなぜ買えないのか、っていう思いが募って犯罪に走るんでしょう。今、夜暗くなったらマナグアは歩けません。

私が時々薬草を買いにいくオリエンタル市場はもっとも危険な場になってしまったわ。そこにいくときには時計からネックレス、すべてはずしていくの。路上に車を駐車するときには見張りを雇わなければ駄目。最低限のお金だけを握りしめてわき目もふらずに目的の店に走って、迷わず買い物をする（笑い）。

バスにも集団スリがいる。知り合いのニカラグア人もだいぶやられてしまったのよ。正直言って、政府もどうしたらいいかわからないんでしょう。マイアミに亡命してた人たちが帰国して、政府も革命前の土地所有者に土地を返還してますけれどもね。ニカラグアでとれたコーヒーだって、皆ネスカフェに安く買い取られて、アメリカで加工されて世界中に高く売られるわけでしょう。この国には加工する技術がない、っていうのが弱みなんでしょうね。

皆、アメリカ大使館に押しかけてます。ビザの申請です。マイアミで、食事つきのお手伝いさんになれば月に六〇〇ドルは稼げるでしょう。私の友だちも十八と十五の子どもおいて出稼ぎにアメリカへ行ったのね。十八の方はマナグアの大学に行って週末に帰るだけだからいいですけれど、下の子は私のところにいたいっていうので面倒みてます。だけど、二ヵ月で問題起こしました。夜中二時、三時に帰ってくる。お酒も呑んだり、ね。

八巻さんは東京のあるサポートグループと袂を分かった。同時にボランティア郵便貯金からの八百万円の援助金も一時的に辞退しようとした。

東京サイドは、すべてのプロジェクトをニカラグア人にまかせろ、って言います。これは机上で考えた理想です。私が鍼灸を教えてきた人たちは皆、読み書きがやっとできる、っていう人たちでした。サンディニスタを名乗るすべての人が理想的な能力を持っているとは限りません。この事実を冷静に直視しなければならないんです。組織を運営、管理するには、ある程度の能力が要求されます。日本のように義務教育を受けて、組織社会で育った人たちだけで構成される社会は特別なんです。ニカラグアの人たちには組織社会の経験がない。人間は腐敗しやすいんです。日本だって、大学出た人たちが汚職やってるでしょう。こういうことを言ったら差別主義者だって言われました。でもね、会議をやるとよくわかるの。事実として私の周辺にいるニカラグア人だけの会議に、ちょっとでも利害のあるテーマをだすと見苦しい喧嘩になってしまう。基本的に、犯罪まで起きるほどの食うや食わずの貧困でしょう。しかも昔とちがってお金さえあれば何でも手に入る社会です。そこにプロジェクト用の大金や器材をごっそりと渡したら、それは当然自分のものと錯覚しますよ。彼らが悪いのじゃない。彼らに対する差別でもなく、事実なんです。だからこそ国があえいでいるわけです。日本で考えるような理想的な人間がすべてならばもっと発展していたでしょう。

そういう現実を踏まえてどう出発していくのか。これが私たちの課題ですからね。皆がよくなっていくには、協力して全体を見ながらやっていかなければならない。

ボランティア貯金はありがたかったんです。ただし、自分たちの汗と努力なしに援助のお金が多額に入ってくるっていうのは、一方で受け手がよほどしっかりしてないと大きな問題が残りますね。多くの人たちが自分たちのお金だ、と錯覚してしまう。会員を自ら説得して歩き、組織運営に苦労して創りだしたお金でなければ、やっぱり人間関係に亀裂がはいってしまうんですね。

日本在住日本人の言葉による理想に満ちた善意と現実との誤差に悩みましたよ。しょうがないんです。日本にとって中米への関心は入口に入りかけたところですもの。ただ、生きた援助というのは、言葉としての理想を観念的に押しつけるのじゃなく、まず徹底して相手の現実を知ることからしか始まらないって思うのね。

まあね(ため息)。組織を運営していくためにも、なんとか人材を育てたい、と思ってるんです。

個人的には、アメリカに出稼ぎに行ってる友だちの息子に奨学金をだしてます。最初はお母さんを援助しました。だけど、やっぱり年とってから何をやっても駄目。いい人だけど結局、生活費に消えてしまう。家族三人の面倒は見切れないから将来のある息子にしたの(笑い)。

彼はマナグアの大学で建築を学んでます。材料費と本、ものすごくお金がかかるのね。大学は五年だけど、それだけでは一人前にならないでしょう。外国に出て修業しなければものになりません。そのためには英語も勉強させなければならない。だから中米大学で英語のコースを受けてもらってるの。一ヵ月六〇ドル以上もかかるのよ。自主努力が大事とか言いながら、彼女の出稼ぎではまかなえないでしょう。なんとか一人でも人間が育ってくれれば、自立してってくれればいいなって思ってます。ニカラグアに一流のプロを育てたいのね。私が日本に帰っても、彼が安心して勉強できる援助を考えてるの。鍼灸師とは別に、ね。

　これからは、お医者さんもますます上流階級のものになっていくと思います。だからニカラグアで鍼灸師が幅広く育ってくれるといいなって思っている。当分は帰れないでしょうね。日本では決して味わえないなにかがある。仕事が面白いんです。素朴な患者さんたちに、何とかしてくれ、って泣きつかれると、捨てられない。

　語りながら、治療を続ける八巻さんの足元で次男がスペイン語で泣き叫んでいる。彼の訴えをワガママと判断した八巻さんは、クリニック全体に響きわたるほどの泣き声を無視する。

　こんなふうに強くやってるけれど、ほんとうは家族のことで心がいっぱいよ。私自身も経済的に行き詰まってしまったし……。今、心配なのは子どもの教育。ますますニカラグア人になってしまっている（笑い）。いいのか悪いのか……。日本にいたときよりはるかに逞しいし、子どもらしさっていう点では負けないんだけれどもね。

　将来、日本に帰ったら、きっと彼らは苦労するだろうな。

島のなかの島

キューバは僕の生まれた頃の沖縄と同じです

ハバナ／国際映画学校留学生
赤嶺　歩（22歳・在外10年）

赤嶺さん一家は七二年に返還された沖縄から母方の血筋をたどってペルーに移住した。

幼いときに住んでいたのは沖縄の米軍基地近くにある従業員官舎。いつも「NO　PASSING!」という看板を横目で見てました。子ども心に一番怖かったのは大きなアメリカの黒人米兵で、顔を見るたびに泣いた記憶があります。もちろん直接の危害を受けたことはありません。

スペインから独立したとはいえ、ラテンアメリカ諸国は経済や文化、すべてアメリカに従っていました。僕の父はアメリカの基地で働いていて、ビザをとらなければ東京にも行けなかった。いつも母は言います。「お前のお産に何百ドルも使ったんだよ」って。円ではない、ドルですよ。

当時の沖縄と現在のキューバは同じです。

アメリカからの独立を必死で訴えるキューバの気持ちはわかるけれど、僕は社会主義者ではありません。両親にもしょっちゅう「社会主義の考え方になるな」って言われます。最初、両親はキューバの映画学校に入学することを認めませんでした。キューバでなくアメリカや日本なら学資をだしてもいい、と言ったんです。でも僕は、日本で勉強して何になるのかなって考えました。ラテンアメリカの目を身につけたいからです。

国際映画学校はキューバのハバナ近郊にある。創立者はノーベル文学賞作家ガルシア・マルケス。コロンビア人である。彼の印税でラテンアメリカ映画基金が創設され、キューバ政府が建物と食料を提供し、運営資金はヨーロッパ各国からの寄附で成り立っている。

この前、日本の大使館の領事と文化担当の人が来て驚いてましたよ。ハバナとは別世界、木や花に囲まれた白亜の建物。キューバは文化と医学に対してはほんとうに一生懸命に投資をするんです。

ラテンアメリカ文化についてのドキュメンタリーを制作して日本に紹介したい、っていうのが僕の夢です。学校は二年間で修了します。僕と一緒に五八人が学んでます。北アメリカ、メキシカンのチカーノ、ホンジュラスなど中央アメリカ、カリブのドミニカ、ハイチ、キューバ、南アメリカのコロンビア、ベネズエラ、チリ、アルゼンチン、ヨーロッパのスペイン、アフリカのエチオピア、アンゴラ、モザンビーク、アジアからベトナムそしてペルー出身で日本人の僕。

しかし、圧倒的に資金が足りない。ヨーロッパにはこの学校を守る会があります。ハリウッドの俳優ロバート・レッドフォードも訪れ、講演していきました。

資金がないのにもかかわらず、この学校は入学金も授業料も寮費も一切、いりません。校長先生はこの学校では一年一人の生徒について三万ドルくらい負担しているって仰言ってました。逆に毎月六〇ペソのお小遣いをもらいます。闇にすると今のレートで一ドル三〇セントかな。この学校の喫茶店のコーヒーが二ペソ、キューバでは本ものすごく安い。一冊二〇円か三〇円。外国人であっても医療は無料ですし、教育費も無料です。だから十分やっていけます。

キューバが経済的に逼迫したこの頃は、この学校は「島の中の島」だってキューバ人に皮肉られてます。しかし、僕たちにしてみると去年から今年にかけて待遇がものすごく下がってしまった。たとえば以前はアイスクリームやヨーグルトは三種類あったのが今は一種類しかおいてない。去年まではバターやジャムが常備してたのに今はない。パンも半分しかない。それでもハバナ市民に比べれば格段の差。市民たちには肉もないし魚もない。僕らには鶏肉や魚がでます。

ガルシア・マルケスさんも個人的にずいぶん持ち出しているみたいです。それでもまだまだ足りない。僕らもハバナの外国人向けのドルショップに買いだしに行ってます。チーズとか学用品、ビデオカセット、編集フィルムとかは皆ドルで買うしかないでしょう。国に物がないんですから。

一番問題なのはビデオシステム。ビデオの機械は六年も遅れている、ほとんど壊れているのを直しながら使っている。カメラも同じです。寄附金は機材の修理や購入にあてられません。日本にすれば三年前の中古でも、ここでは新品同様です。以前はフィルム、現像のすべてを東ドイツに頼っていましたが、東欧崩壊後にアメリカの経済封鎖が強まってハバナにはフィルムが一本もありません。まして映画フィルムは手に入らない。

悲しいんですよ。こういう古い機械をだましだまし使って作品を作っていくってのは。でもね、この学校の一番の教えは「機械に頼らず、自分の才能に頼れ」ってことですからね。

もしもこの学校がメキシコやベネズエラやペルーにあったとしたら、運営はもっと難しかったと思います。この学校は電気も水も皆無料でしょう。映画って電気代が非常にかかります。寄附金のすべてがそこに費やされてしまうでしょう。こんなに物がないのに、キューバのドキュメンタリーは評価が高い。なかでもサンチャゴ・アルバレスというドキュメンタリーのチーフから学んだことは大きかった。アルバレス先生は革命の歴史をドキュメンタリーに残した人です。ドキュメンタリーに必要なのは後にも先にも目、視点だということ。たとえばハバナの食料不足というテーマでとるとすると、徹底して原因を調べ、十年前のデータと現在と比較する。そして担当の役人たちにインタヴューをし、これからどうしたら解決できるのか、をさぐっていく。カメラはノン・カット、回しっぱなしです。カットは編集のときにするものでカメラはなるべく長く回しつづけるというのがドキュメンタリーの鉄則だって。日本のテレビの現場ではそんなドキュメンタリーは不可能でしょう。コストの問題、細分化された作業、スポンサーからの要求。そういう質問をしたら、アルバレス先生は「表向きは彼らの言うとおりにしながら、裏で自分たちの視点、方法を通していくこと」って（笑い）。

先月、チリに旅行に行ってきたんです。日本企業がチリの森林の全部を切り倒して楊枝を作ってるっていうことを聞いた。ショックでしたね。ラテンアメリカ映画祭でも、最近は日本をテーマにした映画が多くなってきましたね。日本批判です。お金儲けに来て自然を破壊して、ラテンアメリカに何もおいていっていない、って。今回の映画祭には二作品でていました。そういう映画を見ると、やはり恥ずかしくて隠れたくなります。

僕はそういう現実に自分の作品でちょっと歯止めをかけたい。

僕はペルーかチリでドキュメンタリーをとるつもりです。テーマはアンデスのインディオたちの暮らしとエコロジー。フィクションドキュメンタリーみたいな作品にするつもりです。物語はアンデスの村に住む青年が少女に憧れ、少女の父親に「娘と結婚するならコンドルをつかまえてこい」と命じられる。コンドルをつかまえようとして旅したが、どうしてもコンドルを殺す気持ちになれなかった。村に帰り、やむなく父親に報告すると「あなたがコンドルを殺すかどうか試したんだ」と逆に歓迎される。

そういう話です。娘がコンドルを殺すような男に嫁いだらインディオの文化がすたれてしまう、というインディオの言い伝えをもとにした物語です。企画書を添えてドイツに寄附金の申請を送りました。そしたら今日、ファックスが来て落ちてしまった（笑い）。

この学校で驚くのは、社会主義国にあるにもかかわらず、映画制作については社会主義や政治とは一切関係ないって姿勢ですね。去年、キューバの社会問題をテーマにドキュメンタリー映画を演習制作したんです。食料不足の実態、政府が外貨獲得のために観光に力を入れているけれど、市民はそれをどうとらえているか？　とか。まったく取材は自由でした。市民は観光についてちょっと怒りを覚えているみたいですね。やむをえない手段だったとはいえ、以前は自由に出入りできたホテルにもキューバ人は入れない、泊まれない。バラデロの高級リゾート地もドルの世界になってしまってキューバ人が入れない。外国人はしかも、おいしい食べ物やフルーツをふんだんに食べている。不満があるんです。でも、外貨が入ってくるわけで、それを病院や教育に使えるってことで理解してるみたいです。

キューバはほんとうに面白い国です。国の経済がだんだんと悪くなっていってるのに、市民は苦しさを冗談にして笑い、なんでも発明、工夫して生き延びている。ラテンアメリカの人たちって一日をこれで最後、みたいな気持ちで生きるのね。楽しむことも本気。

食べ物もそうですが、どうして動くのか？　っていうほどの工夫をして四、五十年も前の自動車を動かしている。皆、ソビエトの援助を受けている時代からこうして節約していればよかったって嘆いてますよ。ソビエトと国交があった頃は贅沢すぎた。口をあけていれば上からご飯がおちてくる。自立しようとしなかった。

革命前のキューバはアメリカの経済植民地でしたからね。ハバナには娼婦と物乞いとカジノばかり。農村の砂糖黍はアメリカ人の農園主のものだし、キューバからアメリカに持っていって加工されれば数倍の値で売れていく。儲かるのはアメリカだけ、という構図だったんですよ。昔にもどるくらいなら、今の貧しさのほうがいいっていうのが本音なんでしょうね。

だけど、矛盾も感じます。党や政府の幹部だけがいい所に住んでいるなんておかしいでしょう？　外国大使館関係者だけのスーパーマーケットがあるんですけれど、そこに買い物にいくと共産党の幹部をみかけます。ショックでしたね。彼らは庶民に我慢を強いて自分たちはコカコーラを買っているのだろうか？　特権の乱用でしょう？　市民はそれに気づいているのかどうか。

フィデル・カストロへの信頼と幹部への不満が市民の内側で分かれているんでしょうね。フィデルは気さくな人でした。彼はいたるところに突然現れるんです。ここの学校にも来て「農園で野菜を作れ、そうしないと資金援助を打ち切るぞ」って言って帰りました。

まあ、僕は一年しか滞在してないですからね。鋭い目でキューバを見てないかもしれません。

十二月の映画祭のとき、ガルシア・マルケスが来ました。会って嬉しかった。校長先生のローラ・カルビーニョさんに学校の生徒として紹介されたんです。映画祭には九人の日本人も来てました。その中の一人がとても指圧が上手なんです。マルケスさんの奥さんが東京でやってもらった指圧が気持ちよかったからやってほしい、って言いだしたんです。僕も通訳として行きました。僕がペルー育ちと知ってマルケスさんは「フジモリ、フジモリ」って呼ぶからちょっと怒ったですよ。

彼のハバナの家はほんとうにすごい家でした。革命前のお金持ちの家をキューバ政府が没収し、それを贈ったんですね。

今、ペルーにいる日系人のほとんどが日本に出稼ぎに行っているでしょう？　馬鹿だなって僕は思います。楽な生活は誰だってしたいでしょう。日本に行って六千ドルや一万ドルためてペルーでいい暮らしをする、そういう友だちもいました。毎日十二時間も働いて、それで稼いだ三千ドルをペルーに帰って一ヵ月で使いきってしまった。パーティとかにね。それでまた日本に行きました。

彼には映画じゃ飯を食っていけないじゃないか！　って馬鹿にされてたんです。そうかなあ、人間って夢を抱いて、それをかなえようとしなければ意味がないでしょう？

僕はキューバで暮らしてみて、これからはなんだってできるって自信がつきました。こんなに苦しいところでがんばっている人たちを知ってしまえば、ね。僕、ほんと、この国ギリギリだと思います。おなかがすくし電気も停電が続く、ガスもない――そういう暮らしはやはり続かないでしょう。

情報スーパーハイウェイ

自分のからだに合った国、場所ってあると思うの

ロサンジェルス／コンピューターソフト貿易会社経営
渡辺京子（45歳・在外20年）

骨形成不全症っていうのは、骨が脆くて折れやすいっていう病気なの。原因はわからない。アメリカではブロークンベイビーと呼ばれてます。私が生まれた当時は一万人に一人の発症率だって聞かされてました。赤ん坊のときはオムツをかえても骨が折れてしまって、私の体で折れたことがないのは指の骨と頭蓋骨ぐらいじゃないかな。小学校低学年まではほんとうにひどかった。まずは歩けない。何もしてないのに自然と折れてしまう。杖をつくと脇の骨が折れてしまう。小学校の入学式も病院で迎えました。三ヵ月入院して、一ヵ月は車椅子で学校に行く――そんな状態でしたね。

この病気は骨が折れやすいかわりに骨がつきやすいん

です。折れて二、三日くらいたつとそのままくっついてしまう。だから折れたらすぐに適切な処置をしないと変形したままくっついてしまう。脊髄なんか、気がつかないうちに三回くらい折れていました。小学校二年くらいのときで、あまり背が伸びないねって言ってるうちにそのまま固まってしまったんです。

中学二年から、ようやく杖で歩けるようになりました。当時は先生も理解があって、出席日数も調整してくれてました。もちろん、プレッシャーはありました。車椅子が珍しくて同級生が寄ってきたり、はやしたてられたりしましたよ。

面白いのは同じハンディキャップでも私みたいな重症になってしまうと同情が好意に結びついていやな思いをしなかった。家族の理解があったからでしょうけれどもね。

渡辺さんは福祉大学卒業後、盲人を対象にしたケースワーカーの職についた。だが、本心は職業更生のケースワーカーになりたかった。当時の日本にはそういった職業訓練機関がない。七四年、彼女はロサンジェルスに来た。二六歳だった。

カリフォルニア州立大学に入学してソーシャルワークを勉強しました。一年後、南カリフォルニア大学の大学院に編入してグリーンカードがもらえるまで卒論の提出を延長しながら、七年在籍してましたね。

なによりも、この都市が気にいったんです。ロサンジェルスという都市は、私のようにハンディキャップの人間には非常に便利なところだった。

まずは物理的に動きやすい。車社会だから、車さえ運転できればどこにでも行けるし、最低の仕事、生活が保障されます。だけど逆に車がないと、ハンディキャップになってしまう。それと気候ね。雨が降らない。日本では雨が多いから、杖をついて傘はさせない。外出する日は限られてくる。

日本で、私は障害の問題もあって三六〇CCの軽自動車しか乗れませんでした。運転免許が原付なんです。アメリカに来るにあたって国際免許に書換えようとしたんです。そしたら、当時のアメリカでは三六〇CCは車として認められてない。日本政府としては国際免許をだせない。結局、どうしても必要なら、現地に行ってからその国の免許をとってくれ、ってことになりました。

アメリカに来たら、車の免許は簡単にとれました。あたしのハンディキャップに合わせたハンドコントロールもその日のうちに車にとりつけて貰ったんです。

車を手に入れたとき、ああ、車一台で自分の生活がこんなにバラエティに富んだものになるのか、って感動しました。しかも、西海岸ではスーパーマーケットでも大学でも、劇場でもレストランでも、必ず入口に一番近いところにハンディキャップの人専用の駐車場がある。ミスタードーナツの奨学金で来る日本のハンディキャップたちも免許を持って自由を謳歌してるみたいよ。ハンディキャップはハンドル握ると攻撃性が強くなる（笑い）。ここでは車椅子に乗っていても、仕事ができれば健常者です。手足が動かないくらいでハンディキャップだ、なんて威張るな、って感じです。

日本で私はいつも人の厄介になっていた。障害者の三級だから、外出するときには常に保護者の同行が義務づけられていた。そのために半額のパスが同行者用に配付される。本人は無料である、とかね。アメリカにまで来られるほどの人間が、日本の法律では東京駅まで行くのにも、人の同伴がなければならなかったんです。そういうのがたまらなくうっとうしかったですね。

日本ではハンディキャップはホームレスと同じマイノリティのカテゴリーにくくられるんです。かわいそうな人々、ということなんでしょう。そして一見やさしそうに見えて、逆の特別な枠のなかに押し込んでしまう。ハンディキャップなのにこんなことができた、というような妙なほめかた、持ち上げかたをして珍しがられる。

面白いのは、私が帰国するときはＪＡＬやＡＮＡのファミリーサービスを頼むの。老人やハンディキャップを優先して車椅子で安全に飛行機に乗せるサービスね。あたしはある程度歩けるから、荷物だけ、って頼むわけ。そうすると担当者が「すべてパックになってますから車椅子に乗ってください」って言う。乗らないとサービスじゃないって感じでしょ？　すくなくともロサンジェルスだったら「車椅子に乗りますか？」って聞いて本人の意志をたしかめます。その人のニーズに合わせた介助がサービスでしょう。冷凍食品みたいにこりかたまった善意っていうのが困るんだけれどもね。

それと、ロサンジェルスがとても暮らしやすかった理由の一つにセクシュアリティの問題も大きかったわ。日本では、ハンディキャップなのに口紅やマニキュアつけてる、とかうるさいでしょう。ハンディキャップなのに男好きなのか、とかね。ハンディキャップのセクシュアリティに対するタブーが根深い。だから、ほとんどのハンディキャップたちが、セクシュアルであることに対してものすごい罪悪感をもっている。だけど、こちらではボーイフレンドやガールフレンドがいるってことは素敵なこと、それだけよ。私自身も友だちができたし、そういうタブー意識を崩したいって思っていたから、解放されましたよね。

たとえばつい最近も下半身障害をもつ男の子が卒業旅行に来たの。あるとき、彼が悩んでるみたいだった。彼女ができたって言うの。相手はハンディキャップのない女の子。彼は性的に彼女を満足させてあげることができない――そう悩んでたわけ。彼女に対してそれ以上どうすることもできないってコンプレックスに悩んでいた。

だけど、何が問題なの？ 上半身は丈夫でしょう。言葉もできる。知性もある。自分の気持ちを伝えることができるわけでしょう。どんな方法を使ったって、彼女に性的な満足を与えてあげることはできるはずじゃない？ いろいろと語り合ったわ。彼が思いこんでいる男と女の関係はとても閉ざされているものじゃないかっていうことを、ね。そしたら、彼も解放されてきた。彼が解き放たれるべきは肉体より精神のハンディだった。

サリドマイドの女性が赤ちゃんを生んだ――そういうニュースは大きくとりあげられる。でも、彼女はどうやって赤ちゃんをつくることができたの？ その類の質問は誰もしない。私たちはそこが一番知りたいわけ。どうやって相手の心をつかんだのか？ どうやってからだを触れ合うことができたのか？ どうやってセックスが可能だったのか？

ハンディキャップだから好きな女の子にアタックできない――なんだかハンディキャップって非常にみじめで、男として生きてる甲斐がないってところにいきついてしまう。下半身が使える、使えないってことだけが人間の満足感につながることじゃないんだから。むしろ、そういうウジウジした気持ちこそ彼女にとって不幸なことなんじゃないかしら。でもね、そういうことって健常者からハンディキャップに向かって言われたのでは説教になってしまうの。

こうは言っても、いちがいにアメリカが解放されている、とも言えないのね。州によってずいぶんちがうし、人種差別の問題もある。ロサンジェルスは二一世紀にはメキシカンやアジア系、黒人が多数派になっていく多民族社会だから、どんな人間がいても目立たないし、解放感がある特別な地域と言えるかもしれない。

でもね、自分のからだに合った国、場所ってあると思う。なにも日本にこだわって、自分は障害者だ、って頑張り続けてみじめにうちひしがれていることはないじゃない。どうにもならない条件に対してストレスを感じながら、日々怒っていたりすると、政治に反発したり、人を恨んだり、公共団体に訴えるくらいしかできないでしょう。ある程度自分のからだに合った場所があるのなら、そこに行って、自分が何をやりたかったのか知る経験を積むことも大切じゃないかなあ。

一九八七年、渡辺さんはマッキントッシュ・アップルコンピューターのソフトウェアを日本に販売する会社を始めた。

――経営者として、次の目標は？

アップルコンピューターは、ハンディキャップ用に開発されているんです。七〇年代にバークレーという障害者解放運動のメッカで開発されたからでしょうけれど、手の不自由な人は声を使って利用できる。このコンピューターを利用すれば、ハンディキャップはいくらでも仕事をこなすことができます。車で通勤して、車椅子で移動できるワークステーションを地方につくれば、コンピューターですべての情報を都心に同時伝達することが可能でしょう。事務機能のすべてを地方に住む障害者が担って、都心の本社にコミュニケーションできるネットワークが考えられる。しかも、ハンディキャップは仕事の定着性があるってことはよく知られてます。ハンディキャップは、新しい有能な労働力となるわけです。

こういった考え方は、まさしくクリントン政権のゴア副大統領が提唱している情報スーパーハイウェイ時代。こうした時代ではハンディキャップの可能性はおおいに広がり、深まっていくはずではないでしょうか。

そのためにハンディキャップを教育する必要があるでしょう。ハンディキャップを理由に大学に行けなかった人をロサンジェルスに呼んで、コンピューターサイエンスを学んでもらって日本に戻して仕事をしてもらう。あたしは今、それがやりたいの。夢の仕事。

国際平和学校

寄宿生活のできる人なら誰でも入学できます

コペンハーゲン／主婦、旅行ガイド
ニールセン・サダコ（40代・在外10年）

一九八四年、サダコさんはＯＡ機器に囲まれた気の滅入るようなＯＬ生活に区切りをつけ、コペンハーゲンのインターナショナル・ピープルズ・カレッジ（ＩＰＣ）に入学する。

フォーク・ハイスクールは、グルントヴィという教育者の理論にもとづいて、封建制から近代に移行していく時代に有志が全国に創った民衆たちの学ぶ場です。日本語で言うなら民衆大学かな。教育を受けるチャンスに恵まれない貧しい人たちが字を学ぶ学校として始まったんです。デンマークには現在も百以上のフォーク・ハイスクールがあります。ＩＰＣはそういったフォーク・ハイスクールの一つです。

デンマークには四つの大学があります。でも、大学に入学するには高校の卒業試験の成績がよくなければ駄目、それにボランティア体験か会社での労働体験が必要です。フォーク・ハイスクールの受講も、一応大学入学資格の条件として考慮されるわけです。

高校生では何を専攻していいのかすぐには決められないから大学も簡単には決められない。それとデンマークは失業率が高い。その他離婚した人、核家族の問題で孤独に悩む人、子育てが終わって心機一転、人生を考え直したい人たち、農閑期を利用して学ぶ人もいる。だから、特徴のあるフォーク・ハイスクールがいろいろとあるんです。芸術、歴史、家族、社会、老人、スポーツ……さまざまな領域のフォーク・ハイスクールがある。そのなかでＩＰＣだけが外国人にも門を開いています。平和と相互理解を考えるための学校。授業料は寄宿料、食費を合わせて四ヵ月で四二万円くらい。子連れで来る人もいる。障害のある方も寄宿生活のできる人ならもちろん。授業は、自分の意見を主張し、人の意見を聞く程度の英語力が必要ですけれど、十八歳以上で寄宿生活ができる人なら誰でも入学できます。入学試験はありません。資格取得の学校ではないからです。——新鮮な驚きでした。

六〇年代から七〇年代には、シベリア経由で訪れる日本人の若者がいっぱいいたって言います。クラス百人くらいのうち三十人ぐらいが日本人だったって。

私の同期生は八十数人だった。思い出しても美しい人々がいっぱい。ロシア系の老アレックス、六五歳のすてきなデンマーク人の同級生と結婚なさった。四年くらいして彼は癌で亡くなってしまった。離婚したてで心がズタズタになっていた五二歳の女性は、ずっと苦しみ続けていたわ。インド人の青年は富裕階級の息子さん。建築家のキムは、自分でデンマークの集合住宅の見学ツァーを企画し、自らプロフェッショナルな解説をかってでてくれたわ。同級ではなかったけど、イランからは王党派の人と左翼の人が難民としてここで顔を合わせ、二人はデンマークに逃れてもまだ、イラン国内の政治をひきずって殴り合いをしていました。

私にはとってもリラックスできた時間でした。精神的な安定という貴重な財産もフォーク・ハイスクールで得ることができます。


そして平和学とデンマークを知る授業の教官だったご主人と結婚。木立に囲まれたIPCの職員用住宅に住む。


今、ヨーロッパでは平和学が下火でね。IPCに来る人たちが関心をもっているのはエコロジーです。人間が地球をメチャクチャにしちゃったから、いかに補修できるか、ってことですね。

デンマークはものすごく先見の明があったんです。この国には自動車産業がありません。なぜ？　公害を恐れたからです。そのかわり、自動車が日本で買うときの三倍の値段。一八〇パーセントの税金がついている。公共の乗り物を大切にしようっていうのが国民の総意。自家用車を使わなくても、どこにでも行けるように公共の交通が整備されている。ただし、公共の交通機関は皆、赤字。ほとんどの人が自転車の愛好者です。

原子力発電所もありません。国民投票で建設しないと決めました。コペンハーゲンのエネルギー研究所に一つだけ炉があるけれど、そこでは核エネルギーを作ってません。対岸にスウェーデンのでっかい原子力発電所があるでしょ？　あれに対してもずっと抗議し続けてきました。数年前、ようやくスウェーデンは二一世紀までに完全停止する、と約束したんです。

核エネルギーについて、NOという答えをだすだけあって、この国はとにかく質素です。エネルギーの無駄使いをしません。ヒーターもまめに切るし、お茶碗洗うにも水を節約します。ケチというのではなく、節約できることはできるかぎり節約するという生き方なんですね。豊かな時間はすべて休日の楽しみにとっておく。つい十五年前まで、冬にトマトを食べる家なんかありませんでした。

多くの人が、デンマークは農業国家だと思ってるでしょう。でもね、この国で農業に従事している人々は六、七パーセントだけ。ただ、アメリカほどではなくても大規模農家になっているから農業で生きていけます。それと世界的に有名なのが豚肉です。何世紀もかけておいしい肉を作りだす努力を続けてきたから輸出産業にもなってます。日本はデンマークの豚肉の五割を買ってます。貿易不均衡の問題で言えば、デンマークが黒字で日本が赤字。欧米諸国で問題にされている日本の一方的黒字とはまったく逆の現象です（笑い）。

デンマークは世界でたった一国、地球上で何が起きても最後まで生き延びていける国なんですって。というのは、デンマークは野菜栽培のできる最北端の国で、食料自給率が世界でもっとも高い。この国の基本的な食料である肉、乳製品、ジャガイモ、人参だけは輸入しなくてもいいわけです。しかも多くの人が夏には家庭菜園で野菜を栽培してます。形や色合いにこだわらず、基本的に自然のなかで育った栄養価の高い野菜を好みます。農薬をたくさん使った画一的量産野菜を否定するんです。基本的な生命維持装置である食料だけは自給できる態勢をとっている。

そして国連統計で世界一住みやすい国に選ばれた。

一九〇〇年から労働者中心の福祉国家を目指してきたわけでしょう。ゆりかごから墓場まで、という思想が生活の隅々まで徹底しています。ただし、税金は高い。大きな会社を経営している人もいますが、六八パーセントもの税金をとられるから、この国ではよほどのことがないかぎり億万長者にはなれません。ごまかしてスイスとかに違法を覚悟で貯金すれば別でしょうけれどもね。

たとえばうちの主人は公務員待遇の教師です。彼も五三パーセントの税金を払っています。それでも人並みの暮らしができるのはプラスマイナスいろいろあるからです。教育費、医療費、老後は保証されていますが、保育料や幼稚園は自分たちで負担します。その分、子どもがいる家庭には養育費の補助があります。一ヵ月二万円くらいかな。それと、この国ではそれだけ税金をとられたとしても、共働きしていれば必ず家を買えます。数日前、この近所の家が売れたんです。土地が三百坪、家は二階建てプラス地下室、屋根裏部屋に子ども室がある。一九二九年に建てられたから改造にお金がかかるけれど、それで千二百万円。ただし、大工さんの日当がものすごく高い。すべての仕事に税金がかかるから、自分たちで改築をするか、裏仕事として頼むかしかないんです。それを防ぐために、住宅改善費の半分は国家が負担してくれてます。

こういう暮らしを支えているのは華美なことを好まないという伝統的な北欧の生活感覚です。これが福祉国家を支える基礎ではないでしょうか。この国は市民革命を体験してません。そのかわり、封建制から脱却するときに、最下層の人々をどう救うのか徹底して議論したそうです。そこで生まれたのが節約銀行や協同組合思想、フォーク・ハイスクールといったシステムでした。自分たちがいいと思うことを自分たちで実行していくことで社会改革をなしとげていく伝統があるんですね。

だからでしょうか。デンマークの人々の議論好き、激論のものすごさは徹底しています。話もなかなか進まない。でも、一度決まったら皆で実行します。

ECについても、マーストリヒト条約の批准にデンマークは反対を唱えました。ヨーロッパすべてが同じ色になることを拒否すべきだっていうんですね。僅少差ではあったけれど、NOという決定をだしたときは国中がわれんばかりの騒ぎでした。嬉しかったのね。確固たるデンマーク人魂をしめすことができたっていうわけです。もちろん、デンマークが比較的、高水準の生活レベルを保っていっているから、貧しい国々からの出稼ぎや移住を防ぎたいという防衛本能も働いたと思います。そういった経緯を経て、九三年五月のマーストリヒト条約批准を問う再投票では逆転、わずかの差でYESがでました。理念を受け入れた、ってことでしょうか。

でも、まずは自分たちの国の独立と安定があってはじめての共同でしょう。エゴイズムと言えばエゴイズムかもしれないけれど、それは必要な姿勢だって思います。

サダコさんもIPCで日本語を教えたり、ヴェジタリアン・クッキング・コースを担当したり……。イヴニングスクールでは日本文化紹介講座も受け持っている。

その他にも、デンマークの福祉を研究したい、見学したいって日本の方々のための旅のお手伝いもやっています。専門知識を学び実践に役立てたい人々の旅のコーディネーションだから準備が大変。

IPCで学び、ヨオと結婚し、子どもを育ててデンマークの福祉のすばらしさを実感しました。菜園で安全な野菜を作り、子どもたちに食べさせる――デンマークのエコロジーなど私が学んだことを日本の人に伝えたい、やりがいのある仕事だと思っています。

理想の貸借対照表

税金の見返りを実感できる社会です

ストックホルム

博多昭夫／商社勤務（52歳・在外20年）

博多寿子／航空会社勤務（49歳・在外20年）

生命保険会社を辞めた昭夫さんは、奨学金を得てスウェーデンに留学。卒業後、日本の商社に現地駐在員として勤めた。妻寿子さんとは、日本で見合い結婚した。彼女はスカンジナビア航空の地上勤務である。

夫　いやになっちゃったんですよ。甘い言葉でおばさんを誘って、保険の契約を募集しろ、募集しろっておばさんたちの親戚一同を勧誘させるべく尻を叩き、それが一巡するとほとんどの人の成績が頭打ちになってやめざるをえなくなっていく。お金だけの仕事だなってつくづく嫌気がさしちゃったんです。保険会社ってほんとうに資本主義の集約した世界だって思ったら、矢も楯もたまらず辞表をだしてました。

スウェーデン在住の日本人って圧倒的に女性が多いんです。スウェーデン人の男性と結婚している方々はうまくいってます。こちらの女性は筋金入りですからね。彼らにしてみると、日本女性はまだやさしく見える。逆に、日本女性にとっても、こちらの男性の方がやさしく感じる。育児にしても家事にしても助けますからね。ただし、スウェーデン男性は金銭面だけはしっかりしているって評判です。総合点として両者のニーズに合っているからうまくいくんでしょう。

それと離婚しても福祉がしっかりしてるから路頭に迷うことがありません。女性の地位は男性とまるで変わらない。医療や教育は無料ですし、住居費も安い。一度この国の暮らしを体験した女性は、ほとんど帰ってきます。

ただし、税金が高い？

夫　高い、高い。でも、この国って生活のさまざまな側面で、税金を払ってよかったな、税金のお蔭だっていう実感があるんです。それはたしかに、感じますね。たとえば住宅は自分で買わなければいけません。ただし、利息に対する援助とか八十年、百年といったローンが可能です。これは絶対に返せないローンでしょう？（笑い）。

それでも九〇年に税制改革が行われて税率は低くなったんです。一時は平均五割くらいだったのが、今は最低三割、最高六割になりました。ただし、自己負担額は増えました。医療費は前の制度では九割まで保障されてたんですけれど、短期の場合には六割五分まで下がりました。

税金を引き下げた理由は、税に対するモラルが低下して国の経済発展が阻害されている、という判断でした。高税国だったもので、企業も個人も節税ばかりにエネルギーを使って、企業としての投資を増やして利益をあげていこう、という姿勢がなくなってきてしまった。たとえば職場においても極力、残業をさせないような制度にしてあった。残業の時給は通常の一・七倍、週末出勤だと二・五倍。企業にとっては、痛い支出でしょう。残業をさせないほうがいい。一方、夜間や休日にアルバイトをしようと労働者が考えると、特別収入にたいしては五割もの税金がひかれてしまう。それなら、なにも特別忙しくしなくても今の収入で半分しか働かないことにすれば楽じゃないか——これがモラルの低下につながった。国の財源も乏しくなり、経済も低迷しはじめた。

年金も徹底しています。民間の保険会社で個人がかけるものと国が負担するものとがある。国家が保障する年金だけで人生の最高時の年収の六割程度が保障されるシステムになっていた。そうなると、税金と年金を合わせると全収入の六割程度が消えていく。共稼ぎでなければやっていけない。しかも日本のように配偶者控除なんて考え方がありませんから、女性のほとんどが働いてます。

まあ、これは六〇年代の高度成長時代に人手がいくらあってもいい、という時期があって移民を受入れ、女性を職場に送りだした、という政策の結果でもありますけれどね。スウェーデンの九割以上の女性が働いてます。

妻 こちらでは専業主婦という言葉は差別語なんです。社会性がない、という意味に受け取られる。私自身、子どもを生んだ六ヵ月だけが専業主婦。自分の収入によって自分の好きなことをしていくということが自立の基本じゃないですか？

夫 福祉というのはお金がかかります。しかも一度始めた福祉は条件を下げられません。人間というのは満足しませんから、要求はどんどん上がってしまうわけです。それで国の蓄積を使い果たしてしまった。同時に勤労意欲が低下し、社会にダイナミズムが失われてしまった。しかし、税率を下げた分だけ消費に活力を与える、と予測されてたんですけれど、不況でなかなか実績はあがってこない。今年は失業率が一四パーセントをこえています。彼らを生活保護なり失業手当てなりで食わせていかなければならないわけです。餓死させるわけにはいきませんからね。そうなると働いている人の負担はもっと増えるでしょうね。

——福祉国家の批判として、心の問題が報じられたことがありましたね。老人の自殺者が多いとか、寂しさとか。

夫 老人の自殺者が多いというのは誤りです。私も統計の裏付けをとったことがありました。一番多いのは四十代の男性でしたね。それから青年男子。理由は企業社会のなかで夢を持って突っ走ってきたけれど、先が見えてしまった。夢を持てない——というのが圧倒的でした。

妻 たしかに公園なんかで老人が寂しそうなんですけど、もともとこの国の人って楽しそうな顔しないんですよ。ラテン系の人たちとちょっとちがいますからね。お酒が入らないとオープンにならないし、どちらかというと真面目、堅実、質実な人たちですよ。

夫　北国だから暗く感じるんでしょうが、ゆったりと生活できますよ。家を持てるし、自然環境もいい。

僕はね、北欧型福祉国家について日本のマスコミが言うように破綻という結論づけをするのは早いって思っています。税金による高負担はあっても公平に福祉を分配する、というスウェーデン方式についてのほんとうの結論はまだでていないと思っています。労働意欲の問題についてもようやく見直しが語られはじめましたけれどもね。

六〇年代から七〇年代、西欧社会は日本をどのように見ていただろうか？　たしかに日本人は頑張って高度経済成長を果している、と。だけど、すべては家庭生活を犠牲にして成り立っている経済成長でしょう。いらない物をふんだんに消費して成り立っている。ヨーロッパは、その当時は日本型の成長を批判的に見つめていたんです。

ところが、八〇年代に入って、ヨーロッパもアメリカもことごとく行き詰まった。何やっても日本に負けてしまう。そこで日本に対する見方に変化が起きたんですね。われわれも多少は家庭生活に犠牲がでても、日本に学ぶべきじゃないのか？　って。

日本は生産効率がいい。工場でできるものは何だってヨーロッパやアメリカを抜いてしまった。しかし、労働力の安さ、機械工業の発達を考えればいずれアジアに追い抜かれるでしょう。もう一つ誇れる特徴と言えば、人間が勤勉だということ。しかし、人間は豊かさに慣れてしまえば怠け者になる——これもまた歴史の必然でしょう。社会主義も社会福祉国家も貧困から立ちあがろうと理想をうちたてた第一世代までは走りました。第二世代も、勤勉に働いた。しかし、第三世代になった段階で、それが試されたんです。今、先進国で起きている経済停滞の問題は、第三世代における低迷、豊かな社会、保障された権利に安心して育った第三世代における理想とは何であるのか、どう発展したらよいのか、それを支える経済モラルとはなにか？　どうあるべきなのか？　ということではないでしょうか。

さて、では日本に誰にも追い抜かれようのない独自なものがあるだろうか？　ノーベル賞受賞者を数え上げてください。アメリカは一番大事な基礎研究において群を抜いてます。

そうそう、ノーベル賞というのも英知です。ノーベルという天才がいた。スウェーデンの土地はほとんどが岩盤だらけでしょう。家を建てるにも、道路を造るにしても、まずは岩盤をどうにかしなければならない。ダイナマイトはそういう生活の必要性から誕生したんです。ダイナマイトはダイナマイト発明によって得た財産を世界のさまざまな基礎研究分野に対する基金として残した。ノーベル賞のおかげで、スウェーデンには世界一級の研究成果、知的財産がすべて集まるようになった。

留学生や難民、亡命者の受け入れも同じです。スウェーデンはこれまでアフリカや中南米、東南アジアのさまざまな国々から留学生を引き受けてきました。負担は大きかったけれど、彼らはいずれ帰国して、外部からスウェーデンを支えてくれます。これがスウェーデン流の生き方なんです。

日本はまだまだスウェーデンから学ぶことがいっぱいあると思います。福祉国家も世界最先端を走った。走り続け、そして今回財源の問題に行き当たり、改善を考えはじめている。理念をつきつめて、国家の経済の問題をどうするのかというのは、これから世界で初めてスウェーデンが行う実験でしょう。だから、EC加盟に際しても、国民は皆スウェーデン的なるものを失わないようにする、という考え方では一致しています。

妻　何かが大切だ、と一度信じたら頑固な人たちなんです。この間も、日本から逃げてきたイラン人がいたでしょう。日本に引き渡すと、死刑の恐れがあるから引き渡さない。死刑廃止こそが人類の理想だ、って信じているからです。こんなに国家経済がピーピー言ってるのに、ユーゴスラビアからの難民は七万人も引き受けています。ドイツはもっとすごかった。十万人を引き受けてきた。あまり負担が高じてドイツは憲法を改正してしまいましたけれど、スウェーデン国民は理念を引き受けるでしょう。他にもクルド難民、ベトナム難民、ソマリア難民、ペルー難民、キューバの亡命者、旧ソ連からの移住者——ずいぶん引き受けているんです。ホテルのような所に住まわせて、お小遣いまであげている。ほんとう、親身になって面倒みている。その人々がスウェーデンの将来の財産なんですよ。

夫　一言で言うなら、お金で買えないもの——それが僕らにとってのスウェーデンなんです。

民族の悲願

イスラエルもアラブ以上に脅えながら戦っている

エルサレム／大学講師
笈川博一（52歳・在外23年）

大学で言語学を専攻した笈川さんは、ヘブライ語学研究のためにイスラエルに留学した。妻と子どもは一年後に到着。しかし、月一五〇ドルの奨学金では食べていけない。大学の教室の掃除、観光ガイドなどで窮状をしのぎつつ研究を続けた。そのうちヘブライ語の能力を求められ、数々の事件に関わっていく。そして連合赤軍の岡本公三ら三人の日本赤軍コマンドによるテルアビブ空港乱射テロ事件が起こった。

翌朝、バスに乗って学校に行こうとした。すると僕の前の席に座っていた顔見知りのおじいさんが、僕に向かって怒るんです。僕は何を怒られているのかわからない。まわりの人がおじいさんをなだめている。学校の売店で新聞を買ったら、一面トップニュースですよ。いや、正直言って青くなりました。芝生で新聞を読み、だいたいの事情をつかんで、十五分ほど遅れて教室に入っていきました。

小さな小さな教室で、五人しか学生がいなかった。もちろん皆事件のことを知ってます。慰めてくれました。僕はつくづく日本人だな——と思い知りました。どこかで岡本らの行動に共感がうずく。もちろん、この国に対して申し訳ないな、とも思っていました。

僕は岡本公三よりちょっと上の年齢だけど、まあ、似たり寄ったりの世代です。もし思いつめたなら、彼が僕であってもおかしくなかった。当時の時代背景からすると不思議じゃない。彼は僕よりも真面目な人間だったってことでしょう。事件後、かなりの期間、悶々としましたね。だから、朝日新聞から通訳を頼まれたときは即座に引き受けました。

裁判は約三週間、毎日行われました。エルサレムからテルアビブに行く旧道沿いの一番大きな軍事基地にある建物の一つが法廷となった。

審理といっても、事実関係ははっきりしているからどうしようもない。しかも軍事法廷ですからね。軍人の裁判官が来ましたが、岡本は終始、完全黙秘でした。

ただ一回だけ彼がニヤリ、としたことがありました。弁護人はユダヤ人でしたが非常によくやってました。岡本は弁護を拒否しました。裁判は同時通訳で行われました。岡本には日本語のできるイスラエル人が一人、ヘブライ語ができる日本人が一人ついて、その二人が訳すはずになっていた。しかし、同時通訳とはむずかしい。

三日目くらいから、アメリカに二十数年いたという日本人男性が代わった。彼は無茶苦茶に言葉の達者な人だった。彼の人となりを知る人はまったくいない。でも、彼は、赤いパスポートになる以前——日本から出国すること自体がめずらしい時代の古い革のパスポートを持っている人だった。

岡本が表情を変えたのは、精神鑑定を受けるか否かという問いに対してです。鑑定で異常の判定がでれば無罪になります。同時通訳をしている隙にその人が「うん、って言いなさい」って日本語で呟いた。岡本と傍聴席の日本人記者だけが理解した。公式の通訳ならやってはいけない行いです。そのとき、岡本はニヤリと笑った。

最後に裁判長は岡本に三つの選択肢がある、と提示しました。一つは証言をして検事からの反対尋問を受ける。もう一つは黙秘。もう一つは反対尋問も弁護側の質問も受けずに喋るだけ喋る。岡本は三番目を選びました。

彼は日本語で一方的に喋りました。例の学生運動口調です。演説の終わりに不思議なことを言いました。

「私は子どもの頃に、オリオン星座の三ツ星を見た。テルアビブ空港事件を決行した三人はオリオン星座の三つの星となって天上で再会する」

——唖然としました。

その後も何度か岡本に会う機会がありました。裁判の一年くらい後、テロ問題を専門とするアメリカの法学者が岡本にインタヴューしたときの通訳も勤めました。彼のあらゆる言葉は完全に崩壊していた。かろうじて話せた日本語もピントがはずれてしまっている。

イスラエルのテレビプロダクションがテロの番組を企画したときもインタヴュアーとして会いました。しかし、日本人のジャーナリストとしては面会申請しても一度も許可されませんでした。

ただし、一度だけ、TBSに一時間の散歩時間に一緒に歩く許可がおりたことがあります。

インタヴュアーとしてはできるかぎり彼の本音に近づ

きたい。まず会う四、五日前にかみさんに頼んで味噌汁や和食を作って届け、日本の雑誌や本、洋服をさしいれました。当日は、わが家にあった愛唱歌集を持って行きました。

彼は、二冊の月刊文藝春秋を持っていました。何度も何度も読み返していたようです。当日は何を聞いても、一言も口をききませんでした。ただ、不思議なことに高圧的に出ると反応します。「何言ってるんだ！　もっとはっきりと答えろ！」と恫喝すると答えとも言えない反応を示すんです。しばらくして愛唱歌集から『波浮の港』を歌いました。岡本は思わず一緒に歌い、ポロポロと大粒の涙を流しましたね。

そういう方法をとって彼の心の内側を見つめることはできても、僕自身は後味の悪い取材でした。僕はいつも偏光グラスをかけています。イスラエルって日差しが強いですからね。しかも、本番で言葉をひきだすためにやむをえず恫喝してしまった。それが日本のテレビでそのまま放送されたんです。ずいぶん傲慢な男だ、とえらく評判が悪くなってしまった。司会者はその経緯と背景を説明してくれなかった。仕事とはいえ、嫌な思い出になってしまいましたね。

岡本はその後、武力的な捕虜交換交渉のすえに釈放されました。二ヵ月後、やはり日本赤軍の重信房子がシリアのダマスカスあたりで、岡本の録音テープを公開しました。彼はきちんと喋ったそうです。

彼の風変わりな言葉の崩壊は岡本の芝居だった、というのが重信の説明でしたね。

笈川さんは七三年の第三次中東戦争、八三年のレバノン戦争、九一年の湾岸戦争と次々に戦争に巻き込まれた。

湾岸戦争のときにはいくつものメディアからの取材の電話が鳴りっぱなしでした。イラクが化学兵器を使う、という情報でガスマスクが配給になったんです。夫婦の寝室の窓やドアのすべての隙間にシールを貼って密閉しました。家族が一ヵ所に集まり、ドアの隙間にガムテープを貼るんです。こういう防御の方法はテレビの特別番組を通じて知りました。ある晩、夜中の二時頃、空襲警報が鳴りました。テレビをつけると「皆さん、ガスマスクをつけてください」とアナウンサーが報じる。いざガスマスクをつけようとすると、日本からの電話がジーン、ですもの（笑い）。ガスマスクつけてても、なんとか話はできますけれど、時として見知らぬ放送局から「突然申し訳ございませんが、私——」と長々とした自己紹介から始まる電話がかかったりする。いったい僕たちがどういう事態にあるのか全然理解されていない（笑い）。「街の状況は？」って聞かれても、真っ暗闇で何も見えません。もう一つおかしかったのは、直通ではなくKDDのオペレーターを通じてくる電話です。こっちは寝室にこもって緊張しているのに、オペレーターは相手が臨戦体勢であると否とにかかわらず流暢に、事務的に、ともなげに話しかけてくる。そして放送局の人に代わり、さらに長々とした自己紹介が始まる（笑い）。

今となっては笑い話ですけど、そのときは腹がたちましたよ。僕は事前に化学兵器用の防具の製造会社を取材してましたでしょう。だからよけい恐ろしかった。家族についてもとても心配でしたしね。

それにしても結局、何のための戦争かわからなかった。イラクからスカッドミサイルを撃ち込まれても撃ち込まれても我慢したということで、アメリカにおけるイスラエルの評価はあがりました。メディアでもイラクよりはるかにイスラエルからの映像量が多く、しかもミサイル攻撃で、イスラエル国内で現実的に死んだ人は一人しかいなかった。プラスマイナスすればイスラエルにとってプラスの結果を招いた戦争だったと思います。

そして、パレスチナ問題。

この国は非常に人工的な国だ。いいか悪いかは別として、常に国家意識を持っていなければ生きていけない。移民と意志で成り立ってきたこの国は、僕にとってみれば黄色人種に対する差別のない、住みやすい国ではあるんです。

しかし、この国に住んでつくづく感じるのは、イスラエル人はユダヤ人とは別のジャンルではないかということ。実際問題として人口の一割はロシアからの難民です。ロシア移民は増え続け、この先二百万人にまで増える、という予測もある。この国は五百万人しかいないのに、イスラエル国籍をもって外国に定住している人口は日本国籍をもって外国に定住している人口より多いんです。それはものすごいことです。ユダヤ人はくっきりと二つに分かれる。アラブ圏出身のユダヤ人とそうでないユダヤ人。アラブ圏出身のユダヤ人は、アラブ人に対する憎しみが根深いですよね。

この国は国民皆兵だから、町を散歩するときには兵士は銃を持っています。イスラエルという国は、生存に対する恐れを常に過剰なほどに抱いているのです。脅えつつ、自らの手で防衛していかないといけない危機感——このことが理解できないと、イスラエルを理解することはできません。その裏返しに、まったく同じことがアラブ諸国について言えます。アラブ人も脅えつつ銃の手入れをしている。イスラエルもアラブ諸国も、お互いに過剰な脅えを抱きつつ戦っているんです。

表面には出しませんが、時として、この国に住んでいながらパレスチナの人々を占領して成り立っている、という現実が嫌になります。いづらくなります。僕はヘブライ語を話すけれど、アラブ語は話せません。しかもイスラエルの大学で教えてます。パレスチナ人から見ればユダヤ人と同じ存在でしょう。そのへんについて考えることは、長い間避けてきてますけれどもね……。

たしかにテロはものすごかった。インティファーダというパレスチナ人の抵抗運動は熾烈を極めてました。石を投げ続ける、ナイフを振り回して何人もの人を殺したり、傷つけたりする。パレスチナ地区に入植したユダヤ人たちも銃で武装しはじめた。テロに対する報復でそれ以上の数のパレスチナ人を殺す。

こうなると、ユダヤ人居住区に働きに来るパレスチナ人に規制がかかってきます。ユダヤ人もパレスチナ人を雇わなくなる。生活が苦しくなったアラブ人は、イスラエル製品のボイコットを開始する。結局、アラブもイスラエルも経済が疲弊していく。しかもパレスチナ人の労働力は今、移住してきたロシア人にとってかわられつつありますからね。

そうなると、どうしたって人間は窮地を逃れるべく宗教に走ります。今、イスラム原理主義の運動がどんどん底力をつけつつある。彼らは医療や教育などの福祉の側面で具体的に生活改善運動を進めつつ、イスラエルとパレスチナの和平交渉の一切に反対するわけです。

イスラエルも慢性的に赤字を抱えている。アメリカの支援でかろうじて成り立ってきた経済ですからね。パレスチナも湾岸戦争以来、産油国からの援助が減った。

もし日本がほんとうに中東和平に貢献したいと思うなら、パレスチナ人の居留地域で八十万人もの失業者が住むガザ地区に、人手に頼る工場を建てればいいんです。ガザ地区の製品なら、アラブ諸国に売れますからね。それでお母ちゃんも働くようになる。そうすれば出生率も下がっていくでしょう。今のままだと、二十年後には二倍の人口になる。食べていけるわけがない。人間の生産は兵士の生産だ、と彼らは本気で考えてますからね。

一九九三年。イスラエルのラビン首相とパレスチナのアラファト議長の歴史的なワシントンにおける和平の握手。エリコとガザ地区のパレスチナ人による自治権が確立した。しかし、紛争は終わらない。

パレスチナ

悔しいわけです。口惜しいわけです

エルサレム／建築家

井上文勝（50歳・在外28年）

井上さんは高校生のときアウシュビッツの事実を知った。自分も何かしたい、と文学を志したが、両親に促され、生活のために建築家の道を進む。大学卒業後、イスラエルへ。

ハイファという町の有名な建築事務所に職を得ました。最初にてがけたのがイスラエル国立美術館の設計。それが終わったとき、六七年の中東戦争が勃発したんです。僕にもなにかできないか、とやむにやまれぬ気持ちでボランティアとしてキブツに入りました。イスラエルのために労働することでようやく自分が成り立ったって気がします。だって、友だちは皆戦場に行き、死んでしまっ

た人もいたから。それが僕がこの国に長々と過ごした理由の一つと言えるかもしれない。

第三次中東戦争直前、イスラエル政府の奨学金でイスラエル工科大学大学院に入学。そしてエルサレムで就職。ヘブライ大学マスタープランなどのプロジェクトに参加するが、ある宗教プロジェクトで責任者はユダヤ人に限る、というオーナーの姿勢に抵抗し、辞職した。アメリカ人音楽家の妻、三人の子供たちとヨルダン川西岸のパレスチナ人居住区に住む。

この家はたまたま友人のドイツ人が帰国するときに借りて、彼が帰ってこないからそのまま住んでいるだけ。別にパレスチナ支持を表明してこの地域に住んでるわけじゃありません。

でも、ここに住んでみてパレスチナ人はやっぱり犠牲者だ、って思います。ユダヤ人という歴史の犠牲者が、パレスチナ人というまた新たな犠牲者を生み出している。彼らは二重底の犠牲者と言えます。ユダヤ人が入植してきた当初は、パレスチナ人も農業なんかを教えたりして歓迎してたんです。それがだんだんと植民が増え、四八年の独立戦争の際、パレスチナ人の土地をとりあげ、難民キャンプに追いやった。もっとよくなかったのは、周辺のアラブ諸国が戦争をふっかけた。

湾岸戦争のとき、イスラエル政府に捕らえられていたパレスチナの政治犯たちは、寒風の吹きすさぶなかでいつミサイルが落ちてくるかもわからない恐怖に打ちひしがれながら見せしめに立たされていたっていいます。

パレスチナ人は国家間の狭間にはいりこまされ、生まれた土地に帰りたくても帰れない。イスラエル建国以来、四十年以上も鉄条網で囲まれた難民キャンプに収容されて孫まで生まれた人々がいる。

アラブ人は土地に執着します。彼らの人生の目標は自分の土地に家を建て、子供たちに残すってことです。歴史的に移動を強いられ、それが血に染みついているユダヤ人にはその執着を理解することができない。ユダヤ人にとって国家は観念であり、民族は宗教でつながりあっているんですから。

だから、国家正義としてユダヤ人用の住宅を建て、パレスチナ人を追い出すことができる。パレスチナ居住区にイスラエル国旗を立てて、これみよがしに入植してくる狂信的なイスラエル人も増えています。

真夏の暑い日、近所のおじいさんと一緒に彼が昔住んでいた家を訪ねたことがあります。庭に彼の可愛がっていたレモンの木があるという。おじいさんはそのレモンの木の話を一生懸命にするんですね。レモンの木に会いたい──でも、住んでいたユダヤ人が中に入れてくれなかった。こういう話が日常です。

見てください。アラブ人居住区は谷底、ユダヤ人入植地は山の上。整然としたユダヤ人の町に比べ、電流の流れた鉄条網に囲まれ、ドブネズミが我がもの顔に走り回るパレスチナ人の難民キャンプ。町のいたるところに武装したイスラエル兵が立っているでしょう。検問は日常茶飯。いやがらせの小競り合いも見慣れた光景になってます。

たとえばイスラエルの兵士たちがジープでこの村に乗りつけてきます。パレスチナ人に向かって「身分証明書を出せ」と無差別に申し渡すんです。出し方が遅いと銃でぶん殴る。蹴っ飛ばして突き倒す。虐げられている日常っていうのは、暮らしてみないとわかりません。バスに乗っていても、ユダヤ兵に止められて武器のチェックが始まる。その間、バスの乗客であるパレスチナ人は、バスを降りて待っていなければいけない。屈辱でしょう。僕は外国人だから、という理由で兵士から「降りなくてもいい」と言われます。でも僕は降りてしまう。パレスチナ人と一緒に手をあげて、ギブアップの姿勢をとる。

──パレスチナ人はなぜ石を投げるのか？　抵抗です。インティファーダ（石投げによる抵抗運動）は路線として打ち出されている。だけど僕は、彼らは怖いから石を投げていると思います。決して戦いが好きだからテロをやっているのではない。

たとえば僕がパレスチナ人の子どもだとする。自分の目の前で親父が若いユダヤ兵士に、パレスチナ人であるというその理由だけでぶったたかれる。お母さんは唾をひっかけられる。家具はぶち壊される。悔しいはずでしょう？　今日はなにも仕返しができなくても、きっといつの日か……！　と思うのが当然です。アラブ人は決して憎しみを忘れません。何十年後、突然報復行動にでる。あらゆるユダヤ的なるものに石を投げる。

彼らは私怨を晴らしているんです。悔しいわけです。口惜しいわけです。だから、止められない。

ユダヤ兵の暴力も恐怖の表現だと僕は思います。彼らは、どこかでパレスチナが恐ろしい。だから、権力を見せつけようと威嚇するんです。

ただし、この戦いはイスラエル、パレスチナ両方の経済を完全に疲弊させせました。イスラエルはアメリカからの援助、全世界のユダヤ人からの援助でなんとか借金経済を維持してきてはいるけれど、現実的にはパレスチナ人がいなければほとんどの経済がストップしてしまいます。

もし明日、西岸とガザを完全閉鎖したら建設現場、掃除係、下働き、ホテルのボーイ、ウェイター、そういった職業はすべて成り立ちません。また、パレスチナ人の教育レベルも実は相当に高い。ヨルダン、エジプト、ロシアなどの大学を卒業している。そういう高い教育レベルをもってユダヤ人の会社やアラブ諸国に出稼ぎに行くパレスチナ人を、他のパレスチナ人は「パレスチナのユダヤ人」と呼んで妬み、蔑みます。内側にも幾重にも絡み合った憎しみがこもります。

僕はラビンとアラファトの握手はほんとに一歩を踏みだしたって思います。とにかく和平、パレスチナ人自身のアイデンティティを認めること――それからです。

ベルリンのブランデンブルグ門近くにホロコースト記念館を建設するという計画がある。井上さんはダビデの星をモチーフにした設計をすでに終えている。

僕は建築家としてよりも、ホロコーストへの心情のほうが強い。ホロコーストを生き延びた恩師のイスラエル人建築家が亡くなるとき「イノウエ、世界のどこでもいいからホロコースト記念館を建てろ」って言い遺しました。約束みたいなものです。

イスラエル政府を通してさまざまなユダヤ人の記念を展示し、反戦を訴える記念館です。日本では黒瀬町が計画を進めました。僕がお願いしてバイオリンの巨匠アイザック・スターン先生を広島に呼んで、チャリティコンサートもやりました。でも結局予算の都合がつかず、計画半ばで挫折してしまった。選挙をきっかけにしてずるずると計画がたち消えになってしまった。僕はほんとうに辛い立場に立ってしまいましたよ。なぜ実現しないのか！　って矢のような攻撃にさらされてしまいました。

そして次に、ドイツで計画を実現しようと考えました。ドイツには、収容所跡に小さな記念碑はたくさん建っているけれど、長い歴史に残りうる総合的な記念館はありません。それでベルリンの壁の崩壊直後、ブランデンブルグ門近くに建設する計画が持ち上がった。

指揮者のバーンスタイン先生も「イノウエがやるなら手伝う」ってチャリティコンサート開催も決まってました。しかし、計画途中で彼も亡くなってしまった。土地も決まり、ドイツ政府の建設計画も確定してはいるんですけれど、ドイツの経済不況が深刻で具体的にはいつ工事にはいるかわかっていません。

記念館建設計画の目的は教育です。子どもにこそ平和と人類の共存を教えるべきです。日本がやった朝鮮半島の問題、南京大虐殺——これをきちんと認めて核の悲惨さを考える。海の向こうのアウシュビッツについて考える。ヒロシマ・ナガサキ・アウシュビッツ——これこそが人類が近代史のなかで経験したもっとも悲惨なできごとなんです。被害者としてだけでなく加害者にもなりうるという立場で平和を考えるべきなんです。

井上さんは、助命を拒否し、自ら育てたユダヤ人の子どもたちと共に収容所での死を選んだポーランドの教育者ヤヌシュ・コルチャックの一生を戯曲に仕上げた。それがドイツ、日本で上演されることになった。

二二歳でリュックを背負って日本を出てきて、アッという間に五十歳。ここで学んだのは、人間にはいい人と悪い人がいるのではなく、一人の人間が、あるときにはいい人にもなるし、あるときには悪人にもなるってことでした。パレスチナ人だって、人道援助で送られた金品を横流しする人もいるんです。虐げられているからって、正しいわけではない。他人にやさしいっていうことではないってことでした。

そこが恐ろしいところなんですね。

5

ヒトの免疫学

安全なセックス

唯一の予防は相手が陽性と覚悟して性交渉すること

ロサンジェルス／ＨＩＶカウンセラー
ジェイ・稲江（43歳・在外18年）

一九九三年十二月末の段階で、ロサンジェルス郡でエイズ患者と報告されている日系人、邦人は五五人です。アメリカ全体でエイズ患者と診断された人は三四万人。エイズと認定される前のＨＩＶウィルス感染者となると約一五〇万人から八〇〇万人と言われてます。八〇〇万人とすれば全人口の三パーセントにあたり、しかもそのうちの九〇パーセントの人々は感染に気がついていません。エイズテストではなく、妊娠とか別の病気で来た人たちを対象に、匿名でＨＩＶ検査をした調査結果があります。この調査では、自分はテストを受ける必要がない、と思っている人のほうがＨＩＶ感染率が高いんですね。

稲江さんはもともとはミュージシャン。七〇年代にアメリカを訪れ、ロサンジェルスで暮らしはじめた。九〇年代、エイズは全世界に広がった。稲江さんも二人の親友をエイズで失う。以後、自分にも何かできないだろうか、とサポートグループに加わる。そして彼は、ヒスパニック、黒人、アジア系の住民が多い地域にある公共のクリニックに請われ、主に日本人を対象としたＨＩＶ専門のカウンセラーとなった。

エイズって、後天性免疫不全症候群と言うんです。一般的に免疫抗の下がる理由には、老いもあれば先天性の人もいる。ＨＩＶウィルスに感染して免疫抗が下がる人もいる。ＨＩＶウィルスに感染しても、アメリカ厚生省が制定した二五種類の日和見感染症にかからないかぎり、エイズとは診断されません。日和見感染症っていうのは、文字通り周囲を伺っている。健康な人なら感染しても発病しない無害なウィルス、細菌、カビなどが、免疫力が低下すると急に活発になって感染症となる。こうなってはじめてエイズ患者という認定を受けるわけです。（ただし九三年一月以来、ＨＩＶ陽性でリンパ球値が二〇〇以下になった人はそれだけでもエイズと診断されるようになっている）

エイズは人によってその症状がちがいます。

患者さんのなかには、ＨＩＶ陽性でありながら長い間発症せず、足裏にカポジ肉腫瘍が一個だけでてエイズと診断され、その後も長く元気で、最後の数週間を肺炎を患っただけで亡くなったという方もいます。反対に二、三年の長い期間を苦しむ人もいます。

ＨＩＶの進行をなるべく抑えよう、と開発された薬もあります。でも、開発された初期、まちがった投薬によって肝臓が悪くなり、死期が早まったという不幸なケースもありました。皮膚癌みたいな症状を放射線で焼く治療法でさんざん痛い思いをして亡くなった人もいます。すごく痩せてしまう人もいれば、腫瘍が顔にでる人、目に症状のでる人もいるんです。

アメリカでは、今まで主としてゲイの人たちがエイズにやられてきました。その数は輸血を通じてエイズにかかる例より多かった。

キンゼーリポートは、人口の九〇パーセントがヘテロセクシュアル、一〇パーセントがホモセクシュアルと報告している。この割合は国家、民族を問わないと考えられている。

アメリカでは、八三、四年には皆、まだ知らん顔してました。ゲイコミュニティでチョコチョコとエイズが噂されていた程度でした。僕の周辺にもいろいろと危ないことをやっているゲイの人が多かった。場所と相手を選ばず性交渉をもつ、というようなね。僕がエイズについて注意しても、連中はそんなこと気にしてたら生きていけないって。酒飲みや煙草好きの論理と同じです。でも、現在報告されているエイズ患者がHIVに感染したのは八四年頃だと言われてます。

いわゆるHIVに感染して、それが体の免疫を下げ、なかには十年以上も症状のでない人がいます。アメリカではHIV感染者についてはエイズ患者として数えません。本人には知らせますが、公には報告されない。エイズと診断されてはじめて、報告に載るんです。人権にかかわるからです。なぜか？　普通の病気なら治療ができるわけでしょう。ところがエイズには今のところ完全な治療法がありません。治療法も見つからない病気で孤立させられるのは人権問題だ、と考えるからです。

まして公の機関に報告するなんて知ったら、誰もテストを受けません。村八分にされる、仕事を失う、ビジネスをつぶされる、という恐れがありますから。チェックを受けないために、HIVのキャリアと気づかぬ人によって、感染はどんどん広がっていってしまいます。

エイズで亡くなった僕の親友は、さんざん遊んでました。四十代後半にさしかかった彼は、楽しいからそういう生活を続けている、運を天にまかせる、って言ってました。僕にはそれ以上何もできません。ベッドルームに行って、やめろって注意するわけにもいきませんからね。

発病してからの彼を見て思ったのは、エイズ患者は孤立感が激しいということ。僕が担当している日本人の患者さんたちも、日本人との関係や付き合いを全部やめてしまっている。恥ずかしい、村八分になるのがいやだ、と自ら心を閉ざしてしまう。もともと英語を話せない彼らは周囲に話し相手がいなくなってしまう。日本人のコミュニティの中でしか仕事や付き合いをしてこなかった人たちは、僕のところに来るまで誰からもサポートがないわけです。

そうするとものすごいストレスがたまる。ある人は、日本にいる家族に恥をかかせてはいけない、と首吊り用のロープまで用意したんです。彼が僕のところに来たときには、全身が痒く、痩せて、顔面神経痛で、まったくひどかったです。挙動も落ちつきがない。それが僕と四時間くらい話したかなあ。ようやくすこし落ちついた。HIV陽性であっても、健康な生活を維持していさえすれば、実際に何年も健康のまま暮らしている人がいる、という知識についてすら彼は知らなかった。

僕は瞑想や呼吸法、リラックスのしかた、その他栄養のバランスのとれた食事、十分な睡眠、運動の大切さなど毎日の生活改善を勧めました。溺れる者藁《わら》をもつかむ、っていうのでしょうか。彼は素直に吸収していってくれましたね。

またたくまに、彼はよくなりました。最初の日、血液を調べたんです。健康な人のリンパ球（CD四セル）の数値は普通八〇〇から一二〇〇です。彼は五九〇しかなかった。でも、彼はいい食事をしてエクササイズして休むという僕のアドバイスを守り、僕という理解者を得て安らかに眠れるようになった。三ヵ月後、彼のCD四セルは七五〇まで回復したんです。

サポートグループがあったから長生きした、っていう人がたくさんいます。サポートグループでは普通の人ならわからないようなことも通じあえる。いろいろな情報も得られるし、何より孤立しません。心理的、肉体的なエクササイズを学び、内側から強くしていける。僕自身も、サポートグループに加わるようになってずいぶん変わりました。使命感を得たって感じですね。それまでは自分のことしか考えてなかった。

――アメリカのエイズの現状から見て日本は？

日本は今、八四年頃のアメリカのゲイ社会と同じ状況にあると思います。チョコチョコッとエイズの噂が流れてはいる。でも皆、自分とは関係ない、と危険な暮らしを続けている。あと十年で現在のアメリカと同じ厳しい状況になると思います。危険な行為を今も続けている人々には、わかってないから無防備な人、わかっていても無防備な人、わかっていて昔は防備してたけれど、面倒だから防備しなくなった人、の三種類がいるのでしょう。

日本にはエイズの事実を知ろうとしない人が多いと思います。しかし実は、そういったエイズに対する否定の姿勢、無視の態度、恥の概念こそがエイズにとって絶好の繁殖源なんです。日本は文化的にセックスと死の話題がタブーです。アジア系の人たちのほとんどがそうです。しかし、その話はエイズの話には欠かせません。エイズに関する講習会にも来ない人が多くなるばかりです。そうすると雑誌や面白半分の記事による誤った情報に踊らされ、自分の危ない行為を見ざる、聞かざる、言わざる、という世界に押しこめてしまうんです。

驚いたのは、日本の公的機関のポスターです。日本人ビジネスマンが赤いパスポートで自分の顔を隠している写真の横に「行ってらっしゃい。エイズに気をつけてね」というコピーが書いてある。つまり、外国に行かなければ、日本国内にいるかぎりはエイズにかからない、と思っているんですね。恥のかきすて、外国でどんどん遊んでらっしゃい、ってことなのでしょう。

もし本気で「エイズに気をつけて」と言うなら、このアメリカのポスターを見てほしい。普通の女性の笑顔です。コピーには「この人は、ＨＩＶの兆しのすべてを見せています」――何も特別な症状は見えません。ＨＩＶ感染していても、普通の人と何も変わりないってこと。日本人は、危ないと見える外国の人と性交渉せずに清潔そうな人とやっていれば大丈夫、と勘違いしてるとしか思えません。島国なんですね。

悪いものはすべて他の地域から入ってくると錯覚している。

それと日本の報道の無神経な姿勢。日本の番組の例ですが――。サンフランシスコのチャイナタウン付近でエイズ患者が五一人入れるビルを建てる計画がありました。だけど近所のチャイニーズたちが建設計画に反対しているんです。それをドキュメントした報道がありました。抗議行動に集まったチャイニーズが、政府はエイズについて隠していることがある、と発言します。それに対し、エイズの人と一緒に何十年も働いていた人は、シリアスな問題を被ったことはない、と反論する。一見、複雑な問題の両面をとらえているようでいいことではあるんだけれど、アメリカでエイズに関する仕事をしてきた僕が現在のアメリカにエイズ患者のためのビルの建設問題について抗議行動をするグループの存在を日本の報道によって初めて知ったんです。僕にとってはとてもいい勉強になりましたが、アメリカにおける極端な少数意見を一方の代表として日本に送ってしまったとは言えないでしょうか。多くの日本人はアメリカでも、ああいう抗議の意思が根強いと誤解して、安心してしまうかもしれません。

結局日本人は、自分の問題だと思っていないということです。だからエイズの人たちを平気で差別しているんです。同時に差別されたくないから、エイズに関する正確な知識を知りたがらない。情報を手に入れようとするとレッテルを貼られてしまう――そういう恐れがあるから二つの意見を同等に並べたんでしょうね。

一方、エイズウィルスの側はどんな人にも差別をしません。お嬢さんだから、奥さんだから大丈夫、ってことはありません。

クリニックに来た患者さんにテストを受けにきた理由を聞くと、危険なことをやったから、と答えます。やってからでは遅いでしょう。

人情なんだろうけれど、つい「この人は大丈夫」って思うんでしょうね。「HIV陰性の診断が出て後、性交渉をやっていない」って相手の言葉を信じてしまう。

僕は患者さんに「もし相手が陽性と知ってても、あなたはその人と性交渉をしましたか?」と尋ねます。ほとんどは、しない、と答えます。

相手が自分とだけ性交渉していると信じていた、というのは勝手な思い込みでしょう。アメリカの正直な調査は、七〇パーセントの男性がモノガマス(一対一の関係)ではない性交渉をやっていると報告しています。実際、僕がカップルのそれぞれに「年間、何人の人と性交渉をもちましたか?」って質問すると、お互いに対してはモノガマスと言っていても、一人は相手だけ。もう一人は何人かの人と性交渉を持っている、という例がある。僕は立場上、相手にそれを言うわけにはいきません。

確実な予防は、どんな人も陽性だって思って性交渉をする、ということです。相手が陽性だとわかっていたら、人はどこに限界を置くのかを考えます。どんな相手とであれ、その限界を確実に守るというほどの覚悟で性交渉をするしかないのです。

相手が自分にとって信用できるのかどうか、これもすぐにわかるものではありません。二、三年たったらある程度わかってくるでしょう。防備しなくていいかどうかを決められるのはその頃からでしょうか?

エイズ・絶滅のパラドックス

身につけなければいけないのは連帯の姿勢だ

サンパウロ／チルドレンズ・リリース・インターナショナル（性教育専門）
小貫大輔（33歳・在外8年）

十四歳の頃、畑正憲に心酔した小貫さんは北海道で熊を飼って暮らしたいと夢みた。しかし、親族は猛反対。結局、東京大学に進学。専門に性教育を選び、卒業後はアメリカの大学院に留学した。二八歳のときブラジルに旅をする。そして、モンチ・アズール地区のファベーラ（スラム街）の人々に出会った。

僕、もうすぐ結婚するの。相手はブラジル人。もうすぐ子どもが生まれる。僕、今、迷ってる。日本のほうが情報という面では仕事がいっぱいある。現場という意味ではブラジルの方が豊かだ。どちらを本拠地にすべきか毎日悩んでいる……。

僕は日本とブラジルの狭間にいるほうが実力が発揮できるタイプ。どっちかの国にどっぷり漬かってしまうと本当の力が発揮できないんじゃないかな。

お金になることが仕事、って考える必要はまったくないと思う。僕の収入で一番多いのは奨学金、でも奨学金は仕事じゃないもの。僕たちの活動のためにトヨタ財団から二百万円を受け取ったときも申請書を書いただけ。一週間に十万円くらいの通訳を一年に二回ぐらいしたり、月に一回くらいは原稿書きもやっている。それに比べて、毎日夜中までやっているファベーラでの性教育はお金にはならない。でも、どれも僕にとっては、とても大切な仕事なんだ。

サンパウロにファベーラがどれだけあるのか、正確な数字はわからない。一八〇〇ヵ所、人口にしてサンパウロ市の四割がファベーラや、ファベーラと同じような環境で暮らしているって聞いたことはある。

ファベーラで僕は、診療所における性教育だけでなく、日本語を教えたり、畑の手伝いもするし、草木染の織物を作って製品を日本に売ろうって活動も手伝っている。保育園の生ゴミを集めて肥料にしたり、廃品回収や再生紙の普及といった活動もやってきた。別のファベーラでもモンチ・アズールと同じようにエイズについてのいろいろな活動を進めている。

性教育って難しい。四年間、まったく五里霧中。試行錯誤でやってきてようやくイメージをつかめてきた。基本的には日本の倫理観をもって別の国の性意識を把えたら間違いなんです。常にその地域の性をめぐる歴史的な文化環境に合わせて考えなければならない。性教育についてブラジルはほんとうに歴史の浅い国だった。この国ではエイズはもちろんだけれど、十代の少女たちの妊娠がとても重い課題になっている。そのほとんどが本人が望まない妊娠で、あとで、あのとき妊娠しなければよかったなって後悔する例が多い。

ブラジルではほとんどの若者たちは十代のときにセックスを体験する。それがこの国の性教育の前提となると思う。セックスというのは楽しいことだし、やっぱり人生で起こったほうがいいことなの。若いとか、年齢によって、やっていい、悪いを決めるものではないの。日本的倫理観で十代のセックスを悪ととらえたらこの国における性教育は失敗すると思うね。セックスには、それにいたるいろいろな文化があると思うのね。性的なエネルギーを利用しながら人間関係を円滑にしたり、人と出会っていく。ブラジル人はそのエネルギーが日本人と比べ物にならないくらい強く豊かだ。ブラジル人には相手の体に触ることから始まって人間の性的というか、生きるエネルギーを交換していく豊かな文化がある。だけどいざセックスそのものになると日本人と変わらないくらいまったく豊かじゃなくなる。

人類にはセックスに対する苦手意識がある。母親と子ども、恋人同士などの親密に愛し合っている人間同士がセックスのことだけは話し合えない。これはブラジルでも同じなの、日本よりかえってひどいかもしれない。

ブラジルの男女比率には偏りがある。ある地域には男ばかり、他の州には女ばかりいる。サンパウロには男が圧倒的に少ない。乳児死亡率の高い国は、死ぬ赤ちゃんの半分以上は男。そして開発途上国ではとくに青少年時代に男がたくさん死ぬ。事故、交通事故、殺人……。近年はさらに出稼ぎが加わった。ものすごい勢いでサンパウロから男の姿が消えている。その現実のなかで多くの女の人が生殖年齢まで達するわけだ。

三十代で子どもがいて独り身、という女性が数えきれないほどいる。若い女の子でも、自分の恋人が付き合っているのは必ずしも一人だけでない、とわかっていても付き合うケースがよくある。男の方が絶対数として少ないからだ。にもかかわらずそういう関係が辛い、と女性が表現できない。ましてや妊娠したくない、なんてもっと伝えられない。

そしてエイズの世界的な蔓延。

エイズはものすごくドラマティックな病気だ。ミッションとして地上に降り立ったと言っていいくらい。エイズが存在しない時代にエイズを主人公にして小説を書いてたら超大作になっていたと思うね。しかもその病気は、コレラのように貧しい人たちではなく、まず最初にハリウッドやデザイナーとかを総なめにしていったんだ。エイズは最初から文化に関係していたわけだ。

ブラジルで最初に患者さんがでたのは一九八〇年。世界的にみても早い時期にエイズがでた地域と言える。

ブラジルのエイズもわりとお金持ちから始まった。貧しい人たちにはしだいしだいに押し寄せてきた。今はもう階層を問わず、まったく全域に蔓延していると考えたほうがいい。

性教育という職業柄、僕にはエイズ患者と接する機会が多い。エイズ患者と接していて実感するのは、エイズは妊娠と同じように人生の一部だってこと。それをいけないことだ、って避けて通ろうとする態度はもはや成立しえない。もちろん、感染は避けたほうがいい。だけど、もしも僕がエイズ感染をゼロにしよう、として性教育したら、まったくいやらしい仕事の態度になりかねない。

たとえばエイズウィルスを全滅させようという態度がある。ＷＨＯはその姿勢を積極的に支持して、まだまだ実験的な段階にあるワクチンを発展途上国の人間に注射しようとしている。

僕はエイズウィルスを甘くみてはいけない、と確信している。一つの種を絶滅させる、なんて間違いだ。だいたいアフリカでエイズが広がった背景に、アフリカの人たちが他の病気で死ななくなったという影響ではないか、と疑うべきではないだろうか？　種痘をワクチンで絶滅させた、という信仰がある。でも、考えようによっては他の病気が侵入する隙間を作ったかもしれない。

多くの人は複雑に進化した生命の最高峰に立っているのが人類だと考える。でも、僕はまったく逆に考えてみることを提案する。ウィルスは人類とまったく逆の発想のベクトルで進化した頂点の生物かもしれない。だってね、地上に生物が誕生したときは人類もウィルスもいなかったわけだ。生命はたんぱく質から始まったわけだけれど、ウィルスはたんぱく質と比べたらはるかにシンプルな生命体なわけ。

これまで人類とウィルスは共存していた。エイズにしても風邪にしても、ウィルスの側は人類を絶滅させるような態度をもっていなかった。風邪は簡単に感染するからまたたく間に広がるけれど、滅多に人を殺さない。エイズは人を殺すけれども、すごく長い時間を与えてしかも全員に感染するような態度をとってはいない。それは慎みのある態度だと言えないだろうか。エイズウィルスの側が人類に対して宣戦布告したことはなかった。

一方的に、無差別に開戦したのは人類の側だった。

エイズウィルスはとくに変移の激しいタイプのウィルスなのね。WHOのアフリカでの実験の結果をみているよと、一つのワクチンはある種のエイズに効果を発揮しても、他のエイズには効果がない。結局エイズウィルスそのものの変化をうながすだけ。注射したことによって、かえって気持ちが楽になって自由な行動をとるだけ。エイズウィルスはどんどん強いウィルスに変わっていってしまう。エイズが生きていることを有効に利用しないために、まったく人類の側は精神的に成長することもせず、結局感染していってしまう。

エイズという事実をまず受容することが大事なんだ。そのうえでエイズウィルスに感染しないこともできる、という具体的行動の方法を教育していくこと。それによってすくなくとも少しは感染を防げるかもしれない。

たとえばブラジルでは百人に一人が感染していると言われている。三分の二はサンパウロで発病している。毎月五百人の新しい患者さんの発病が報告されている。でも、生活してて脅かされているという感じはしない。五十人に一人という感染率がでてもそれは同じだ。五人に一人、三人に一人となると一切はちがってしまうだろうけれど、百人に一人くらいまでは教育によって感染を抑えることはできると思う。

独裁政権時代に亡命していたブラジルの作家エルベルチ・ダニエルという人がいる。彼はホモセクシュアルで、いつもマイノリティの権利についてメッセージしていた。彼がエイズに感染したとき、エイズのあるわれわれの社会で身につけなければいけないのは連帯である、と語った。連帯というのは感染者に対する連帯、女性に対する連帯、マイノリティに対する連帯である、ということ。

まったくそのとおりだと僕は思っている。

たしかにエイズに感染すると、その人は大変な人生を送っていかなければならない。エイズの怖さは誰もが知っている。エイズが出回ってから歯医者に行ってない人だっていっぱいいる。そういう恐怖に怯《おび》える感染者と仲良くすること、その人が生きる場所をたくさん作っていく——そういう連帯の態度に尽きるんじゃないかな。

日本はその動きに逆行している。日本の医者はエイズ患者受入れを拒否している。お医者さんになるような、人生の成功者に何を言ってもわからないのだろうか？

それに比べてブラジルの人は立派さ。ベッドも金もないのに患者を引き受けているもの。小学校も行かない人がたくさんいるブラジルで、それでも人生楽しくてってっていう人たちの方がエイズと共存しているっていうのも興味深いことだって思わない？

僕にはそのことがよくわかる。

癌免疫薬の発見

研究っていうのは孤独です

ロサンジェルス／癌研究者
入江礼子（在外23年）

ロイヤルブルーの格調高い絨毯を敷きつめたジョン・ウェイン財団のオフィス。デスクの前で入江さんは、「ごめんなさい。食べる間がなかったもので。いいかしら？」と気さくな笑顔でコーラとサンドイッチをぱくつく。お茶の水女子大学理学部卒業、東大病院研究助手、国立癌センター研究員、東大医学部客員教授、UCLA医学部教授を経て、ジョン・ウェイン癌研究財団の副所長に抜擢された。

国立癌センターで知り合った東大出身の学者仲間と結婚して、癌の研究をしてました。今は変わったかもしれないけれど、当時は学閥とか権威が幅をきかせている時代で、とくに医学界は東大閥、男性中心主義でした。私は、女子大出で、しかも医学部出身ではありません。幸か不幸か結婚相手は日本の医学界に批判的で、東大の医局からも癌センターのボスからも煙たがられていたので、それなら二人でアメリカに行って、理想の道を追求しようってことになったのね。

芸術と同じように研究には、実験の成果のみならず、自分自身を認められるところにも喜びがあると思うの。認められるっていうのは人が生きることとの最大の喜びの一つでしょう。それを女性だから、東大医学部出身じゃないからってつぶされるのは虚しいでしょ。すくなくとも、アメリカではそういうことは少ないんじゃないかって思ったのね。

アメリカに来る決心をしたもう一つの理由は、人間の癌を研究したいって思ったこと。二五年前の日本では人間の癌を使って研究することがとても難しかった。私は癌センターでマウスの研究をしていました。マウスの研究は、人間の実験に入る前の重要な過程です。マウスや動物の研究で一生を終える人もいます。だけど、時として動物実験や研究に没頭するあまり、人間に返す、という基本的なことを忘れることがある。私と夫が一緒に研究したい、と思ったUCLAの先生は世界でも非常に少ない人間癌の研究者の一人でした。

その人が外科医で、しかも私がテーマにしていた免疫学の分野での権威であったこともあって、やはり外科を専攻していた夫の強い希望と、私自身のニーズが一致して願書を出したんです。幸い二人そろって雇われました。夫は数年でアメリカの外科医のトレーニングに入りましたが、私はその後もずっと同じボスのもとで働き続け、現在に至っています。典型的な白人のアメリカ人であるボスは、最初、日本人であるわれわれ夫婦を不思議な動物でも見るような目つきで接していました。

ロサンジェルスに来た当初は英語が駄目でしょう？ 当時はアメリカでも、医学界で女性が差別されていました。そして東洋人。三重苦、ヘレン・ケラーの心境がずっと続いてましたね（笑い）。三年くらいはボスにも、他の医師たちにもほとんど無視されました。アメリカの男性たちに混じって、彼らに私の仕事を認めてもらうためには、人の何倍も時間をかけて仕事すること以外にありません。

三年くらいしたら、何か重要なこと言ってるって、むこうが気がつきだしたんじゃないのかなあ。最初は私たち夫婦を無視していたボスも、次第に私たちを認めるようになってきたのね。認められてからは、急に、肩の力が抜け、白人との対応も楽になりました。

癌の研究にはさまざまな分野があります。私の場合、患者をいかにして死から救うことができるか、が基本的なテーマでした。そのために治療と早期発見を免疫学的、および分子生物学的な方面から攻めています。癌はもっとも恐ろしい病気、不治の病と思われがちですが、ほとんどの癌は早期に発見されれば手術だけで治ってしまうのです。逆に、癌が大きくなってしまったら、現在ある治療法では九九パーセント治療が不可能、せいぜい延命程度の処置しかできません。

昔から一般的に、癌の治療には手術、化学療法、そして放射線療法が行われていました。私が研究を進めてきたのは、免疫学的な治療と呼ばれている新分野で、いまだに実験段階にある治療です。

簡単に言えば、風邪をひくと自分の抵抗力が自然に働いて治ってしまうことがあるでしょう。そういう抵抗力を免疫力といいます。正常な人間の身体にはこの免疫力がたいてい備わっています。そういう抵抗力のなかでも癌に対する抵抗力を強めていけば、癌を治療できるのではないか、っていうのが免疫療法なんです。

もうすこし詳しく説明しましょうか。

人間には、細菌が身体に入り込んだときに、その細菌をよそものだと認識する能力があります。自分のもっている物質と同じものが入り込んだときにはそれを異物と感じないで受け入れるけれども、そうでない場合には異物と認識してやっつけようとする能力がある。その能力が免疫力です。

異物に対する身体の抵抗力を抑えようとする医学の分野として臓器移植があげられます。臓器は細菌とはちがうけれども、他人のものです。人間同士であり、血液型が同じであっても、一卵性双生児の場合を除いては、異物と認識して身体が抵抗をはじめます。一方、自家移植の典型的な例としては、火傷の皮膚移植の場合には、自分の皮膚の一部を使うために抵抗もなくくっついてしまうでしょう。免疫が働かないのね。

癌の場合、自分の身体が自分の身体内に作りだした組織にもかかわらずよそものです。自分の身体が後天的に作りだした異物と考えて下さい。だから、身体が、抵抗をし拒絶しようとします。ところが多くの場合、人は自分で作った癌で亡くなってしまいます。

癌は自分の身体との差が非常に微細なのね。だから認識する力が非常に鈍感になってしまう。しかも、治すほどまで免疫力が働かない。癌の増殖が免疫力との戦いに負けたときには癌に至らず、その逆の場合には癌として発見されるのです。発見が遅れて、大きくなると人間の免疫力よりも癌の増殖能力の方がはるかに勝り、ついには抵抗しきれずに死に至るわけです。

もう一つ興味ある例として、母体免疫があります。人間の胎児は異物でありながら最初は母親に拒絶されないでしょう。異物にもかかわらず、胎児はどうして母親のなかに九ヵ月も潜んでいられるのか。不思議ですよね。そして九ヵ月たったら、胎児は母親の身体から自動的にはずれるわけでしょう。胎児という異物が母親の身体の内部にいられるメカニズムと、はずれていくメカニズムを徹底して解明すれば、癌の治療につながっていくのではないか、という研究もあります。

そんななかでもある種の癌は、癌の宿主に対する異物感が非常に強く免疫のメカニズムが働きやすいわけです。それが私がこれまでずっと追い続けてきた研究テーマです。そういった免疫のメカニズムが働きやすい癌をモデルにして、まず癌と免疫のメカニズムの関係を明らかにし、それをもとに早期発見や治療につなげていきたいと考えたのです。

宿主と遠い、異物度の強い癌、つまり身体が免疫力を強く発揮する癌っていうのは、たとえば神経系に関係している癌ね。なかでも脳の癌はその典型です。脳っていうのは特別にプロテクトされてます。骨で外部からプロテクトされ、内側からは免疫が及ばないようにバリアがはられている。だから脳腫瘍は異物度が強いにもかかわらず、免疫力が働かず、逃げ場のない脳の中でどんどん大きくなり、確実に人を死に追いやっていきます。ところが脳にできた癌っていうのは、身体の他の臓器に転移しません。脳からいったん外に出た癌細胞は転移してきても、身体のほうで異物であることを認識して、強く抵抗し、拒絶すると考えられています。

他に神経系に関係している癌として神経癌とか黒色腫があります。私はこれまで黒色腫をモデルに選んで研究を進めてきました。

入江さんは、黒色腫と免疫についての研究実績で、日本においても国際的にもその名が知られている。免疫療法を基本に入江さんが開発した薬は、臨床実験段階で人間の皮膚癌の治癒に成功し、現在も臨床実験が続いている。
癌治癒も現実となりつつある。

癌の研究に関するかぎり、与えられた環境のなかで能力一杯のことはしたなと実感しています。将来に残るかどうかはわかりませんが、私が開発した薬はヒトのモノクローナル抗体と名づけられていて、臨床実験段階に入りました。自分が研究室に閉じこもってこつこつと実験し、研究を重ねて作りだした薬が最初の患者さんに注射された瞬間は身体がふるえてしまいました。もちろん、喜びと興奮で——。

その薬によって黒色腫という非常に悪性度の高い皮膚癌がきれいに治りました。自分が生きている理由が証明されたような気がしました。アメリカに来た目的が達成されたような気がしました。

最初はあんなに私を無視していたUCLAのボスも、彼自身がジョン・ウェイン財団に引き抜かれたときには、その団体がアメリカ上流階級を絵に描いたようなWASP社会であるにもかかわらず、私を副所長に抜擢したんです。通常では考えられない人事でした。もちろん、表だった差別はないですが、無言の圧迫みたいなものを感じることもあります。東洋人ですし、女性ですからね。やはりアメリカのある種の世界には、現在UCLAやカリフォルニアにすでに成立している多民族社会にはほとんどみられなくなったある種の保守的な伝統、典型が根深くあるんでしょうね。ま、だからと言ってそれほど気にしてるわけじゃない（笑い）。アメリカに来たのは誰の意志でもなく自分自身で決めたのだから。白人も付き合ってみれば、なかなかおひとよしです。私の友人、とくに男友だちはほとんど白人ですし、私の秘書も白人男性なのよ。自分の心を開いてぶつけていけば個人のレベルでは人種の差が全くなくなりうるし、語り合い助け合っていけるのだということ。

入江さんはつい最近、同志でもあった夫と離婚した。

私の場合、ここまでやってこられたのは、彼に守られてきたからだ、と思ってます。彼は理解があったし、頼りになる人だったのね。彼の支えがあったから研究に没頭できたし、いざクビになったとしても彼が守ってくれる、という覚悟をもって誰に媚びることもなく研究者として徹底できたと思ってます。

結果として仕事中心主義だった私と行き違いが重なって離婚したわけですが、離婚は新しい世界との出会いでもありました。ポジティブに考えるなら、アメリカに来たときとはちがった意味で、新しい視界が開けてきていますね。

研究っていうのは孤独です。人間との戦いじゃなく物と時間との戦いでしょう。それと、常に評価がつきまとっている。実力があるのかどうか、答えが冷酷にでてくる。加えて研究者の世界は競争が激しい。誰かが救ってくれることも、組織に守られるわけでもない。それは時として研究以外には他に何も目に入らない、入れたくないという自分勝手な行為にもなりがちです。そういう理由もあって研究者には家庭が中心にならない人がとても多いのね。もしも家庭が中心にあったとしたら、いい研究はできないような構造にもなっているんです。本気でそこに没頭しなければ、よほどの才能がないかぎりは家庭と研究を両立させることは難しい。

私にとってのアメリカ？　自分の視野を広げてくれたところかな。日本では続けられなかったであろう研究の成果を生み出しえたところだったのかもしれない。

なによりもアメリカは過去にとらわれず、私のような新しいものに光をあててキャリアを伸ばしてくれるところでした。

ただし、個人的には言葉が上手でなかったために、どこかで浅く生きてきた気がすることがあります。歴史の浅い国で、その国の習慣もよく理解しえないままに、いつも日本人としての自分を抑えながら生きて、精神的に一番充実していなければいけない三十代から五十代を浅く生きたかもしれないな、ってふっと考えこむことがありますね。結果として、それが私のキャリアアップにつながったということも事実でしたけど。

ま、いずれは日本に帰りたいです。子どもも成長したし、私自身の毎日がアメリカでなければならない理由をあまり感じなくなってるんです。

生存も環境も

鯨の村
われわれのささやかな鯨漁を無視しやがって

ベレン／食品加工業経営者
早川鉄三（56歳・在外32年）

アマゾン河口の街ベレン。ポルトガル植民地時代の風情が色濃く残る街——ここに早川さんの工場がある。船乗りになりたかった早川さんは、商船大学受験に失敗、慶応大学に進学した。そしてプラプラと日本全国をルンペン旅行するが日本の狭さを実感。材木運搬船でフィリピンやオーストラリアに出る。オーストラリアやカナダ移住を考えたが当時根深かった白豪主義の壁に断念。結局、当時ブラジルでマグロ、捕鯨業を始めたばかりの日本冷蔵に入社。一九六一年、移民船アフリカ丸に乗った。

おふくろはね、最後までブツブツ言ってた。一生帰って来ない——なんて言ったら親父から怒られたよ。そういうことはおふくろの前では言うな、とね。

最初はレシーフェという、大西洋岸の突先に行かされた。クロマグロが陸の灯の見えるほど近い沿岸まで入ってくる。日本船の基地に最適だ、とニチレイが事業を始めた。五九年には、隣の州の捕鯨会社も買った。歴史の古い会社でね、一九一一年にポルトガル人が創業し、ノルウェー人が受け継ぎ、ブラジル人が四苦八苦して続けてた会社だった。

ニチレイはブラジル政府から建物だけ借りて、冷蔵庫造ってやっていた。最初は大統領の特別許可で東北ブラジルに安い動物タンパクを供給する、とか甘いこと言ってたけど、やりはじめてみたら値段は上げるな、日本に輸出するな、とブラジル政府がいろいろちょっかいだしてくる。餌も漁具もまともに輸入できない。一方で乱獲によって、一挙に大西洋マグロの漁獲高が落ちた。そこに俺がヒョコッと飛び込んだ。それで慶応出? 坊ちゃん学校なんか出やがって、使い物にならねえ、って現場の先輩たちは腹をたてたと思うよ(笑い)。

五月にレシーフェに着いて、六月には鯨の漁期が始まった。レシーフェ沖に鯨が回遊してくるのよ。シロナガス、ザトウ、イワシクジラ——昔は皆、来てたの。それがまず南氷洋でとれなくなって、俺が入社した頃にはイワシクジラしかとれなくなっていた。

ブラジル人の経営していた時代は、鯨油だけをとってた。だから、採算が全然合わなかったんだろうね。ニチレイは肉を使うからって会社を買いとったけれど、ブラジル沖のあたたかい海でとれる鯨って痩せてるし、脂ものってなくておいしくない——やっぱり採算合わなかった(笑い)。

そうなるとブラジル国内で売らなければならない。会社の優秀な人たちが、シャルケっていうブラジル特有の牛の干肉の鯨版を作ったらどうか、って考えだした。もともと東北ブラジルは、塩干肉の需要が根強いところだからね。

それまでは鯨肉を処理できないから、ブラジル人従業員が勝手に肉を持って帰っていた。地元では、局地的にずっと鯨肉を食べていたのね。祭りの日には市場で塩漬けも売っていたんだ。だけど、会社が塩干肉を商品化して売ることになった。それまでのように皆が勝手に鯨肉を持って帰って売られたら困る。それで見張りを置くことにした。ちょうど、ノコノコ顔をだした、柔道部出身の俺に肉泥棒の番人になれ、ってなものさ。肉の処理なんか、夜もやってたから、その横で番人やってたんだ。泥棒は来たさ。ナイフかなんか持ってね。全然怖かなかったよ。

レシーフェはたしかに退屈なところだ。何にもない所でね。都会的な刺激なんかゼロだった。ヤシの木と鯨があるだけの、ひなびた陸の孤島だったさ。でもね、俺、いいところに来たな、って飽きもせず海を見てたよ。

そのうち泥棒番だけじゃもったいないって、夜中に処理した鯨を昼間、塩漬けにする親方にさせられた。すっかり出世したわけさ（笑い）。

結局、マグロは全然とれなくなった。それで六四年にやめた。ボストン沖でクロマグロをとるようになってから、ブラジル沖にはマグロが来なくなってしまった。経営はガタガタ（笑い）。その頃の問題が今もくすぶっているよ。まあ、いい悪いはともかくとして、日本からのブラジル進出合弁企業の苦労のお手本みたいなことをすべてやったんだ。マグロ船は、シオーバっていう鯛に転換した。これもローカルの浅い資源だった。

七六年頃には、南氷洋の鯨がとれなくなり、日本がブラジル沖の鯨肉を買うようになった。ブラジル人が食わない皮、尻尾、骨も日本に送るようになった。だから、マグロも鯛もやめて鯨一本にしぼったんだ。

そして捕鯨禁止。

やっぱりね、資源の無駄使いだったと思うよ。昔、南氷洋ではオリンピック方式とか言って競争してごっそりととっただろう？　まずシロナガスがいなくなった。それでナガスをとりはじめた。ナガスがむずかしくなったら、こんどはイワシクジラ。十五、六メートルの鯨なんか昔は相手にしなかった。南氷洋の屑だって笑ってた。シロナガスは二五メートル、ナガスは二十メートルちょっと。マッコウクジラ、ザトウクジラの体長は十五、六メートルしかないけど太ってたでしょう。はっきりと捕鯨禁止が決まったのは、俺がレシーフェの捕鯨場で働いているときだった。それでイワシクジラをとりはじめた。あの当時はブラジル沖の鯨がどういうルートで回遊してくるのかわからなかった。学者のなかには大西洋鯨は大西洋だけで回遊している、なんて奴もいたぐらいだった。ただ、ブラジルで見てると、どうやら南氷洋から回遊してきてるな、という勘はあったよね。南氷洋でイワシクジラをとりはじめたのが六三、四年頃。ブラジルにいる俺は南氷洋のデータとにらめっこだった。

危ない、危ないって心配してたら、あっという間にイワシクジラもとれなくなった。俺の勘は当たったたんだ。ブラジル沖の鯨は南氷洋から回遊してきている。

しょうがなくて八メートル前後のミンククジラをとることにした。ミンククジラは脂ののりは薄いけれど、逆に淡白で焼き肉にするとおいしい。ブラジル人の食料としてのシャルケには支障ないわけさ。鯨油もヒゲクジラと同質のもので問題はなかった。そうやって、なんとか転換を繰り返して捕鯨は続いてきたわけだ。

——南氷洋で歯止めをかけられなかったんですか?

昔、国際捕鯨会議はシロナガス換算で考えていたからね。シロナガス一頭の鯨油の量を基準にして、ナガスなら二頭、イワシクジラは六頭、ミンクは十八頭というように換算して、その年の捕獲量を決定していた。私に言わせれば御用学者が多すぎたってことさ。企業の採算に合わせた数字トリックを理屈こねて帳尻合わせするような学者ばかりだった。今のエコロジーに似てるよ。本気じゃないんだ。

南氷洋でミンククジラに手をだしはじめた頃、資源管理が個別に変わった。イワシクジラがカタカタッて減ったのでミンクだけは個別に管理した。だからミンクは今も、心配ないでしょう。

そういうなかで鯨油しかやらないイギリスが落ち、アルゼンチンがやめ、南アフリカがやめていった。ノルウェーは地元では肉を食べるけれど、鯨油を中心に使っていた。旧ソ連は日本への輸出をあてにしてとりはじめた。肉を食べるのは日本だけ。シロナガス換算で、ガッガッガッとみるまに鯨が減っていったんだ。

捕鯨禁止は意外でもなんでもなかった。グローバルに考えれば、戦前からの捕鯨業がやってきたことはたしかに感心したことじゃあなかった。捕鯨業に携わった人間は皆、資源の減り方を実感してたはずさ。

とくに日本の漁業は徹底してるからね。やはり狩猟民族じゃないからだ。狩猟民族は何千年の歴史で、すべてをとってしまったら明日から食べるものがなくなるって知ってるでしょう。冬が来る前に蓄えておこう、今日の漁はあっても明日の漁が保証されない島国の二千年の歴史——。島国の農耕民族の勤勉さが技術に転化されて、明日のことも考えずに獲り尽くしちゃうんだな。そしてためこもうとする。だから日本の漁船の入ったあとは草も生えない。残念ながら、これは事実なんだね。欧米諸国に批判されてもしかたがない。

もちろん、南氷洋でとり放題にとりやがって——そういう気持ちはあったよ。チキショウ！　ってね。個人的にはわれわれ貧しい国のささやかな沿岸捕鯨業を無視しやがって、という思いがあったよ。まぎれもなく東北ブラジルの貧しい人たちはそのあおりを食った。

一番辛いのは、鳩が平和のシンボルになったように、鯨がエコロジーのシンボルになったことだ。環境問題、資源問題と人間の飢餓を比べたら、やっぱり人間の生命を優先すべきじゃないだろうか？　たしかに環境の悪化はわれわれの明日を脅かす。だけど、今日生きるか死ぬかの人たちを犠牲にして、地球上の偏った地域に住む人々の明後日を望んでいいのかなあ。とにかく今日生きるか死ぬかの人たちを明日まで生きさせて、そういうなかで知恵を働かせ、なんとか皆が明後日まで生きるように考えるべきではないだろうか？　豊かな日本にいるエコロジストには絶対にわからない話だろうね。

東北ブラジルでは一年一度のお祭りに小さな泥カニや小魚を食べるのが精一杯なんだ。一生、肉を食えない人たちにとっては、牛肉の三分の一の値段の鯨肉は貴重な動物タンパク源だったんだ。人間様が生き延びるためならば、神様の前でもそうは怒られる筋合いでもないと思うけどなあ。その結果としてわれわれが儲けた？——それはまあ、どうだったかわからないけれど、そこまでは頭が働かないよ（笑い）。

だけど、貧しい人たちの切実な食料である鯨とちがい、クロマグロはどんどん高くしていいの。投機の対象でいいの。必需品じゃない、贅沢品なんだからね。クロマグロっていうのは日本のコマーシャルが生み出したアホな食べ物の一つでしかないから。

切実なタンパク源と贅沢品との境の線引きがどこなのかは俺にはわからない。個人差もあるし国の文化の違いもある。それは皆で一生懸命に考えていくしかないね。資源がなくなるって言うけれど、恐竜がなくなってどうなった？　そんなこと言うとエコロジストに叩かれるかもしれない。だけど、そんなことにめくじらをたてる暇があったら、人類の飢えをなくしてやるほうがずっとずっとためになると思うよ。

今、ミンククジラをとらないからふえすぎて、シロナガスの餌のオキアミを食べつくしてしまい、シロナガスやナガスが回復できない、というもう一方の科学者の提言は無視されている。絶滅したらいけない、と過剰に防衛することでバランスを崩してることも考えるべきじゃないだろうか？

ブラジルなんかでもエコロジストはヨーロッパからの白人移民が多い南の地域に集中しているよ。この場合の南は、地球の南北問題で言う北、先進地域ね。私も彼らからずいぶん圧力をかけられました。日本人が会社を作って鯨をとっている——恰好の標的だったんだろうな。矢面に立って、クタクタになりながら議論もしてきましたよ。連日、言葉もでないほど批判の嵐だったさ。国際捕鯨会議は南氷洋のミンクの捕鯨枠を日本、ソ連、ブラジルっていうふうに分けたけれど、ほんとうはブラジルの鯨ではないんだ。鯨はインターナショナルなんだ。仮にブラジルが割当量の六百頭の捕鯨をやめたとしても、ソ連と日本が大喜びしてその分を分けるだけじゃないか。

五百年間、ブラジルはヨーロッパに搾取され続けなんだよ。中南米全体がそういう気持ちを持ってると思うよ。ブラジル人はだから搾取に対する敏感さがある。外資への警戒心が非常に濃厚だね。鯨はうまくそれにのったわけだ。軍事政権は選挙に関係ないから、ブラジルの鯨はブラジルで利用すべしって強行政策をとった。だから、ブラジルの人に鯨シャルケを提供してきたわれわれもここで仕事ができた。でも、政権が民政に移行したらヨーロッパ系移民たちの声が大きくなる。それとアメリカの政治・経済的圧力——とたんに国内の捕鯨が禁止になったよね。さんざんな目にあったよ。

彼らの言い分は、東北ブラジルの小さな捕鯨業なんて輸出にしても、国内タンパクの供給率にしても一パーセントに満たないっていうんだ。俺たちの必死の仕事、東北ブラジルの人たちが、鯨の肉のある季節には丸々と太って、そして鯨のない季節は骨と皮にまで痩せていくって現実を知らないんだ。ともかく、鯨は殺すな、の一点張りさ。鯨をやめようって覚悟を決めるにはかなりの苦しいものがあったよ。労働者だって、食べ物がなくなるだけじゃない、職場を失うわけだから……。

結局、鯨は八五年にやめた。

それで、六九年から始めていたベレンのアマゾン沖エビに専念しはじめた。カップラーメンにエビ一匹入れるだけで、ラーメンの消費量がバンバンと上がる。日本人はほんとにエビ好きだ。海のエビは単価が高いから、ワンコンテナーだけでも商売になった。

アマゾン沖のエビを開発したのはアメリカ人だった。アメリカの漁業は小さな漁船の家族仕事だった。そこに日本の船団が飛び込んだ。二、三隻じゃ経費が出ないから十隻とか二十隻の船団を組んで効率を争う仕事をやった。その頃、ちょうど二百海里の問題が騒がしくなった。七七年、ブラジル政府は一切の漁業協約を破棄して、ブラジルエビはブラジルでやると宣言した。ブラジルの会社としてやっていたうちの会社だけが残ったわけだ。

エビ加工工場では、若い白衣のブラジル人たちが冷凍箱詰め作業を続けていた。

でもね、これがまたほんとうについてない。東南アジアの養殖エビが全盛になり、好きなときに好きなだけエビを供給するっていう時代になったでしょう。マングローブを破壊して抗生物質を大量につっこんでエビを生産する時代になってしまった。エビは陸の工業製品になった。それでエビも環境問題のターゲットになりつつある(笑い)。ただね、アマゾンエビは養殖じゃない。ボイルすると真っ赤にあがる色物だってこと。

クロマグロ、鯨、エビ——すべて環境問題のターゲットだろ? 先見の明のないことにおいては、ほんとに俺は世界一なんだ(笑い)。

それで環境問題にならない食品を何かさがせって、あちこちに若い連中をやっていたらアセロラが見つかったわけだ。八五年だったかなあ。今でも覚えてるよ。若い奴がアセロラを見つけてきたんだ。二、三粒食べたら、酸っぱくて胸やけがした。だけどビタミンCはたくさんあるらしい。凍結して日本に送った。最初は日本側はしぶっていたよ。開発がむずかしいって。それが今、アセロラは年間百億の商売になった。ジュースやグミ、単品の商品としては近年にないヒット商品となった。

そうなったらこんどは一粒でも欲しい、って催促さ。でもアセロラって原生種だから、千本種から植えても三百本は実がならなかったりする。コンスタントにアセロラを供給するには、畑で育てなければならない。いろいろ調べたら東北ブラジルなんだな。かつては鯨で苦労したあの地域、レシーフェがアセロラ畑には一番いい土地だということがわかった。乾燥してて、水も自由に供給できる。今年の下半期に、昔、泥棒番してたあの地域での二百町歩、それとペトロリーナっていう中曾根元首相の基金が灌漑設備を援助した二百町歩の農場で収穫できることになった。

結局、俺は捕鯨の土地レシーフェにもどったの。

俺、何やるのも石の上にも三年、って思っているの。ブラジルはいつのまにかとうとう三十年になってしまった。いずれにしても、俺の仕事っていつも時代の流れと逆行しているよな。アセロラもまた、アマゾンの原生林を残せって環境保護運動のターゲットにされるかもしれない。そうなったら、アフリカにでも行くさ（笑い）。

フィッシュマン
20億匹のサーモンが昇り、河が真っ赤に染まる

バンクーバー／漁師
岸 昭一（64歳・在外45年）

そうか……。あんた、海の話聞きたいのか。フィッシュマンの話を聞きたいって言われても、僕、ちょっとちがうからなあ。僕は漁のことをあまり喋らない。一つのこと話すとき全部知ってるみたいに話すのがいやなんだ。とくにフィッシュマンは、小さいことを大きく話すだろ。皆がアホなこと言うときはアホにする。皆が酒飲むときは酒を飲む。僕はそれが素直にできない。お前はよくないって友だちに忠告される。

岸さんは戦争中、故郷和歌山に帰国していた。その間、カナダの日系人は収容所に入れられていた。戦後、再びトロントに戻ったが、すこしでも日本に近い所にいたい、

と太平洋岸のバンクーバーに引っ越した。当時、日系人の職業は庭師、山の切りだし、理容師くらいしかなかった。

そしたら、漁師の会社が日系人なら家も建ててくれる、小遣いも十分くれるって言うんだ。日系人は真面目だし、魚を横流しすることもしないからだろうね。インディアンなんかだと、一週間は必死に働くけど、酒呑んで三週間くらい休んでしまう。あの当時は、缶詰が当たって会社もミリオンダラー稼いでたよ。日本人漁師も百二十人くらいいたさ。今は僕の会社でたったの七人。フィッシュマンでは食べていけないって、皆辞めていってる。全体でも、三分の一くらいしか続けてないよ。

僕が漁師になったのは三二歳だった。経験なんか何もない。網の使い方も知らずにアラスカ沖の海に出た。

——最初の三年は酔って酔ってどうにもならんかった。今でも僕は酔う。船乗りって、いつも睡眠不足でしょう。早朝から真夜中まで釣りしてるからね。それと神経質な人、ものごとにこだわる人はいっぺんに酔う。僕は剣道やってるんだけど、日本から来る八段、九段っていう人は皆、酔うよ。神経張り詰めてるからだねえ。学校の先生も酔うなあ。酔うときは、朝酔って、昼酔って、そして夜も酔う。今も僕は年間に三十粒くらいの酔いどめ薬を飲むよ。一日中フラフラさ。そんなとき、なんで漁師になったのかなあって後悔するよ。お金なんかいらないから、どこか波のないところに逃げ込みたいって必死さ。なぜだかわからないけれど、そういうときは自動操縦にして、日本の方に舳先《へさき》を向けて眠ってるね。

最初は流し網でサーモンをとっていた。どんなフィッシュマンも魚を釣る方法なんか人に教えないよ。とくに僕なんか根性曲がりだから、教えてもらうのも嫌いだったからね。だから、仕事覚えるまで三年もかかってしまった。人が年間五千ドルを稼ぐときに千ドルしか稼がないで、どうなるのかなって不安だったよ。

三年目で竿に変わったよ。網は誰だってできるけれど、竿は難しい。だから竿にしたってこともあるね。

竿は少しずつだけどお金がたまっていく。網より竿の人のほうが、なぜかお金持ちになっているよ。自分で一匹一匹釣っているからかなあ。僕は貧乏やけどな。キングサーモンは一日に三十四匹釣れたら大漁や。昔から一日十四匹釣れたらビクトリー(勝利)だって言われてたもの。僕は名人じゃあないけれど、資源保護のための法律がなかったら、一シーズンに千匹は釣ってみせる。自信あるね。長年の経験でね。だけど、運っていうのも大きいからなあ。

海の上では日本人同士でも競争さ。日本人でも三人までならいい。五人になったらもう駄目だ。無線電話でサーモンの位置を教え合ってると、日本語や暗号使っててもわかってしまう。白人に気づかれてしまう。だから黙ってる。そうするとあとで喧嘩になる。なぜ教えてくれなかったのか、水臭い、ってね。昔の日本人はハングリーだったから、言い争いばかりだったよ。今、難民としてカナダに来たベトナムの人たちが同じことやってるよ。

岸さんは六七年に自分の船を持った。船にはカナダ人の奥さんとの間に誕生した娘の名をとってレニー号とつけた。岸さんの誘いでバンクーバーの小さな船着場から、レニー号に乗って港を一周する。

フィッシュマンが一番気にするのは海の色。今年と去年では海の色が違うし、昨日と今日もちがう。キングサーモンはプランクトン、海老、シャコ、海草を食べているんだ。餌によって微妙に海の色が変わる。サーモンが多い年に限って海草が繁殖するんだ。

最初の十年、海の色は青黒かった。最近は空の色にちかくなったね。

今年の海の色はとくにちがってた。海の温度が上がってきたんだ。だからキングサーモンが皆、海にもぐってしまった。網のほうは大漁だったけど、竿は駄目。三十年でこんなこと初めてさ。これまではキングサーモンの海だったのに、サバと秋刀魚ばかり。日本近海の魚が今は、バンクーバー沖に来ている。カナダ人はサバを好まない。日本人にあげるだけさ。商売にならない。大漁の年には、シーズンで一日八百匹も釣ったのに、今年は百五十四しか釣れなかった。

今年はほんとうにおかしかった。毎年何千頭というイルカやクジラがクインシャルアイランドから南の方に回遊していくんだ。それが、今年は海があたたかかったから南に移動していかなかった。じっとしてた。シャチも動かなかったな。僕は必死に釣ろうとしたよ。バンクーバー・アイランドの向こうで毎日のように三〇マイル、四〇マイルと走ったけど、一匹も釣れなかった。どうしたのか、泣きたくなったよ。三日間で千ドルにしかならなかった。追っても追っても駄目。餌は見えるのにサーモンがいない。海が変わってしまったんだろうか？

インディアンの言い伝えにはサーモンの話が多い。野イチゴが赤くなるとサーモンがまぢかに来たって言う。クインシャルアイランドの沖にある島の名も知れぬ花が咲いてる間はサーモンが釣れるっていうのもあるよ。花が咲かないうちは、サーモンは釣れない。

キングサーモンほどおかしな魚はいないよ。普通の魚は腹が減ったら餌に食いついてくるでしょう。キングサーモンは逆なんだ。どんなにお腹がすいていても、百匹のうち九五匹までは餌に食いついてこない。種としての安全をたしかめながら生きている魚なんだろうな。安全な餌がたくさんあるときはうんと食べる。海の色を見て、その日のサーモンが食べている餌が何であるのかがわかったら、疑似餌選びにかかるんだ。

サーモンは釣ったときにすごくファイトするんだね。サーモンは釣りあげるときに腹を下にしてあげると暴れない。有名なスポーツフィッシングの人も、そういうことを知らないで、魚をあげるときに暴れさせてしまう。それをスポーツって思ってるんだろうね。一五〇パウンドのオオヒョウが一時間で五匹もかかったときには死に物狂いだった。キングサーモンは網で九三パウンドのがかかった。竿では五〇パウンド、ものすごいファイトするよお。

面白いんだ。不思議な魚なんだ。

一九八四年、資源保護のためカナダ政府はキングサーモンの捕獲を七月と八月の一ヵ月半のみに制限した。

カナダの漁業法はほんとうに厳しいよ。昔は四月から十月まで解禁されてたんだ。でも今はたった一ヵ月半。毎年厳しくなっている。漁業許可海域も毎週変わる。漁師のライセンスにもずいぶん制限が加わった。網のフィッシュマンは一週間に一日か二日しか漁の許可がおりない。でも竿はセブンデイズ（七日間）働ける。だから、今はシケで海が荒れているときも海に出るようになったね。一日休んでたら、すぐに解禁日が終わってしまうんだもの。だけどね、ひどく荒れた海を見ると、今日もでていかなければいけないのかなあって、いやになることばっかりだよ。寂しいときは船の上で演歌歌うんだ。海の上はお化けもでるからなあ。電話かけて、近くで漁をしてる友だちの声を聞くこともある。十日以上も一人ぼっちのときは日本語で自分に話しかけたり、自分に答えたりして会話してるよ。日本語の短波放送聞きながらね。

僕らは一日に千ドル稼がなければ暮らせない。解禁日が一ヵ月半しかないんだから、一日も休まずに海に出たって四万五千ドルだもの。餌代、ガソリン代、保険料、船の維持費をひいたら、苦しいよね。以前は六万、七万くらいは稼いだよ。

サーモンの値段も安くなった。去年なんか一円五十銭——あ、いつのまにか円で言ってる。カナダドルの間違いさ。一カナダドルは六百円だから、一四九百円ってところ。去年は、日本がロシアから安い値段でサーモンを買ったらしいね。だからカナダのサーモンは安くなっても売れなかった。この二、三年、カナダのフィッシュマンは全滅や。国際協定で国別の漁獲高まで決められて、もう暮らせないからロサンジェルスに庭師の出稼ぎにでも行こうかって思いつめたくらいさ。

一九八〇年までは、僕のライセンスでどんな魚もとれたんだ。オオヒョウだって、サーモンだって。でも今は、オオヒョウをとる権利はない。新しい漁獲権利を申請したときに、お前はキングサーモンで食えるから、それ以上の権利は与えないって言われた。今、オオヒョウの権利を持っていたら、その権利を十万カナダドルで売れるね。キングサーモンの権利も、何万ドルって値で売れるよ。五年前から、僕に許可されている漁獲権利は外洋だけさ。河でとりたかったら、外洋の権利を返さなければ駄目なんだ。でもね、河のサーモンは一週間目まではなんとかなるけれど、二週間も河を泳ぐとひどい味になってしまうからな。海のサーモンにはかなわない。鼻黒ってフィッシュマンが呼んでいるサーモンなんかは河にはいないよ。鼻黒なら、すき焼きだって刺し身だって何だって旨いさ。オーブンで焼くと、二センチくらい油がにじみでるほどなんだ。

最近、カナダのフィッシュマンには失業保険がつく。フィッシュマンの失業保険は、他の職業の人より高い。年金と合わせて、一ヵ月二千ドルくらい。お金もないのに、国は大変だって思うよ。

カナダのフィッシュマンが落ちこんだ一番の理由は、環境でも資源でもない、養殖なんだ。キングサーモンだって、素人にはこまい養殖もののほうがいいみたいだね。何かほしいって探すと、その日のうちにどこかの国からジェット機で運ばれてくる。それも皆、同じ大きさで、足りなくなるってことがない。海が荒れたって、関係ない。一週間に千匹の魚をコンスタントに送り続けられるのは養殖だからね。フィッシュマンはそんなに安定して送ることはできない。ワイルドはとれるときととれないときとの差が激しいもの。だけど味はちがうよ。養殖の魚はどこかブヨブヨしているさ。

来年は、サーモンの当たり年になるはずさ。サーモンは四年サイクルで回遊してるでしょう。そのサイクルに当たってるんだ。推定で二十億のサーモンがクインシャルアイランドの河にあがる。河が真っ赤に見えるくらいだろうよ。少ない年のサーモンは一直線に河をのぼっていこうとする。これも種の保存のためなんだろうね。だけど、来年のサーモンは多いから、河口で遊ぶにちがいないよ。海で二週間くらいゆっくり遊んでから河に入っていく。サーモンが何時何分にどうやって遊ぶのか、ってことまできちんとわかっているフィッシュマンだっている。上手な人はそこまでわかっているのさ。そんな人の網は群れの前でピタッと止まるっていうよ。だけど、そういう人は誰にも話さないよ。僕らはそういう人の仕事を見て、盗むんだ。人間の経験ってすばらしいよ。僕はそれほど名人じゃないから、上手にやれることは嬉しくなって人に教えてしまうけれどもね。

だから、去年と今年がひどくても、まだまだやめられない。問題はサーモンの回遊の時期と解禁の期間がうまく一緒になってくれるかどうかだなあ。

今、近くの日系老人のホームのキッチンにボランティアをしに行ってるんだ。喜ばれるって、嬉しいものだね。魚を料理してあげるんだ。フィッシュマンを辞めたら老人のために魚料理を作ってあげるつもりさ。

来年、必ずクインシャルアイランドにおいで。クインシャルアイランドは、海の底がウニで埋まってる。ミル貝よりもおいしいレーザークラムもふんだんにとれる。君が来たらいやっていうほど食べさせてあげる。これ、お土産さ。僕が作ったサーモンの水煮だ。ワインと一緒に食べると、おいしいよ。

それと、レターね。必ずだよ。

港町哀歌

お互いが敵同士なんだもの、さぐり合いばかり

ニュージャージー／マグロ仲卸業
山梨金五（45歳・在外24年）

山梨さんは遠洋漁業の町清水市出身。高校卒業後、食品会社に就職したが、出世の見込みがない、と旅に出る。

当時のドルの持ち出し制限は五百ドルでしょう。まずはニューヨークで働いて金がたまったらヨーロッパに行こうって計画してました。手始めに引っ越し屋、次に日系の旅行会社、便所掃除のアルバイトもやりました。二四時間態勢、連日ホットドッグ、バナナ、ビールだけしか食べないで金をためました。そしてコロンビア大学の近くに日本食レストランを開いたんです。

やっぱり素人、甘かったって思うよ。開店直後に店のすぐ前で殺人事件が起きて、付近一帯が日本人居住危険地域に指定されてしまった。あてにしていた日本人客が来ない。三ヵ月で倒産してしまいました。

そして三年間は領事館に勤務。資金を貯めなおして再びニュージャージーに日本食レストランを開店した。

大当たり。日本食ブームにのったんです。だけどレストランって客が入れば忙しすぎるし、暇だと客を待って従業員の給料の心配ばっかり――二四時間、気の休まる時間がない。しかも小人数が密室で十数時間も一緒にいなければならない。いろいろと大変でした。いくら説明したって日本食を珍しがるだけのアメリカ人相手のレストランなんて自分には向いてない、って思いましたね。気がついてしまったらいてもたってもいられない。パートナーに店の権利を売って、アメリカ一周の旅にでました。そしてハッと気づいたんです。ニューヨークに来て以来、稼ぐことばかり考えてたなって。

ニューヨークに戻ったら、ボストンから「マグロを買わないか？」って手紙が来ていた。

あれは七月四日、アメリカの独立記念日でした。軽い気持ちでボストンに行ってクロマグロを買ったんです。

今もその値段、覚えてます。パウンド（約四五四グラム）二ドル。一四二五〇キロだから、二匹で二千ドルでした。だけど、買ったはいいけれど秤も持ってない。さばきかたもわからない。友だちのレストランに持ち込んでさばいてもらいましたよ。そしてレストラン仲間に売ったら、なんと倍の四千ドルになったんです。

面白い。また買いに行きました。一年間は行商で続けてました。今考えると恐ろしいですよ。道端でなまものを行商するのは違法なんです。不法労働のうえに、法律も何も知らずにやってたんですね。ボストンとニューヨークは車で往復十時間。買いつけ、配送、集金——、ほとんど眠る時間もない。一週間に十時間眠ったかどうか、って毎日でした。三ヵ月後には慢性睡眠不足で顔がむくみはじめてしまったし……。

だけど、面白いように現金《ゲンナマ》が入ってきます。私がマグロを買いはじめて一ヵ月後の八月、ボストンマグロに脂がのりはじめる頃、それまで姿のみえなかった日本の商社マンがやってきました。彼らはボンボンといいマグロを買っていく。こっちは素人だから、傷物や焼けぎみのマグロや脂ののりが悪い、色目がはっきりしないような残り物のマグロでも、マグロはマグロだって買ってました。何度もやめようかな、って悩みました。でもね、マグロって当たると大きい。博打みたいなんですよ。それと、当たったときに板前さんが喜んでくれる。自慢できるじゃない？　けっこうニューヨークの板前さんは親切だったから、マグロのみたてかたやさばきかたをいろいろと教えてくれたんですね。

最初はマグロが回遊してるなんてことも知りませんでした。それがボストンの季節の終わる頃には、ハワイに飛んでましたね。

最初は高い航空運賃を使ってニューヨークにマグロをひっぱってきても売れない、って小馬鹿にされましたよ。当時、ニューヨークにマグロのない季節には、鮨屋も鰹や妙な冷凍マグロでごまかしてました。ハワイからひっぱったマグロをとにかく知り合いのレストランにおさめてみました。そしたら口コミで客が入ったんですね。一軒置いたら次々に引き合いがきました。

翌年、山梨さんの商いは四〇万ドルをこえた。九二年現在、社員三六名、年商八〇〇万ドル、全米約千店舗ある日本食レストランの約四割が山梨さんの会社からマグロを買っている。

うちでは生しか扱いません。アメリカに限らず、日本以外の冷凍技術はあてになりません。アメリカ人の漁師はおおらかというか、今日とれた魚は新鮮だと思っている。今日とれたって、炎天下に何時間もさらしたら腐ってしまうでしょう。腐りかけた魚を冷凍したって駄目。そういうことがわかってないんですね。脂ののった生のマグロを一年中絶やさず、全米に送るために世界中のマグロ漁場から空輸しなければならない。だから新鮮なマグロを求めてヨーロッパ、南米、ハワイ、フロリダ、ボストンを行ったり来たりの毎日です。マグロと一緒に回遊してるようなもんです（笑い）。

僕が始めた十七年前から、マグロの値は倍倍ゲームで上がってきました。本マグロなんか今年はパウンド一五ドルから二〇ドルまでいきましたもの。二年前のメキシコではパウンド五〇ドルって値もつきましたね。

値段はマグロの良し悪しでなく、日本の相場に左右されてます。日本からファックスで「今日は値段がいいから買え」と指令が入る。そうなると競りですからね。馬鹿馬鹿しいほど買値がボンボンとあがります。私らはアメリカ現地に根づいた魚屋だから限界があるんです。漁師たちとだって一回かぎりの付き合いってわけにはいきません。その後の人間関係とか、漁師の将来とか考えてしまうんですね。自分がいらない時でも、買うってこともします。売値もそうはあげられないでしょう。

その点、日本から来るバイヤーはものすごいですよ。ほどほどにしたら、って呆れることもありますよ。日本からのファックス、電話一本で買いに走るでしょう。前日の二倍、三倍の値でボンボン買っていく。逆に相場が下がると見向きもしない。いきなり相場が冷え込んだら、漁師たちは路頭に迷いますよ。たしかに自由商売だからいけないとは言えません。でも仁義ってあるじゃないですか。アメリカ人漁師が面食らうのはここです。今日はパウンド三〇ドル、翌日はいらない、って買い方です。そんな商売が続けば漁師の方もおかしくなります。港で日本人とみればすぐに値をふっかけてくる。せこくなってしまいました。

ボストンの漁師たちも昔は日本とかわらない、「大漁だ、酒呑め！」といった豪快な一面がありました。港には魚をさばく人とかいろいろな人が働いてました。それが港の活気につながっていたんです。今はちがいます。港には商売人しかいません。魚が港に入ると、ギクシャクしてしまいます。漁師はちょっとでも高く売りたい――これはしかたない。だけど、日本人の顔見れば挨拶するより前に「いくらだい？」って感じです。そして魚を港でさばく必要もなく、箱に入れて築地に送りだせば、それで終わり。魚に愛着を覚えることも少なくなってしまうでしょう。

一番めだつのは怠け者になってしまった漁師。一回の漁でものすごい金を手にするから、週二回だった漁が一回に減り、次は月一回、そして今は年一回しか出ないなんて人もでてきてしまった。彼らの生活が楽になってエンジョイできているならいいけど、暇をもてあまして酒呑むのがおちだものね。海で漁をするのが何より好きだ、ってのが漁師の喜びだった時代は消えてしまった。私がこの仕事始めた頃はアメリカの漁師も、日本人顔負けに勤勉だったんです。

買いつけ人同士もまともに視線を合わせません。お互いが敵なんだもの。さぐり合いばっかりしてるんだもの。だから話しても計算機にらみながら別のこと考えている。だから話して感動するとか、会話に夢中になるって体験が少なくなったよ。たしかに港町に物は増えた。でも気持ちは逆に寂しく、さもしくなってしまった。人間が人間を信じられなくなってしまった。

漁師もファックスに操作される情報産業になってしまった。ヘミングウェイが描いた『老人と海』なんて牧歌的な世界はもうどこにもありません。穀物が相場商品になってお百姓さんもおかしくなっていったでしょう？金と相場ってのは、人間を狂わせます。

――クロマグロが減ってるという環境団体の警告は？

たしかに若干、減ってると思います。やっぱり急激にとりすぎました。まあ、ボストン沖マグロの漁獲規制が始まりましたから、また持ち直すでしょう。

環境保護団体グリーンピースもボストンで激しい活動をしていました。何人かの買いつけの日本人が石を投げられたりしたみたいですよ。マグロを食べない国の人間にしてみれば、その殺生は残酷に見えるんでしょう。

結論としてはワシントン条約でクロマグロを保護するのもしょうがないでしょうね。

でも私は、ボストン沖のクロマグロが減少した責任が日本人ばかりにあるとは思っていません。アメリカの上流階級がレジャーで行っているフロリダ沖のスポーツフィッシングも大きな原因だって思います。クロマグロがフロリダ沖を回遊している時期はマグロの産卵期です。マグロの動きが鈍くなっているときなんです。そんなときに楽しみのためだけに釣り上げてしまう。しかもスポーツフィッシングはワシントン条約の規制から除外されている。商売は駄目だけれど道楽ならいい——こんな論理どこにありますか？　はっきり言うなら、スポーツフィッシングをやっているのは政治、経済を握っている一部の上流階級の白人でしょう？　漁師は階層が低いし、発言権が弱いですからね。環境問題とか言っても、すべては政治ですよ。

日本の経済成長に対する根深いやっかみも背景にあると思います。豚や牛やイルカは対象にならず、日本人が食べるマグロやクジラだけがやり玉にあがってしまった。

まあ、そうは言ってもやっぱり日本はやりすぎた。商売には商売のルール、遊びには遊びのルールがあるってことを忘れた買いつけの暴走があったことは事実でした。日本人が、アメリカ人が、っていうようなこざかしいこと言うまえに、人間としての道ってことでしょうね。

熱帯雨林

哺乳動物の生存を脅かしているのは？

バリクパパン／哺乳動物研究者
安間繁樹（50歳・在外8年）

小学校時代、最初に覚えた外国の島の名がボルネオだったんです。長い間、西表《いりおもて》島を研究した後、一九八五年にマレーシア側ボルネオを訪れました。妖怪の住むような岩山の風景。蛇のごとく森を縫うように流れる土色に濁った大河。昔、写真でみたジャングルそのものでした。アジアでもっとも高い四千メートルのキナバル山に登ったり、マングローブの河をボートで下ったり、二週間ほとんど眠りませんでした。ツパイの仲間や日本名コミミオナガネズミという頭から尻まで二十センチなのに四十センチもの尻尾がついているネズミ。これがまた綺麗でね、オレンジ色の体色で腹面は真っ白。木の上に住んでいる敏捷な動物です。そういう動物たちに出会って、こういうところで自分は研究したいって思いました。キナバル山頂で「また（ボルネオ島に）来れますように」って祈りました。そして八六年、ようやくあこがれの島にたどりついたわけです。

安間さんは、哺乳動物の研究家である。二七年前に発見された幻の哺乳動物イリオモテヤマネコの研究で一躍脚光を浴びた。日本の野生動物の観察、研究は彼によって始まったと言っても過言ではない。

カリマンタンには、日本政府の援助で進めている熱帯雨林再生のためのプロジェクトの一員として滞在。月明かりのもと、ジャングルのプレハブの宿舎で話を聞く。

ジャカルタからカリマンタンのバリクパパンまで飛行機で来て、サマリンダまではさらに小さな小さな飛行機に乗って来ました。人間の姿もはっきり見えるほど、たかだか千メートルほどの上空を飛ぶんですね。研究者の先輩が窓の外を覗きながら「君がこれから研究するブキットスハルトの森だ」って言います。はっきり言って、気抜けしたような感じでした。情けなかった。泣けてきた。森がなかったんです。伐採地続きで、何もない。熱帯雨林の哺乳動物を研究しに来たのに、何もなくなった森に入らなければいけないなんて……。

とにかく三ヵ月、研究林に入りました。昼は人夫もいますけれど夜は一人だけです。空から見るとたいしたことない森も、実際に中に入ると四、五十メートルもある高い樹に囲まれます。西も東もわからなくなってしまうわけです。野生動物の生態調査のために、まず道沿いにワナをかけます。草食動物やヤマアラシを観察するために、昼間に足跡の多いところを調査して、サツマイモ、キャッサバ、ピーナッツを置いておく。次に肉食動物をおびきよせるために、やはり足跡の多いところにニワトリをしかける。最初はどこに出るかわかりませんから腐らないように生きたニワトリをしかけます。ニワトリが食い殺されたら、その周辺にちぎった鶏肉を置いておくんです。

餌づけと生態系の関係を批判する人もいますが、私の調査は三ヵ月間だけ、まったく問題はないでしょう。

ともかく、動物の移動ルートがわかったら森に掘っ建て小屋を建て、夕方から待ちます。私が行かないところには、自動カメラをセットしておく。一番緊張するのは黄昏ちかく、そして暗闇になってからの一時間。カリマンタンでは七時頃、一番多くの動物に会えますね。もちろん深夜に餌をさがす動物もいます。だけど確率はグンとさがる。もう一つのピークは夜明けの四時、五時。本来は、そういう動物も昼間に自由に歩き回った。だけど、長い間の狩猟圧から人間と出会う機会の多い昼間を避けるようになったわけです。かといって身体や目の機能は完全な夜行性になりきれない。それで哺乳類の六、七割は薄明薄暮に行動するようになった。これは推論ですけれどね。ボルネオあたりで完全な夜行性はムササビくらいでしょう。

ブキットスハルトの研究林で最初に出会ったのはマレーシベット、ジャコウネコでした。日本で言えば沖縄のマングースやハクビシンの仲間です。形態的にはヤマネコとイタチの中間。あのときには足跡も判別していたし、餌も食べてたからやがて来るって予測がついてました。困ったのは待機するための草の小屋が間に合わず、しかも地面は赤土のぬかるみ。折り畳みの椅子に腰かけて待ってました。意外にも一時間くらいで出てきてくれました。

野生動物ってほんとうに綺麗ですよ。たっぷり堪能しました。堪能し終わって、カメラの箱に手をつっこんだら何かがバーッときた。ポケットライトをつけると、アリがびっしり。カバンの半分ちかくがアリで埋まっている。お碗で十杯分くらいのアリです。毒アリではないけど、やっぱり刺されました。お尻に毒針をもったアリだったら、ショック死してたでしょう。観察しているとき、何が怖いかっていえば、そういう小動物ですよ。

ボルネオで確認されている哺乳類は二二二種。世代交代を繰り返し、野生化したイヌ、ネコも入れると二二八種です。ボルネオ全域に平均しているのは、そのうちの百種類そこそこでしょう。イリオモテヤマネコが西表島にしかいない、というように狭い地域に偏在している種類も多いわけです。そのうち、私がここ、ブキットスハルトですでに確認したのは七十種。あと三十種はいると思います。調査が進めばまだまだ新種が発見されると思います。つまり、ボルネオ全域にいるはずの動物の種類はそろっている、ということです。そのうちのほとんどはコウモリでしょう。

次はゲッシ類のリス、ムササビ、ネズミの仲間。

安間さんの調査が続くブキットスハルトの研究林の周辺は切り株だらけの荒れ地。彼方の丘には地平線まで続く胡椒畑——現金収入を求める住民たちの生業である。

ブキットスハルトも二十年前までは鬱蒼とした原生林だったと聞いています。七〇年代、日本が大規模な機械伐採をして、まずは金になる大木だけを切った。八二年に山火事に見まわれ、丸裸になった。原因は胡椒畑を開墾しよう、という住民の焼き畑農業だったらしい。被災域は九州の面積に匹敵したらしいですよ。

だけど、原因となった焼き畑をやめるべきか否かを云々する前に、しっかりした森はその時の大火でも燃えなかったって事実をこそ考えるべきですね。森は本来、火に強い構造を持っているんです。いい加減に伐採され、利用されてきた森はまたたく間に燃えた。これは僕の勝手な提案ですが、今後は森の樹を切るにしても、できるだけ原生林の機能を低下させないように重要樹種を残しながら間引きのように伐採して、森全体がパッチ状に網の目のようにつながっていく、そういう伐採をすれば火事や災害にも強い森として残せると思うのです。

森が消え、いい森でないけれどもほとんどの動物がしかたなくブキットスハルトに逃げ込んできた。だから表面的にはいろいろな動物がそろっているように見えるんです。

しかし、動物の種類はそろっているとはいえ、その生態には問題があります。たとえば、サルの観察を続けていると、いい森のサルは一群れがだいたい二十頭くらいで構成されています。ブキットスハルトでは一群れに十頭くらいしかいません。しかも群れと群れの距離がべらぼうに離れている。

いい例がテナガザルです。テナガザルは熱帯の典型的なサルですが、人間に近い尻尾のないサルに属してます。テナガザルは基本的には樹冠という、木の一番高いところで生活している。テナガザルにとっては少なくとも三十メートル以上の樹冠が連続してつながっている森が必要です。うんと手が長くて、枝から枝を懸垂して渡ります。絶対におりてこない。地表などを歩きません。

しかも、テナガザルは四、五頭の家族ごとに生活しているのが普通です。いい森ですと、一種のモーニングコールをしてお互いの位置を確認しあいます。しかし、モーニングコールはするけれども、また、喧嘩も非常に多い。ようするに、群れを形成しているために自分の行動圏に入ってくる奴を追い出すんです。ところがブキットスハルトでは喧嘩を見たことがない。テナガザルの群れがお互いに遠く離れているから喧嘩をする必要がないんです。八二年の火事のときも、あちこちに逃げたんでしょう。伐採も進み、生存の条件が悪くなりながらも、連中は移動しながら生き延びてきたわけです。他の動物も同じでしょう。種類がそろってはいても、固体数や群れを構成する数や質はそれぞれ極端にちがってるんじゃないでしょうか。森が丈夫でない証拠ですよ。

実際、調査してみると予想したよりはるかにテナガザルやクリームリスが少ないということでした。

哺乳動物が地球上に現れたのは二億年前、全盛期は今から六五〇〇万年くらい前だったでしょう。その頃から哺乳動物は木の枝みたいにどんどんと分化を繰り返してきたんです。理論的には、動物はどんどん繁殖しているし、まだまだ哺乳類が栄えている時期ですから、哺乳類の種類は増えているはずです。でも、一万年前に姿を消したマンモスのように、小さな動物も含めれば、一日一種は種としての寿命がつきて地球上から姿を消していると言えます。理論的には、それと同じくらいの種が毎日、地球上に発生している。

ところがたかだか四百万年前にヒトが登場して以来、動物をめぐる環境がめまぐるしく変わった。ヒトは他の動物と異なり、自然を改造する力を持っていたからです。しかも、自然を征服できる、征服すべきだと考えていた。以来、種の絶滅は加速度をつけて進むようになってしまった。正確な数字ではないけれど、ヒトは約九割の動物を滅ぼしたと言ってもおかしくない。

これまでの研究では、一つの理由だけである種類の動物を絶滅させることはできないと言われてます。

絶滅を促進させるいくつかの因子のうち、ヒトによるむやみな狩猟があります。有名なのはモーリシャス島のドウドウドリ。ぶかっこうで走ることもままならないウミドリの一種です。オランダ人やイギリス人の生きるためかどうかわからない狩猟で消滅しました。ついこの間、モアという四メートルもあるダチョウの仲間もニュージーランドから消えました。ヒトの珍しいものを食べたいという欲望、狩猟というゲームのために。

ライオンのような肉食動物は食物連鎖の関係をピラミッドであらわすと、その頂点にいます。草食動物は底辺にちかいでしょう。数も多い。この草食動物が減ると、ピラミッドは相似形を壊すことなく小さくなっていく。つまり、もとの頂点もすべて消えていくわけです。

ゾウは草食動物です。あれは象牙のためにヒトに絶滅されゆく動物ですね。肉としてもヒトに捕獲されている。からだも大きすぎて時代に合わない。

ボルネオの動物にとってもっとも致命的なのは、狩猟でも流行病でもありません。人口の急激な増加にともなうヒトによる環境の破壊です。動物の住んでいる場所がなくなってしまったために絶滅が促進されつつある。ボルネオの動物は百パーセント、森で生まれてますからね。だから森の破壊はすさまじいダメージです。

今から五年ほど前、ジャワ島の人口密度は一平方キロメートル千人、東カリマンタンでは七人ちょっとでした。先住民だけだった戦前は、もっと人口が少なかった。先住民は食料だけのために動物をとった。その規模はヘビがカエルを食べたり、トカゲが昆虫を食べるといった生態系のサイクルを崩さない程度のものと考えていいでしょう。適度な間引きにこそなれ、害にはならなかった。

幸いなことに、現在のところ姿を消した動物はまだいないと思います。ただ、絶滅寸前というのはかなりの数におよんでいるでしょう。ボルネオ全体ではっきりしている種はサイ――今や十三頭しかいなくなってしまいました。それも保護区のなかで細々と棲息している。サイの角は漢方薬として有名です。中近東ではサイの角で作った刀の鞘が地位の高い人のステイタスシンボルです。でも、サイの角は一頭に一つしかないんですよ。

ブキットスハルトの森は本来保護林だから、木を切ってはいけないし、動物をとってはいけない地域です。それなのに、毎晩銃声が聞こえます。もはや世界中、保護林と保護地域にしか動物がいないのに、密猟は続いている。アフリカなどでは、取り締まる側よりも密猟者のほうが優秀な武器を持っているくらいですからね。インドネシアでも銃を持つのは厳しく取り締まられているはずです。でも密猟は終わらない。銃を持つ人が誰だか、すぐにわかるでしょう。軍人か、あるいは支配権力をもつ金持ち。生活のためか、ゲーム狩猟の結果であっても、とられた動物のほとんどは肉として市場に売られてます。それが罰せられたって話は、聞いたことがありません。

そして移民政策の進行。インドネシアは今、経済開発のためにボルネオやスラヴェシに人口を移動させ、日本向けのエビの養殖や森の開発を進めています。エビの養殖には信じられないほどの抗生物質や化学飼料が使われています。この国が近代化していくためには、それしかないのかもしれません。このブキットスハルトの森も同じです。すべて現金稼ぎのために胡椒畑に変わっていく。

人口が増えれば土地を遊ばせる余裕がなくなるんです。大量の収穫を得ようとするためには焼き畑ではなく、化学肥料を大量に散布するでしょう。結果的に日本の土地の利用のしかたと似てきます。本来の森はほとんど失われているのに、植林されたスギの山、パッチ状に残った自然の山々、果樹園となった丘陵地帯、畑になった平地——まるで日本の風景でしょう。

伐採もインドネシア政府の国策です。未開のカリマンタンを開発して外貨を稼ぐ——切るな、と言われても、それじゃあ貧しい人々を生かしていくにはどうしたらいいのか。

将来を語るなら、やはり森は伐採され続けるでしょう。保護林を除いて本来の森林はいずれなくなるっていうのが僕の予想です。われわれにできることは、ただ伐採のしかたの制限を強めていく、ということでしょうね。伐採樹種の限定、太さの制限——それらの条件が守られていくかぎりは原生林の外観を保つことも可能かもしれません。そういった伐採の条件をきちんと守っていけば、森の再生能力によって人類は森を利用しつつ保護できる。

——理想です。でも、それは不可能でしょう。世界の回転はあまりにも早すぎる。ヒトは自然の再生能力を無視して走っている。

——植林は間に合いませんか?

この地域でもユーカリやアカシヤが大量に植林されていってます。ユーカリやアカシヤは薪や日本向けOA機器の感熱紙の原料であるチップ材として使える。たしかに経済効果が高い。でも、それらはいい森の中心をなしてきたフタバガキ科の樹ではありません。日本で植えているカラマツと同じでしょう。ユーカリやアカシヤには哺乳動物にとってエサとなる虫がつきません。その葉や樹液にしてもごく特殊な種類の昆虫しか食料にしないのです。コアラだって六百種あるユーカリのうちの十数種類しか食べれません。あとは見向きもしません。訓練して、無理にでも食べさせれば餌になる可能性もあるかもしれない。

フタバガキ科の樹木が陰樹だから、ユーカリなどで影りを作るという発想もあるようですが、ユーカリ、アカシヤは土壌中の水分や栄養を大量に吸い込みますからね。他の植物が育つ環境を破壊しているともいえます。

今、地球で進められている環境保全、森の保護、植林といった対策は解決にはなりません。インドネシアで進んでいる伐採業者への造林義務は、促成樹種のユーカリやアカシヤを植え、みかけの緑を確保するだけで、森の再生とはほど遠いですからね。法律を守っている、と見せかけるだけの植林ですから、樹間距離が短かすぎて、一本一本が十分に成長するための栄養も行き渡らない。

それぞれの国々が別々に論じているかぎりは絶対に解決の糸口はないでしょう。熱帯雨林は地球すべての国の財産、という考えをすべてのヒトが持てるかどうかがためされているんです。

いずれにしても、むずかしすぎる問題で、僕にはどうすればいいのかわかりません。ただ――。森というのはやっぱり少なくとも百年のサイクルで完成するわけでしょう。僕たち研究者も世代交代しながら、熱帯雨林を再生するように、その成果を受け継いでいくような考え方をもっていかなければならないって思ってます。

伐採商人

これ以上、伐採規制が厳しくなったらどうするんだ？

サマリンダ／ロギング・マネージャー
J・M（54歳・在外25年）

日本の大手機械メーカーに勤務していたMさんが最初にインドネシアを訪れたのは一九六五年、二五歳のときだった。日本の戦後補償で計画されたカリマンタン森林開発のチームの一人として二年間の赴任だった。そして帰国。結婚して子どもも誕生した。しかし、カリマンタンの森の暮らしが心に焼きついて離れない。

四年後、森林開発計画時代の仲間から誘われ、再びカリマンタンに戻る。しかし八〇年、スハルト大統領は丸太の輸出全面禁止政策を打ち出し、自国企業に伐採権を優先して与えるようになる。チームは解散。仲間は新たな森を求め、アマゾン、アフリカに散って行った。Mさんはインドネシアの大手企業から、ロギング・マネージャーのポストに誘われた。

それからはどっぷりです。どっぷり、どっぷり（笑い）。

私たちが最初に森に入った頃の道具は斧でした。河に近いところだけを伐採して、筏を組み、河の流れにのせて運んでました。木材を四、五メートルの長さに切って、洪水を待つんです。水があふれれば、木材が浮いて運びやすくなりますからね。クダクダシステム――これが機械化が始まる前の生産でした。

カリマンタンで本格的に機械伐採が始まったのは七一年頃でしょう。

マハカム河の岸辺には直径一メートルなんて大木がなくなりました。八二年には山火事もあった。ボルネオでは、四年周期で乾期が長引く年があるんです。八二年は異常だった。それで自然発火してしまったんですね。六月から年明けて三月くらいまで七ヵ月も森が燃え続けたんですよ。生木が音をたててバリバリと――。私はサマリンダ近くのキャンプに入っていたんですが、飛び火がものすごかった。普通、トラクターなどはキャンプなり、集材した近くに置いておきます。でも、あのときは用心のために一番広い道路の、枯れ木がないところに置いておいた。それが一夜にして、二台とも焼けてしまったんです。私どものコンセッション（政府に伐採権を与えられている地域）は十五万ヘクタールありましたが、その二四パーセントに火が入り、一四パーセントは熱風で枯れてしまった。町の暮らしも停滞してしまいました。幹線道路は黒煙で視界がとれず、米や缶詰の保存食品で何とか食いつなぎましたが、野菜や肉の買いつけはできません。飲み水にも影響がでました。マハカム河の上流からの流水量が多ければ潮が満ちても水道に海水は混じりません。あのときは上流にも雨が降らなかったので枯れてしまった。サマリンダの水道に海水が入り込み、飲み水として使えなくなってしまった。

あの山火事でずいぶん傷めつけられたけれど、マハカム河を八時間ほど上流にいくと、ここの森にはまだまだ深い原生林があるんですよ。

森は美しく、しかし恐ろしい世界です。僕なんかも、仕事柄いろいろな山にサーベイヤー（調査隊）を入れてますでしょう。いくら繰り返しても、彼らが帰ってくるまで心配が絶えません。

昔、うちのサーベイヤーがタラカン地区で行方不明になったことがあります。十何人のグループだったんですが、たまたま一人のサーベイヤーが近道をしようとした。ところが綺麗な鳥がいたそうですよ。それを追っかけたんですね。そして仲間とはぐれてしまったんです。彼は、穴に隠れたっていいます。その穴の中で、最初の数日は鳥を養っていたって……。行方不明を知ったわれわれはまず、警察と軍隊に捜索を頼みました。森の住民ダヤク族の人たちにも捜索をお願いしました。行方不明になって二十日目、最後の手段で祈禱師に頼んだんです。そしたら、生きてるって言います。祈禱師は漠然と方向をさし示し、穴ぐらに入っているって言います。祈禱師の指図どおりの方角に猟犬を放って、さがしました。たしかに、その方角に、しかも穴ぐらに彼はいたんです。仲間とはぐれた所から数キロと離れていない、捜索隊が何度も往復したところだった。

不思議なのは、水筒の水を一滴も飲んだ形跡がないことです。二八日間、彼には何も口に入れた記憶がない。昼に樹液がついていてはいました。こっちはトカゲとか、山のマンゴーとか、何だって食べるだろう、って思いますよ。でも何も食べた痕跡がないんですね。

家族を一緒に付き添わせてすぐに入院させました。一日のうち朝の二時間は正常なんです。二時間をピチッと過ぎると、子どもと家族の見分けすらつかなくなる。瓶を投げつけたり、暴力的になってしまう。半狂乱の状態になってしまうんです。われわれが、森のなかで何があったのか、と聞こうものなら、すさまじく怖がり、暴れます。そんな症状が長い間続きました。結局、誰も彼の二八日間については聞きませんでした。現在、彼には夜警の仕事についてもらってますけれどね。山に入るのだけはもういやだって言います。

熱帯雨林保護への国際世論は厳しくなっている。

インドネシアの伐採権は、たとえば私どもの場合、東カリマンタン三ヵ所、西カリマンタン四ヵ所、っていうように分散して与えられます。熱帯雨林の樹というのは、三五年くらいたつと、直径四、五十センチの樹には育つんですね。だから、国からは「この十万ヘクタールを三五年で開発してください」と指示されます。一年間の伐採面積はおのずと決められるということです。しかもわれわれが周辺地域を調査し、三五年分の伐採計画を作成しなければなりません。調査内容は、伐採予定地域にはどのような樹種がどの程度の規模で残っているのか、地形、土壌はどうなっているのか、といったものです。

また道路建設予定計画図、施工方法などの計画書の提出も求められます。だから、伐採というのは林業というよりも土木事業なんです。土木事業が終わった後にようやく伐採が始まるってことです。

道路の基準は決まっていません。機材を傷めず、コンスタントな生産量を維持するには砂利道にしよう、とか各社それぞれで決めます。ただし、道路の幅は五十メートル以内。政府は道路の中心から左右二五メートルの伐採を認めています。私どもは平均十メートル幅で、トラックが通れる程度の道路ですね。インドネシアは、伐採の許可基準が厳しく、毎月、計画についての監査も入ります――伐採許可がおりたとしても、勝手にはやれません。

しかも近年は、伐採後の造林も義務づけられてます。しかしわれわれは営利目的の会社でしょう。投資したものをいかに効率よく回収していくか、というのが目的です。植林、造林の義務は非常に重い負担です。つい最近までは、他の政府機関や業者に寄附をして造林事業を委託してきました。でも、二年前からは造林も伐採した会社の義務になりましたよ。

現在、インドネシアでは丸太の輸出も完全に禁止されてます。原木のままでなく、製品、半製品の付加価値をつけた輸出しか許されてません。工業製品にすることで失業対策もかねているんでしょう。大半は合板や家具ですね。主な輸出先はコンスタントに買ってくれるのが日本、今はアメリカ、フランスがいいお得意さんです。

私どもの会社は、インドネシアの森林開発で一番の後発です。ランキングにすると六百社のうち九位くらいかなあ。月間生産は丸太で約五万立方メートルほど、日本で言いますと十八万石くらいですか。立木で八万本くらい。河に流すときには二つ切り、三つ切りにして筏《いかだ》を組みますから、おそらく目のとどくところは丸太の筏で埋まるほどの量でしょう。

この国の外貨収入は石油、天然ガス、木材が主なものです。木材はなかでも圧倒的な数字です。かつては生産をあげた木材会社には感謝状がでたのに、今は全然逆です。毎年規制が厳しくなるばっかりですよ。

われわれ伐採業者にすれば、この先もっと生産量を抑えられたらどうするんだ、って不安と苛立ちがあります。東カリマンタンの三つの事業所のうち、二事業所は去年の伐採量の六〇パーセントまで落としています。四〇パーセントの差をいったい何で埋めればいいのか？　伐採とそれにまつわる土木工事はオートメーション化ができません。ロボットも使えない。人間がやる領域がとても大きい。すでに設備投資もしてしまっているし、従業員も簡単にクビ切りはできないんです。

現在でも一工場で平均二千人の従業員が働いてます。合板工場では六千人も働いてるんです。それぞれの工場に、材を平均して供給しないと仕事がストップしてしまいます。半分しか材を供給できないと、単純計算して三千人が失業するはめになる。まあ、幸いにして新しい事業所が二ヵ所、認められましたからね。とりあえず、従業員をそこに移動させます。結局、不足分を埋めるために奥地を開発しなければなりません。伐採効率は非常に悪くなってきてます。

環境保護、の一声で来年からは半減、と命じられても、従業員を失業させるわけにもいかない。マネージャーとしては板ばさみですよ。

森のたそがれ

森をプラスチックと同じだと錯覚したんじゃないか？

マレーシア、クチン／伐採業
公文一自（67歳・在外延べ五〇〇〇日）

ボルネオには今も純粋の「森のヒト」がいるって信じられてます。オランはヒト、ウータンは森の意味でしょう。オランウータン。山を歩いていると、人里離れた奥地にヒトが寝た跡もあります。ガハールという香をとる樹を斧で切った跡もありました。地元の人に聞くと、森のヒトだ、って。猿だったら斧を使わないでしょう。さらに、彼らは崖に面した雨に濡れない所で物々交換をやっているらしい。ある時、何か置いてあったので、数日たって行くとちゃんと代わりの品物が置いてあった。塩、刃物、煙草……。お互いに姿を見せずに交換しているんですね。

もう一つ不思議なのはオオカミ少年です。インドネシアのバリクパパンという町には、乳児のときにさらわれて動物に育てられた少年がいました。かつてあるとき、山の中で演習をしていた軍隊が四本足で歩いている少年を見つけた。つかまえてみると、言葉を話さない。ある軍曹がひきとって育てた。その子が私の工場でいたずらをした。学生服を着てましたけど、目は猿の目でしたわ。「コラッ」ってどなっても通じない。軍曹の言うことだけはきくらしいです。十歳くらいまで森の中にいたから、ウーッ、ウーッって唸るだけけみたいでした。

オオカミ少年だけじゃない。森で育った地元の人間には都会育ちの私らにはかなわない動物的な直観、鋭い五感があります。蔦のからまりかたで方角を見定めたり、踏み分け道の道端の笹や木の切り口でどこの村の誰がいつ通ったってことまで判断する。深夜、闇の中にもかかわらずサソリやムササビがどこにいるか感じとるらしい。

一九六〇年代、公文さんは営林署の職員として日本全国の国有林を回っていた。そして、アメリカで合板が開発された。合板にはアジア産の南洋材がもっともいい、と日本も南洋に進出する。

今、伐採業者は森林破壊の元凶、なんて批難されてますけれど、昔は日本の資源確保、保護のために無限にある南洋材を切る、しかもインドネシアやフィリピンの経済発展のお手伝いにもなる、ということで正義の味方扱いでしたよ。インドネシアに出発するときなんか「産業戦士、海を渡る」という大見出しで高知新聞の記事になったほどでした。

日本の商社もプロジェクトを組んで大々的に人を送りだしたものです。私も引き抜かれました。それがしばらくすると南洋材は商売にならない、と大手商社は撤退、すべてを子会社に委託するようになり、同時に私の職場も子会社にかわりました。移籍した子会社は赤字続きでつぶれ、現在は、植林プロジェクトの嘱託社員をやってます。木材産業の衰退期ってことなんでしょうなあ。

公文さんは、カリマンタンのカラカン地方を皮切りにセレベス、マルク諸島、そしてスマトラのジャンビ、タカンバル、フィリピンのミンダナオ島、パプアニューギニア、ニューアイルランド、マレーシアのサラワク、と南洋材を求めてアジアの伐採現場を転々とした。

これまで回ってきた熱帯雨林で一番いい山は、一ヘクタールあたり二四〇立方メートルという山でした。高知県のやなせの森は一ヘクタール当たり二〇〇〇立方メートルでしたからね。熱帯雨林がいかに効率の悪い山か、わかるでしょう。マレーシアでいい山だと言われるところで一ヘクタール一一〇か二〇、一般的には六〇。価値の低い山で三〇。一本の木がだいたい四から五立方メートルですから、一ヘクタールで八本かそこらしか商品にはなりません。しかも、日本の檜《ひのき》とちがって、南洋材は第一枝下高（一本目の枝がはるところまでの幹）までしか使えませんからね。無駄が多い。

南洋材の歴史は合板の歴史です。アメリカが技術開発して合板を作りだした。最初の二、三十年は旋盤機械の開発、進歩を必要としなかったです。太い樹を切るための施盤機械しかありませんでした。なぜなら、原料の熱帯雨林の森が無限だって考えられてましたから。ただし伐採のスピードだけは速くするように開発してました。速く、速くってことです。それがここ数年、最小直径が三十センチから五センチの樹まで切れる旋盤機械が登場した。昔は見向きもしなかった直径二五センチくらいの樹も使うようになったってことでしょう。

それと昔の日本はいわゆるラワン材だけを合板にしてました。他の樹種は合板原料にしようともしなかった。ラワン材がいくらでも無尽蔵にあると思ってたからです。それが、今はクルインをはじめ何十種類もの樹種を使ってます。

日本の合板の使い方に問題があったと思います。日本はよその国の資源をあてにして、しかも買いたたけばいくらでも安くたたける。限界を考えないでいいと思っていたんでしょう。屋根の下地、壁の内外に合板を使うのはいいんです。ところが高度成長期には、コンクリート部分の型枠として合板を使うようになった。かつて型枠には針葉樹の板を使い、コンクリートを削り落として三回ほど使いまわしをしてました。でも、削る手間と人件費を惜しむようになったんです。しかも、次の建築現場が始まるまで倉庫に保管しておかなければならない。倉庫料を節約したい。そうなると新しい合板を買ったほうが安い。合板屋に電話一本入れれば運賃、金利、倉庫料も必要なく、言われた期日に運んできます。日本人は自国産の檜は貴重だって思うくせに、南洋産の合板については貴重だって実感を持たなかった。消耗品感覚で合板を使ったんです。いくらでもできる工業製品、プラスチックと同じように考えたんじゃないでしょうか。日本がそういうふうに合板を使いはじめて三十年くらいになるでしょうか。樹がなくなるはずですよ。

——二次林にもいろいろな概念があるみたいですね？

二次林を見たことがありますか？　伐採や択伐をやったあとの林を一般的に二次林と呼んでいるみたいですね。僕に言わせれば、あれは天然林です。

奥地で大部落を形成してたプナン族が焼き畑をした後、二十メートルくらいにまで成長したメランティというラワンの純林のようなところが、僕にとっての二次林です。あの林の樹は、二十メートルあっても三十メートルあっても利用できるところはせいぜいが二、三メートルでしょう。発芽のときに太陽に当たってしまったからです。熱帯雨林を構成するフタバガキ科の植物は、だいたいが陰樹です。陰樹の場合、幼樹のときに太陽を浴びると、地面に近いうちから、枝がでてしまう。第一枝下高の高いすっきりした樹木に育ちません。

それなら、枝打ちしたらいい、という発想をなさった方がいました。でも何百万本もの樹木全部に枝打ちできるでしょうか？　たとえ手をかけて枝打ちしたとしても、無駄です。枝打ちをしたら、腐りました。日本には大正時代に植林した欅《けやき》の国有林があります。欅は腐りにくいので、枝打ちをしました。枝打ちした跡には腐れがはいらないように壁土のような石灰が塗ってあり、なおかつ巻き込みになっていた。貴重材ならそれほどの手間をかけても採算が合います。でも、南洋のラワンにそんなことをしたら、コストが合いません。

実際、熱帯雨林の半数ちかくのラワン材は芯が腐ってます。高温、多湿でフキュウ菌が繁殖しやすいんでしょう。もう一つ、樹が小さいときに風に当たると、ものすごく揺れます。根に近いところからしなって揺れる。そうすると肉離れのような症状になってしまうんですね。根っこから揺れるから、何かの拍子に根に傷がつき、そこからフキュウ菌が入り込んでいく。それだけじゃない。ある時期、何十日も雨が降らないと、樹は成長を停止せざるをえません。一見、年輪のようなものができることがある。養分がまわらないで、腐ってしまったってことなんです。

では南洋材のすべてが軟弱な樹木なのだろうか？　そうじゃない。ボルネオテツボクという樹種があります。

インドネシアではウリンと呼ばれてます。これは腐りにくい。インドネシアでは瓦のように、屋根材としてウリンを使ってます。戦時中、日本軍はこのウリンを道路や橋に使いました。村人たちは今もそのまま使ってます。

ウリンに次ぐのがバンキライ。これも五十年以上は腐らないでしょう。インドネシアはバンキライを好んで建築材に使ってます。日本は使わない。合板の材料にもしない。日本の大工が嫌う理由は、杉、檜を基準に大工道具を作っているからです。

公文さんの最後の職場は、三菱商事森林開発室が中心となって始めたサラワクの熱帯雨林再生プロジェクトの現地下請け会社だった。これまで不可能とされたフタバガキ科樹種の直接植林による原生林の再生計画である。

——熱帯雨林の再生は可能なのだろうか?

できると思います。とてつもなくお金と手間をかければね。ただ、熱帯雨林の植林が林業経営として成り立つとは思いません。ユーカリやアカシヤなどの促成栽培植物ではない、フタバガキ科の植林による原生林再生計画は資金を食うばっかりでしょう。見返りはないと思ったほうがいい。熱帯雨林の再生は、一企業の仕事としてではなく、軍事費や宇宙開発にかけていたお金を使って地球規模で進めていくしか手がないでしょう。今、サラワクでは約三ヘクタールの土地に何万本かの苗を植えています。アマゾン地方でも同じような計画が進んでいる。でも、正直に言うなら、果てしない熱帯に一滴の雫が落ちたって程度でしかないでしょう。まあ、理屈こねて、反対ばかり唱えている人たちよりはまずは一歩を踏みだしたことを評価すべきじゃないでしょうかね。

そして定年。今、森との長い縁が切れた。

やっぱり、伐採する木の直径が毎年細くなっていくのは忍びなかったです。やむをえなかったこととはいえ昔は見向きもしなかった樹種を送りだすたびに、時代の流れを感じました。人類が地球で長く生きていくためには、産業も細く長く、でなければ……。うどんじゃ駄目、素麺でなければ、ね。私はそう思ってます。

開拓者魂

どうやったらアマゾンの農民は生きていけるのか？

マナウス／環境庁特別補佐官
長岡正雄（67歳・在外39年）

俺のことしゃべったら三十年かかるわ。なんだかわかんねえけどな、よく古武士みたいな顔つきだって人に言われる。

長岡さんは山形県で生まれた。戦時中、学徒動員に召集され、十八歳で終戦。商業高校を卒業後、開拓農民となるが、小規模農業に飽き足らず、ブラジルのポルトベーリョに入植。三十町歩のジャングルの開墾から始めた。

一生懸命働いて、三年でトラクターを買った。三年でトラクター買った奴なんか他にいないよ。最初は陸稲をやった。次にマンジョウカ、キャッサバ芋を植えた。ところがいくらやったってきりがないんだ（笑い）。アマゾンには直径二メートル五〇センチくらいの根っこがあるんだ。一番大きなトラクターだって押せない。下草の勢いの方が強い。結局、焼き畑農業しかない。だいたいアマゾンには雨が多すぎる。年間を通して二二〇〇ミリも雨が降る。雨の降らない季節が二ヵ月しかない。重機械を使ってようやく抜根して畑作っても、雨で土地が駄目になっちまう。養分が地下水に混ざって逃げてしまうんだ。アマゾンの樹は、養分のない土に根をはっているってことなんだ。樹の葉や枝が落ちて腐ったものを根が吸収して養分にしている。だから、焼き畑で落ち葉や枝を焼いてしまうと、循環させる養分がなくなって、二、三年で土地が痩せてってしまう。

アマゾンは開墾すべきじゃない、っていうのがいろいろやってみたあげくの俺の結論だった。それで養鶏とオレンジをやった。日系人は皆ピメンタ（胡椒）を植える。オレンジ植えたのは俺だけだった。俺が儲かったってわかったら、皆がオレンジを植えだした。それじゃ、商品にならねえ。次にパイナップルを植えた。果実はなったけど、近くに大きな町がない。だからパイナップルを売る市場がない。結局、やりくりのつく奴は出てったよ。

子どもが多くて、金のない人間だけが残った。

俺はクソ真面目だったからな。とにかく農耕をやろう、人よりも一本でもたくさんの樹を伐採して開拓をしようって、やってきた。百姓にとっては、アマゾンの樹は邪魔者でしかない。マホガニーを切って、サントスの木材市場まで三七〇〇キロも運んだ。そのときに考えた。今運んでる樹が現在の大木になるには五百年から千年もかかっただろうってな。ロンドニア州では、すでに三〇パーセントの森が伐採されている。森が消えるのも時間の問題だ。植林を考えた。植林はいいけど、時間がかかる。でも植えなかったら、大木はできない。山奥に一千町歩の土地を買って、八十町歩のマホガニーを植林した。三年たったら、山火事が入って全部燃えてしまった。乾期になると理由もなく原生林が燃えてしまうことがよくあるんだ。バリバリバリッて音がする。消しようがない。煙から逃げるだけで精一杯さ。

それでもっと植林に適した土地がないだろうかって、アマゾンをクルクル回って歩いた。JICA（外務省の外郭団体の日本国際協力事業団）がアマゾン河口の大都市ベレンで開いた講習会にも行った。そのとき、平賀練吉先生から植林をするならパウホーザっていう香料をとる樹種が面白いって教えられた。でも、どこをさがしても種がない。役所には何百町歩っていう植林計画がでているのに、どこにも一本も植わってない。調べてみたら、植林計画におりた予算を、皆で不正に分けちゃったんだな。なんとか、種を調達してまずは整然と植えた。そしたら百本すべてが枯れてしまった。手入れすると枯れる。それなのにまったく再生林のなかに放ったらかしにしておくと大丈夫なんだ。そのとき、アマゾンには人間の想像もできない自然の力があるってわかったんだ。

一九六九年に本格的に森に入ったよ。樹が気になってしかたなかったからな。ものすごい世界だった。

ともかく、三日も四日も山に入りっぱなしで歩いた。新しいズックを履いていったのに、小指のところに穴があいてしまったくらい歩いた。原生林を一週間歩いたら、マホガニーの群生にぶつかった。そこを抜けるのにさらに一週間かかるほど広く深いマホガニーの森だった。切って売ったら大変な財産になる。マホガニーに向かって「お前、誰にも気づかれるなよ」って祈ったね。

つい最近、あのマホガニーの森の周辺がインディオの保護区に指定された。もしかしたら、インディオが伐採して売り出してしまうかもしれん（涙）。

森の旅から帰って、わしは日系移民を担当しているJICAのサンパウロ事務所と、ブラジルの環境団体に森が危ないって手紙を書いた。将来の植林のために今すぐにデータ作成を始めなければ手遅れになる、ってね。何通もの手紙を書いたよ。でも、誰もがアマゾンは開発すべきところだ、って信じこんでいる。ブラジルの連中は、アマゾンは無限だって思っているんだ。

JICAは三度も調査に来た。そして十年後、一九七九年に日本政府はようやくわしが計画したアマゾンのマホガニー植林事業に四〇〇万ドルの予算をつけた。

同じ頃、アメリカ合衆国の富豪がジャリー計画と呼ばれるアマゾン開発計画を推進しようとしていた。ブラジル政府からアマゾンの土地を譲り受け、パルプの大プランテーションを造るという計画である。ブラジル政府はジャリー計画でアメリカなど大国の分州がアマゾンにできあがることへの警戒心を強め、日本資本のアマゾンへの参入をも、拒否した。長岡さんの夢は頓挫する。

日本政府はすでに四〇〇万ドルを予算として計上していた。その金をどこに使うか？　同じアマゾンでもペルー側ならいいだろう、とわしにペルー行きの打診があった。かかあは「行こう」って言ったさ。わしは「行かん！」って断った。わしの一生はブラジルのアマゾンに埋めるんだからな。

マホガニー植林計画の後、場所を変えてゴムの植林を始めた。八三年、アマゾン州の州統領から農地植民局に誘われた。月給は一ヵ月一〇〇ドルだって言う。考えたさ。でも農園を続けたって、自分のためだけでしかない。植民地を開けば、自分は儲からなくても、アマゾンのためにはなるだろう。その方が面白いって、長男に農園をまかせて植民地開発の仕事を始めたんだ。

ブラジルとコロンビアの国境地帯では、時折、戦闘が行われていた。三人のブラジル兵がコロンビア兵に殺された事件をきっかけに、一九八六年、国境地域に戦略的農業植民地を切り拓こう、という計画がもちあがった。

計画を聞いたときに、わしはすぐに植民局長のところに行った。「あそこは乾期のない所だ。乾期がなければ山が焼けない。農民は作物を作れないじゃないか」と抗議した。局長は国境あたりの事情について知らなかった。

すでに六十家族が入植することが決まってると言うんだ。土地がいいし、どんな作物もできる、って宣伝して農民をひっぱったって。貧しい土地なし農民たちは土地をただでもらえるっていう条件に飛びつくんだ。

それは大変だ、ってアマゾナス州の農務省に行って四ヵ月かけて過去十年分の記録を調べ、気候、雨量のデータをとり、折れ線グラフを作った。案の定、一年中雨ばかり、暑いだけのとりえのない地域だった。その間に農民は入植してしまった。入った人間はかわいそうだ。必死に伐採して山焼こうとしたって湿気で焼けない。多くの農民は見切りをつけて他の土地に移ったけれど、三人の入植者だけは残ってがんばった。でも、樹が全部腐ってしまったって聞いている。

コロンビアとの国境警備のために、農業植民地を開拓する計画は、その後もう一度提案された。だけど実現はしなかった。たとえ開拓できたとして、作物を生産したって、あんな所では売る場所ないよ。マナウスまで一八〇〇キロ、トラックで二八日かかるから、運んでいるうちに農作物も腐ってしまうさ。採算が合うのはせいぜいコカインか麻薬くらいなものだろう。そんなところに農民入れるのは人権侵害だ。軍隊みたいに給料くれるならいいけどな。

一九九〇年、アマゾンのマナウス市で環境サミットの予行演習をやったんだ。世界中の学者が集まった。日本やアメリカのような金持ちの国がバックについた学者は「森を焼くのはもっとも愚かな行為だ」って主張した。テレビなんかも、山を焼くな、焼くのは地球の将来にとって愚かなことだ、って宣伝する。じゃあ、教えてくれ。どうやったらアマゾンの農民は生きていけるのか。「あんたがたがアマゾンで焼き畑以外の開拓方法を答えられないなら、農民が生きていくのは不可能だってことだろう。だったらこのテレビの宣伝もやめてくれ」って申し出たよ。

皆、アマゾンの森林は何パーセント減った、今年は何万町歩焼けた、って警告する。森の保護は、わしにとっても大切だ。だけど、たしかに人間は増え続けている。もっと大切な議論は、どうすればアマゾンの森を減らさないで人間が食べていけるのか、ってことじゃないだろうか？

長岡さんは独学で研究を進めた。ポルトガル語の原書も含め、ありとあらゆるデータに取り組んでいった。そして、五ヵ月をかけてアグロフォレストリーによる植民地大開発計画案をまとめあげ、日本のＪＩＣＡとブラジルの環境局に送った。論文の最後に、長岡さん自らが翻訳した孔子の詩が引用されている。

お前の計画が一年であれば穀物の種子をまけ
十年計画であれば樹を植えよ
もし百年の計画であれば民衆を教育せよ
一回種子をまけば、一回収穫するだろう
木を植えたなら、十回は収穫するだろう
民衆を教育したら、百年にわたって収穫があるだろう

これからは伐採しても、価値の高いフタバガキ科の樹種、マホガニーなどの樹種を最初から植えていく必要がある。二次林を原生林に近い状態までもっていかなければならない。普通の場合、伐採をしても三、四十年でみかけは原生林に近くなる。原生林が完全になるには三百年もかかる。コロンビア国境のように農産物を期待できない原生林には手をつけないほうがいい。わしの予測では、アマゾンの九〇パーセントは雨と暑さで農産物も何も生産できない所だ。こうしていけば森は残る。

ただし、ある程度は森林開拓を認めなければいけない。そうでなければ、ブラジルは人間を食わしていけない。アマゾンにしてみれば、先進国の環境保護団体が環境保全のために何もするな、と言うなら食っていくだけの金よこせってことじゃないだろうか。

ブラジル政府の予算がつき、長岡さんの研究をもとにした一家族六十町歩ずつ土地を分け、道路を造り、市場に送りだす開発計画が進んでいる。中心地に種や苗を供給する模範農場、脱穀所をおき、農民たちは模範農場に習って混植をしていく。すでに二八〇〇家族が計画予定地に移住してきている。

予算は四四〇〇万ドル。苗作りだけで十年はかかるだろう。農民に、植林のための苗を無料で分配していくんだ。農民は、すぐに金になる作物は何でも植える。だけど、二年先、三年先でなければ収穫できないものはなかなか植えようとはしない。つべこべ理屈をこねたって農民はそっぽ向くだけさ。模範農場は苗作りとともに身をもってアグロフォレストリーの効果を示していく所にする。

百町歩の模範農場をやってみせていくのは大変だぞ。

俺しかやる奴はいないだろうな。まず、マンジョウカを植える。マンジョウカは非常な勢いで土の成分を吸収するから、土が痩せていく。だけど成長が早いから、陰を作りだす木に使える。間にカフェを植える。カフェが育って、マンジョウカが直射日光を防ぐ役目を果たしおえたら、マンジョウカを出荷して現金収入にしていく。そうなったら、果物、ゴム、カスタニア、デンデヤシ――あらゆる樹種、背の高いやつから低いやつまで混植し、決してモノカルチャーにしない。いろいろな組み合わせのゴチャゴチャした果樹園がいい。

長岡さんがもう一方でJICAと進めている計画がマデラ河渓谷開発計画である。日系人が産業化したアマゾンジュートは合成繊維とインド産ジュートにおされ、壊滅的な打撃を被っている。ジュートに代わる農産物を作っても流通機能がないために、出荷に時間と手間がかかり、すべて腐ってしまう。そのために、乾燥機、脱粒機、精米機を設置し、流通経路を完備して半製品の形で出荷できるようにする、という計画だ。

総額一一〇万ドル、こまい仕事さ。わしの最後の目標はしょっちゅう洪水が絶えないプルス河の開発だ。プルス河の河川の長さを測ると、だいたい日本全国の河川を総合した程度になる。蛇行しているからしょっちゅう洪水をおこしている。あの河をもし、直線にすれば、二二〇〇キロの河が九〇〇キロにまで短くなる。水位も下がり、洪水もなくなる。物流のルートも非常によくなるはずだ。ただし、蛇行していて洪水が絶えないから、周辺の土壌がとてもよかったってことはある。そこが問題になるかもしれんなあ。この水を管理できるようになれば、一大水田地帯になると思う。

人からみれば俺は変な人間かもしれん。夢中だからな。外国人だから州の環境庁からは一二〇ドルの給料だけしかもらえない。だから生活は娘や息子たちの世話になってる。かかあにはいつも馬鹿だって言われる。俺は金にならん、って。悩んだよ。かかあがね、言うんだ。こんなことやめて、山に帰ろうって。

ところがね、嬉しいのは、日本に出稼ぎに行ってる息子が俺の仕事を継ぎたいって言ってることさ。

俺、二十年早く生まれすぎたかもしれないなあ。

一九九四年一月、ブラジル政府外務省から長岡さんに連絡があった。「懸案のマデラ河開発計画の原案が外務省を通過、出資者であるＪＩＣＡとの交渉を開始する。また今後一年間をかけて、貴君の原案の実行の可能性、一般社会におよぼす影響などの調査を行う」というものだった。

宴のあとに

ヒューマニズム

玉虫色、それがメキシコの本質です

メキシコシティ／元大統領顧問
妹尾隆彦（74歳・在外18年）

メキシコ人のオンボロ貨物トラックの落書きのひとつに「われわれはなぜ働くのか？　何のために働くのか？」というのがあった。彼らは人生を楽しむために働く。現代の日本は銭、金を中心にする社会です。日本国憲法に明記された「個人の尊重、生命・自由・幸福追求の権利」とは、ワーカホリックになり、無限に欲望を追求することで満たされるのだろうか？　あれなら経済大国になるのはあたりまえや。

バブルがはじけ、日本も大変だと思う。やはり、神様はお許しにならなかった。しかし、こういう不況の時代になるとメキシコはしたたかで、めっぽう強い。

戦前、大蔵省勤務だった妹尾さんは、召集されてビルマ戦線に出兵する。ひょんなことから、ビルマの少数民族カチン族に請われて三十万人の民の「国」の王様となった。王様の体験は『カチンの首かご』というノンフィクションにまとめられ、現在も名作として読み続けられている。戦後は大阪市港湾局に勤務。一九七二年の大阪万国博覧会に出向、そして大阪市経済局で定年を迎える。著作を通じて画家岡本太郎氏と出会い、親交を深める。

日本では、管理職の公務員にも「肩叩き」と称する実質的な定年があるわけです。たいていの人は、外郭団体の役員に天下りするか、盆栽作り、孫の世話、魚釣りなどをして過ごすでしょう?　僕はそれがイヤだった。五五歳までの人生とまったく違った人生を開拓して二度生きてやろう、と欲張ったんです。かえりみれば第一の人生は取得の人生、なんでもとりこむ人生だった。知識・経験・技術・財産などを追い求めてさまざまなキャリアを積み上げた。剣道、乗馬、著作、絵、スキー、茶道、華道、警察犬訓練士……あらゆる領域で一流のレベルに到達できたと思っている。だけど、第二の人生は放出して人に与え、カラッポになったら死を迎えようと決めたんです。そのためにも第二の人生は、過去の延長線上にあっては意味がない。第一の人生をすべて切って生きる。家内は定年前に亡くなってましたので、自分の財産をすべて子どもたちに譲り、その代わりその後のオヤジの生き方には一切口出しをしない約束をさせました。

あるとき、岡本太郎さんに定年後の設計を聞かれたんです。「イスタンブールあたりに行って、ロバを一頭買い、『子連れ狼』じゃないけれど大五郎と名付け、その背に日用品を載せてヨーロッパでも放浪して、デュッセルドルフくらいで一生を終えようと思う」って答えました。人間にとって豊かで幸せな人生とはなにかを追究したい、ってね。太郎さんは真顔で、ロバには「太郎」と名付けるなよと忠告し、反対しましたよ(笑い)。

そして彼にけしかけられたんです。

「ヨーロッパの文明先進諸国はいまや矛盾を抱えて苦悩している。君がそこに行っても収穫はない。行くなら発展途上国がいい。メキシコは文化が政治、経済と離れている数少ない国だ。メキシコに行け」って。

メキシコには岡本氏の親友小栗純三氏がいた。帝国ホテルのボーイだった小栗氏は、フィンランドの大富豪に見初められ、十五歳で日本を離れる。その後、数奇な運命をたどり、メキシコに漂着。七人の歴代メキシコ大統領の客人として人生を全うする。妹尾さんは、小栗氏の推挙でエチェベリア大統領顧問となった。

メキシコシティに到着したのは一九七六年だった。僕を迎えに来た車は六台。小栗さんが飛行場で待っていてね、そのままロス・ピノスの大統領官邸へ直行した。執務室前の赤絨毯の廊下には、四十人くらいの州知事や国会議員が大統領を待っていた。順番を待っていたら日が暮れてしまう。小栗さんが秘書官に耳打ちすると、一番最初に部屋に通された。大統領はシャツ一枚で、書類にサインをしていた。僕が入っていくと立ちあがって手を握り「よく来た」と肩を叩いた。

僕は小栗さんの通訳で「私はスペイン語ができないのですぐにお役にたてないのが残念です」と挨拶をした。すると彼は「私だって日本語ができないさ。私個人のために来てもらったのではない。メキシコのために来てくれと言ったんだ。時間はたっぷりある。君の好きなようにしてくれたまえ」と答えました。

忙しい身にもかかわらず、大統領は僕をクエルナバカの別荘に誘い、意見交換したり、彼が総裁を務める第三世界経済社会研究センターに学識経験者五十名を集め、午前二時まで僕の講義を聞いてくれたこともあった。

大統領府にある僕の机の上には、問題解決を求める案件が山のように積まれた。たとえば「開発のための公共投資はいかにあるべきか?」「低所得者層住宅をいかに供給すべきか?」「不法占拠公有地、不法建築をいかに処理すべきか?」「民芸品産業の組織化」「クルス・アスル地域のセメント公害対策」「鉱山労働者に対する環境整備、性処理、周辺町村の治安、物価対策」……。

メキシコの大統領は、一般的に前大統領の指名で決まる。そして大統領はすべてプリからでている。プリというのは安定政権をずっと続けている政党。メキシコは金持ちと貧民によって社会ができていて、上流階級の白人は固いブロックを固めて他の階層と交流しない。しかも、ここの上流階級は日本では想像もできないような金持ちなんだ。ジェット機を十何台もチャーターして、メキシコとオーストリアの一流ホテルを七軒くらい借りあげて、娘の十五歳の社交界デビューを祝うパーティを開いたりする。彼らの階層の妻は金髪、白人という条件もある。大統領は、この階層からだけでる。でも、現実の多数票はインディオが握っている。上流であってもインディオの信頼をかう人でなければ大統領にはなれない。今から何十年か前の大統領ベルトン・ファーレスはただ一人だけのインディオ出身者だった。現在の選挙制度では考えられないことだ。彼は、今も神様のように慕われている。

メキシコの大統領の任期は六年。憲法によって再選は禁止されている。その理由は、ピアスという大統領が三三年間やったことがあってね、彼は辣腕家ではあったけれども、いろいろ政治の澱《おり》も溜まった。その反省で、大統領は六年でよろしい、と憲法で決めたわけだ。もちろん、現在の制度にもいろいろと問題がある。極言すると、大統領交代期が近づくと国政が停滞してしまう。前大統領がてがけた懸案事項を次期大統領が受け継いでも、前大統領の功績になってしまう。だから、大統領になると、最初の二年間は血縁地縁の者をポストにつけることに血眼になる。次の二年間は、後世に名を残す計画に着手する。実行は残りの二年間だけ。最後の一年間は国民の関心が新しい大統領に移ってしまう。だから、工業団地や鉄工所建設も、大統領在任期間中に完成できないとわかれば、途中でやめてしまう。その結果、鉄工所が鉄骨のまま赤錆びてたり、街灯や道路の完成している工業団地が工事半ばのままゴーストタウンになったりした例がいくらでもある。新しいことが完成していかない。

大統領に就任するときは国民の歓呼に迎えられるけれども、やめるときには石もて追われる——それがメキシコ大統領の運命です。僕は、その六年目の最後の二ヵ月だけを残す時期に来たわけだ。僕が顧問となったエチェベリア大統領は、インディオにも理解があった。右翼ではないけれど、彼は、マッチョだった。「俺が政策を決める、お前らついてこい」ってやり方。中南米では、そういう専制的な指導者に人気が集まる。デモクラシーはまだまだ理解されてない。

メキシコにはチステというのがあるんです。日本語に訳すと艶笑小咄。メキシコ人にしかわからない微妙な韻をふんでいたり、歴史、文化がないまざった笑い話なんだ。男しか入れないバーでは朝から晩までテキーラ呑みながら、チステの仕込みをやってますよ。こんな馬鹿げたことに時間を使ってもったいない、って疑問を持つ人はこの地にいられません。チステを上手に話す人は、宴会とか食事のときに非常によくもてるんです。エチェベリア大統領は、そのチステになっている数がもっとも多い大統領でしたね。

任期切れ直前の着任とはいっても、僕もいろいろとやりましたよ。

コスメル島の観光開発計画の見直しもやりました。大統領の専用ジェット機を使って、豪華な調査旅行だった(笑い)。兄弟国だからグアテマラの領空でも平気。機内も豪華やった。ボタン押すと、横のドアがあいてウィスキーやコーヒーがでてくる。

コスメル島は、欧米、中南米から直行便が入る観光地だ。目のさめるような七色のカリブ海があり、夜は波間に星影の浮かぶロマンチックな島だ。地球上に残る「最後の楽園」だね。あそこは関税をかけない自由港だから。住民たちはテレビを二台も持っている。でも、メキシコの電波は入らない(笑い)。メキシコ国民がキューバのテレビを見ているんだ(笑い)。

まず住民の希望を調査すると、三つにまとめられた。第一にどんな計画でも自然破壊はいやだってこと。二番目は島民が食っていけるようにしてくれってこと。三番目が静謐《せいひつ》に、ってこと。こんな要求をだす人々っているだろうか。一と二はわかる。三は何だろうか? と思って調べたら、あそこにはレンタカーならぬレンタホンダってのがある。オートバイを観光客に貸すんだ。

一万数千トン級の定期観光船数隻で来島した観光客が連日連夜、島中をバイクで駆けめぐっている。

そこで僕は「罪滅ぼしにテレビの電波受信塔を建てたらどうか」とオートバイ会社に進言したのに、今にいたるも実現していない。企業ってほんとうにセコイんだ。

僕がたてた計画は、未開のジャングルに日本から公害のない技術を導入して精密機械工場群を建設し、保税で外国から優秀な素材を輸入して加工し、完成品を輸出すること。

もう一つは観光。現在のような自然のままの「ヤラズブッタクリ」でなく、島全体を国立公園に指定する。そしてヤシ林に、どこからも見えないようにリニアモーターカーを通す。川には熱帯魚がたくさん泳いでいる。蘭の花が咲き、イグアナやワニもいる。ユカタンからフラミンゴをとってきて、餌づけする。伊勢海老もとれる。外国から投資会社を募って、人工的に観光スポットを造りだせばいい。こういった僕の進言したいくつもの計画が、今も大統領府に計画書のまま眠ってる。

メキシコ人は外国人のたてた計画をとりいれたくないんだろうな。彼らはプライドが高い。まあ、僕の計画ってのはいつも三十年早いって言われるからなあ。

それにしても、メキシコってのは面白いよ。グアダラハラはメキシコ第二の都市だけれど、地下鉄がないのはメキシコの恥だ、って工事を始めたんですよ。トンネルが完成して、大統領を呼んで開通式をやろうっていうときになって車輛を入れてみたら、車輛のほうが大きくてトンネルに入らない。嘘のような話だろ？　ほんとうの話なんだ（笑い）。海外の出物を探して、安売りを買ったらサイズが合わなかった。今はトロリーバスがそのトンネルを走ってますよ。市民たちには、トロリーバスを入れる先見の明があった、って公式発表してました。その責任者はスペインに逃げて、三年後に帰国して政治家になっているよ。

エチェベリア大統領の任期が終わった二ヵ月後、妹尾さんは国立メキシコ大学研究室に移る。

ユカタン半島では、開発に関する調査をしました。「お前たちはデサローヨの精神がない」と僕はインディオに言ったことがある。ここで使うデサローヨは、改善するという意味なんです。

「デサローヨとはなんだ？　意味がわからない」

「いいほうに変えていくことだ」

「わからない。いいほうは神様のみが知っている」

——彼らは先祖代々、トウモロコシ、豆、トウガラシを作ってきた。日本人の僕が食生活を改善しろ、って言うけれども、他の野菜、動物性タンパク質を食べろ、そんなことやらなくたって、これまでもけっこう楽しく生きてきたじゃないか。過去の実績については彼ら自身がよく知っている。だけど、変えて将来はどうなるのか、それは神様しか知らないことだ（笑い）。

それが改善といえるのかどうかはわからない。

たとえばマヤ族は珍しい貝を板の上に並べて売っている。彼らがその貝を売りきるには十日くらいかかる。アメリカ人観光客が、十日もかかるなら、全部土産に買う、って値段を聞く。一日で十日分が稼げるのだから、あと九日は働かなくてもいいじゃないか、とアメリカ人は言う。そしたら、ノーって。マヤ族は全部は売らない。四つか五つなら売るけれど、明日売るものがなくなるようなことはしたくないって（笑い）。これがわからないと、マヤ文明はわからないね。

スペイン人と混血していない七百人のインディオが住む村でも農村開発計画のための調査をしました。その村の問題は、彼らのトウモロコシが町の仲買人によって買い手市場で買われてしまう。インディオが貧乏になっていっている。乾期になると飲み水が枯れ、隣村までもらい水に行かなければならない。男手のない家庭では、男手を雇ってもらい水に行く。出費がかさみます。道路が悪く、雨が降ると車が村に入っていけないので、ロバの背に病人を乗せて運んでいる。

それまでの計画案は、トウモロコシを保存するサイロや政府直系の売店の建造、道路整備、上下水道の配管などだった。仮にそれが正しくても大統領としては、全国にごまんとある同じような問題に悩む村に、いちいちそれをやるわけにはいきません。国の政策としてはなじめない。それで、大統領は僕に新しい計画をたてろ、って命じたわけです。

調査が始まり、村人と仲良くなるといろいろなことがわかってきました。ある日本人の農業技術者がその村のインディオに「お前たちのトウモロコシは一株に一個しか実らないじゃないか。日本の技術力なら一株に七つも八つも実がなる。どっちがいいのか考えてみろ」って。

もちろん七つ八つできるほうがいいに決まっている。さあ、これで借金も返せる、夢多い人生になった――農民は喜んだね。収穫の時期がきた。ある日、喜び勇んで刈り入れに行った。そしたら、トウモロコシが一個もない。野ネズミが食い荒らしたっていうんだ。伝統的な農法のトウモロコシは背が高いから、野ネズミが実のなっているところまで登れなかったっていうんだ（笑い）。

妹尾さんは日本から呼んだ夫人と再婚。誕生した息子に「最後の一滴」でできたから「一滴」と命名しようとした。「忠臣蔵」の清水一角、岡本太郎氏の父一平にならう気持ちもあった。しかし、双子が生まれる。急遽、太郎、次郎と名づけたが、次郎君は四日後に死去。太郎君は現在十六歳。メキシコシティで活躍を続けるバイオリニスト黒沼ユリ子さんの学校「黒沼ユリ子音楽院」のコンサートマスターをつとめたこともある。

黒沼さんが日本に行ったときのビデオを見て驚いた。日本の子どもたちの演奏はうまい。正確だし、狂いがない。だけど黒沼さんが「今弾いた音楽から何を連想する？」って質問しても答えがない。メキシコの子どもたちの方は「森に入ったら暗く、不安になる。木漏れ日がさす。あ、太陽の光ってあたたかい、嬉しい」って曲のイメージをたくさん語るんだね。

メキシコっていうと日本人は貧乏でかわいそうな国って同情するやろ？　メキシコ人がそれを知ったら怒るやろなあ。

メキシコにはヒューマニズムがあるんだ。メキシコには、貧富の差はあるかもしれないけれども人種差別はない。貧しい、ってことも、メキシコ人に言わせれば、それがどうしたってことだ。この国では金持ちは金持ちなり、貧乏人は貧乏人なりに人生をめいっぱい楽しんでる。一生懸命金持ちになって、人の管理やら、果ては泥棒に入られる心配でたくさんの鍵かけて、財産だまし取られるような人生はまっぴらだって思ってる。それより村祭りでプルケという安酒を呑んでご機嫌になって、娘たちと踊っているほうがいい。それをなまけ者というのは見解の相違さ。彼らは、金持ちのほうがかわいそうや、って思ってる。

メキシコの貧乏人はグアテマラの貧乏人ともずいぶんちがう。ここの田舎の農村に行ってごらん。花がいっぱいや。アヒルや犬、猫、鶏がギャーギャー。そんなところで寝て暮らしてる。グアテマラの貧乏人はいらんことをしない。花を植えない。生活の場に鶏、アヒル、猫、犬、無駄な動物がいない。日本人が「メキシコ人は貧乏でかわいそう」って思ったら、的外《まとはず》れですよ。

だからといえるかどうか、この国には福祉に関する特別な法律もない。こんなに法律が好きな国なのにおかしい。なにしろ世界一の憲法をもっている国だからね。世界中の憲法のいいところだけを集めて作ったから、世界一、立派なんだけれども、守るのもまた難しい（笑い）。調べてみたら福祉の法律など「必要ない」と言う。

たしかに老人はどこに行っても優遇される。下層に属しているインディオの身体障害者や知恵遅れの人も全然追いつめられていない。彼らが特別な施設に収容されることもない。薪拾いや狩りの労働にも村人たちと一緒に出かける。障害のために収穫量が少なくても、誰も何も言わない。社会の一員としてごく当然に受け入れられている。メキシコでもっとも大きなウナム大学（メキシコ国立自治大学）には三二万人の学生がいる。身体障害者もたくさん学んでいますよ。でもスロープなんかありません。通りかかった学生が自然に車椅子をかついで階段を上ってます。あがったときに「ありがとう」も言わない。お互いにあたりまえのことをあたりまえにやっているだけや。

メキシコ人もけっこう気が短いから、交通信号が青に変わっても渋滞してればブーブー警笛を鳴らす。だけど交通巡査が老婆の手をひいて渡っているときは、窓から首を出し、拍手を贈り、辛抱づよく待つ。

ここでは大学生も一プラス一を二とは言わない。この世界に一というのがどれだけあるだろうか。0・99999を無理に一と言わずにそのまま受け入れる。一はいったい誰が決めるのか。身体障害者は一かもしれないし、0・9999かもしれない。0・0001かもしれない。そういう考え方をするのはメキシコにグアダルーペさんがいやはるからや。

> スペイン人フェルナンデス・コルテスがメキシコを統治したとき、土着の信仰をカソリックに改宗させ、それに従わない者を皆殺しにした。しかし、メキシコ人たちは、ローマンカソリックに改宗したと見せかけ、土着信仰の混ざった褐色のマリア像、グアダルーペを作った。

メキシコ人はカソリックを自称していてもその八割はグアダルーペ信仰なんだ。マリア信仰は本来は非常に厳しい罰則の宗教や。だけどグアダルーペさんは救う、許す。うちに入った泥棒は、盗みに入る前にグアダルーペさんにお祈りしたって(笑い)。「これこれが足りないので、ちょっと持ってはる人のところに入って盗みます。ある程度盗めるまでは目を瞑《つぶ》っていてください」やて(笑い)。そしたら神様は「よいか。すべてを盗るんじゃないよ。必要なものだけだよ」——彼が盗んだのは使用中の化粧品とか安物のブローチだけだった。

恋人に贈る品物が欲しかったんだろう。

だから、というか。この国には死刑がない。軍事裁判の敵前逃亡とかは別や。人間は過ちを犯しやすい動物だと考えるからだろう。過失を死で償わせるのは酷いと感じている。だから、疑いもなく正義を振りかざすアメリカ合衆国を生理的に嫌っている。米国は正義は一つやて思ってる。メキシコ人は米国によるベトナムやイラクへの爆撃を心から憎んでいるね。

僕が大学で教えているとき思わず「アメリカ」って言葉を使ったら学生が猛反発したんや。われわれもアメリカだというわけや。日本人が何の疑いも抱かずに合衆国をさして「アメリカ」といっていることを、メキシコ人は実は複雑な気持ちで聞いているかもしれないね。

妹尾さんはつい最近、イタリア出身、マフィアの血縁にあたる二十歳の少女と熱烈な恋をした。みたびすべてを捨てて、新しい人生を開拓したのである。

中南米には男女の恋を扱った歌が少ない。『コンドルパッサ』みたいに自然を題材にした歌が多い。しかし、メキシコには男と女の歌が多い。恋をするのがあたりまえなんや。いろいろな葛藤こそ人間的で、あたりまえという考えだからや。

英語では、正しいか正しくないか、社会的に許容されるかされないか、それが判断の基準になっている。戦争か降参か、生か死か。白か黒かだけや。中間がないわけでしょう。白は光の集積にすぎず、黒は色の集積で、ともに人間的な色とは言えない。

メキシコって中間ばっかりでね。メキシコはいろいろな色をもっています。赤、橙、黄、緑、青、藍、紫、桃色……。その代表的なのがメキシカンオパールですよ。あれは光の角度によってころころ色が変わるやろ。玉虫色や。それがメキシコの本質なんですよ。したたかな国なんです。

だから、僕はここが大好きなんやね。

「進歩」の嘘

プレ・インカって繊細でおしゃれな時代でしょう?

リマ／天野博物館

阪根　博（44歳・在外20年）

日系移民一世としてペルーに渡った天野芳太郎は、幼い頃から「日本のシュリーマン」になりたい、という夢を抱いていた。シュリーマンは学者をめざしながらも、不幸な境遇から実業家の道を選び、晩年に発掘を始めた考古学者である。波瀾万丈の人生を送りつつ、天野はペルーで実業家として成功を収める。しかし、戦争による財産没収、アメリカの強制収容所への収容。戦後、再びペルーに戻った天野は、実業とともにプレ・インカ遺跡チャンカイに通うようになる。一九六四年、リマに天野博物館が完成する。天野、六六歳のときだった。

天野の孫である阪根博は、大学生になった一九七〇年、ナホトカ経由で欧米への旅に出る。帰途、ペルーに立ち寄り、祖父の博物館を知る。帰国後、日増しにペルーの記憶が強まり、再びリマを訪問した。

僕にとっての大学は天野大学でした。祖父から、日常的に五年間、授業を受けたわけです。卒業できたかどうかはわかりません。日本の大学教育とは根本的に質のちがう、決して準備のできない授業でした。あるときは食卓で食べ物の学名を問われる。あるときは漢詩をそらんじ、僕が何か呟けば、その歴史的背景からすべてをときあかす。日常の会話のすべてに問いと説明が交錯する。天野は物知りでしたが、コンパクトな知識でわかったような気になる百科事典的な解説を嫌悪する人でした。

テロ頻発、厳戒体制のリマ市。住宅街の一角に瀟洒《しょうしゃ》でコロニアルな天野博物館の建物がある。一階が事務所、二階は展示室。ここを訪れる一人一人に、阪根さんは展示物について懇切丁寧に、しかも熱っぽく解説する。一《いち》期一会《ごいちえ》——これが阪根さんの信条である。

一人の皇帝がたった一六〇人のスペイン人に捕まっただけで、なぜ誰も反抗できないままインカ帝国が滅びたのか？　これが大きな謎なんですね。なにしろ、日本の五、六倍の国土とそこに住む人々が一瞬で金縛りにあってしまったんだから。現代人は、滅亡した結果だけでインカ帝国の文化をたいしたものではない、と考えがちです。しかし、逆に言えば、それくらい皇帝の威令が徹底していたってことではないでしょうか？　呪術社会が、われわれが考える近代的なレベルとはまったく異なる位相で、非常にシステマティックに機能していたと考えたほうがいい。

長い風雪を耐え抜いて、ユニークな仕事をしている存在感のある人——そういう人を観察すると、真っ正直、料理がうまい、金の工面がうまい、といった日常生活をこなす細部の能力が発達しているんです。形而上的な能力が発達するには形而下的な基礎力がなければ駄目。

われわれは、プレ・インカのチャンカイ遺跡発掘でその実証をやっているんですよ。

今から二万年前、文化を持っていない狩猟民がベーリング海峡を渡って新大陸にやってきた。彼らは旧大陸から農耕狩猟をまったく教わらず、この地で独自の染織、土器、金属を発明した。そして数千年、各地に非常に高い文明を築きあげた。アンデス文明もその一つです。

アンデス文明を知れば知るほど、われわれが常識と信じているものがいかほどのものであったかということを考えなおさせられるんですね。

たとえば「コロンブスが新大陸を発見して五百年」という歴史の記述。ここに八世紀頃に作られた人の顔をモデルにした焼き物がある。顔の特徴を見比べると、さまざまな人種をモデルにしていることがわかる。アフリカのネグロ族、モンゴリアン、ヨーロピアン、ニュージーランドのマオリ族、オセアニアン、アンデスのインディオには絶対にありえなかった髭をたくわえた人の顔もある。あきらかにアラビア人と伺える顔もある。コロンブスが新大陸に到着する七、八百年前にすでにヨーロッパ大陸からこの地に漂着した人がいたってことです。コロンブスは、初めて新大陸に来た人ではなくて、最初にヨーロッパ大陸に帰っていった人として有名にするべきなんですね。

しかもコロンブスによって、旧大陸と新大陸が接触した瞬間に、アッというまにすべてが変容していった。

たとえば旧大陸で現在、伝統食、民族食と信じられている食物の多くが、実はアンデス原産だってことはあまり知られてません。今から五百年前、アフリカにはトウモロコシはなかったんです。イタリア人はスパゲティ・ナポリターナを食べていません。トマトがなかった。韓国人はキムチを食べていない。トウガラシがなかった。ドイツ人はジャガイモを食べてなかった。

三百年前の学者ルカンドルの言葉を引用しましょう。「新大陸とはすなわちジャガイモの発見である」——瘦せた土地でヨーロッパ人が何度もの飢饉、疫病、戦争を乗り越えて生きのびてこれたのは、ジャガイモがあったからです。コロンブスが持ちかえった偉大なお土産は——金塊や財宝だけでなく、ジャガイモとトマト、スパイスだったわけです。同時に、コーヒーはアラブやエチオピアの原産、バナナは東南アジアの原産だったのに、今では中南米全域に広がっている。

では、なぜアンデス地方に文明が栄えたのか?

基本はジャガイモです。ジャガイモは一般的には越年できません。かつて越年できる穀物のないところに文明が誕生した記録はありません。われわれが学んだ旧大陸の教科書には、ね。ところが、ここでは芋を越年させてしまった。それはチュウニョというフリーズドライ製法に秘密があった。アンデスの高地は、夜は零下になります。ジャガイモを夜中の外気にさらしておくと凍ります。

朝、凍結したジャガイモを足で踏むんです。そうすると水分だけが表に流れ、繊維の間に鬆《す》が入る。それを何度か繰り返すと高野豆腐のようになる。デンプンだけが残り、発芽しません。越年できる食料を持ったことで、突発的な凶作に備えて蓄積する計画性が生まれた。二年、三年後のスケジュールをたてることができた。

日本人は、近代的な暮らしがもっとも便利で豊かだって思っているよね。それがまた、つまらない常識にすぎないってことを次に実証します。

まずは、チャビンという二千八百年前の土器を持ってみてください。軽いでしょう？　もともと物というのは、視覚だけでなく見る、触る、嘗《な》める、聞く、嗅ぐといった五感を総動員して情報を伝えるんですね。持ちやすい、軽いというのは非常に大切な要素なんです。しかも、視覚的に人の顔を抽象化してオブジェとして模様にしている、形も機能的でしょう。ピカソやマチスの絵を思い出してください。まるで同じです。彼らの側がチャビン文明から影響を受けてるって思いませんか？

二重焼の技術で作られた土器もあります。この技法は、炎の温度調整によってはすぐにへたりこんでしまいます。こういうふうに綺麗な形が残っているのは、絶妙な技術を持っていたっていうことです。彼らはろくろを使いません。ろくろを使ったら技術的、形態的な制約が生まれたでしょう。ろくろを使わなかったからこそ、彼らはたたきじめの技術を生み出した。日本でいえばいい土とはいえないこの土地の土質のばらつきが逆に丈夫な土器を生み出したとも言えるんです。ばらつきによってお互いの性格をかばいあって強度が増し、薄い立ち物が可能になったわけです。

二つの注ぎ口をもつ酒壺があります。一つの穴が空気調節機能を果たし、もう一つが注ぎ口になるわけです。空気調節機能が働いて、水がやわらかく、きれいに流れるんですね。この技術は新大陸にしか、ない。

絵つけにはロストワックスといっていいわゆるロウケツの手法が使ってあります。このての技法の導入は世界でも早い方だった。

盃も残っている。当時の酒は、チイチャというトウモロコシのドブロク。アルコール度はビールに毛のはえた程度のものです。インディオたちは、現在も水より酒をよく飲むね。この地域は水質が悪いから、一種の漢方のような役割を果たしているのだと思う。

彼らの暮らしは酒なくて何のもの、ということだった

（笑い）。注ぎ口が笛になっている酒壺もある。盃にも繊細な工夫がほどこしてある。ドブロクを飲むと、飲み干した後、口に穀物や芋の残り滓が入って後味が悪くなるってことがあるでしょう。彼らの盃には溝が彫ってあり、澱がそこでとまるようになっている。重さ、機能、音、味、手触り——二千八百年前の人たちが五感のすべてを大事にして、楽しみながらお酒を飲んだってことがわかるでしょう？　僕たちは、彼らに酒道があったって考えている（笑い）。

　この鍬を持ってみて。把手を動かすたびに音がする。把手に細工があり、中に豆が入っている。働いているときも楽しくリズムをとる。じつにさまざまなところまで配慮されているだろう。

　これはティワナコで発掘したコンドルの形をした香炉。一千五百年前、高度四千メートルの高地の暮らしが想い浮んでくる。愉快なリズムにのって畑を耕し、ジャガイモを凍結させ、星明かりの下で香を焚き、布で作ったコサージュを鑑賞しながら、音の出る土器で盃を酌み交わす——豊かな社会だって思いませんか？

　忘れてならないのが、ここの土器は全部素焼きだということ。表面を釉薬《ゆうやく》でコーティングしない。多くの日本人は、釉薬の技術がなかったから素焼きにしている、と考えがちなのね。しかし、釉薬をかけた物もあるんです。不思議なのは彼らがそれを失敗作として扱っているということ。彼らは何らかの理由で、積極的に素焼きを選択したってことなんです。とくにチャンカイの焼き物は、あふれるほどの水を入れておいても、一日置いておくと、汗かいて穴から水が漏ってるんじゃないかって錯覚するほど減ってしまう。結果として醗酵が進む。だからまろやかになる。ワインクーラーと同じで、気化熱を奪うから、中の酒が微妙な温度に保たれて旨い（笑い）。

天野博物館の収集品は世界的な評価を得ている。なぜ天野はプレ・インカ文明のなかでもチャンカイという小さな地方文化にこだわったのだろうか？

チャンカイは王様の文化ではなく庶民の文化なんです。ほとんどが庶民の共同墓地から出土したミイラの埋葬品ばかり。霊魂不滅、魂が浄化して死後もいい暮らしができるようにさまざまな物を一緒に埋めたわけです。食物、織物、羽の帽子、人形、アクセサリー、道具……。ミイラが寂しくないように人形をクッションにして入れてあったりする。豊かで賑《にぎ》やかな埋葬なんですね。

天野はもしもチャンカイがなかったらこんなに燃えなかったでしょう。使命感に燃えたのは、チャンカイ文化が日本人にしかわかりえないエッセンスを含んでいたからです。

まず第一はモノクロの文化だってこと。彼らは彩色技術をもっているのに、時代が新しくなればなるほど色を減らしていった。色を捨てることで、より多くの色を表現した。そういうえぐい文化は世界広しといえども日本にしかありません。水墨画には紅葉、新緑、桜、色彩が満ちあふれている。かつて欧米の学者たちは、白地黒彩のチャンカイ文化は、漁労文化に毛のはえた程度の低い文化だ、って言ってました。ヨーロッパを基準にしていたら、チャンカイの白地黒彩の素晴らしさがわからないってことです。

日本文化とのつながりは色だけじゃない。十三、四年前のある夕方、発掘していたらミイラがでてきた。その横に綿で包んだ物があった。綿をはずしたら、ひしゃげたような壺がでてきた。壺の口を歪めて曲げて、閉じてしまった壺。一言で言えば、失敗作にしか見えない。

でも、捨てるようなものを綿で包んで、しかも亡くなった人の傍に置いておくでしょうか。チャンカイの人はこれを大切だ、いい姿だ、って思ったにちがいありません。そう思って見直すと、お茶で言えば景色がそこにあった。欧米人には決してわからない感覚です。

チャンカイの人々は、どうやらシンメトリカルなものを極度に嫌っている。一つ一つに個性をださないと気がすまない連中らしい。どこかにマイナス、歪みを作ることで面白がる。欧米では絶対に出世しない文化——欧米にはそういう発想はありえません。

多くの人はうがちすぎ、深読みのしすぎって疑います。でも、こういう壺がたまたま一個ある、というのではなく、千個並んだら、実証になるでしょう。天野もわれわれも普遍化できるかどうか、発掘を続け、収集してきたつもりです。こんな仕事は人の一生、二生かけたって終わるものじゃありません。

今、チャンカイの織物が世界的に脚光を浴びてます。これだけの量のしかも幾多の種類の織物が原型のまま出土したのは、世界でここだけ。砂漠が天然の保存庫の役割を果してくれたからでしょう。出土量からいえば世界の古代織物のほとんどがチャンカイから出土している。アルパカを使った綴《つづ》れ織り、インコの羽を使った羽衣、バティックの羅《ら》のスカーフ、ぬいとり織り、レース編み、刺繍、二重織り……。これらを織るのに、彼らはいざり機《ばた》というもっとも単純な織り機しか使っていません。逆に言えば、単純な織り機だからこそ、これだけ複雑な織りを生み出せた。

　チャンカイの人々は布にすばらしい色彩を表現した。彼らの手に持って歩く土器が白地黒彩だから、それらの布をまとえばよりカラフルに映っただろう。素焼きの土器を持てば、よりシックに見えただろう。

　模様もすごい。めくら縞、こもち縞、唐桟留縞《とうざん》……縞という縞がすべてあるでしょう。ギンガムチェックもある。考えうる幾何学模様がすべてである。エッシャーの世界もある。コンピューターゲームのインベーダー模様もあります。絞りもある。チャンカイの織物には文藝春秋のマークがすでにエッシャーの正確な連続模様の世界となって登場している。服の形、スタイルも斬新です。三宅一生のデザインも、すでにここでは日常着だった。ありとあらゆる染料を使った布によるデザイン。もう、オートクチュールの世界ですよ。

　驚くのは、今から八百年前、彼らはポシェットをしていたんです。いやらしいほどお洒落でしょう?

　われわれの想像と計算が追いつかなくなるのは、ここにあるビーズです。トルコ石に穴があいてます。普通、日本の専門家がドリルであけると０・３ミリが限度なのね。でも、このビーズの穴は０・１９ミリ。一九〇ミクロンしかない。これが八百年前に手であけた穴。こういう穴が一つあった、というなら偶然、奇跡と言えるでしょう。でも、このトルコ石は実は七連の首飾りだった。七連の首飾りを作るには、数万個のトルコ石に穴をあけなければならない。問題は、それを誰が使っていたか、ってこと。

　庶民のおかみさんが使っていたんです。

——どういう社会だったんだろうか?

　アンデス文化のなかでも、この間まで見向きもされなかったチャンカイの庶民のおかみさんの首に、一九〇ミクロンの穴を手であけた数万個のトルコ石の首飾りがかかっていた。羅のスカーフをして、綴れ織りの着物を着て、絞りの腰巻きをして、インコの極彩色の羽衣を羽織り、ポシェットをさげて、持っている土器は崩しの入った白地黒彩——ものすごい世界でしょう?

時を経てインカ時代になると、チャンカイなどの地方文化は終わり、統一したフォルムを形成していく。インカは社会的な発想をするようになる。インカが征服した地域は、インカの定型の壺になっていきます。個性があっては駄目、スタンダード化されていくんですね。チャンカイなどの地方文化には上昇志向がなかった。皆がそれぞれ個性を追究しつつ、仲良くやろうよという地方文化は、スタンダードを持った新興勢力にアッという間にやられてしまった。しょうがない、強要されつつスタンダードを作った。だけど、本質的にはなにかひねらないと気がすまない連中だから、ピョコッと口を曲げる、把手は一度はつけてまたずらしている。

巨大国家のスタンダード化には情報網の整備がつきものです。インカ帝国の情報網もまた、すごいものだったんです。アンデスの山中には太陽の道というハイウェイがあった。とうてい車などでは行けない、険しい山や谷を直線で結ぶ道です。そういう情報ルートを、特殊なトレーニングを受けたチャスキスという飛脚が、昼夜を問わず走り、情報を伝達した。その情報の伝達に使っていたのが縄文字です。情報を縄の結び方、色、そして長さといった記号に置き換えて十進法で記録、解読するやりかたをもっていたんですね。これはまったく、コンピューターと同じ原理でしょう。出土数が少ないので、現代のわれわれには解読できませんが、完全なる情報社会でもあったということです。

時代が新しくなるにつれて、地方文化はシンメトリカルに組み込まれていく。そしてシンメトリカルな画一的文化が繁栄の極みにあった一五一二年にスペイン人の侵略にあう。一瞬にして崩壊して、ヨーロッパ文明、ハプスブルグ王朝に組み込まれていってしまう。

——つまり?

プレ・インカがインカになって非常に管理社会化が進んでいたことが崩壊の主たる要因の一つだったかもしれない。上からの管理の強化に反比例して基層社会が脆くなっていたでしょうからね。しかし、事実としては何よりも大きな原因は虐殺と疫病による衰弱です。スペイン人の侵略で中南米のインディオは一瞬のうちに大虐殺された。虐殺といっても、刀で首を切る、というのではない。スペイン人がインディオを奴隷にし、反抗するインディオを見せしめに殺す。一時期、世界の銀を専有したボリビアの銀山は、大量のインディオたちの犠牲で成り立っていたんだ。いったいどれくらい殺されたかはわからない。
　ただし、生理的に言っても、人間は人を殺し続けることはできない。スペイン人が入植して五十年の間に死んだインディオのうち、虐殺はマイナーな数字だと思う。一番大きな死因は、スペイン人が旧大陸から運んだコレラ、天然痘。ようするに新大陸は無菌室だった。極端な言い方をすれば、まったく免疫のない状態だった。風邪をひいたって死ぬこともあっただろう。その代わりスペイン人は新大陸から旧大陸に梅毒を持って帰ったけれどもね。これは、まあ復讐だよ。今のエイズ以上にまたたくまに広がったにちがいないと思う。

　その後五百年間、インディオは一切の抵抗をしていない。

　もし、僕がヒトラーでね、日本を占領して、日本の総人口の三パーセントのエグゼクティブのテクノクラートを捕まえて殺すとする。そしたら、日本は五年以内にガタガタですよ。
　組織社会、官僚国家ってそういうものなんだ。スペイン人が到着してわずか五十年で大量の上層部が殺され、下層の奴は病気で死んでいく。残った農民を賦役《ふえき》にしてこき使う。インディオたちは、その後五百年間、教育も与えられず、牛馬のごとく奴隷として扱われた。そのインディオたちに、あなたはインカの栄光を持ってないのですか？　受け継いでないのですか？　闘わないのですか？　と聞くほうが愚か。回復している回復の臨界点を超えてしまったんですよ。その民族の持っている回復の
そういう体験を一度も持っていないから理解しにくいだろうけどね。

　政変が相次ぎ、ベラスコ政権のとき、天野氏が海外に残した博物館維持に十分な財産が没収された。しかし、その後も天野博物館は無料で公開されている。また、現在もチャンカイ遺跡の発掘を続けている。
　維持のための費用の捻出は厳しい。

　天野は決して博物館を食い物にしない、って誓っていました。これは明治の男の美学でしょう。困っているときに困っているようには見せない。助けて、と叫びたいのに叫ばない。お金がないのにお金があるように見せる。

人間の矜持が試されている。そういうのがバックボーンになって、一つの人生っていうのがあるわけだからね。われわれはそういう天野の生き方を尊重したい。

やっぱり、人生のなかに一つくらい純粋なものがあったっていいじゃない。

言葉にするとしらけてしまうけど、現代において心と物は離れすぎてしまった。だけど、物は通い合う心があって初めて生命を得るってことじゃないだろうか?

チャンカイの服って、裏地にものすごい労力がかかっているのね。江戸時代、奢侈《しゃし》禁止令によって表は木綿、裏は手描き友禅のきものを仕立てた日本人には、これもおどろきなんだね。日本人は屈折した権力への抵抗として裏地に意味をもたせた。でもチャンカイの裏地処理は、表地がボロボロに破れ、捨てられるときになって初めて見えるように仕立てられている。

チャンカイの連中は、人にわかってもらおうなんて思ってなかった。そういう次元を超越して、ただひたすら一生懸命に時間をかけて布を織り、ビーズに穴をあけていた。

人が絶対にわからないところで心を磨くということ——チャンカイの収集が僕に教えてくれたことだね。

幻のゲリラ

私たちという人間がいることを知っていただきたい

バンコク/フリージャーナリスト
首藤康至(49歳)

首藤さんの八年間の学生時代は、学生運動に明け暮れた。そして新聞記者だった父の志を継いで東京の新聞社に就職、一九七五年フリーの雑誌記者になる。


十六年間、やってきました。フリーでね。でもここ数年、以前みたいに人に会って、むりやり文章にしてカネを稼ぐ、という仕事をやめてます。

実は二年前に両手を怪我しまして、右手が駄目になったんですね。友人が仕事でだまされてね。あんまり悔しくて、素手で風呂のガラス窓を叩き割ってしまった(笑い)。救急隊の止血が完璧だったんですね。八時間の手術で七十針縫って、その間に心臓が二回止まった。

結局フリーですからね。のんびり療養なんかしてられない。リハビリも中断してしまったからいまだに字も書けません。人の話を聞いてもメモがとれない。

首藤さんは、竹田遼のペンネームで本を出版している。代表作は『黄金の三角地帯』（めこん社）、『洋上のアウシュビッツ』（講談社）――いずれも主な舞台がアジア。

僕は九州生まれでしょう。基本的にアジア体質なんです。取材の現場は常にタイを中心にしたアジアに限定してきました。でもね、一九七〇年から八〇年代の日本の雑誌はアメリカ、ヨーロッパ中心で、アジア関係の原稿なんて載せてくれません。とくにビルマの反政府活動なんて、誰も関心もなく、一年に二、三回、月刊誌に書ければいいほうでした。日本に帰ると、週刊誌の編集部に押しかけて、アジアとはまったく関係のない取材原稿を書いて稼ぎ、稼いだ金をタイに持ってきて、自分の好きなゲリラや難民をテーマにした取材を続ける――ともかくそんな十六年間だったんです。

学生運動を終えて大学出るとき、僕はもはや大所高所からものを言うのはやめよう、って決めてたんですね。日本に帰って仕事をする僕は新聞でも週刊誌でももっぱら政治家などのエライさん批判、スキャンダル専門のライターだった。それはたしかに楽しい時代でもあった。でもね、縁もゆかりもない人たちをやっつけるわけです。ジャーナリストの誇りっていうのはあっても、僕のようなフリーのライターは請け負ってしまったんだからしょうがない、とりあえずこれをやりあげるしかない、そういったどうにもならない論理で、無理やり自分を封じ込め、とりあえずやっつけちゃう。

記事を書きながら、いつも俺はたいした仕事してないんだぞ、って自分に言い聞かせていましたね。だから、今はもうつまらないところで個人を批判しません。人を批判するなら、まず自分がしっかりしてなければいけないって気持ちがありますし、ね。

今から二十年前、新聞社の仕事でタイに来て、偶然にビルマの山の中に住む少数民族ゲリラと出会ったんです。当時ビルマは仏教社会主義で落ちついている、というのが定説でした。少数山岳民族がゲリラ闘争、反ビルマ政府抵抗運動をしていることは世間に知られてなかった。僕は幻のゲリラが現実にいることを知ったんです。

僕は少数者に興味があったんですね。少数者から見ていくというのはジャーナリズムの方法の一つです。しかも、その存在を誰も確認できていない人々だった。じゃあ、見て、書いてやろう、と考えたわけです。で、二週間くらいで取材できる、と予測をたて、出張計画を練り、タイ・ビルマ国境に向かいました。

特殊なルートで彼らに連絡をとると、ビルマ国内に解放区があると言います。そんなこと、どこの資料にも載っていない。じゃあ、それを見てみよう、と。ともかく見たい、書きたい、それだけです。彼らと行動を共にしてタイ国境から険しい山を北へ越え、ビルマ国内を歩き、マンダレー近くまで行きました。山の中では共産党軍、政府軍、麻薬王と呼ばれるクンサーの軍、そしていくつもの少数民族の軍が三つ巴、四つ巴の戦闘をくりひろげていました。ゲリラですから、夜はどこかの村に泊まりますけれど、日中はずっと移動し続け。朝から晩まで歩く。食料は村に入ったときに米をもらいますけれど、おかずは蛇や蛙、猿なんかを捕まえて食う。基本的には白いご飯──赤いご飯もあります──に岩塩をかけ、さらにトウガラシの粉、つまりチリパウダーをかけて食うっていうのが普通でした。彼らの助けがなければ一日だって生きることは不可能だった。

結局、会社に連絡もできず、彼らに助けられながら四ヵ月、山を駆けめぐりました。新聞社の仲間が外務省に連絡したら「そんな所に入ったら生きて帰れません」って言われ、皆で葬式をだしたそうですよ（笑い）。

四ヵ月の行軍はちっとも苦にはなりませんでした。ともかく見たい。いつ出られるかわからないけれど、どこかにここで死んだっていいんだ、って気概がありましたからね。自分のやりたいことをやって、それで人生を終えればいいんだっていつも思ってましたから。

ゲリラっていっても恰好いいかって思ったらまったくそんなことない。武器を担いで逃げるだけ。逃げ回ることも戦いだ、ってこと初めて知りました。派手に戦闘することも大切かもしれないけれど、「私たちは反対だ」と叫びつづけながら、ただただ逃げ回る。大きな体制に対して「私は反対だ」って言う人がい続けるってことが大切なんだ。ジャングルで泥まみれになりながら、ゾウリムシのように険しい山を這《は》いつくばって、逃げることだけをやっている人たちがこの世の中にいるんです。

行軍の途中、泊まった村でたくさんの少数民族の村人たちに世話になりながら、いろいろ話をしました。この地球には一生、自分の生まれた山しか知らないで死んでいく人たちがいるっていうこと。

ゲリラにはヒーローもいません。僕の親友のゲリラが行軍の途中で撃たれた。重要な人物ではあったけれど、撃たれて後の彼の生死は遠くにいたわれわれには見えません。僕らの義務は、彼の生死をたしかめて悲しむより敵の包囲を逃れること。安全地帯にたどり着いてようやく何人か帰ってきてない連中がいることを理解する。まだ息も絶え絶えに苦しんでいるかもしれない。でも、ゲリラたちは死体を荼毘《だび》にふすなんてことも考えない。ただ見捨て、感情を押し殺し、行軍を続けるわけです。これは日本人の僕には辛いことでした。

「家族にどう報告するんだ?」って聞きました。そしたら別のリーダーが言います。

「生死の確認?　そんなことしたら別の奴が犠牲になるだけだ。彼には一人で頑張ってもらうしかないんだ」

いくら一緒に戦っても殺《や》られるときは一人なんです。誰かが一緒に殺られてくれるわけじゃない。

怪我をするのも一人、死ぬのも一人。

敵って言ってもね、僕にとっては敵でも何でもないでしょう。たまたまゲリラ側にまぎれこんでいるだけなのに、向こうは確実に撃ってきます。結局は一人でしたね。僕自身がゲリラ部隊について歩かなければ、邪魔者扱いされるか、帰れって言われるだけ。歩くしかないんです。そうやってなんかかんかやっていれば、とにかく終わります。時間がたてば形はどうあれ、まちがいなく終わってしまう、たいした戦果もないままにね。

ビルマ北部の山はものすごく険しいんです。ゲリラ仲間の助けがなければとても生きていけない。以来、彼らには深い義理を感じています。簡単にはサヨナラなんて言えません。ほんとうの友人ができてしまったんです。

義理があるから新聞社を辞めてフリーの雑誌記者になって、取材者として十六年以上も彼らと付き合った。

十六年間のフリーライター稼業のなかで一番楽しかった仕事は『女性自身』の〔シリーズ人間〕のページ。やっぱり人間です。人間を描けなければ意味がない。人間は人間であるがゆえにつまらないことをたくさんする。だからこそ人間はかわいい。面白い。そうなると、人間を批判するのではなく、受け入れるしかないじゃないか。そこに悪意があるなら喧嘩するしかないけれど、人間って、あんまり悪意で相手を傷つけたりはしないものです。

真面目にやって、まちがってしまう――それが人間だって思うんですね。

　一方で、僕はいつも日本を知りたかった。学生時代、僕らは日本を変えようとした。僕らは学生時代にインターナショナリズムを唱え、行動しました。しかし、ままならなかった。僕は日本人だけど、僕が日本人である必然性はまったくない。僕は日本がなつかしいし、日本人が好きだし、日本的なるものから離れられない。でも僕が日本人になったのは偶然のことでね。とりわけ日本人である特別性を論じる必要もない。僕にとって日本はたしかに存在している。それなら、日本にいない日本人の目を借りて日本を見てみよう――旧日本帝国陸軍兵士で戦後も東南アジアに残った兵士たちの話を聞こう、と考えました。ある大手出版社の編集者が四百万円ほどの取材費を捻出してくれました。残留日本兵をさがしてかれこれ十五年、東南アジア中を歩きました。

　僕はインドネシアで百五十人、タイで四十人、ビルマで十人、マレーで一人、シンガポールで四人の人たちが生存しているという事実を知りました。僕が会ったのはそのうちの百二、三十人ほどです。彼らを訪ね、居候《いそうろう》しながら話を聞きました。僕の取材って、いつも居候でした（笑い）。

　なぜ彼らは日本に帰らなかったのか？　なぜ日本を捨てたのか？　言葉ではなく、心で問い続けました。

　彼らに会ってわかったのは、彼らは祖国を捨てた理由、動機について自分流に納得した物語を作っているってこと。彼らは過去から現在に至る自分の行動についての美しい虚構を作り上げ、それを自分の内部で反芻《はんすう》しながら生きてきた。脱走兵なら、自分の脱走には意味があった、上官の命令で脱走した、日本が次に進出してくる日のための準備で残らなければならなかった――長い間かけて彼らの心で練り上げたストーリーを連綿《れんめん》と披露するわけです。初めて会った人は、彼らの言葉をコロリと信じてしまう。何度か会っていくと、僕には嘘が見えるようになってくる。僕は嘘は嘘、と書きたい。彼らの自伝の代筆をするわけにはいきません。

　人間にはどうにもならなくなる瞬間が誰にもある。逃げたい、と思う瞬間がある。戦争も日本軍もひどかった。彼らの多くは農家の次男、三男であったり、部落の出身者であったり、台湾や朝鮮半島から強制連行されてきた人たちであったりした。美しいヒロイックな語りの裏には実に壮絶でひ弱な心の陰りが絡まっているんです。

　あるとき、インパール作戦の生き残り日本兵が突然帰国したくなった。彼の所属していた部隊の兵士たちはほぼ全滅してしまっている。食料も武器もなく、凄惨な戦いのなかで一人生き残ってしまった彼は軍にも祖国にも絶望して脱走を試みた。そんな彼が、四十年以上もたって急に祖国のおふくろの墓に参りたくなった。もうとめられません。日本に帰って、僕も妹さんをさがしました。

妹さんはさめざめと泣きました。「戦後、一番苦しかったときにお兄さんは帰ってこなかった。その間お母さんはどれだけ苦しんだと思いますか?」ってね。

結局、今更帰ってきても困るって言うんです。彼は長男でした。僕には帰らなかったお兄さんの気持ちも妹さんの気持ちもわかります。そういう苦しい、微妙なところを書きたい——なかなか書けません。兄も妹も書いてもらいたくない、って言いました。結局、彼らも少数者なわけです。

ほんとうはたくさんの人に読んでもらえると思うと、意気はあがるし、書きたい。でも、あまりにも深く付き合いすぎて、書けないことのほうが多くなってしまった(笑い)。僕自身は何書いたって、何も失わないですよ。でも、僕は旅人に過ぎないでしょう。しばらく一緒に寝て、食っただけのこと。今後の付き合いをやめるつもりなら、いくらだって書けるけれど、彼らとは死ぬまで付き合おうと思ってるから。書いてほしくない、という彼らの気持ちを大切にしたいものね。

ま、人間同士、きちんとして付き合ってやっていればいつか必ず何かになるんだって信じています。もしも本にならなくたってそれはそれでいい。人生そのものが作品ですからね。

取材費は結局、返しました。

首藤さんは、友人の誘いでバンコクの不動産会社の経営に携わっていた。しかし、不況と人間関係で経営が行き詰まり、退社。自ら会社を設立した。

ただ、こうなっただけの話ですけれどもね。

タイで暮らし続けるかどうかはわかりません。でも、とりわけ日本で暮らす必然性もない、と僕は思ってます。ビルマで暮らすかもしれないし、インドネシアに行くかもしれない。まあ、ここはビルマにも近いし、あれだけ助けてもらったらビルマのゲリラたちや残留日本兵たちとの義理を欠くわけにはいかないっていうのが当面のバンコク滞在の理由といえば理由です。

二、三年前かな。ビルマ北部の少数山岳民族カチン族のブラン・センというゲリラの議長が日本に行ったことがあるんです。外国人記者クラブで彼が講演することになった。講演は『山の民からの視点』というタイトルでした。そしてこう切りだしたんです。

「私たちはアジアの辺境の、もっとも山の奥に住んでいます。あなたがたからすれば私の意見はまちがっているかもしれません。しかし、単純に間違いだと断定せずに聞いていただきたい。私の意見は辺境の山、ジャングルの民からの視点なのです。まず、私たちという人間がいるという事実を知ってもらいたい」——堂々と誇りをもって講演を始めました。会場の外国人ジャーナリストの間に、驚きと感動がヒタヒタと広がっていくのが手にとるように感じとれました。

ああ、この男たちと付き合い続けてきてよかったな、とそのとき思いましたね。自分自身の十六年間に納得しました。人それぞれに場所と時間と視点を与えられて、生きたり、死んだりしているわけだけれど、お互いの存在を尊重していけば、地球には何も問題は起きないんじゃないですかね。

市民の実験

「すべての都市はクリチーバのようになれる」

クリチーバ／クリチーバ市環境局局長
中村 矗（49歳・在外23年）

リオデジャネイロから飛行機で南西に四十分あまり、クリチーバ市はドイツ系移民の造りだした街である。飛行場でタクシーに乗り、環境局へ向かう。ブラジルの他都市とちがい、交通渋滞、スラムがない。タクシーの運転手は「ナカムラはいい奴さ」とまるで仲間を自慢するかのように語る。北ヨーロッパの静かな街を思い起こさせる町並み。公園に入ると、環境局の丸太小屋が見えた。

環境局の建物の柱はすべてユーカリです。ユーカリの電信柱をコンクリートに変えよう、という時期に安い値段で払い下げになった。もともとユーカリは植林された木だし、虫や動物がつきにくい木だから建材にぴったりなんです。この局舎の建築単価は、ブラジルの公団住宅のコストと同じですみました。

一九六九年、大学の造園学科修士課程を終えた中村さんは、日本の学歴偏重エスカレーター社会で生きるのはいや、自然林を保護しながら都市造りをやってみたい、と婚約者を残し、単身ブラジルを訪れた。

まず、日本人八人の友人とともにリンゴ栽培を始めた。農作業の合間、近所の中学の校長先生にポルトガル語を習うが、一人、また一人と脱落。最後は中村さん一人となる。経営も赤字続き。三ヵ月後、校長先生に「技術を持つ人は技術を生かさなければいけない」と市役所の建設局局長を紹介され、就職する。婚約者久美子さんは、自ら新郎のいない結婚式を日本であげ、ブラジルに合流。クリチーバ市民としての中村家の暮らしが始まった。

私の専門が造園だったこともあって、当時のジャイメ市長と話す機会があったんです。市長さんは東洋的な考え方に傾倒していました。人間は自然と調和していかなければいけない、都市は車のためではなく、人間のためにあるべきだ、ということ。私も同じように考えてました。そして一九七九年、彼が二回目の市長になったときに公園部に私を迎えてくれました。

都市計画というと、どうしてもブラジリアという名前が浮かぶでしょう。ブラジリアはA地域で遊び、B地域で眠り、C地域で働き、D地域に政府官公庁がある——それを高速道路で結ぶといった計画都市です。あそこは七〇年代には、二一世紀の都市と呼ばれ、理想の都市と信じられていた。

でも、現在は非常に評判が悪い。なぜかというと、人間は職業の時間、食べる時間、遊ぶ時間、眠る時間というふうに二四時間を単純明快に分けられないものなんです。結局は人間ではなく、自動車と都市の機能を主軸に置いた都市だったんです。

七〇年代はまた、世界的に都市の交通混雑が問題になりました。現在もバンコク、ソウル、メキシコシティなどで問題になっていますけれど、当時はニューヨークや東京で車道を地下にもぐらせる、ハイウェイとして持ち上げるとか、いろいろな試行錯誤が行われた時期です。また、多くの都市で都市の再開発が計画されはじめた時期でもありました。つまり都市の基準が人間から車に移り、ヒューマンスケールからはずれていった。

クリチーバは、世界各地の大都市とは完全に反対の生き方を選択したんです。最初に、繁華街を歩行者だけの公園街にしよう、という計画を打ち出しました。当然、ものすごい反対がありました。繁華街は車を乗りつけて買い物をするところ、という考え方が徹底してましたからね。しかし、歩行者天国にしたら、結果的に売上げが伸びた。古い電車を置いて、そこにいつも保母さんがいるようにします。お母さんが子どもを遊ばせながら安心して買い物ができるから。

しかし、クリチーバも人口が増え、車も多くなってきました。建物が持つ固有の歴史を壊さず、交通整備をするには地下鉄が理想的です。でも地下鉄は、東京やパリのようなお金持ちの都市でなければできない。高度の建設技術も必要です。地下鉄工事をやって法外な借金を抱えるのがいいのだろうか？　他にクリチーバ的な解決方法があるのじゃないか？　と考えました。まず、五十メートルの幹線道路を拡張しなければいけない。でも、どうして百五十メートルの道路にしなければいけないのか。五十メートル道路三本ではいけないのだろうか。

基本から発想を考え直しました。現在ある道路をそのまま利用し、三本の道路を平行して走らせると、往復を一方通行にできる。真ん中をバス専用路線にする。こうすればバスの欠点である混雑から自由になり、地下鉄と同じ役割を果たせるでしょう。

第二番目は、東西南北に走る四本の道路に平行して両端にフリーウェイを走らせ、郊外に抜ける道路を造る。市内で買い物をする人は在来線、時間を急ぐ人はフリーウェイ。これでも道路が足りない。それで三本の環状線を造り、四本の放射状の道路とつなぎました。環状線と本線が交差するところに乗換えのできるターミナルを造る。関西や東京の電車路線と同じ発想でバス路線を計画したんです。一枚の乗車券で乗り替え自由、クリチーバのどこにでも行けるシステムを導入した。多くの人が自家用車を使わなくなり、これで、クリチーバは交通渋滞のない都市、と言われるようになったんです。

しかし、やはりまだ混雑している。それなら、と急行バスを走らせた。問題はバスの乗り降りの時間です。切符を買い、チェックを受けて乗り、切符を渡して降りる——これでは時間がかかりすぎる。それなら、道路上に地下鉄のプラットフォームを造ればいい。プラットフォームに切符の自動販売機と検札機を設置する。バスの運転手はドアの開けしめだけをやればいい。三台続きのバスですから、こうなるとタイヤのついた電車ということです。今は長くても、十秒しか停止していません。本数も増やすことができた。急行と各駅をうまく組み合わせて、現在の二百万都市クリチーバでは、どこからでも二十分で都心に行けるようになりました。

時間通りに目的地へ行けるようになり、バスの利用者が三割も増えました。結果として市の収入にもなり、また乗用車が減って排気ガスも少なくなった。

交通網が整備されたことで、土地利用計画も変わりました。高層ビル建築は放射状の四本の道路沿いにのみ許可します。高層建築の下は商店になる。周辺の住民は都心に出なくても近所のショッピングセンターを利用すればよくなったのです。

日本のように中心が都心で、そこにオフィスが集中し、住宅は郊外へと果てしなくのびる、というのではなく、住宅とビジネス地域と商店街とが同一円周上に平均して発展していくようになりました。働く人にとっても、職住接近となり、郊外から二時間もかけて通勤しなくてもよくなる。

暮らしをエンジョイするための街であって、機能性ばかりを追求した車主体の街ではない。そうなると、自然と人間が集まり、皆が勝手に街を造りはじめるんです。

中村さんは次々に都市整備計画を実行した。洪水の頻発していたバリグイ河周辺の湿地帯は池のある公園にした。

もともと湿地帯だったから、雨水が池に溜まるようになった。洪水が起きなくなった。この巨大な池で排水も浄化されるという予期せぬ効果もあった。しかも、公園が誕生したことで、周辺の土地が高級住宅街に変貌した。土地にかかる税収で、土地の買収にかかった費用や公園の建設費はすべて回収できました。市民一人の負担額はたった一クルゼイロでした。あの当時の一クルゼイロはバスの代金と同じです。

結局、一番安上がりで快適な都市計画は、自然にしたがって、自然のあるがままに行うことだ、って結論がでたんです。きわめて日本的な発想でしょう。自然を征服していく西欧型は経済コストがものすごかった。

ゴミも同じです。

私が市役所に就職したとき、ゴミ処理場があと六ヵ月しかもたない、満杯、という状態でした。新しい土地を探し、住民はゴミ処理施設の建設を承認するかどうかというところだった。

現在、先進諸国で承認されているゴミ処理の方法は、ゴミを圧縮して埋め立て地に運び入れ、土をかけ、汚水が地面に浸透しないように地表底にプラスチックが敷かれ、汚水処理池を併設する。化学薬品が流れ込む、という苦情のでている地域もあるようです。いずれにしても、それほど長くは使えません。ゴミ焼却炉を建設しなければならない。しかし、そのコストは莫大です。

そこでまず、どういうゴミが多いのかを調査した。ゴミというのは重さより量ではかります。台所から出る生ゴミは知れてます。多いのは紙、缶、プラスチック。生ゴミのかさの倍にものぼる。しかし、これらは再生できるはずのゴミです。ゴミを処理施設に入れる前に仕分けできないだろうか？

サンパウロ、リオデジャネイロ、ブラジリアでは政府協力のもとにウジナというフランス方式で処理してます。ゴミ処理場で分別し、高温で焼却し、肥料などを作りだす。たしかに考え方はいい。しかし、莫大な資金がかかる。設置にも、焼却にもエネルギーと資金がかかる。導入に際して賄賂が動いたんじゃないか、と勘繰られるほどの資金が動きました。貧しいクリチーバでは、それだけのお金をかけられません。それと、フランスとブラジルでは基本的にゴミの質がちがいます。ブラジルでは一切の分別もなされておらず、釘や紙、プラスチックがバナナの皮などの生ゴミと一緒に捨ててある。再生できるものも生ゴミがくっついて汚くなってしまう。処理施設で分別しようとしても三〇パーセントしか分別できない。仮にうまくいったとしても、ガラスやプラスチックの混じった肥料になって、サンパウロでは一クルゼイロにもならなかった。

それならどうするか。家庭段階で分ければ、混じりがないから、再生して売るときも高く売れる。そこでひと目でわかるように、ゴミ収集トラックをいくつかの種類に色分けした。「ゴミでないゴミ」と書いたトラックには生ゴミは入れない。再生できる物だけ。テレビでもアニメーションにして宣伝をしました。市民に面白がってゴミをだしてもらう工夫が必要です。

「燃えるゴミ、燃えないゴミ」という日本の分別方法は間違っています。「再生できるもの、再生できないゴミ」という分け方でなければ駄目なんです。再生できるものを集めれば、資源が節約できる。自然保護につながる。

混ぜればゴミ、分ければ資源――再生できるものは資源なんです。ゴミではない。そう訴えれば市民は協力したくなります。それが二一世紀への責任だ、ってキャンペーンをやりました。

最初は学校教育の場でやりました。先生を集め、分別することは木を救うことだ、環境保護につながる、と徹底して子どもたちに教えました。単純でわかりやすく、木一本を助けるために五十キロの紙を分けよう、って。子どもは純真だから、素直に理解し、実行するわけね。

再生できるゴミのほとんどは、実はスーパーマーケットから出ています。それなら、とスーパーをまきこみ、再生できるものはスーパーで野菜に交換できる、という活動を展開した。市が補助金をだし、スーパーに専用の屋台を作ってもらった。スーパーからも売上げがあがったって感謝されました。

現在、全世界の六〇パーセントの木が日本に向かっています。すごい紙の使用量です。日本では飴の一つ一つに紙が巻いてある。たしかに日本には優秀な焼却炉があります。夢の島はどんな病院よりも美しく、清潔な建物です。すべてコンピューター制御で煙も見えません。火力を使って温水を提供し、プールとして市民に開放している――日本の技術はたしかに素晴らしい。しかし、そういう技術力が環境保護に使われているだろうか？　逆でしょう。ゴミがでてきたから、技術を使う、という技術です。私たち貧乏なクリチーバでは、日本のような発想で技術を使いたくない。つまり、基本的にゴミをださない、再生できるものは資源として使うということ。

一九九四年、リオデジャネイロで開かれた環境サミット。クリチーバ市は、スラム対策とゴミ問題の解決に総合的に取りくんだ実績を高く評価され、国連から栄誉ある賞を与えられた。

農村で暮らせなくなった人が都市に不法侵入して暮らしはじめる。そこにスラムは生まれます。どうしてもゴミは捨てっぱなし、病気も発生しやすくなる。八九年には赤ちゃんの死亡率が急激に上がってしまった。

下水は州の行政管轄ですからクリチーバ市は介入できません。そこで実行したのが、市の予算でスラムのゴミを買う、ということです。スラムは密集してますから、収集トラックが入れません。トラックの止まっているところまでスラムの住民に持ってきてもらう。本来トラックに支払うべきコストを、持ってきてくれた人にゴミ代として支払う。市はプラスチック袋を準備し、プラスチック袋一杯になった再生できるゴミをバスチケットと新しい袋に交換する。

実験的にやってみたら好評で、いくつかの不法侵入者たちのスラムから申し込みが来た。彼らは説教されるのがいやなんです。でも、ゴミ出しが生活のたしになる。しかも周辺が清潔になっていく。赤ん坊の病気が減っていく。いままでゴミの山だった場所がきれいになると、野菜を育ててみようかって考える。自暴自棄になっていた気持ちにゆとりがでてくる。――たしかにゴミのない生活がいい、とからだでわかってくるんですね。

だけど、バスの切符だとお父さんがどこかで売ってお酒に変わってしまう。子どもとお母さんに栄養がいかない。一方で農村も困っていた。不況が続き、果物や野菜の消費量は半分に減ってしまっていた。近郊の農家や零細農家は、売れないキャベツを捨てていた。一方で飢え、一方は食料を捨てている。市役所がスーパーの半分以下の値段で、小さな農家から定期的に捨て野菜や卵を買い、バス切符のかわりにして、再生できるゴミを買うことにした。

週四回くらいしか食べてなかった子どもたちも、空腹で泣かなくなる。うるさい、と怒鳴ってばかりいたお父さんも苛々しなくなった。お母さんも心配ごとがなくなってやさしくなっていく。

同時にスラムの子どもたちに教育をしよう、と考えた。それで日本で言う寺子屋風の環境学校を造った。そこで野菜作りや山羊の乳しぼり、お絵描き、読書、サッカーなんかを一緒にやるようになった。環境学校のご飯は自分たちで栽培した野菜やスーパーの残り物。運搬のために市役所はトラック一台を回します。燃料の薪は全部街路樹を維持していくために剪定した枝や葉っぱ。とにかくゴミは捨てない、再生できるものは資源にしていく。リサイクルの関係を子どもたちのからだに教えていく。字は書けないかもしれないけど、ともかく環境的には正しい人間が育っていく。

子どもたちは家に帰って、両親に学校で体験したことを話します。生活の現場で家族の会話が始まるんです。

どうやって資源を再生できるか、どうやって資源を節約してエネルギーを造りだせるのか、どうやって自然と調和して生きていけるか――それがわかれば、その人間は素晴らしいんです。鉛筆と紙だけでやっても、それは理解できません。クリチーバの子どもは、八年生になるとクリチーバ市民の卵として市の地理も歴史も、読み書き、算数、暮らし方もわかっている。算数、理科を通して市を学んでいく。まだまだ徹底してないですけれどね。もちろん、ものすごい非難も浴びました。環境局の人間が学校教育の領域にまで入り込んだってね。それでも、一番よかったのは再生問題を通して、どの科目の先生もゴミを教材にして、クリチーバの教育をつくろう、と考えたことです。

クリチーバを理解できなければクリチーバの自然を保護することはむずかしいんです。

今、そんな寺子屋が市内に三十ヵ所あります。

スラムにおいてもっとも力を入れたのは「あなたがたは市民だ」ということを知ってもらうこと。スラムの住民を厄介者にしない、ってことです。「自分はクリチーバの市民だ、責任ある市民だ」と自覚したとたん、彼らは積極的に協力してくれるようになる。義務ではなく、責任を訴えたのです。

クリチーバの公園には、大きな数字を書いた看板が立っている。クリチーバ市民がこれまでに何本の木を助けたか、という数字である。これを見ながら、市民は再生できるものを資源に変えていく。

都市サミットで、世界七十都市の首脳がクリチーバに集まりました。問題は明確です。北半球の豊かさは、天然資源を使いまくり、炭酸ガスを吐きだして、その結果として環境について考えなければいけない、と南半球に向かって提起しているわけです。自分の側の生活を変えないまま、南半球の国々に自然を残せ、と押しつける論理です。

たとえば水源地に工場の排水が流れ込む。その水は上水道につながっている。そんなとき、汚水となった水を飲めるようにする日本の技術はものすごい。機械を使って本物よりものすごい飲料水を作ってしまう。日本では、そういう技術を生み出すために学校に行き、そのために働いている。

しかし、それが技術だろうか？　水質汚染を起こさない生産、汚れをださない生活、農薬を使わない農業を考えることこそが本当の技術、能力ではないのだろうか？

ブラジルに象徴的ですが、南半球の国々の貧しさの原因は人災です。ブラジルの借金のほとんどは原発と火力発電の建設資金によってます。結局、エネルギーを使わない政策に転換しなければ経済疲弊から立ち直れないってことでしょう。今の暮らし方、考え方を続けるかぎり、これからも原発を造りつづけなければならない。そうすると北半球から環境問題のみならず借金でも責めたてられることになる。エネルギーを使わない暮らしを考えるところに能力、人間の頭脳を使うようにしなければ泥沼だってことでしょう。

クリチーバは、都市の発展と自然、あるいは環境は調和していける、ということを実証しています。かえってそのほうがコストがかからず、郷土愛が生まれる、ということを実証したんです。

市長はいつも「すべての都市はクリチーバのようになれる」と言います。ただし、クリチーバの実験も人口二百万人まで、と思っています。そこまでが手のゆきとどく人間主体の都市の限界でしょう。

これからも僕はクリチーバ市民としてやっていきます。

大国の条件

日本人は普遍的な理念を生みだしただろうか？

デュッセルドルフ／駐在員
根岸隆夫（在外35年）

もう三五年くらい前になりますか。パリで学生生活を送っていた頃は、ヨーロッパにいる日本人は数少ない大手商社の駐在員と留学生だけでした。路上ではよく、ヴェトナム人かカンボジア人に間違えられたものです。街の店頭でも、ほとんど日本製品は見かけなかったですね。当時の僕は、それこそパリの屋根裏部屋の貧乏生活で、リュクサンブール公園前の、たしかイスラエル学生会館だったと思うけれども、そこの地下食堂で安くてまずい食事をありがたくちょうだいしていたものです。地下食堂に降りていく階段で聞こえてくる何百ものナイフやフォークと皿の触れ合う音。その頃、アメリカは途方もなく豊かで強いドルを持っていました。夏休みになれば、アメリカの学生たちが大挙してヨーロッパに来ていたものです。彼らはリュックサックを背負い、安宿に泊まり、買い物なぞ目もくれないで美術館や史跡を貪欲に歩き回っていました。ところがいま、パリやロンドンの繁華街では日本人学生の群れが贅沢なホテルに泊まり、豪勢な買い物をして歩いている。なんとも複雑な気持ちになりますね。

社団法人日本電子機械工業会は、電子産業の生産企業六百社ほどからなる産業団体である。欧州事務所は、家族あわせて六千人の日本人が住むデュッセルドルフ市中心街の大きな靴屋さんのビルの五階にある。

インタヴュー中にも、欧州各地からひっきりなしの電話。政治、経済、市場動向、産業界内部のもめ事、会議の打合せ、なかには個人的な相談の飛び入りまである。根岸さんが欧州各地、日本、東南アジア、アメリカと飛び歩く留守中には書類が山とたまってしまう。彼は日本の電子産業が欧州で今日の地位を築くまでの四半世紀におよぶ歴史を見てきた。

戦前の日本は、欧米列強に伍し、欧米の植民地にならないために、国民生活を犠牲にしてでも軍事産業に傾斜せざるをえませんでした。その産物が戦艦大和や零戦だったわけですね。国民の暮らしと軍事技術との落差が、無茶苦茶にひどかった。それが後進国としての日本の実像だった。だから、繊維製品、雑貨を別として、民需製品には国際競争力がなかった。なぜ、日本の繊維製品や雑貨が戦前の国際市場で売れたかといえば、低賃金労働、劣悪な労働条件で働く女工哀史があったからです。

僕がパリに住み始めた一九六〇年代の初め、フランス人に、「日本の時計は目方売り」と皮肉られ、不愉快になったものです。安物のダンピング商品——それが彼らが抱く日本製品のイメージだったんです。

ではなぜ日本の産業が強くなったのか？　これは敗戦後の日本経済と深い関係がある。日本製品のイメージを変えたのは、日本に明治維新につぐ第二の産業革命があったからです。

敗戦後、日本はアメリカ軍に占領され、占領軍は、日本の武力による海外への拡張のすべての芽をつみとる、という政策をとった。その政策のもとに、日本経済は改造されたと言えます。いちばん典型的なのは農地改革、財閥解体、そして軍需産業の禁止。すべての資本と頭脳、労働力は平和産業に転換せざるをえなかった。しかも、東西冷戦があり、朝鮮戦争の特需景気が青息吐息だった日本経済に活を入れた。

しかし、軍事費は現在にいたるまで一パーセント前後です。日本は世界でも極端に軍事費支出の少ない国と言えるでしょう。オランダのように、人口が日本の一割強ぐらいの国でも、軍事負担率は二・七パーセント。当時の欧州はベルリンの壁があったし、NATOへの負担が大きかったんですね。欧米諸国は、経済力の大きな部分を軍備に投じなければならなかった。欧米は戦後もとぎれることなく、戦争経済が平和経済と併存していたのです。もちろんその割合は平和経済のほうが大きかったとは言えます。その逆が旧ソ連でした。旧社会主義国圏の軍事費の割合はすさまじいものがあった。

そういう冷戦構造のなかにあって、軍事費負担を極端に少なく成長したのが日本経済の特徴でしょう。

他国より軍備に制限があったドイツでさえNATOに組み込まれていたから、日本よりは軍事費比率が高い。

しかも欧州は、北欧にはじまって福祉の負担が軍事費より重くのしかかってきていましたからね。ドイツの場合で、福祉費がGNPの約三分の一を占めているんです。

日本の戦後産業のもう一つの特徴は品質の向上です。工業力というのは総合力です。工場から百の製品ができたら、その百個すべてが良品でなければならない。敗戦直後の日本では、完成した製品の多くがオシャカ、というお粗末さだった。それで、たくさんの人々がアメリカを訪れ、生産管理や品質管理の方法を学んだ。

ところが皮肉なことに、先生であるアメリカは時とともに自分たちの生みだしたものを忘れていってしまった。

「売り家と唐様で書く三代目」という諺があるでしょう。アメリカは過去の財産にしがみついている間に、いつのまにか自分の教え子である国々に追い越されてしまった。

ともかく、アメリカに学びながら日本は汚名挽回を図り、ひたすら「メイド・イン・ジャパン」＝最高の品質、という方向に走ったわけです。しかも、ドイツも日本も軍事面に優秀な技術者と資本が流れていかなかった。

さて、僕がドイツに赴任して二五年目の現在、欧米各国の店頭には日本製家電製品がたくさん並んでます。ニューヨーク五番街の電気店にも日本ブランドしか並んでいない。十年ほど前から僕はよく警告するようになっていました。「道路があって、そこを日本の自動車が高速で走っている。前を走っていた欧米車に傍若無人に警告を発する『どけ！　どけ！』ってね。しかも日本車は欧米車を抜いて別の車線を走りはじめる」——これが世界の産業の競争状態です。日本車の運転手には周囲の風景が目に入らない。森も河も山々も。ただただ、どこかに、ひたすら早く着きたい、と焦っている。隣の車線を走っているヨーロッパ車の運転手たちは、「あ、鳥が飛んでいる」「花が咲いている。ここでお茶でも飲もう」とか言いながら楽しみながら走っている。

僕はね、日本は大国ではない、また、大国になろうとしてもなれない国、という持論を持っています。そもそも大国である条件には経済力があります。軍事力も無視できません。残念ながら、軍事力のない国は国際社会では評価の対象からはずされます。もうひとつ、僕はこれがもっとも大切だと思ってるんですけれど、普遍的な独自の価値観を生みだしているかどうか、ということ。日本人に欠けてるのは、普遍的な何かを世界に提供すること。いちばんわかりやすいのは、デモクラシーという概念。デモクラシーはイギリスから始まって、アングロサクソンを中心に成熟してきた思想でしょう。それにフランス革命の自由、平等、博愛という理念。欧米諸国がこの理念を実現しているかどうかは別として、理念としてどこでも通用する通貨だったわけです。破産したけれどもロシアの共産主義も貧困と植民地主義の抑圧のあるところには、国境をこえて訴える力があった。彼らは少なくとも、そういう普遍的な価値観を生みだした。日本人は、そういう理念を生みだしただろうか？

——しかし、技術信仰が誕生した？

日本の技術力はたしかに普遍的と言えます。でも、これはなにも日本でなくてもいいわけで、きわめて非人格的なものですよ。電子産業は、別に日本の専売特許でもないでしょう。その成立には世界中が貢献してきたわけです。

たとえばテープレコーダーの発明をしたのはドイツ人だし、コンピューターはユダヤ系のハンガリー人が発案してアメリカ人が本格的な製品に仕上げた。コンピューターの一号機は、アメリカ国防省が膨大な資金を導入して創り上げたものです。それは小さなビル一つくらいの大きさでした。その副産物としてアメリカで半導体が発明されたわけです。コンピューターやワープロに使われている液晶表示板の特許はアメリカとスイスと英国にあります。それを日本は工業化し、コンパクトにしてすでに世界市場の九割以上を占めている。

基本的なものをほとんどよそから借りてきているということは、残念ながら、やはり大国とは言えない、と僕は思います。

しかし、現実にはアイデア自体は富を生みません。製品になってはじめて、人がお金を出して買って、材料が使われ、その経済効果が現れる。そこでようやく特許料が入ってくるんです。それまでは、アイデアというのは紙切れにすぎないわけだ。さかんに問題になっている知的所有権の背景には、そういう問題が隠されている。

僕は彼らの主張は当然だって思います。いくら日本が初めて実用化した、量産した、と主張しても、考えだした人、製品化した人の両者がいて初めて成り立つものでしょう。悔しかったら、自分で考えだし、作ればよかった。アメリカのように「払え」と言える側になればよかった。そのためには日本の教育を根本的に見直す必要があると思いますけれどもね。創造力と応用力の両方を培う方向に転換しないと将来は暗いと思います。創造力だけでもダメ、応用力だけでもダメ。

——日本の「カイシャ」経営の方針は独自だ、と日本人が誇っていた時期がありましたよね。

従業員を大事にするとか、終身雇用とか、一見普遍的に見えるものもあるでしょう。でも、それは何も日本だけの特別な考え方じゃありません。アメリカのＩＢＭ、ジェネラル・エレクトリック、デュポン、ドイツのシーメンス、オランダのフィリップス——欧米の一流企業はことごとくやってきたことです。ただ、ヨーロッパは個人主義や教育制度、伝統の問題があって、分業化が進んでいます。日本はオールラウンドでやろうとしているから、ワイワイ、ガヤガヤ、「カイシャ」と個人が一体化しているように錯覚している。自分のことと他人の問題を分けて考えるヨーロッパと村の井戸端会議の延長との違いだけだと思いますね。それも不況が続けば、とてもやってはいけないでしょう。

——しかも、バブルははじけた……。

バブルがはじけたのは、なにも日本だけじゃありません。世界中がすでにはじけていたわけです。

バブルとは何だろうか？　簡単に言えば中身のない経済や政策。自分には月収十五万円しかないのに二百万円の生活をすること。なぜそれが可能なのか？　借金ができるからです。典型的なのがレーガン時代のアメリカ。実態は破産状態にもかかわらず、米ドルという機軸通貨が破産させない状態だったと言えます。

日本の場合は過剰な国際黒字を抱え、国内にお金が溢れた。だから金融機関が人を選ばずにお金を貸した。神がかりのおばさんにまで銀行が何百億円貸したなんて、信じられない話もあったでしょう。

ほんとうの繁栄とは何か？　ということです。GNPや所得額、自動車保有台数、家電製品の普及という意味では、日本は一見豊かになりました。しかし、生活水準を計る肝心の住宅はどうだろうか？　通勤に一時間半とか二時間かけるっていうのは決して正常ではない。一生かかっても住宅が買えない、収入の四分の一以下で快適な借家に入れない。これも正常ではない。もちろん数字のうえでは日本の持ち家率は六〇パーセントを越えてます。これは世界最高の部類になる。だけど、その内実は三十年にわたる高額のローンでしょう。人生が終わる頃にようやく自分のものになる。ドイツの持ち家率は四〇パーセントです。皆、それなりの貸家に安く住めるから買いません。日本では、まともな貸家は払いきれないような家賃を払わないと入れない、これを異常と言うんです。ドイツ統一の代価で八十万とも百万とも言われるホームレスが発生して、この数年大変ではありますが。

社会の基礎は家族でしょう？　家族の団欒がない、仕事の都合もあって家族が別々に暮らす――これも正常じゃない。高度成長期には、ほとんどのサラリーマンが家庭内離婚だったでしょう。海外に赴任したサラリーマンも義勇兵のようなものだったんです。何度も何度も任地が変わって、子どもたちは母国語を話せなくなってしまう。日本の教育から落ちこぼれるのを恐れて、子どもたちが教育年齢になると単身赴任ばっかり。家族バラバラ。

矛盾しているのは、世界最大の自動車生産国でありながら、日本では混雑がひどくて車で自由に走れないという現実。駐車場もろくにない。それでもアメリカを抜く数の自動車を生産して輸出している。

日本車がドイツで売れるのは、ドイツ人が高額の税金をかけて造ったアウトバーンがあるからでしょう。一方、外国車は日本の市場に入りにくい。

日本っていうのは、こうして考えると非常に自己中心的な国なのではないでしょうか。

これだけ働いて蓄積されたはずの富は、現在いったいどこにあるのか？　例えば、下水道の全国普及率は五〇パーセント程度、重症といわれる英国でも九〇パーセント強です。要は日本では社会資本がちゃんと投下されていないのです。行きつくところまで来てしまったっていう感じです。逆に言えば、見直しの時期に入った、麻薬から覚めたってところかもしれません。

バブル時代に、日本はアメリカの財務省債券を買ったでしょう。あの利息は八パーセントです。でも一ドル百五十円時代に買ったわけで、現在は一ドル百円。約三分の二に目減りしてしまいました。円高というのは、旅行料金が安くなる、外国製品が値下がりする、と言って喜べない現象なんです。一ドル一円上がったら、実はドサッと日本の保有している在外資産が目減りし、輸出力は失われ、国内から生産は外に出ていき、大失業が発生する。

ベルギー人の友人が「日本の貿易は安泰じゃない」って言っていた。僕も賛成です。基本的に、日本は人間の暮らしにとって不可欠なものを輸出しているわけではない。輸出しているのはエネルギーでも、食料でも、武器でもない。家電製品や自動車はなくても人は死にません。反面、日本は絶対に必要なものしか買ってない。この現実は製品の性能がいい悪いに関係ないんです。金の貸借をきちんとしないと友人をなくしてしまいます。国と国も同じではないでしょうか。相手がいつも赤字の帳尻だったら、喧嘩になるのは当然です。だから日本は、外国製品を普通に買えて輸出入の均衡がとれるように変わらなければいけない。

今、大国論をふりかざす人たちは、経済大国になったから、それらしく軍事大国にもならなければ、という妙な論法を展開します。それでは、危ない、危ない。

経済人としての根岸さんには、もう一つの顔がある。全体主義、ファシズム研究家としての顔だ。その目的も兼ねて根岸さんはドイツ駐在を希望した。超多忙ななか、スターリン全体主義とヒトラー時代の名著を翻訳し続けている。

今ドイツでネオナチによる外国人排斥問題が起きている。トルコ人が焼き討ちにあったりしている。このあいだ、ドイツ在住のある日本人が雑誌インタヴューで「日本人も心配しています。排斥の対象となった外国人とのちがいをはっきりするために、きちんとした服装をする」って答えていました。この言い分の背景には、僕ら日本人は、ヨーロッパで名誉白人の称号を受けているという思い込みがあります。南アフリカに徹底していた有色人種差別（アパルトヘイト）のなかにあって日本人が有色人種の扱いを受けなかったというヘンチクリンな、あれです。なぜか？

金だけです。個人として、民族として尊敬されているわけではない。

たしかに戦後四十年、日本人は経済を復興させるために刻苦勉励した。自分たちは勤勉だとこれも思い込んだ。だけど、それは自分が食えなかったからでしょう。

簡単に言えば、恋愛関係や友情は別として、人間関係というのは、利害関係で成り立って織りなされているわけです。もちろんそこには、利害を越えた共感や感情というものも二重三重に絡み合ってはいるでしょう。

国と国の関係も同じです。アメリカと日本、欧州と日本——お互いにどういう利益を与え、利益を得ようとするのかということでしょう。かつて欧州にとって、日本はそれほど大きな意味合いがありませんでした。でも、この数年、深い意味合いが生まれたわけです。なぜかというとソ連と東欧が崩壊したからです。

このままでいけば、欧州大陸に大変なことが起こる。今の旧ユーゴスラビアの戦争や、その余波が全欧州に広がりうる。あの小さな、人口千五、六百万人のバルカン半島だけで、すでに二百万人の難民が発生している。それが西欧におしよせる、あるいはパレスチナ難民みたいになる可能性もある。

九四年からは、旧ソ連国民はパスポートがもらえるようになった。騒乱が起これば大量の難民が発生し、大混乱になる。その結果として、ネオナチなんて程度の問題じゃすまないくらいの排外主義が起こると思う。とにかく、なんとか旧ソ連圏の政治・経済を安定させることが必要です。そのためには、ヨーロッパのお金だけでは足りません。日本からお金をひっぱりださないといけない。もし、地球の六分の一の地域である旧ソ連に混乱が起きたら、いくら日本海があったって、必ず日本にも波及します。旧ソ連の問題は日本の問題でもあるんです。とにかく旧ソ連を建て直すこと。そのためにはあそこに眠っている豊かな地下資源と人材を活性化する以外にない。その投資が必要となっている。

それ以前に、欧州が日本を意識しはじめたのは貿易問題です。日本は絶えざる黒字を作りだし、バブルが崩壊してもなお、さらにその黒字が増えつづけています。日本の黒字額は九三年の対欧州が三一〇億ドル、対アメリカは四〇〇億ドル。アメリカほどの大国とさえ、日本は貿易摩擦を起こしてるわけで、小国の寄木細工である欧州に大きな危機感が生まれるのも時間の問題です。さらに欧州連合という市場単一化が始まって、欧州の経済も変わりつつある。バブル崩壊の煽《あお》りで、欧州の大企業も、軒並み数万人規模で人を整理しています。西ヨーロッパでも毎日三千人の失業者が発生してます。おそらく一九九三年末にはＥＣだけで平均失業率は一一パーセントになります。労働時間の延長など、逆行は必至でしょう。福祉も切り下げていかなければならない。いったん慣れてしまった社会保障の水準を下げるのは政治的に非常にむずかしいことでしょう。しかし、このままでも国家の財政赤字はさらに増える。だから、否応なしに切り下げざるをえない。

欧州は急速に貧乏になっていっている。これは社会不安となって旧ソ連の政情不安、バルカン半島の戦争と重なって、欧州の不安をさらにかきたてている。

貿易赤字を埋めるために、欧州は日本に品物を入れようとする。ところが日本は「買うものはない」と言って買わない。しかも日本はお金になる地域、儲かる国にしかいかない。ベルリンの壁が崩壊した直後に殺到した日本企業が、金にならない、バブル崩壊、という事態になってベルリンから撤退しているでしょう。これではやはり尊敬されません。欧米で神話となっている日本企業の長期的視野はどこにあるのでしょうね？

欧州の側も変わってきています。日本からなにか得るものがあれば学ぼう、というかつてはみられなかった態度が生まれてる。

ようやく今、明治以来続いてきた西欧に対する変なコンプレックスを捨てて、日欧がお互いに一緒に何ができるかを考えるよい時期が来たと思っています。アメリカとアジアとヨーロッパを複眼でみることが、日本の将来に必要とされているのではないでしょうか。初心に戻って学ぶべきことが世界中に多々あり、です。

大アマゾン

欲望を満たすために自然を征服するのは間違いだ

トメアス／百姓
坂口 陞（61歳・在外37年）

坂口さんは和歌山県生まれ。故郷は森に囲まれていた。東京農業大学で備長炭を研究の後、熱帯ゴムの研究をしたい、と一九五七年にアマゾンへ向かった。そして日系移民が開拓したトメアスに入植、胡椒栽培を始めた。一年後、保証人の娘と結婚、独立した農場を開拓した。トメアスの胡椒は、戦前に移住した日本人がアジアから二十本の苗を持ち込み、そのうちの二本を植えたのが始まりだった。たった二本の胡椒の木はまたたくまに六百万本まで増えた。戦後、アジアの胡椒の収穫が落ち込むたびに、国際相場でアマゾン胡椒が高騰する。トメアスの農家は胡椒御殿が林立するほどの盛況を体験した。

十三年間は、僕も必死に胡椒を植えてました。まじめに土を耕し、下草を抜いて胡椒を植え、育てました。一九六九年、畑のはしっこの五、六本に病気が出たんです。葉が黒く変色していた。大学をでてまだ間もない頃だったから、科学の力でこれをやっつけられると信じていました。日本から来た専門家の先生たちは徹底して叩け、って言いました。焼き捨てるのが一番の対策だというので、病気の木を全部、根元まで焼き殺したんです。

でも、病気は根絶できなかった。翌年、バーッと広がり、三千本の胡椒が五、六月の二ヵ月で真っ黒になってしまった。五、六月は胡椒に実が入る、一番消耗している時期なんです。あれよあれよという感じで、最後には火をつけて焼くのも馬鹿くさくなってしまった（笑い）。

原因はフザリュームソラニーという病原菌だったんですが、それを増やしたのは人間の考え方の間違いだった。というのは、もともと胡椒は日陰に育つ作物です。自然形態では、他の木に寄生して育っていく。それを日本人の農民は勤勉実直、まじめだから、日の当たるところに植えて太陽熱をあて、働け働け、という考え方で、促成で大量に生産できるようにした。もっと働いてもらいたいから、化学肥料もバカバカと食わした。だから耐性のない肥満児が育ってしまっていた。

バタバタいくのは当たり前だったんです。

自分のことでガックリきているのに、農業協同組合の理事にされて胡椒に代わる作物を考えてくれ、と頼まれました。移住者全体の将来がかかってる、ってね。

むずかしい理屈を考える余裕なんかありません。カヌーでトメアス河流域に住む先住民の集落を見て回ったんだ。

先住民はね、生活のレベルが非常に低いんです。連中の畑といったら一ヘクタールほどだけ。家族が食べるだけの広さしか畑を耕していない。なのに、彼らはひどい病気にもかからず悠々と暮らしている。なんてこともない暮らしなのに、焦りも辛さも見えない。おおらかなんだな。なぜなんだ？　じっと観察をしてました。

彼らはきちんとした法則を守って焼き畑農業を続けている。山を切って焼く。そこにトウモロコシを植え、次に米を植え、トウモロコシの穂が出る頃にマンジョウカを植える。一つの畑を使うのはせいぜいが二年だけ、三年目には別の山を切って焼き、同じことを繰り返す。

おおらかさの原因は、彼らの庭にもあった。彼らの家にはどこでも一町歩ほどの庭がある。そこに必ず果物の木が植わっている。誰かが植えたのではなく、家族の誰かが果物を食べて、その種が自然に芽をだしただけ。雑然としているように見えるけれど、果物が季節の移ろいに合わせて順ぐりに実っていく。彼らはその果物を食べ、余った物だけを売って生きている。

そうか、彼らに学べばいい。彼らが一町歩なら日本人は二五町歩植えればいい。彼らが一町歩で食べていけるなら、日本人は二四町歩を売ればいい。そしてトメアスの農家にカカオを植えるように勧めたんです。だけど、ブラジルの広い大地は、ここが駄目なら他のいい土地に移ろうって気持ちにさせます。なにも、いずれ引っ越す土地に、いつ実がなるかわからないカカオを植えることなどない、誰もがそう考えます。気短だからかなあ。日本人はすぐに答の出る作物じゃなければいやなんでしょうね。

ほんの少数の人たちしかカカオを植えてくれなかった。植えたとしても、日本人は勤勉だからどうしても規則正しく植える。雑然とほうったらかしにすることができない。三種類、四種類の植物を混植することもできない。カカオは胡椒の代わりの作物、という意識が強いから、病気にやられた胡椒の畑跡に整然と植えてしまう。組合では五ヵ年で百万本を植える、という方針をたてたのに、四十万本しか植えてもらえなかった。しょうがないから私が残った三千本のカカオを植えました。第二次五ヵ年計画もまた百万本でたてなおした。そんなとき、七四年五月に水害があったんです。水に弱い胡椒はすべて枯れてしまった。カカオは水が多いほうがいいから生き残った。翌年は皆がカカオに殺到した。人間、被害を受けないとわからないんだろうか。一気に百万本を植え終わっちゃったね。

七六年にはカカオが高騰した。しょうがなくて植えた僕の三千本に値がついた。五、六月にかけて、それまで六〇〇〇ドルだったのが一週間後には一二〇〇ドル、五週間目には四八〇〇ドル、八倍まで値があがった。

借金理事の汚名挽回。だけど、妬まれましたよ。理事の立場を利用して儲けたってね(笑い)。

カカオを植えてみて、アマゾンでは微生物の働きが大きいってことに気がついたね。胡椒を栽培しながら、僕は鶏を放し飼いにしてたんですよ。でも、どうしても五十羽以上に増えない。それがカカオを植えると根元に落ち葉が溜まる。鶏がいやっていうほど増えるようになった。

まず第一に、アマゾンで通用する土壌学は日本で学んだ学問とはほど遠いものだっていうことを思いしらされたね。日本では昔から、百姓は土を作れ、と言うでしょう。樹を切り、雑木を根元から抜き、下草を刈り、裸の土地にして、空気や湿気を入れ、そこに堆肥を入れて土を造る。ここでそんなことやってたら人間のほうが参ってしまう。ここでは土ではなく、植物を作らなければいけない。植物を育て、影をつくれば高温多湿になり、なんでも育つ。

アマゾンで植物を育てることのもう一つの意味はバクテリアなどの微生物の働き。乾期の終わりに原生林に入ると落ち葉が厚く溜まっているの。ところが翌年三月に行くと、その落ち葉が消えている。バクテリアに喰いつくされているんだ。腐食土ができている。

アマゾンではそこいらへんに段ボールの箱をうっちゃっておくと、数週間後には跡形もなくなっている。微生物の働きがものすごいんだ。胡椒栽培でやったように、陽当りをよくして一種類の作物を等間隔に整然と植える裸地のモノカルチャーでは、腐食土にとって大切な微生物が一切働かなくなってしまう。ことごとく、勤勉をよしとする日本型農業は拒絶されてしまった。

製材所の連中は、大木だけを伐採する択伐なら自然破壊にならないって主張するでしょう。でもね、あれだけの微生物の働きを目の当たりにすると、一本の大木を切ったら、その根の周辺でどれだけの微生物の生態が変わっただろうかって考えてしまうよね。蔦《つた》一本切り落としても、植生の破壊が起きるといってもいい。人工林は下草を切ってやらないと駄目だけど、原生林はすべてのものが微妙に絡み合ってできている森なんだ。

坂口さんは三百ヘクタールの土地のうち半分を原生林のまま残している。畑地の胡椒を縮小し、カカオ、アンジローバというマホガニー系の広葉樹を大々的に植林した。そんな庭には、ありとあらゆる果樹が雑然と植えてある。そんな果樹の根元に、豚、犬、猫、アヒル、鶏などの動物が放し飼いにされている。

食卓にモスキット蜂の巣が二つ置いてある。夜の白む早朝、モスキット蜂は巣を飛びだし、花粉集めを始める。太陽が沈みかける夕刻、蜂は巣に戻り、自ら入口を閉ざす。坂口さんは、ことあるごとにじっとモスキット蜂の行動を観察する。

もう一つ、忘れちゃいけないのが虫や動物の役割。カカオっていうのは雌と雄があるけれど、その交配を手伝っているのがモスキット蜂じゃないかって僕は思う。鉛筆の芯のようなこんなに小さな蜂がカカオの実の産みの親なんだ。農薬を使うと、この虫がやられてしまう。アマゾンの自然に無駄なものは一つもないってことなんだ。

近頃、胡椒の木は植林をするための手段にすぎないって思うようになってきた。胡椒の病原菌フザリュームソラニーは太陽光線を受けると活発に働き始める。胡椒が育って木陰ができてバクテリアが繁殖しはじめると働かなくなる。だから、最初から二メートル以上の間隔をおいて植えている。胡椒が大きくなったら日陰ができるでしょう。日陰にアンジローバの苗木を植えていく。

それでも伐採は続いている。

最近は十一月、十二月の乾燥の絶頂期に、南から来た白人の金持ちの牧場主が牧草を焼くんです。インディオの焼き畑なんか問題じゃありません。焼き畑のための開拓伐採はせいぜいが斧かチェーン鋸の範囲でしょう。切ったって二、三ヘクタールですよ。でも牧場の連中は、二台のキャタピラーに鎖をつなげて百メートル間隔でひっぱっていく。それが四、五台も並んで原生林をなぎ倒していくんだから。そうまでして切り拓いた牧場も、効率が悪いんだ。牛の飼料になるのは禾本科の草でしょう。アマゾンではそれを植えるとすぐに灌木が生えてきてしまう。だからキクヤアマゾーナスという草を植える。灌木にも勝つ強い牧草で、人間が手抜きをするのに一番いい草なんだ。しかし、牛の嗜好性がない。牛を入れると、ダニやブヨのような虫が発生する。灌木と虫の成長を押さえるために火を放つ。ところが、この草は油が強い。雨期でも、バーッと燃え上がる。その煙の勢いがものすごい。去年なんか、二週間くらい燃え続けたかなあ。夜寝てるときなんか、ヘビースモーカーの僕でさえ苦しくなる。切り拓いた直後はたしかに一ヘクタールに四、五頭の牛が飼える。ところが一年後には一頭も飼えません。ただの荒れ地になってしまう。

牛の最大の欠陥は地面の草を舌で巻き込んで切って食べるでしょう。鼻先や舌先が蛇にやられてしまう。アマゾン流域で古くから牧場をやってきた人は、牛と一緒に必ず豚を飼う。鼻の長い野生の豚です。その豚は蛇の天敵なわけ。牛は毒蛇に噛まれたら駄目だけれど、豚は脂肪が多いから蛇や虫にやられない。ところが南の白人は豚が嫌いなんだ。何のための伐採だったのか……。

ほんとうに牧場主たちは何を考えているのだろうか？私が神様だったら、あのキャタピラーを壊してやりたいくらいです。

トメアスの日系農家二百五十家族のうち四百人が日本に出稼ぎに出ている。男ばかりではない。母親たちも出稼ぎに出る。日本の老人介護に日系人が求められているのだという。

トメアスの経済不振の原因は、ブラジル経済の問題にもありますが、黒ダイヤと呼ばれた胡椒が悪かったと言えます。相場商品として、胡椒が工業製品のように取引される。時としてものすごい高値で取引される。ある種の博打の要素がそこに入りこむ。夢を捨てきれなくなった百姓が、金中心に踊りはじめたってことでしょう。

ようするに、銀行屋の発想と百姓の発想はもともと相反するものであったはずなんだ。銀行屋さんの経費の計算には肥料、農機具、人件費は含まれていても、お天道さんや微生物、自然の生命が入っていない。農業の基本は土地と気候と人間なんです。

そして出稼ぎ。これはトメアスの百姓たちの心をすさんだものに変えてしまったね。父ちゃんが農業で稼ぐ一年分の金を、母ちゃんが日本の老人の世話をしてたった一ヵ月で稼いでしまう。都会生活の味をしめた母ちゃんが父ちゃんの力を信じられなくなってしまう。からだを使って生きてきた父ちゃんたちは、都会で無力感ばかりを味わってしまう。

むずかしいことじゃない。家族バラバラで暮らすなんてろくなことじゃないよ。うちの八人の息子たちも日本に出稼ぎに行った。でもね、一人はやっぱりここに帰ってきたよ。ここが子どもたちの故郷なんだから。

私は、短い人生を一人の人間として生きていく職業として農業を選んだ。人間誰だって、儲けたい、家も建てたい、贅沢したい、という欲望があるだろう。だけど、その欲望を満たすために、自然界を押し退けて、征服していこうって考え方——これは間違いだ。インディオのような暮らしをしろって言うんじゃない。さっき歩いたアンジローバの林は売ればたいそうな財産になる。今を焦らず、長い目で見ればちゃんと残るものなんだ。ようするに自分の住んでいる環境のなかで、もっともっと自然のもっている力に頼りながら知恵を働かして生きるってことじゃないかなあ。人さまも生物全体のなかの一つの生き物にすぎないんだから。

自分でやったように見えたって、アマゾンは、人間が何をやって挑もうと征服されないよ。錯覚だってこと、すぐにわかると思うよ。アマゾンは変わらない。

僕が残したのは、八人の息子と娘、そしてアンジローバの森だけだったかもしれないけれどもね。

あとがき——旅を終えて

柳原和子

戦後五十年。地球のあちこちで、外国人として生きる日本人が大量に誕生している。

外務省の統計によれば、現在、海外で暮らす日本国籍をもつ日本人は約七十万人。北・中・南米大陸に住む三世までの日系人は約二百万人。そのほか国籍を変えた人々、大使館に登録されていない長期滞在者を含めれば、日本以外の土地で暮らす日系及び日本人の数は三百万人をくだらない。

日本人は外国人としてどのような体験をしているのだろうか？　彼らは、私たち日本にいる日本人がこれまで迷わずにきたことを疑い、日本でしばられていたことがつまらないこだわりであったと感じているかもしれない。

彼らはかつてない新しい視線を獲得したのではないか？

彼らの経験をつなぎあわせれば、日本に閉じこもってきた私たちには想像もできなかったこの半世紀の地球の歩みが見えるにちがいない。——そう私は思った。

それがこの本『「在外」日本人』の試みだ。

「在外」とは耳慣れない言葉かもしれない。この言葉を、私は外国人としての経験を積み重ねてきた日本人への敬意をこめて使っている。

＊

そして私は旅に出た。

足かけ四年の歳月をかけ、四十ヵ国、六五都市、合計二〇五人の日本人に話を聞いた。そのほかにも旅の途次、さまざまな人々と話をした。私はほんとうに多くの人々と、つかのまだったけれど、たくさんの熱い時をともにした。

ボルネオの森にこもり、にわかに騒ぎだす動物たちの啼き声に目覚め、夜明けを待った。木ぎれで馬の尻を叩きながら、ハンガリーの大草原を散歩した。ガンジス河では月夜の静謐にひたった。エチオピアの荒地で、祭りのかがり火からとびちる火の粉を浴びながら、村人たちと『ブルーナイル』を合唱した。

アメリカの工場で、日本人の経営について語り合った。バンコクで、焼鳥の串を刺す少女と日本人の食欲を笑った。

タイ・カンボジア国境で幼いポル・ポト兵士のやさしい仕種にうつむき、パレスチナの難民キャンプではイスラエル兵に石を投げる少年からジュースをご馳走になった。ビルマ国境に広がるカレン族の解放区で、聖書の翻訳を続ける老女と一週間を過ごした。

マンハッタンの摩天楼で迷子になる。ロサンジェルスでは、麻薬に朦朧となったホームレスのエイズ患者にサンドイッチを届けた。インドの路上で凍える子どもを見つめ、バングラディシュではムシロの「家」に暮らす群衆にまぎれこんだ。

アイルランドで深夜、競走馬の誕生に立会う。バンクーバー港の朝、船酔いをこらえながら鮭をほおばった。ハンガリーの居酒屋で地酒談義にうち興じ、アジアでは、屋台料理に舌鼓をうった。プラハの教会で祈り、インドの日本寺で念仏を唱えた。

パリの裏町で人生の機微を知った。ワルシャワでオペラを鑑賞し、ブロードウェイでバレエを堪能した。

モスクワではマフィアの喧嘩におののき、キエフから事故後のチェルノブイリ原子力発電所をめざした。老女に叱られながら、万里の長城を登った。

大道芸で稼ぐピエロ姿のメキシコ少年は二歳。その大人の風貌に脱帽。カリブ海の夕陽を背に、キスを交わす恋人たちのシルエットが浮かび上がる。キューバの理想と空腹について考えた。

離婚相談に困り果て、恋の成就に乾杯し、病の床にある老人の手を握り、懐かしき日々に思いをはせ、時代の変化についていけない愚直さをなぐさめあった。

*

どこにいてもテープレコーダーは手放さなかった。

この五年間で壊れたテープレコーダーは合計三台。四台目もはなはだ調子が悪い。

旅をしてはじめてわかったことがある。数字だけの統計には登場しないが、自分の足を使ってさがしてみると、あらゆるところに普通の日本人が働いていた。

一番驚いたのは、自分と自分の体験についてこれほど豊かに語る日本人がいる、ということだ。

突然、見知らぬ旅人から「今空港にいます。あなたの話が聞きたい」と電話がかかったとして、あなたなら果して会うだろうか。せいぜいが一ヵ所に一週間から十日しか滞在できない。にもかかわらず、誰もが、超人的なスケジュールに追われている人でさえも「ああ、いいよ。どこで会う?」と貴重な時間をさいてくれた。

面会を申し込んだ二百人あまりの在外日本人のうち、断られたのは、翌日の試験に大慌てのパリの留学生とマスコミ嫌いを自認するモスクワの駐在員だけだった。

　もうひとつ驚いたのは――。フリーライターというあいまいな職業の私が、日本で必ず問われてとまどう、所属する組織や会社名、肩書を、彼らは一切問わなかった。それを必要としたのは、日本国内の本社広報部に申し込んだときだけだ。私は私であればよかった。

　話はいつも簡単な問いから始まる。

「あなたはどうしてここにいるんですか?」

　インタヴューは必ず予定の時間を大幅に越えてしまう。そして二度、三度、と会うことになる。

「また、会おうね。もっと話をしよう……」

――彼らの語ったことについて分析はしたくない。するべきではない。

　どんなに華々しい経歴も人の交わりほどには異国での暮らしの救いにはならない、と多くの人が語った。彼らはいつも、恋、友情、家族、出会い、別離の儀式、墓参りといった昔の日本ではごく当然のことだった濃《こま》やかなかかわりをとても大切に生きていた。埋めようもない孤独と人恋しさを知りつくしている、ということかもしれない。それは懐かしく、うらやましい生き方だった。

*

　日本に住む日本人である私たちは、「日本人とはなにか」「日本とはなにか」と深く考えたことがあっただろうか。

　この旅で私が出会った人々は、絶えず「私とはなにか」「私はなぜここで生きるのか」と自らに問い続けていた。

　在外日本人も例外ではなかった。

　地球のあちこちで「ユダヤ人であることをあなたが理解できるはずはない」と滔々《とうとう》と説かれた。監視の目を気にしながら「イスラエルとヨルダンの二冊のパスポートを持ち、ヘブライ語とアラブ語を話すのは、生き抜くためさ」とパレスチナ人は笑った。アメリカのカンボジア難民は「アメリカ合衆国のあるべき姿、国民としての権利」を力説した。ベルリンの市議会議員は、「旧東独はまるで植民地になってしまった」と急ぎすぎた統一を悔やんだ。セルビアの元兵士は「六つの民族はいつもよき隣人だった」と分裂の悲惨を嘆いた。……

　戦後五十年間、日本人はそういった問いを抱かずに生きてこられた特別の人であったらしい。

　いや、自らを問う機会はみぢかにいくらでもあったはずだ。

　七十万人と言われる在日朝鮮人は「私とはなにか」「日本人であるあなたとはなにか」と問い続けていた。彼らこそ、私たち日本人が、外国人としての経験を得てはじめて獲得しようとしている視線を、すでにもっていた人たちではなかったか。

そして今、日本には、カンボジア、ベトナム、ラオスからの難民、フィリピン人、バングラディシュ人、イラン人、中国人……。すぐ隣にたくさんの外国人が生活を始めている。

*

ここに登場する一〇八人の在外日本人の経験はあまりに多様で、一言ではまとめられない。

たしかに地球は、さまざまに暗い現実をかかえている。民族紛争、飢餓、環境破壊、不況、人類を襲う衰弱のきざし……。私もあえてそういう現場を訪ねた。資料や文献で知るよりも、現場ははるかに厳しいものだった。しかも、進歩の思想や近代科学、「豊かさ」への信仰が、そういった現実をうみだす主な原因のひとつだったという事実が、私たちの無力感をさらに深めている。それを実証するかのように、何人かの在外日本人は、さまざまな暗い証言をしている。

彼らの仕事と人生を通過することで、今世紀をゆるがした歴史上のできごと、地球上で進行しつつある病巣がより具体的に見えてきた。「限りある地球」という報道も嘘ではない、と実感する日々だった。

明るいいきざしを語ってくれる人もたくさんいた。ふしぎとその傾向は南米大陸に偏在している。やはり、大いなる自然は、私たちを勇気づけてくれるものらしい。

いずれにしても、在外日本人である彼らに出会い、インタヴューをするたびに私は元気になっていった。東京の暮らしのなかで失いかけていたみずみずしさが蘇った。一人の人間に出会うと、新しい好奇心が生まれた。なにごとにもたじろがず、「必ずできる」と不可能を可能に変えてきた自分を信じる姿勢。彼らはうちひしがれても決して立ち止まらない。艱難辛苦《かんなんしんく》をものともせず、挑戦を続ける強い存在感。ダイナミックな行動力。波瀾万丈の日々。テープの数がふえていくにしたがって、日本人をさがし求める私のエネルギーもまた、熱く、強くなっていくのだった。

「どっこい、日本人もまんざらではない」——ワクワクしながら再会の日を待つ私は、疑いもなく人を信じた幼いあの日にもどっていた。

彼らの言葉は、人を元気にするエキスを含んでいる。

*

この本ができあがるまでの過程を説明しておこう。

取材の企画、計画に約半年の時を費やした。取材前には、本の仕上がりのイメージ、内容、人選、結論に、あえて予測や仮説をたてなかった。旅の方法も、なるべくおおまかなルートを決めるだけで、細かい日程を組まなかった。旅の偶然を大事にしたかったからだ。出会うべき人と出会ったと感じたら滞在を延ばす——それが基本だった。

噂は人さがしの重要なてがかりとなった。あの国にはこんな仕事をしている奴がいる、ふしぎな奴がいるよ——噂を聞きつけた翌日には、航空券のルート変更や国際列車の予約のために私は旅行会社のカウンターに座っていた。

噂をたどっていくとほんとうに面白い人に会えた。噂をたてられないよう周到に気を配る、ストレスに満ちた日本の組織社会では考えられないことだ。語ってくれた人々には誤解され、叱られるかもしれないが、私はなるべく「日本人的でない」人をさがしたのかもしれない。

さて、インタヴューである。挨拶の瞬間からテープを回した人もいる。背景を知るために、その国で起きている事件現場を取材し、数日をともに過ごした後、録音した人もいる。

足かけ四年。体力と旅の孤独との闘いだった。それを忘れさせてくれた栄養剤は、彼らに出会える、私たちの地球について理屈ではない実感で語り合える、という喜びだった。

帰国後、テープ起こしの作業に入る。合計三万枚にのぼる原稿となった。単調なデスクワーク、忍耐力が試された。

しかし、これもまた興味深い作業だった。冷静に聞きなおしてみると、現場では気にもとめなかった言葉にあらためて別の重みを発見した。それはしばしば語り手の深層に近づくてだてとなった。人の会話は、わかったようでいて聞き逃していることが多く、文章のように論理的な筋を読みとることがむずかしい。私のあいづちに、話題が思わぬ方向に旋回していることを知り、自らの浅はかさに苦笑することもしばしばだった。一つの誤解は、次々と新しい誤解をよびおこしていく。誤解もまた、人を結ぶ大切な小道具だった。

一年をかけて、語りの流れに沿って三千枚の原稿ができあがった。並行して資料を読んだ。資料と現実をつなぐ体験を聞きたい、とふたたびダイヤルを回した。

そんなやりとりを続けていくうちに、彼らが外国人として生きた国々の風土、雰囲気、隣人たちとのひそやかないとなみの日々がぼんやりと輪郭をあらわしはじめた。繰り返し、語り言葉による彼らの自画像を読み、記憶に残る言葉や体験の断片を小さな貝殻にみたて、こんどは私のモザイク画を描きだす。

そしてようやく、ああそうだったのか、と膝を叩いた。

そこからがまた、愉快だった。一冊の本として三千枚はいかにも多すぎる。一人一人の語りをテーマにそってそぎおとし、もう一度原稿を作りなおす。削りの作業には多少の無念さを禁じえなかった。残したい話ばかりだった。電話によるさらなる取材、ファックスによる確認。たまたま帰国した人には、新たなインタヴューをお願いした。それは文字通り、語りを一篇の物語に仕上げていく共同作業だった。

しかし、作業はまだ終わらない。日本に残る家族への思いやり、同僚や友人たちの視線へのとまどい。こんどは彼らが原稿に手を入れる番だった。その国への気くばり、日本の本社への気がね。原稿を大幅に削り、別の趣旨に書き直す傾向は、日本から派遣されている組織人にとくに強かった。いくつかの原稿が消えた。

私自身の意志で削った原稿もある。二重結婚の事実だ。単身赴任を命じられ、一年に二度、二週間ずつしか帰国できないたくさんの企業人によって日本の高度成長は支えられてきた。赴任は十数年におよぶこともある。そうなると、家族の形態をとどめることじたいがむずかしい。緊張のつづく長い赴任生活。安らぎをうるために、もう一つの家族を求めるのは当然と言えば当然の結果だろう。生まれた子どもを放置して逃げ帰る人もいる。恋人を捨てて消える人もいる。それと対比したとき、彼なりの責任のとりかたが二重結婚だったと私は感じた。現地の家族も、日本の家族もお互いにその事実を知らない。両者への思いやりを優先した。

いずれ彼自身がその答えを出す日がくるだろう。

それにしても、日本を離れているときにはおおらかに語っていた人々が、日本を意識したとたんに口をつぐむ。語らなくなる。――世間の目を気にしての自主規制。そういった種類の添削に出会うたびに「ああ、これが日本かもしれない」と落胆せざるをえなかった。

外国人として生きることの開放感がかいま見えた気がする。彼らをしばりこんでいる無言の圧力をこそ、考えるべきかもしれない。外国人としての経験を積んだ人々にとって、いまだに日本はひどく遠い故郷になっている。

＊

インタヴューの後、リオデジャネイロ郊外の自宅で強盗に射殺された養鶏業者八木健次は、別れぎわに呟いた。

「外国で一生懸命働いている日本人に、せめて参政権を与えてほしい。僕らでなければ見えないことがある」

私たちは、これからも新しい視線を獲得できる機会を見逃し続けるのだろうか。

外国人としての経験をえた日本人の痛快無比な人生が、私たちがさまよいこんだ迷路から脱出するための羅針盤の役目を果たしてくれれば、と祈りつつ、あとがきにする。

そしてこの本はようやく船出する。

謝　辞

この仕事を具体的に進めていくうえで，たくさんの人々にお世話になった。たまたま本書には108人の在外日本人が登場してはいるが，インタヴューに応じてくださった方々だけでもあと100人，そのほか各地で通訳をつとめてくれた人たち，飛行機や列車でさまざまに語り合った人をあげたらきりがない。東京で在外日本人の紹介の労をとってくださった渡辺浩平氏，松本哲郎氏，松本逸也氏，西沢信孝氏，山本亘氏，和田あき子さん，山岡昭男氏，高柳先男氏，足立倫行氏，高橋幸春氏，久田恵さん，現地で快く電話やファックスを貸してくれた企業，報道機関。無理なお願いに応えてくれた日本大使館，各国大使館，領事館，切符の書換えで迷惑をかけた航空会社。疲労で倒れた私を治療してくれた医療機関，鍼灸師の方々。なかでもリオデジャネイロの太田肇・朋子夫妻，サンパウロの岡本登一家，ニューヨークの藤原万里子さん，ソウルの斎藤真理子さん，パリの飛幡祐規さん，イスタンブールの細川直子さん，ベルリンのハウケ・大橋さん，カルカッタ，デリーの日本山妙法寺，ベレンの北島義弘氏，メキシコシティの相原修氏，鈴木恵子さん，リマの丸山ハウス，ミネアポリスのチャイ・ウン氏，ストックホルムのアネット・ビショップさん，マナウスの長田弘美さん，クアラルンプールの荻島早苗さん，ダッカの大橋正明一家，そしてロサンジェルスの友マサノ・スーさん。

あなたがたには忘れえぬ友情と支援をいただいた。

＊

ごく個人的な事情を記すことを許していただきたい。この仕事には当初の予想をはるかにうわまわる資金と時間と手間がかかってしまった。その間，物心両面で支えてくれたのは家族と友人たち，仕事仲間であった。父悟郎と姉三村玲子。親友田原悦子・賢明夫妻，ロサンジェルスの入江健二医師，新井明さん。草思社の故長坂貞徳，宮本皓司，小林登美夫の三氏，神田泰・つや子夫妻，大泉「海賊」の仲間たち，月刊『思想の科学』編集部の黒川創氏，秩父啓子さん。月刊『幼児と保育』編集部。月刊『宝石』編集部の新海均氏。月刊『中央公論』編集部の宮一穂氏，木佐貫治彦氏。破格の条件でテープ起こしを手伝ってくれた堀江里子さん，新田康子さん，田島奈美さん。日本の森を教えてくれた和歌山の坂口全良・八保子夫妻。惜しみない好意で私を支えてくれた新谷直恵さん，水島総氏。

彼らにも心から感謝をささげたい。

＊

そして五年間。さまざまなできごとがあった。感動と不安に一喜一憂する私の伴走者をつとめてくれた編集者の原浩子さん，松原明美さん，晶文社の人々。お疲れさま。

さらに，私のもっとも大切な友松山巖さんと亡き母隆子に。私たちの起伏に富んだ深い交流がインタヴュアーとしての基礎になっている。この本を二人に贈りたい。

＊

最後に，私のインタヴューに快く応じ，繁雑な原稿作成の作業に付き合ってくださった108人の方々。また，お話を伺ったにもかかわらず，残念ながらこの本に収録できなかった方々。言うまでもなく，この本は皆さんの本です。

皆さんからいただいたやさしさと時の重さにはおよびませんが——

ありがとう。

著者について
柳原和子（やなぎはら・かずこ）
一九五〇年東京生まれ。東京女子大学社会学科卒業。ノンフィクションライター。著書に『カンボジアの24色のクレヨン』（晶文社）『二十歳、もっと生きたい』（編著、草思社）など。足かけ四年、テープレコーダー片手にアジア、アメリカ、中南米、ヨーロッパ、中東の各地を訪ね、在外日本人に取材。一人ひとりの異国の暮らしをのぞき、仕事場を訪ね、人生の物語に耳をかたむけ、日本への思いを聞きとった。そして七〇〇時間を越えるテープ、三万枚に及ぶ語りから本書をまとめた。

「在外《ざいがい》」日本人《にほんじん》
一九九四年一〇月一〇日初版
一九九四年一一月三〇日四刷
著者　柳原和子
発行者　株式会社晶文社
東京都千代田区外神田二－一－一二
電話東京三二五五局四五〇一（代表）・四五〇三（編集）
振替東京六－六二七九九
堀内印刷・美行製本